LE QUATRIÈME K

Né en 1920 à New York (Etats-Unis), Mario Puzo a grandi à Manhattan, entre la 10ᵉ et la 30ᵉ Rue, dans le « quartier italien », où règne la Mafia dont il donnera une description saisissante dans son célèbre roman : *Le Parrain*. Après deux ans dans l'infanterie en Allemagne, Mario Puzo retourne aux Etats-Unis. Il étudie la littérature à l'université Columbia et la sociologie, puis il entre à la direction littéraire de diverses revues hebdomadaires ou mensuelles auxquelles il collabore également. Mario Puzo a publié aux Editions Robert Laffont : *Mamma Lucia* (1971), *Le Dossier du Parrain* (1972), *Au cœur de Las Vegas* (1978), *C'est idiot de mourir* (1979), *Le Sicilien* (1985). Il est également auteur de plusieurs scénarios, dont *Superman* et *Superman II*, et, plus récemment, *Le Parrain III*. Il a remporté des oscars pour ses deux adaptations du *Parrain*. Il a cinq enfants : trois fils et deux filles.

Paru dans Le Livre de Poche :

LE SICILIEN.

MARIO PUZO

Le Quatrième K

ROMAN TRADUIT DE L'AMÉRICAIN
PAR BERNARD FERRY

LAFFONT

Titre original :

THE FOURTH K

Ceci est une œuvre de fiction. Les personnages et l'intrigue sont dus à l'imagination de l'auteur. Tous les personnages, événements et dialogues du livre sont purement imaginaires. Toute ressemblance avec des personnages existants serait pure coïncidence.

LIVRE PREMIER

1

Oliver Oliphant était âgé de cent ans et il avait l'esprit clair comme de l'eau de roche. Malheureusement pour lui.

Il avait commis beaucoup de choses odieuses dans sa vie, mais rincée par toute l'eau claire de son esprit, sa conscience était pure.

Un homme aussi remarquable qu'Oliver Oliphant avait su ne pas se laisser piéger par les embûches quasi inévitables de la vie quotidienne : il ne s'était jamais marié, n'avait jamais été candidat à une fonction élective et n'avait jamais accordé à personne une confiance absolue.

Ce jour-là, cet homme, le plus riche des États-Unis, et peut-être le citoyen privé le plus puissant du pays, attendait dans sa propriété sévèrement gardée, à moins de vingt kilomètres de la Maison-Blanche, l'arrivée de son filleul Christian Klee, le ministre de la Justice.

Oliphant était un homme aussi brillant que fascinant ; son pouvoir reposait sur ces deux qualités. En dépit de ses cent ans, des hommes fort puissants venaient solliciter ses conseils, et sa lucidité était si célèbre qu'on l'avait surnommé l'Oracle.

Conseiller de plusieurs présidents des États-Unis, l'Oracle avait prédit des crises économiques, des krachs à Wall Street, la chute du dollar, l'envol des capitaux étrangers, les lubies des prix du pétrole. Il avait prédit les changements politiques en Union Soviétique, les réconciliations inattendues de certains rivaux dans les partis démocrate et républicain. Mais surtout, il avait amassé une fortune de dix milliards de dollars. Il était normal qu'on tînt compte des conseils d'un homme aussi riche, même quand ils se révélaient mauvais. Mais l'Oracle avait presque toujours raison.

À présent, en ce Vendredi saint, une seule chose préoccupait l'Oracle : la fête d'anniversaire qui devait marquer sa centième année sur cette terre. Cette fête devait être célébrée dans le jardin des roses de la Maison-Blanche, et l'hôte n'était rien moins que le président des États-Unis, Francis Xavier Kennedy.

L'Oracle s'autorisait à tirer un grand plaisir de cette petite vanité. L'espace d'un moment, le monde se souviendrait encore de lui. Tristement, il se disait que ce serait là sa dernière apparition sur scène.

À Rome, ce Vendredi saint, sept terroristes mettaient la dernière main à leurs préparatifs : ils entendaient assassiner le pape. Ce groupe de quatre hommes et de trois femmes se prenait pour les libérateurs du genre humain. Ils s'étaient baptisés les Christ de la violence.

Le dirigeant de ce groupe était un jeune Italien parfaitement rompu aux techniques du terrorisme. Pour cette opération, il avait pris le nom de code de Romeo ; ce nom flattait son sens de l'ironie tout juvénile et venait adoucir, par son côté sentimental, l'amour intellectuel que ce jeune homme portait à l'humanité.

En fin d'après-midi, Romeo se reposait dans une cache fournie par les Cent Internationaux. Les draps du lit sur lequel il était étendu étaient tachés par de la cendre de cigarette et la sueur d'innombrables nuits. Il lisait *Les Frères Karamazov* dans une édition de poche. Une crampe lui étreignit la jambe. La peur ? Cela importait peu. Ça passerait, comme d'habitude. Mais cette mission était si différente des autres, si compliquée, présentait tant de dangers, à la fois pour le corps et pour l'esprit. Lors de cette mission, il serait véritablement un Christ de la violence, un nom si jésuitique qu'il le faisait toujours rire.

Romeo, de son vrai nom Armando Giangi, était né dans une riche famille de la haute société ; l'éducation religieuse qu'il avait reçue, à la fois luxueuse et sensuelle, avait tellement heurté sa nature ascétique, qu'à l'âge de seize ans, il avait renoncé aux biens de ce monde, et renié l'Église catholique apostolique et romaine. À présent, à l'âge de vingt-trois ans, quel acte plus rebelle pouvait-il commettre que celui de tuer le pape ? Et pourtant, Romeo éprouvait encore une sorte de terreur superstitieuse. Enfant, il avait reçu la confirmation des mains d'un cardinal au chapeau rouge. Romeo n'avait jamais oublié ce chapeau teint aux couleurs mêmes des flammes de l'enfer.

Ainsi confirmé par Dieu en son rituel, Romeo se préparait à commettre un crime si horrible que des centaines de millions d'hommes et de femmes maudiraient son nom. Car son nom véritable serait connu. Il serait capturé. Cela faisait partie du plan. Mais avec le temps, lui, Romeo, serait acclamé comme un héros qui aurait contribué à changer l'infect ordre social existant. Ce qui est jugé infâme au cours d'un siècle est célébré le siècle suivant. Et réciproquement, songea-t-il avec un sourire. Le premier pape à prendre le nom d'Innocent, plusieurs siècles auparavant, avait promulgué une bulle autorisant la torture, et on l'avait loué pour avoir propagé la vraie foi et porté secours aux âmes des hérétiques.

Ironiquement, Romeo se disait aussi que l'Église canoniserait le pape qu'il s'apprêtait à tuer. Il ferait un nouveau saint. Comme il pouvait les haïr, tous ces papes ! Ce pape Innocent IV, ces Pie, ces Benoît, tous saints hommes ! Mais surtout amasseurs de richesses, anéantisseurs de la vraie foi en la liberté de l'homme, sorciers momifiés qui avaient envoûté les damnés de la terre avec les fumerolles de l'ignorance, avec leurs ignobles insultes à la crédulité humaine.

Lui, Romeo, membre des Cent Premiers Christ de la violence, contribuerait à éradiquer cette grossière sorcellerie. Vulgairement qualifiés de terroristes, les Cent Premiers étaient présents au Japon, en Allemagne, en Italie, en Espagne et même en Hollande, le pays des tulipes. Fait notable, il n'y avait aucun membre des Cent Premiers aux États-Unis. Dans cette démocratie, lieu de naissance de la liberté, il n'y avait que des révolutionnaires intellectuels qui s'évanouissaient à la vue du sang. Ils faisaient exploser leurs bombes dans des bâtiments vides après avoir fait évacuer les lieux ; pour eux, forniquer sur les marches de bâtiments officiels constituait un acte hautement subversif. Des gens méprisables ! Pas étonnant que ces États-Unis-là n'aient jamais donné un seul homme aux Cent Premiers.

Romeo mit un terme à sa rêverie. Il ne savait même pas s'ils étaient vraiment cent ! Peut-être n'étaient-ils que cinquante ou soixante, le chiffre était avant tout symbolique. Mais de tels symboles permettaient de rallier les masses et de séduire les médias. La seule chose dont il était sûr, c'était que lui, Romeo, était membre des Cent Premiers, et que c'était également le cas de son camarade Yabril.

Les cloches de l'une des nombreuses églises de Rome sonnèrent. Il était près de six heures du soir en ce

Vendredi saint. D'ici une heure, Yabril viendrait inspecter les différents rouages de cette opération si complexe. Le meurtre du pape ne constituerait que l'ouverture d'une partie d'échecs brillamment conçue, une série d'actions audacieuses qui enchantaient l'âme romantique de Romeo.

Yabril était le seul homme qui physiquement et mentalement eût jamais inspiré à Romeo une admiration mêlée d'effroi. Yabril connaissait les trahisons des États, l'hypocrisie des gouvernements, le dangereux optimisme des idéalistes, les surprenants manquements à la loyauté commis parfois par les terroristes les plus dévoués. Mais par-dessus tout, Yabril était un génie de la guerre révolutionnaire. Il méprisait les petits attendrissements et les pitiés infantiles qui affectent la plupart des hommes. Yabril n'avait qu'un but : libérer l'avenir.

Yabril, lui, était infiniment plus impitoyable que Romeo. Romeo avait tué des innocents, trahi ses parents et ses amis, assassiné un juge qui l'avait un jour protégé. Romeo savait que l'assassinat politique pouvait toucher à la folie : il était disposé à payer ce prix. Mais le jour où Yabril lui dit : « Si tu ne peux pas jeter une bombe dans un jardin d'enfants, alors tu n'es pas un vrai révolutionnaire », Romeo avait répondu : « Ça, je ne pourrai jamais le faire. »

Mais il pouvait tuer un pape.

Pourtant, au cours de ses dernières nuits romaines, d'horribles petits monstres, simples avortons de rêves, recouvraient le corps de Romeo de gouttelettes d'une sueur distillée dans de la glace.

En soupirant, Romeo quitta son lit crasseux pour aller prendre une douche et se raser avant l'arrivée de Yabril. Ce dernier verrait sûrement dans sa mise soignée la preuve que le moral des troupes était au plus haut. Yabril, comme beaucoup d'êtres sensuels, croyait aux vertus de la propreté. Romeo, un véritable ascète, pouvait vivre dans la crasse.

Dans les rues de Rome, Yabril prit les précautions habituelles, mais en réalité, tout dépendait de la sécurité interne, de la loyauté des combattants, de l'intégrité des Cent Premiers. Cela dit, personne chez eux, pas même Romeo, ne connaissait l'étendue exacte de la mission.

Comme de nombreux Arabes, Yabril pouvait aisément passer pour un Sicilien. Il avait un visage fin, à la peau mate, mais la partie inférieure du visage, le menton et la mâchoire, était plus lourde, plus épaisse, comme si elle avait reçu des os supplémentaires. Lorsqu'il n'était pas en mission, il se laissait pousser la barbe pour dissimuler cette surprenante épaisseur du visage, mais une fois engagé dans une opération, il se rasait de près. Comme l'Ange de la mort, il laissait voir son vrai visage à l'ennemi.

Yabril avait les yeux d'un brun pâle, de rares fils d'argent couraient dans ses cheveux, et l'on retrouvait la lourdeur de sa mâchoire dans sa forte carrure. Ses jambes étaient longues pour un corps plutôt petit et ce trait de physionomie dissimulait la puissance qui pouvait émaner de lui. En revanche, rien ne pouvait cacher l'intelligence de son regard.

Yabril détestait toute cette histoire des Cent Premiers. Pour lui ce n'était qu'un gadget de relations publiques, et il méprisait leur renonciation affichée pour le monde matériel. Ces révolutionnaires issus de l'Université, comme Romeo, lui semblaient trop empreints d'idéalisme et trop méprisants à l'égard de toute idée de compromis. Yabril, lui, savait qu'un peu de corruption était nécessaire pour que lève le pain frais de la révolution.

Yabril avait depuis longtemps jeté aux orties toute futilité morale. Il possédait la conscience claire de ceux qui croient et savent qu'ils sont dévoués corps et âme à l'amélioration du genre humain. Jamais il ne se reprochait ce qu'il accomplissait en vue de son intérêt strictement personnel. Il avait eu des contrats personnels avec des cheiks du pétrole pour assassiner des rivaux. Petits meurtres en passant pour le compte de ces nouveaux chefs d'État africains, qui, sortis d'Oxford, avaient appris à déléguer leurs tâches. Puis un certain nombre d'actes de terrorisme aveugle à la demande de différents dirigeants politiques fort respectables, autant d'hommes qui à travers le monde disposaient de tout sauf du pouvoir de vie et de mort.

Personne parmi les Cent Premiers, et surtout pas Romeo, ne connaissait ces actions. Yabril recevait de l'argent de compagnies pétrolières hollandaises, anglaises et américaines, des services de renseignements russe et japonais, et même, au début de sa carrière, de la CIA, pour une exécution. Mais tout cela c'était au début.

À présent il vivait bien, sans le moindre ascétisme – après tout, il avait été pauvre, même si ce n'était pas de naissance. Il aimait le bon vin et la bonne chère, appréciait les hôtels de luxe, aimait le jeu et succombait souvent au charme des jolies femmes. Ces charmes, il les payait toujours en argent, en cadeaux, ou… par son charme personnel. Il avait horreur de l'amour sentimental.

En dépit de ces «faiblesses», Yabril était célèbre dans son milieu pour son implacable volonté. Il n'avait absolument pas peur de la mort, ce qui n'a rien de particulièrement extraordinaire, mais surtout, il ne craignait pas la douleur. Et peut-être était-ce pour cela qu'il savait se montrer impitoyable.

Yabril avait fait ses preuves au cours des années. Aucune pression, ni physique ni psychologique, n'avait de prise sur lui. Il avait fait de la prison en Grèce, en France et en Russie, et avait survécu à deux mois d'interrogatoires par les services de sécurité israéliens, dont l'expertise en la matière avait fait son admiration. S'il avait résisté, c'était peut-être parce que son corps avait la faculté de devenir insensible sous la contrainte. À la fin, tout le monde le comprenait. La douleur transformait Yabril en granit.

Lorsque c'était lui le geôlier, ses victimes tombaient souvent sous son charme. Le fait qu'il reconnût en lui-même une part de folie charmait et terrorisait à la fois. À moins que ce ne fût l'absence de malveillance dans sa cruauté même. Quoi qu'il en fût, il jouissait de la vie, c'était un terroriste au cœur léger. En cet instant, alors même qu'il préparait l'opération la plus dangereuse de toute sa vie, il savourait les parfums des rues de Rome et la douceur de l'aube traversée par les innombrables cloches du Vendredi saint.

Tout était en place. Le groupe de Romeo était prêt. Le groupe de Yabril arriverait à Rome le lendemain. Les deux équipes se trouveraient dans deux lieux différents et n'auraient de contacts que par l'intermédiaire de leurs deux chefs. Yabril savait qu'il s'agissait d'un grand moment. Ce lundi de Pâques et les jours suivants allaient briller d'un éclat insoutenable.

Lui, Yabril, conduirait des nations entières sur des chemins redoutés. Il se débarrasserait de tous ses maîtres demeurés dans l'ombre, ils deviendraient ses pions et il les sacrifierait, tous, même le pauvre Romeo. Seule la mort ou un manque de détermination pourraient mettre ses plans en échec. Ou, pour être sincère, l'une des cent erreurs possibles de minutage. Mais cette opération était si compliquée, si ingénieuse, qu'elle faisait naître chez lui un plaisir immense. Yabril s'immobilisa dans la rue pour savourer la beauté des flèches de la cathédrale, les visages heureux des Romains, et ses propres spéculations sur l'avenir.

16

Mais comme tous ceux qui croient pouvoir changer le cours de l'histoire par leur seule volonté, leur seule intelligence, leur seule force, Yabril n'accordait pas assez de place aux accidents et aux coïncidences de cette même histoire, ni à la possibilité qu'il pût exister des hommes plus terribles que lui. Des hommes parfaitement intégrés à la société, arborant le masque rassurant de législateurs, pouvaient se révéler infiniment plus cruels et impitoyables.

En observant la joie et la dévotion des pèlerins dans les rues de Rome, tous gens qui croyaient en un Dieu omnipotent, il se sentit pénétré de sa propre invincibilité. Fièrement, il irait au-delà du pardon de leur Dieu, car au fin fond du mal, c'est là que doit nécessairement commencer le bien.

Yabril se trouvait à présent dans l'un des quartiers les plus pauvres de Rome, où l'on peut plus facilement intimider et corrompre les gens. Il arriva à la nuit tombée à la cache de Romeo. L'ancien immeuble de quatre étages possédait une grande cour à moitié close par un mur de pierre ; le mouvement clandestin avait mis la main sur tous les appartements. Yabril fut accueilli par l'une des trois femmes du groupe de Romeo. Elle était mince, vêtue d'un jean et d'une chemise en coton bleu ouverte presque jusqu'à la taille. Elle ne portait pas de soutien-gorge et l'on n'apercevait pas la rondeur de ses seins. Elle avait déjà participé à l'une des opérations de Yabril. Il ne l'aimait guère mais appréciait sa férocité. Ils s'étaient disputés une fois, et elle n'avait pas reculé.

Elle s'appelait Annee. Elle portait ses cheveux d'un noir de jais taillés à la Jeanne d'Arc, ce qui ne faisait rien pour adoucir la rudesse de ses traits, mais mettait en valeur un regard brûlant qui semblait vouloir consumer sur place tous ceux sur qui elle le posait, y compris Romeo et Yabril. Elle ne connaissait pas encore les détails de l'opération, mais en voyant Yabril, elle comprit qu'il s'agissait de quelque chose de la plus haute importance. Avant qu'elle ne refermât la porte derrière lui, un bref sourire éclaira le visage de la jeune femme.

Yabril remarqua avec dégoût la crasse qui régnait à l'intérieur de l'appartement. Dans le salon, au sol jonché de journaux, on apercevait des verres pas lavés et des assiettes sales où traînaient encore des restes de nourriture. L'équipe de Romeo se composait de quatre hommes et de trois femmes, tous Italiens. Les femmes refusaient de faire le ménage ; il était contraire à leurs convictions révolutionnaires de se livrer à des tâches ménagères pendant les opérations, si les hommes ne s'acquittaient pas de leur part. Les hommes, tous étudiants, encore jeunes, partageaient des convictions identiques sur le chapitre des droits de la femme, mais c'étaient les enfants chéris de mamas italiennes, et ils savaient en outre qu'après leur départ, une autre équipe viendrait débarrasser la maison de toute trace compromettante. Il était donc sous-entendu qu'on ne leur tiendrait pas rigueur de leur saleté. Yabril était le seul que ce sous-entendu exaspérât.

– Quelle bande de porcs, vous êtes ! lança-t-il à Annee.

Celle-ci le toisa des pieds à la tête.

– Je ne suis pas une femme de ménage !

Yabril fut aussitôt frappé par sa détermination. Elle n'avait peur ni de lui ni de personne. C'était une vraie croyante. Prête à mourir sur le bûcher.

Romeo descendit en courant les marches de l'appartement du dessus ; il était si beau, si débordant de vitalité qu'Annee baissa les yeux. Il étreignit Yabril avec une affection sincère, puis le conduisit dans la cour où ils prirent place sur un petit banc de pierre. La floraison du printemps embaumait l'air de la nuit, et un murmure la parcourait : les milliers de pèlerins qui parlaient et criaient dans les rues de Rome. Mais par-dessus tout, on entendait le carillon des centaines de cloches qui proclamaient la venue prochaine du dimanche de Pâques.

Romeo alluma une cigarette.

– Le grand moment approche, Yabril. Quoi qu'il arrive, la postérité retiendra nos noms.

Le côté pompeux de la formule fit rire Yabril, qui éprouvait en même temps un certain mépris pour ce désir de gloire personnelle.

– Espèce d'infâme, dit-il, nous prenons place dans une longue histoire de terreur.

Yabril songeait à leur étreinte. Une étreinte d'amour tout professionnel de sa part à lui, mais à laquelle se mêlaient les souvenirs d'actes de terreur passés, comme ceux de deux parricides au-dessus du cadavre d'un père qu'ils auraient tué ensemble.

De faibles ampoules éclairaient les murs de la cour, mais leurs visages demeuraient dans l'ombre.

– Ils finiront par tout savoir, dit Romeo, mais vont-ils croire à nos motivations ou vont-ils nous présenter comme des fous furieux ? Bah, tant pis : dans l'avenir, les poètes nous comprendront.

– On ne peut pas s'occuper de ça maintenant, dit Yabril.

Cela l'agaçait lorsque Romeo donnait dans le théâtral ; il en venait à douter de son efficacité. Pourtant, il en avait souvent fait la preuve par le passé : en dépit de sa délicate apparence et de sa pusillanimité, Romeo était un homme réellement dangereux. Mais il y avait entre eux une différence fondamentale : Romeo était trop intrépide, et Yabril peut-être trop rusé.

L'année précédente, ils se trouvaient ensemble à Beyrouth : sur leur chemin, dans une rue, se trouvait un sac en papier brun, apparemment vide, et taché par la graisse des aliments qu'il avait dû contenir. Yabril le contourna. Romeo, lui, d'un coup de pied, l'envoya dans le caniveau. Pour Yabril, tout ce qui existait présentait un danger. Romeo avait encore en lui une certaine confiance innocente.

Il y avait d'autres différences. Avec ses petits yeux marron en billes de loto, Yabril était laid, alors que Romeo était beau. Yabril était fier de sa laideur et Romeo honteux de sa beauté. Yabril avait toujours su que lorsqu'un homme innocent se consacre corps et âme à la révolution, il est immanquablement conduit au meurtre. Romeo en était arrivé à la même conclusion, mais plus tard, et à regret. Sa conversion avait été d'ordre intellectuel.

Romeo avait remporté des conquêtes féminines grâce à sa beauté, et l'argent de sa famille lui avait épargné l'humiliation de la pauvreté. Romeo était assez intelligent pour savoir que sa bonne fortune n'était pas moralement correcte, et c'est pourquoi les jouissances de sa vie le dégoûtaient. Il se plongea dans les études et dans la littérature, ce qui le confirma dans ses croyances. Ses professeurs gauchistes n'eurent ainsi aucun mal à le convaincre qu'il devait militer pour un monde meilleur.

Il ne voulait pas ressembler à son père, un Italien qui passait plus de temps chez le coiffeur qu'un courtisan de jadis chez son barbier. Il ne voulait pas passer sa vie à courir les jolies femmes. Et surtout, il n'entendait pas dépenser un argent gagné grâce à la sueur des pauvres. Les pauvres devaient être libres et heureux, et ensuite seulement il pourrait goûter au bonheur. C'est ainsi qu'en quête d'une seconde communion, il se plongeait dans les livres de Karl Marx.

La conversion de Yabril, elle, était plus viscérale. Enfant, en Palestine, il avait vécu dans un jardin d'Éden. C'était un garçon heureux, extrêmement intelligent, obéissant et dévoué à ses parents, notamment à son père, qui passait de longues heures à lui lire le Coran.

La famille vivait au milieu de nombreux serviteurs, dans une grande villa entourée de terres magiquement vertes dans ce pays désert. Mais un jour, Yabril avait alors cinq ans, il fut chassé du paradis. Ses parents tant aimés disparurent, la villa et les jardins s'évanouirent dans un nuage de fumée rouge. Il se retrouva dans un petit village crasseux, au pied d'une montagne, orphelin vivant de la charité de la famille. Son seul trésor était le Coran de son père, imprimé sur papier vélin, et orné de riches calligraphies or et bleu. Sans cesse lui revenait à la mémoire le souvenir de son père qui lui lisait les versets, ces ordres de Dieu donnés au prophète Mahomet, ces mots qu'on ne pouvait ni discuter ni interpréter. Adulte, Yabril avait un jour fait remarquer à l'un de ses amis juifs: «Le Coran n'est pas une Torah», et tous deux avaient ri.

L'exil du jardin d'Éden s'était révélé à lui presque brusquement, mais il ne l'avait pleinement compris que quelques années plus tard. Son père avait été un partisan de la libération de la Palestine, et même un dirigeant de l'organisation clandestine. Son père avait été trahi, abattu lors d'une descente de police, et sa mère s'était suicidée tandis que les Israéliens faisaient sauter la maison et saccageaient les jardins.

Yabril était tout naturellement devenu terroriste. Sa famille et ses professeurs lui apprirent à haïr tous les Juifs, mais ils n'y parvinrent qu'à moitié. Ce fut son Dieu qu'il se mit à haïr pour l'avoir chassé du paradis de son enfance. À l'âge de dix-huit ans, il vendit le Coran de son père pour une somme considérable et s'inscrivit à l'université de Beyrouth. Il dépensa la plus grande partie de son argent avec des femmes, et au bout de deux ans, rejoignit les mouvements clandestins palestiniens. Au fil des ans, il devint un tueur au service de cette cause. Mais la libération de son peuple n'était pas son but essentiel.

D'une certaine façon, ce qu'il recherchait avant tout c'était la paix intérieure.

Dans la cour de l'immeuble, Romeo et Yabril passèrent deux heures à mettre au point les derniers détails de l'opération. Romeo fumait cigarette sur cigarette. Une chose, surtout, l'inquiétait.

– Tu es sûr qu'ils vont me libérer ?

– Comment ne te libéreraient-ils pas, avec l'otage que j'aurai entre mes mains ? répondit doucement Yabril. Crois-moi, tu seras plus en sûreté dans leur prison que moi au Sherhaben.

Ils s'étreignirent une dernière fois dans l'obscurité. Après le lundi de Pâques, ils ne devaient plus se revoir.

En ce même Vendredi saint, le président des États-Unis, Francis Xavier Kennedy, retrouvait ses principaux conseillers et la vice-présidente. Les nouvelles qu'il leur apportait n'avaient rien de réjouissant.

La réunion avait lieu dans la salle jaune et ovale de la Maison-Blanche, une salle qu'il aimait bien, plus grande et plus confortable que le célèbre bureau ovale. La salle jaune ressemblait plus à un salon, on pouvait s'y installer confortablement devant une tasse de thé anglais.

Ils se levèrent lorsque ses gardes du corps des services secrets le firent entrer dans la pièce. Kennedy fit signe à ses collaborateurs de s'asseoir et à ses gardes du corps de l'attendre dehors. Deux choses l'agaçaient dans cette petite scène. La première, c'est que d'après le protocole c'était lui qui devait personnellement donner l'ordre aux agents des services secrets de sortir de la pièce, et la seconde, c'est que par déférence pour la fonction présidentielle, la vice-présidente devait se tenir debout. La courtoisie politique prenait le pas sur la courtoisie sociale. En outre, la vice-présidente Helen Du Pray avait dix ans de plus que lui, était encore extrêmement belle et était douée d'une intelligence hors du commun. C'était bien sûr pourquoi il l'avait choisie comme candidate à la vice-présidence, en dépit de l'opposition des caciques de la direction du parti démocrate.

– Bon sang, Helen, s'exclama Francis Kennedy, cessez de vous lever lorsque j'arrive quelque part. Maintenant, pour prouver mon humilité, il va falloir que je serve moi-même le thé à tout le monde.

– Je voulais vous exprimer ma gratitude, dit Helen Du Pray. Je pensais que si vous aviez convoqué la vice-présidente à une réunion avec vos conseillers, c'est qu'il fallait bien que quelqu'un fasse la vaisselle.

Ils éclatèrent tous deux de rire, mais l'équipe de conseillers demeura de marbre.

Romeo fuma une dernière cigarette dans l'obscurité de la cour. Au-delà des murs de pierre, il apercevait les flèches des grandes cathédrales de Rome. Ensuite il rentra. Il était temps de mettre son équipe au courant.

Annee servait d'armurier au groupe : d'une grosse malle elle tira des armes et des munitions qu'elle distribua à tout le monde. L'un des hommes étendit sur le sol du salon un drap sale, sur lequel Annee disposa de l'huile de machine et des chiffons. On procéderait au nettoyage et au graissage des armes en écoutant les instructions. Pendant des heures, ils écoutèrent, posèrent des questions, apprirent leur rôle. Annee distribua les déguisements, ce qui fut l'occasion de diverses plaisanteries. Finalement, ils s'attablèrent autour d'un repas préparé par Romeo et les hommes. Ils burent le vin nouveau en portant des toasts au succès de leur mission, après quoi certains jouèrent aux cartes pendant une heure avant d'aller se coucher. Inutile de monter la garde : les portes étaient soigneusement fermées et ils avaient tous leurs armes au pied du lit. Pourtant, aucun ne parvint à trouver facilement le sommeil.

Il était plus de minuit lorsque Annee frappa à la porte de Romeo. Celui-ci était en train de lire *Les Frères Karamazov*. D'un geste brusque, elle jeta le livre par terre.

– Tu relis cette merde ? demanda-t-elle d'un ton méprisant.

Romeo haussa les épaules en souriant.

– Ça m'amuse. Ses personnages me font rire comme des Italiens qui essayeraient de se prendre au sérieux.

Ils se déshabillèrent rapidement et s'étendirent sur le dos, sur les draps souillés. Tout leur corps était tendu, non par l'excitation sexuelle, mais par une mystérieuse terreur. Romeo gardait le regard fixé au plafond, et Annee les yeux fermés. Elle se trouvait à sa gauche, et de la main droite se mit à le masturber lentement. Leurs deux corps étaient séparés et leurs épaules se touchaient à peine. Lorsqu'elle sentit l'érection de Romeo, elle commença de se masturber elle-même de la main gauche. Tandis qu'elle poursuivait sur le même rythme régulier, il caressa timidement l'un de ses petits seins, mais elle grimaça comme un enfant tout en gardant les yeux fermés. Puis Annee serra plus fort le membre de l'homme, le mouvement de va-et-vient s'accéléra, devint plus irrégulier, et Romeo finit par éjaculer. Tandis que le sperme coulait sur sa main, Annee jouit à son tour ; elle ouvrit les yeux, creusa violemment les reins et se tourna vers Romeo comme si elle avait voulu l'embrasser, mais elle enfouit la tête contre l'épaule de son compagnon jusqu'à ce que son corps se calmât, dans un dernier tremblement. Ensuite, très prosaïquement, elle s'assit et s'essuya la main sur le drap sale. Elle prit une cigarette dans le paquet de Romeo, qui se trouvait sur la table de nuit, et l'alluma.

Romeo gagna la salle de bains, passa une serviette sous le robinet, revint dans la chambre, essuya les mains d'Annee puis s'essuya entre les jambes.

Ils avaient agi de même à l'occasion d'une autre opération, et Romeo comprenait bien que c'était la seule forme d'affection qu'elle pouvait s'autoriser. Farouchement indépendante, elle ne pouvait supporter d'être pénétrée par un homme dont elle n'était pas amoureuse. Quant à la fellation et au cunnilingus, qu'il lui avait suggérés, c'était pour elle une autre forme d'abdication. Ce qu'elle avait fait avec Romeo était la seule façon de satisfaire ses pulsions sans trahir son idéal d'indépendance.

Romeo observa le visage d'Annee. Il lui semblait moins dur, le regard semblait avoir un peu perdu de sa superbe. Elle était si jeune, comment avait-elle pu devenir aussi féroce en aussi peu de temps ?

– Veux-tu dormir avec moi ce soir ? demanda-t-il. Simplement pour la compagnie ?

Annee écrasa sa cigarette dans le cendrier.

– Mais non, pourquoi ? On a eu tous les deux ce qu'on voulait.

Elle commença de se rhabiller.

– Tu pourrais au moins me dire un mot tendre avant de t'en aller, dit-il sur le ton de la plaisanterie.

Elle s'immobilisa un instant dans l'encadrement de la porte puis se retourna. Il crut qu'elle allait le rejoindre dans le lit. Elle souriait, et pour la première fois il la considéra comme une fille jeune qu'il pourrait aimer. Mais soudain, elle se redressa de toute sa taille et lui déclama du Shakespeare.

– Romeo, Romeo, que recherches-tu donc, Romeo ?

Puis après un dernier pied de nez, elle disparut.

À l'université Brigham Young de Provo, dans l'Utah, deux étudiants, David Jatney et Cryder Cole, se préparaient à la traditionnelle chasse au président. Ce jeu était revenu en faveur à la suite de l'élection de Francis Xavier Kennedy. La règle du jeu était la suivante : une équipe d'étudiants avait vingt-quatre heures pour assassiner le président, c'est-à-dire décharger leurs pistolets-jouets à moins de cinq pas sur une effigie en carton. Pour les en empêcher, une fraternité étudiante d'une centaine de membres montait la garde. L'argent des paris servait à payer le banquet de la victoire à l'issue de la chasse.

Les administrations et les professeurs d'université, influencés par l'Église mormone, désapprouvaient ces jeux, mais, dérapage d'une société libre, ils avaient fini par devenir très populaires sur tous les campus des États-Unis. La grossièreté et le mauvais goût étaient fort prisés au sein de la jeunesse. Un tel jeu représentait aussi un exutoire à la haine de l'autorité, et constituait une forme de protestation de ceux qui n'avaient encore rien fait dans leur vie contre ceux qui avaient réussi. C'était une protestation symbolique, certainement préférable aux manifestations politiques, aux sit-in et à la violence aveugle. Ce jeu était une soupape de sécurité pour les hormones de l'émeute.

Les deux chasseurs, David Jatney et Cryder Cole, parcouraient le campus bras dessus bras dessous. Jatney était le cerveau et Cole l'exécutant, en sorte que c'était Cole qui parlait et Jatney qui acquiesçait tandis qu'ils se dirigeaient vers leurs condisciples de la fraternité chargée de garder l'effigie du président. L'image de Francis Kennedy était parfaitement reconnaissable, mais elle avait été habillée et coloriée de la façon la plus extravagante : un complet bleu, une cravate verte, des chaussettes rouges et pas de chaussures. À la place des chaussures, le chiffre romain IV.

La bande de représentants de la loi menaça Jatney et Cole de leurs pistolets factices, et les deux chasseurs rebroussèrent chemin. Cole leur hurla joyeusement une insulte, mais Jatney avait le visage sombre. Il prenait sa mission très au sérieux. Jatney songeait à son plan et éprouvait déjà une satisfaction sauvage : ils allaient réussir. Cette parade devant leurs ennemis avait essentiellement pour but d'exhiber leur tenue de ski, et rendre la surprise plus totale par la suite. Il fallait aussi laisser croire qu'ils quittaient le campus pour la fin de semaine.

La règle du jeu voulait que l'itinéraire de l'effigie présidentielle fût rendu public et qu'elle dût être présente au banquet de victoire, célébré le soir même avant minuit. Jatney et Cole avaient prévu de frapper avant l'heure limite de minuit.

Tout se déroula comme prévu. Jatney et Cole se retrouvèrent à six heures de l'après-midi au restaurant convenu. Le propriétaire des lieux ignorait leur plan. Pour lui, ce n'étaient que deux jeunes étudiants qui travaillaient dans son établissement depuis quinze jours. C'étaient deux excellents serveurs, surtout Cole, et le propriétaire était enchanté.

Le soir, à neuf heures, l'équipe de gardes, forte d'une centaine de membres, pénétra dans le restaurant avec l'effigie présidentielle ; des sentinelles furent placées à toutes les entrées. L'effigie fut disposée au centre d'un cercle de tables. Le propriétaire se frottait les mains en voyant le nombre des clients, mais il déchanta lorsque en pénétrant dans la cuisine il aperçut les deux jeunes serveurs qui dissimulaient leurs pistolets dans des soupières.

– Ça, les gars, ça veut dire que vous êtes virés !

Cole lui sourit, mais Jatney lui adressa un regard menaçant. Puis les deux jeunes gens s'avancèrent dans la salle du restaurant en tenant haut les soupières pour dissimuler leurs visages.

Les gardes levaient déjà leurs verres à leur victoire, lorsque Jatney et Cole posèrent les soupières sur la table, ôtèrent les couvercles et brandirent leurs pistolets factices. Cole tira un coup et éclata de rire. Jatney, lui, tira posément trois coups puis jeta son arme sur le sol. Il demeura immobile et ne sourit que lorsque les gardes les accablèrent d'injures. Après quoi, tout le monde s'assit ensemble pour dîner. Jatney donna un coup de pied à l'effigie qui disparut sous une table.

Cette chasse avait été des plus simples. Dans d'autres universités, le jeu était plus sérieux. On constituait des structures de sécurité plus élaborées, les effigies, si elles étaient touchées, laissaient échapper un sang artificiel.

À Washington, le ministre de la Justice, Christian Klee, possédait des dossiers sur tous ces assassins à la mie de pain. Et ce furent les photographies et les renseignements donnés sur Jatney et Cole qui attirèrent son attention. Il rédigea une note pour demander un supplément d'information sur David Jatney et Cryder Cole.

Le Vendredi saint, deux jeunes gens sérieux venus du Massachusetts Institute of Technology se rendirent à New York et déposèrent une petite valise dans une consigne de la gare routière. Ils avaient difficilement fendu la foule des sans-logis imbibés d'alcool, des maquereaux au regard perçant et des putains qui encombraient le hall du bâtiment. Ces deux jeunes gens étaient des génies : à l'âge de vingt ans, ils étaient déjà maîtres-assistants en physique et participaient aux programmes de recherche les plus complexes de leur université. La valise contenait une petite bombe atomique qu'ils avaient fabriquée avec du matériel et de l'oxyde de plutonium volés dans leurs laboratoires. Il leur avait fallu deux ans pour détourner ces matériaux, petit à petit, falsifiant leurs rapports et leurs expériences de façon à ce que les vols ne fussent pas découverts.

Adam Gresse et Henry Tibbot étaient considérés comme des génies depuis l'âge de douze ans. Leurs parents avaient fait en sorte qu'ils prennent conscience de leurs responsabilités envers le genre humain. Leur exceptionnelle intelligence leur faisait mépriser les grossiers plaisirs de l'humanité ordinaire : l'alcool, le jeu, les femmes, la gloutonnerie et la drogue.

La seule drogue à laquelle ils s'adonnaient était celle de la lucidité. Ils voyaient le mal à l'œuvre dans le monde. Ils savaient qu'il était mal de fabriquer des bombes atomiques, que le sort de l'humanité était en jeu, et ils avaient décidé de faire ce qui était en leur pouvoir pour éviter l'apocalypse. Après en avoir discuté pendant un an, ils décidèrent d'effrayer le gouvernement. Ils voulaient démontrer à quel point il était facile pour un dément d'infliger une terrible punition à l'humanité. Ils fabriquèrent donc une bombe atomique de faible puissance, un demi-kilotonne seulement, avec l'intention de la déposer quelque part et d'avertir ensuite les autorités. Ils se prenaient pour des êtres exceptionnels, presque des démiurges. Ils ignoraient que cette situation avait été prédite par une commission prestigieuse réunie par le gouvernement, qui y voyait l'un des risques possibles de l'ère nucléaire.

Encore à New York, Adam Gresse et Henry Tibbot envoyèrent une lettre au *New York Times* en expliquant leurs motivations, et demandant que celle-ci fût publiée avant d'être remise aux autorités. La rédaction de la lettre leur avait pris longtemps, non seulement parce qu'ils en avaient soigneusement pesé les termes pour ne pas paraître menaçants, mais encore parce qu'ils avaient découpé dans de vieux journaux des caractères qu'ils avaient ensuite collés sur des feuilles blanches.

La bombe ne devait exploser que le jeudi suivant. À ce moment-là, la lettre se trouverait certainement entre les mains des autorités, et la bombe aurait été retrouvée. Cela servirait d'avertissement aux maîtres du monde.

À Rome, en ce même Vendredi saint, Theresa Catherine Kennedy, fille du président des États-Unis, s'apprêtait à mettre un terme à l'exil européen qu'elle s'était imposé, et à retourner vivre avec son père à la Maison-Blanche.

Son équipe de gardes du corps des services secrets avait déjà pris toutes les dispositions nécessaires au voyage. Suivant ses instructions, ils avaient réservé une place sur le vol du dimanche de Pâques, à destination de New York.

Theresa Kennedy avait vingt-trois ans et avait fait des études de philosophie, d'abord à la Sorbonne, à Paris, puis à Rome ; dans cette dernière ville, elle avait eu une liaison avec un étudiant gauchiste italien, liaison qui venait de prendre fin, à leur grand soulagement à tous les deux.

Elle adorait son père, mais regrettait fort qu'il fût devenu président des États-Unis, car sa loyauté envers lui l'empêchait de faire trop ouvertement état de ses désaccords avec sa politique. Elle avait cru au socialisme ; à présent, elle défendait l'idée de la fraternité entre les hommes et de la sororité entre les femmes. Elle était féministe à la façon américaine : pour elle, l'indépendance économique fondait la liberté, et elle n'éprouvait nulle culpabilité pour les fonds de placement qui garantissaient sa liberté personnelle.

Rejetant toute idée de privilège, position morale curieuse mais bien humaine, elle avait refusé de vivre à la Maison-Blanche et ne s'y rendait que pour voir son père. Peut-être aussi lui reprochait-elle la mort de sa mère, car tandis que celle-ci se mourait, il avait continué son combat politique. Ensuite, elle avait voulu se faire oublier en Europe, mais en tant que membre de la proche famille du président, elle devait, légalement, être protégée par les services secrets. Elle avait tenté de se soustraire à cette protection, mais son père lui avait demandé de n'en rien faire. Francis Kennedy lui avait dit qu'il ne supporterait pas qu'il lui arrive quelque chose.

Un groupe de vingt hommes, divisés en trois équipes, se relayaient autour d'elle vingt-quatre heures sur vingt-quatre. Quand elle allait au restaurant, quand elle allait au cinéma avec son petit ami, ils étaient là. Ils avaient loué un appartement dans le même immeuble qu'elle, et une de leurs camionnettes était en permanence garée dans la rue. Elle n'était jamais seule. Tous les jours, elle devait donner au chef de l'équipe de sécurité le programme détaillé de ses activités.

Ses gardiens étaient des monstres à deux têtes: moitié maîtres et moitié valets. Grâce à leurs appareils électroniques ultra-perfectionnés, ils pouvaient l'entendre faire l'amour lorsqu'elle amenait un de ses amis chez elle. Ils étaient effrayants: ils se déplaçaient comme des loups, glissant silencieusement, le cou tendu, tous les sens en alerte, comme s'ils reniflaient une odeur dans le vent, alors qu'en fait c'était l'oreille qu'ils tendaient, pour mieux entendre dans leurs écouteurs miniatures.

Theresa avait refusé une sécurité rapprochée. Elle conduisait elle-même sa voiture, avait refusé de les laisser prendre un appartement contigu au sien, et refusé de se déplacer entourée de gardes du corps. Elle avait demandé que l'on se contente d'un «périmètre de sécurité», semblable à un mur entourant un grand jardin. De cette façon, elle pensait préserver son intimité. Cet arrangement conduisit à certaines situations embarrassantes. Un jour qu'elle faisait des courses, elle eut besoin de monnaie pour téléphoner. Elle avisa un homme non loin d'elle et, croyant qu'il s'agissait d'un de ses gardes du corps, alla lui demander une pièce. L'homme la regarda d'un air stupéfait; comprenant sa méprise, elle avait éclaté de rire et s'était excusée. L'homme, enchanté de sa mésaventure, lui avait finalement donné sa pièce de monnaie en lui disant, sur le ton de la plaisanterie : « Je ferais n'importe quoi pour une Kennedy. »

Comme tant de jeunes, et contre toute évidence, Theresa croyait que les gens étaient « bons », comme elle-même se trouvait bonne. Elle participait aux manifestations pour la liberté, soutenait les justes causes. Dans la vie de tous les jours, elle s'efforçait de ne pas commettre d'actes médiocres. Enfant, elle avait cassé sa tirelire pour les Indiens d'Amérique.

En sa qualité de fille du président des États-Unis, il était gênant pour elle de soutenir les mouvements favorables à l'avortement, et de prêter son nom aux organisations d'extrême gauche. Les médias la traînaient dans la boue et les opposants politiques ne se gênaient pas pour l'insulter.

Avec la plus grande innocence, elle se montrait loyale dans ses relations amoureuses; elle croyait à la franchise absolue et détestait la tromperie.

Pourtant, elle aurait pu tirer un certain nombre d'enseignements de ses années passées à l'étranger. À Paris, elle avait failli être violée sous un pont par un groupe de clochards. À Rome, deux mendiants avaient voulu lui voler son sac alors qu'elle s'apprêtait à leur donner un peu d'argent; les deux fois, ses gardes du corps étaient venus à sa rescousse. Mais cela n'avait pas entaché sa foi en l'homme. Pour elle, tout être humain possédait en lui la graine immortelle du bien, personne n'était au-delà de la rédemption. En tant que féministe, elle avait appris, bien sûr, quelle tyrannie les hommes exerçaient sur les femmes, mais elle n'étendait pas cette notion à la façon brutale dont ils se comportaient dans leur monde à eux. Elle ne comprenait pas comment un être humain pouvait en trahir un autre de la façon la plus honteuse et la plus cruelle.

Le chef de son groupe de protection, un homme trop âgé pour assurer encore la protection des membres du gouvernement, était sidéré par son innocence et s'efforçait de lui ouvrir les yeux. Il lui raconta des histoires horribles sur les hommes en général, des histoires tirées de sa longue expérience ; il se montra plus franc qu'il ne l'aurait été en temps ordinaire, car il s'agissait de sa dernière mission avant sa retraite.

— Vous êtes trop jeune pour comprendre ce monde, lui dit-il. Et dans votre position, il faut vous montrer prudente. Vous croyez que parce que vous faites du bien à quelqu'un il va agir avec vous de la même façon.

La veille, en effet, elle avait pris en voiture un autostoppeur qui avait aussitôt cru à sa bonne fortune. Le chef de l'équipe de sécurité avait agi immédiatement. Les deux voitures de son équipe avaient contraint la voiture de Theresa à se ranger sur le bas-côté au moment même où l'homme commençait à caresser la jeune fille.

— Laissez-moi vous raconter une histoire, dit le chef. J'ai travaillé autrefois dans les services secrets pour un homme extrêmement intelligent, un homme charmant. Un jour, au cours d'une opération clandestine, il s'est fait avoir, et s'est retrouvé face à un type qui le tenait à sa merci. Il aurait pu le descendre sur-le-champ. Et ce type-là, croyez-moi, c'était un dur. Mais pour quelque raison que j'ignore, il a laissé la vie sauve à mon chef et il lui a dit : « N'oubliez pas que vous me devez la vie. » Bon… on a passé six mois à pourchasser ce gars, et on a fini par l'avoir. Eh bien, mon chef l'a descendu, ne lui a même pas laissé la chance de se rendre, ne lui a même pas offert de se retourner. Et vous savez pourquoi ? Il me l'a lui-même expliqué. Ce type avait eu sur lui un pouvoir de vie et de mort, et était devenu trop dangereux pour qu'on le laisse vivre. Mon chef n'avait eu aucun sentiment de gratitude, il m'a dit que ce gars-là avait eu simplement une lubie, et qu'on ne peut pas faire confiance à des types qui ont des lubies.

Le chef de son groupe de protection ne raconta pas à Theresa que son patron, à cette époque, se nommait Christian Klee.

L'élection de Francis Xavier Kennedy à la présidence fut un miracle de la politique américaine. Il avait été élu grâce à la magie que dispensait encore son nom et aussi grâce à sa belle apparence et ses extraordinaires qualités intellectuelles ; pourtant, il n'avait derrière lui qu'un seul mandat de sénateur.

On l'appelait le « neveu » de John Fitzgerald Kennedy, le président assassiné en 1963, mais il ne faisait pas partie du clan Kennedy, toujours fort présent dans la vie politique américaine. En réalité, il n'était que le cousin de l'ancien président, et le seul de la famille qui eût hérité du charisme de ses deux célèbres oncles, John et Robert Kennedy.

Après de brillantes études de droit, Francis Kennedy était devenu professeur à Harvard à l'âge de vingt-huit ans. Il avait ensuite créé son propre cabinet juridique, qui avait fait campagne pour de grandes réformes d'inspiration sociale, aussi bien dans la politique gouvernementale que dans le secteur des affaires. Son cabinet juridique ne rapportait pas beaucoup d'argent, ce qui n'avait guère d'importance pour lui qui avait hérité d'une grande fortune, mais il lui permit d'atteindre la célébrité à l'échelon national. Il fit campagne pour le droit des minorités, pour l'amélioration des conditions de vie des plus pauvres, et en général pour tous les faibles et les sans défense.

Kennedy avait soulevé le pays lors de sa campagne présidentielle. Il avait annoncé un nouveau contrat social pour le peuple américain. Qu'est-ce qui fait durer une civilisation, avait-il demandé ? C'est le contrat passé entre gouvernants et gouvernés. Le gouvernement doit promettre à chacun la sécurité face au crime et aux duretés de la vie économique ; il doit promettre à chaque citoyen le droit et les moyens de poursuivre son rêve individuel de bonheur. C'est alors, et alors seulement que les gouvernés sont tenus d'obéir aux lois qui permettent à la civilisation d'exister. Et Kennedy proposait, dans le cadre de ce pacte social, que toutes les questions importantes touchant à la société américaine fussent réglées par référendum, plutôt que par des décisions du Congrès, de la Cour suprême ou du président.

Il promit d'éradiquer le crime. Il promit d'éradiquer la pauvreté, qui était à la racine du crime et constituait même un crime en elle-même. Il promit l'instauration d'un système national d'assurance maladie financé par l'État, et un système de sécurité sociale qui permettrait aux travailleurs de jouir d'une confortable retraite.

Pour témoigner de son engagement envers cet idéal et pour se débarrasser de l'armure que constituait sa propre richesse, il annonça à la télévision qu'il faisait don de sa fortune personnelle, soit quarante millions de dollars, au Trésor public. Ce don fut réalisé lors d'une cérémonie publique qui fut retransmise par toutes les télévisions du pays. Le geste grandiose de Francis Kennedy eut un impact immense sur tous les électeurs.

Il se rendit en avion dans toutes les grandes villes du pays, et en voiture dans les plus petites. Sa femme et sa fille, à ses côtés, frappaient le public par leur grande beauté. Ses trois débats avec le candidat républicain furent des triomphes. Son intelligence et son exubérance juvénile lui permirent d'écraser son adversaire. Nul président avant lui n'avait entamé son mandat avec un tel soutien populaire. Il avait conquis tout le monde sauf le destin. Sa femme était morte d'un cancer avant son entrée en fonction.

En dépit de son immense douleur, Francis Xavier Kennedy parvint à réaliser les premières mesures de son programme électoral. Au cours de la campagne, il avait choisi de présenter à l'avance son gouvernement et ses conseillers, en sorte que l'électorat pût se prononcer en toute connaissance de cause. C'est ainsi qu'il avait nommé Oddblood Gray, un militant noir, comme représentant du gouvernement auprès du Congrès pour les affaires intérieures. Il avait choisi une femme comme candidate à la vice-présidence, et avait décidé qu'elle ferait partie de son équipe de conseillers. Les autres nominations avaient été plus conventionnelles. Et ce fut cette équipe qui lui permit de remporter sa première victoire : la révision des lois relatives à la sécurité sociale, qui permirent à chaque travailleur de toucher suffisamment d'argent à l'heure de la retraite. Pour financer ces mesures, il fut instauré une taxe sur les profits des grandes sociétés américaines, dont il se fit aussitôt des ennemis mortels.

Mais après cette première victoire, Kennedy sembla perdre l'initiative. Sa loi sur le référendum populaire fut repoussée par le Congrès, de même que ses mesures sur la création d'un système d'assurance maladie. Kennedy lui-même semblait s'épuiser dans sa lutte contre le mur de granit qui lui opposait le Congrès. En dépit de la lutte féroce du président et de son gouvernement, la plupart de leurs projets étaient repoussés.

Au cours de la dernière année de son mandat, Kennedy sentit la bataille perdue, et cela le remplit d'une amertume rageuse. Il savait que sa cause était juste, qu'il était du côté du bien, de la morale, que sa politique intelligente permettrait de sauver l'Amérique. Mais il lui semblait que désormais l'intelligence et la morale ne pesaient plus d'un grand poids dans la vie politique.

Le président Kennedy attendit que l'on eût servi une tasse de thé à chaque personne présente.

— Je crois que je ne me présenterai pas à un second mandat, dit-il d'une voix calme.

Puis, se tournant vers la vice-présidente, il ajouta :

— Helen, je veux que vous vous prépariez à être candidate.

L'assistance semblait sidérée, mais Helen Du Pray lui sourit. Mais comme ce sourire était l'une de ses meilleures armes politiques, il ne passa pas inaperçu.

— Francis, je crois que cette décision nécessite une discussion approfondie avec les membres de votre cabinet, et en dehors de ma présence. Mais avant de quitter cette pièce, laissez-moi vous dire ceci : je sais à quel point vous êtes découragé. Mais si j'étais élue, je ne ferais pas mieux que vous. Je crois que vous devriez vous montrer plus patient. Vous pourriez être plus efficace lors d'un second mandat.

— Vous savez comme moi, répliqua Kennedy avec impatience, qu'un président des États-Unis a plus d'impact lors d'un premier mandat que d'un second.

— C'est vrai dans la plupart des cas, dit Helen Du Pray. Mais pour votre second mandat nous pourrions peut-être avoir une Chambre des représentants composée différemment. Et puis parlons un peu de mon propre intérêt : en n'ayant été vice-présidente qu'une seule fois, j'aborderais des élections dans une position moins avantageuse qu'après deux mandats consécutifs. Et votre soutien serait plus efficace si vous-même aviez deux mandats derrière vous, au lieu d'avoir été chassé du pouvoir par le Congrès, et un Congrès démocrate qui plus est.

Elle ramassa ses dossiers et s'apprêta à partir, mais le président la retint d'un geste.

– Vous n'êtes pas obligée de partir.

Helen Du Pray distribua à la ronde son doux sourire.

– Je suis sûre que les membres de votre cabinet parleront plus librement si je ne suis pas là.

Et elle quitta le salon jaune.

Les quatre hommes qui entouraient Kennedy demeurèrent silencieux. C'étaient ses plus proches conseillers. Kennedy les avait nommés personnellement, et ils n'étaient responsables que devant lui. Le président apparaissait donc comme un étrange cyclope avec un cerveau et quatre bras. Ce cabinet particulier constituait ses quatre bras. C'étaient aussi ses meilleurs amis, et depuis la mort de sa femme, sa seule famille.

Helen Du Pray quitta la pièce et les hommes, pour dissimuler leur embarras, se mirent à agiter des papiers et à se servir du thé et des sandwiches.

– Helen est la personne la plus intelligente de tout le gouvernement, dit d'un air détaché Eugene Dazzy, le chef de cabinet.

Kennedy sourit, car Dazzy avait la réputation d'avoir un faible pour les jolies femmes.

– Et vous, Eugene, qu'en pensez-vous ? Croyez-vous que je doive être plus patient et me présenter à nouveau ?

Dix ans auparavant, avant l'entrée de Kennedy dans la carrière politique, Eugene Dazzy dirigeait une grosse société d'informatique. La puissance de sa société était telle qu'il aurait pu engloutir nombre de ses concurrents, mais, issu d'une famille pauvre, il avait conservé un sens aigu de la justice, plus par réalisme, d'ailleurs, que par simple idéalisme. Il avait fini par estimer que les grosses concentrations financières détenaient trop de pouvoir aux États-Unis, et qu'à la longue cela risquait de miner la démocratie. Aussi, lorsque Kennedy était entré en politique sous la bannière de la véritable démocratie sociale, avait-il organisé les collectes de fonds qui lui avaient permis d'accéder à la présidence.

C'était un homme d'une affabilité extrême, dont le grand art consistait à éviter que les gens importants auxquels le président refusait des requêtes ne devinssent ses ennemis. Dazzy pencha sa tête chauve sur ses notes.

– Pourquoi ne pas vous présenter à nouveau? demanda-t-il. Vous aurez un bon boulot, une vraie sinécure. Le Congrès vous dira ce qu'il faut faire, et refusera vos propositions. Rien ne changera. Sauf en politique étrangère. Là, vous pourrez un peu vous amuser. Et peut-être même faire un peu de bien.

«Il faut voir les choses comme elles sont. Notre armée a perdu cinquante pour cent de ses effectifs, nos enfants sont si bien éduqués qu'ils sont maintenant trop intelligents pour être patriotes. Nous possédons la technologie, mais personne ne veut acheter nos produits. Notre balance des paiements est dans un état catastrophique. Vous ne pouvez qu'améliorer les choses. Faites-vous donc élire, prenez les choses à la légère et payez-vous du bon temps pendant quatre ans encore. Après tout, c'est pas un mauvais boulot et c'est bien payé.

Dazzy fit un geste de la main en souriant pour montrer que, tout de même, il plaisantait.

En dépit de leur attitude apparemment décontractée, les quatre hommes observaient avec attention Kennedy. Aucun ne pensait que Dazzy s'était montré irrespectueux; cette façon plutôt moqueuse de s'exprimer, Kennedy l'avait lui-même encouragée au cours des trois dernières années.

Arthur Wix, le conseiller en matière de sécurité nationale, était un homme au visage agréable, moitié juif et moitié Italien ; il avait l'esprit corrosif, mais on sentait chez lui une sorte de respect mêlé de crainte face à Kennedy et à la fonction présidentielle.

Wix avait rencontré Kennedy dix ans auparavant, lorsque ce dernier s'était présenté au Sénat. Originaire de la côte Est, il était plutôt un homme de gauche, professeur de philosophie et de sciences politiques à l'université de Columbia. C'était aussi un homme très riche qui méprisait l'argent. Une amitié, née de leur commune intelligence, était rapidement née entre eux. Kennedy voyait en lui l'homme le plus intelligent qu'il eût jamais rencontré. Wix trouvait que Kennedy était l'homme le plus moral de la classe politique américaine. Cette estime réciproque ne pouvait suffire à créer une chaude amitié, mais elle était la garantie d'une relation de confiance.

En sa qualité de conseiller en matière de sécurité nationale, Wix estimait devoir adopter un ton plus sérieux que les autres.

– Eugene, dit-il en faisant un geste en direction de Dazzy, peut penser qu'il plaisante, mais moi je pense que vous pouvez apporter une immense contribution à notre politique étrangère. Nous avons beaucoup plus d'influence que l'Europe ou l'Asie ne l'imaginent. Je crois qu'il est absolument nécessaire que vous vous présentiez à nouveau. Après tout, en matière de politique étrangère, le président des États-Unis possède les pouvoirs d'un roi.

Kennedy se tourna alors vers l'homme assis à sa gauche. Oddblood « Otto » Gray était le plus jeune du cabinet : cela faisait seulement dix ans qu'il avait quitté l'université. Issu du mouvement gauchiste noir, il était ensuite passé par Harvard grâce à une bourse Rhodes.

De haute taille, imposant, il avait fait de brillantes études et avait fait preuve de talents oratoires exceptionnels à l'université. Sous son apparence incendiaire, Kennedy avait deviné un homme à la courtoisie naturelle, diplomate, un homme capable de convaincre sans menacer. Gray, de son côté, avait admiré la façon dont Kennedy s'était comporté à New York, face à une situation lourde de violence. Kennedy avait utilisé toute son habileté juridique, son charme et son intelligence pour désamorcer la situation, et il avait également fait la preuve de son absence de préjugés racistes. Il avait ainsi gagné l'admiration des deux parties.

Après cela, Oddblood Gray avait soutenu Kennedy au cours de sa carrière politique, et l'avait encouragé à se présenter à l'élection présidentielle. Kennedy l'avait chargé des relations avec le parlement, c'était lui qui devait aider à faire valoir les projets de lois inspirés par la Maison-Blanche. Chez Gray, l'idéalisme juvénile était tempéré par un génie instinctif pour la politique, et c'est tout naturellement que l'idéalisme sortait vaincu de la confrontation, car l'homme connaissait le fonctionnement de l'appareil d'État, il savait où faire porter l'effort, quand utiliser la force du clientélisme, quand demeurer intraitable et quand céder de bonne grâce.

– Alors, Otto, demanda Kennedy, que pensez-vous de la situation ?

– Abandonnez, dit Otto. Pour l'instant ça n'est qu'une défaite, pas encore la déroute.

Kennedy et les autres éclatèrent de rire. Otto poursuivit :

– Vous voulez que je sois franc ? Je suis d'accord avec Dazzy. Le Congrès vous méprise, la presse vous traîne dans la boue. Les lobbies et les grandes sociétés ont torpillé vos réformes. Quant aux intellectuels et aux travailleurs, ils estiment que vous les avez trahis. Vous pilotez un navire sans gouvernail. Et vous voulez donner à tous ces emmerdeurs l'occasion de vous marcher dessus pendant quatre ans encore ? Moi, je pense qu'il faut qu'on foute tous le camp d'ici !

Kennedy semblait enchanté : un sourire éclairait son beau visage d'Irlandais, et ses yeux bleus pétillaient de malice.

– Très drôle, dit-il. Maintenant, un peu de sérieux.

Leur manœuvre était claire : en piquant son orgueil, ils voulaient le pousser à se représenter. Aucun d'entre eux ne voulait quitter la Maison-Blanche, ce centre du pouvoir. Il valait mieux être un lion sans griffes que ne pas être un lion du tout.

– Vous voulez que je me représente, dit Kennedy, mais pour faire quoi ?

– Mais bien entendu que je veux que vous vous représentiez ! s'exclama Otto Gray. J'ai rejoint votre cabinet parce que vous m'avez demandé d'aider les Noirs de ce pays. Je croyais en vous et je crois toujours en vous. Nous avons fait beaucoup de bien et nous pouvons encore en faire. Il reste tellement de choses à accomplir. Pour l'instant, les riches deviennent plus riches et les pauvres plus pauvres : il n'y a que vous qui puissiez changer ça. N'abandonnez pas le combat maintenant !

– Mais comment remporter la victoire ? demanda Kennedy. Le Congrès est pratiquement aux mains du club Socrate.

Gray considéra son patron avec ce mélange de force et de passion qu'on ne rencontre que chez les jeunes.

– On ne peut pas raisonner comme ça. Les choses s'annonçaient mal au départ, et pourtant, voyez ce que nous avons déjà accompli. Nous pouvons gagner à nouveau. Et même si on n'y arrive pas, eh bien, on aura au moins essayé !

Un silence pesant s'installa, car tout le monde se

rendait compte que l'homme qui possédait la plus grande influence sur le président, Christian Klee, n'avait pas encore pris la parole. Tous les regards se tournaient à présent vers lui.

En dépit de leur mutuelle et profonde amitié, Klee vouait une sorte d'adoration à Kennedy. Le président en était le premier surpris, car il vivait dans la hantise d'être assassiné, et il savait à quel point Klee admirait le courage physique. C'était Christian Klee qui avait supplié Francis Kennedy de se présenter à l'élection présidentielle, en lui garantissant sa sécurité personnelle s'il le nommait ministre de la Justice, avec la haute main sur le FBI et les services secrets [1]. Il dirigeait désormais tout le système de sécurité intérieure des États-Unis, mais pour cela, Kennedy avait dû payer un prix politique très élevé. Il avait dû accorder au Congrès la nomination de deux juges à la Cour suprême et l'ambassade en Grande-Bretagne.

Christian Klee finit par prendre la parole.

– Vous savez ce qui préoccupe avant tout les gens dans ce pays ? Ils se moquent pas mal de la politique étrangère. Ils se fichent de l'économie. Ça leur est égal que la planète s'assèche comme un raisin de Corinthe. Ce qu'ils veulent, dans les villes, c'est pouvoir se promener dans les rues la nuit sans se faire agresser. Pouvoir dormir dans leurs lits sans craindre les voleurs et les assassins.

« Nous vivons dans un état d'anarchie. Le gouvernement n'assure pas sa part du contrat social en protégeant les citoyens. Les femmes ont peur du viol, les hommes ont peur du meurtre. Nous revenons à des comportements animaux. Les riches dévorent les gens économiquement, et les assassins massacrent les pauvres et les classes moyennes. Et vous, Francis, vous êtes le seul à

---

1. Aux États-Unis, nom des services chargés, notamment, de la protection du président (*N. d. T.*).

pouvoir nous sortir de cette situation. Je crois que vous êtes capable de sauver ce pays. Voilà pourquoi je suis venu travailler avec vous. Et maintenant vous voulez déserter ! (Klee s'interrompit un instant.) Il faut essayer une nouvelle fois, Francis. Quatre ans encore, quatre petites années seulement.

Le président Kennedy était touché. Il voyait bien que ces quatre hommes croyaient encore en lui. Pourtant, il savait bien qu'il les avait manœuvrés afin de les entendre dire ces mots, afin qu'ils réaffirment leur foi en lui. Ravi, il leur adressa à tous un sourire.

– Je vais réfléchir.

Tout le monde prit cette phrase pour un congé, sauf Christian Klee, qui demeura dans la pièce.

– Theresa doit rentrer pour les vacances ? demanda Klee d'un air détaché.

Kennedy haussa les épaules.

– Elle est à Rome, avec un nouveau petit ami. Elle prend l'avion le dimanche de Pâques. Comme d'habitude, elle fait exprès d'ignorer les fêtes religieuses.

– Je suis content qu'elle revienne, dit Klee. En Europe, je ne peux pas vraiment assurer sa protection. Et elle croit qu'elle peut tenir n'importe quels propos là-bas sans que ça soit rapporté ici. (Il demeura un instant silencieux.) Si vous vous présentez à nouveau, il faudra dire à votre fille de garder le silence, ou alors la désavouer publiquement.

– Impossible. Si je me représente, j'aurai besoin du vote féministe.

Klee se mit à rire.

– Bon, d'accord. Et maintenant à propos de la fête d'anniversaire de l'Oracle ; il y attache beaucoup d'importance.

– Ne vous inquiétez pas, dit Kennedy. Je le recevrai sur un grand pied. Mon Dieu, quand je pense qu'il a cent ans et qu'il attend son anniversaire avec impatience !

– Ça a été un grand homme, dit Klee, et il l'est toujours.

Kennedy fronça les sourcils.

– Vous l'avez toujours plus apprécié que je ne l'ai fait. Pourtant, il a commis des erreurs.

– Bien sûr. Mais je n'ai jamais vu personne maîtriser à ce point sa vie. Il a changé le cours de mon existence avec ses conseils. Je dois dîner avec lui ce soir, je peux lui dire que c'est d'accord pour cette réception ?

– Oui, vous pouvez lui dire, répondit sèchement Kennedy.

À la fin de la journée, Kennedy alla signer quelques papiers dans le bureau ovale, puis, assis à son bureau, se mit à regarder par la fenêtre. Il apercevait le sommet des grilles entourant les jardins de la Maison-Blanche, des grilles en acier noir surmontées de pointes blanches électrifiées. Comme toujours, il éprouva un sentiment de malaise à se voir si proche de la rue et du public, bien qu'il sût cette apparente vulnérabilité totalement illusoire. Il était extraordinairement bien protégé. Il existait sept périmètres de garde autour de la Maison-Blanche. Dans un rayon de quatre kilomètres, une équipe de sécurité se trouvait sur le toit de chaque bâtiment. Dans toutes les rues menant à la Maison-Blanche, se trouvaient des postes de défense dissimulés, équipés d'armes lourdes. Tous les matins, des centaines de touristes venaient visiter le rez-de-chaussée de la Maison-Blanche, mais d'innombrables agents des services secrets circulaient parmi eux, prenaient part aux conversations, tous les sens en alerte. Chaque centimètre des locaux ainsi autorisés au public était truffé de caméras vidéo et de micros ultra-sensibles permettant d'écouter les moindres chuchotements. Des gardes armés se tenaient derrière des consoles informatiques qui à chaque coin de couloir pouvaient se transformer en barricades. Au cours de ces visites, Kennedy restait au quatrième étage, nouvellement construit, qui lui servait d'appartements personnels. Enfin, ces appartements étaient protégés par des planchers, des murs et des plafonds spécialement renforcés.

À présent, dans le célèbre bureau ovale, qu'il utilisait rarement, sauf pour des signatures officielles et des cérémonies particulières, Francis Kennedy se détendait et jouissait de ses quelques rares instants de solitude. Il prit un long et fin cigare cubain dans l'humidificateur qui se trouvait sur son bureau, éprouvant entre ses doigts le contact huileux de la feuille de tabac. Il coupa l'extrémité, l'alluma avec précaution, aspira la première bouffée parfumée et regarda dehors, à travers les vitres à l'épreuve des balles.

Il se revoyait enfant, courant sur cette vaste pelouse pour aller saluer ses oncles John et Robert. Comme il les aimait! L'oncle John, si charmant, si enfantin, et pourtant si puissant, à tel point qu'on se prenait à croire qu'un enfant pouvait dominer le monde. Et puis l'oncle Robert, si sérieux, si sincère, et en même temps doux et joueur. Ah non, c'est vrai, se dit Francis Kennedy, on ne l'appelait pas oncle Robert mais oncle Bobby. À moins que... parfois... Il ne s'en souvenait plus très bien.

Mais il se souvenait fort bien de ce jour, il y avait plus de quarante ans, où sur cette même pelouse, ses deux oncles l'avaient pris chacun par un bras, et en le soulevant de terre, l'avaient amené jusqu'à la Maison-Blanche.

À présent, il avait pris leur place. Ce pouvoir, qui l'avait tant impressionné étant enfant, lui appartenait désormais. Il en venait à regretter que la mémoire pût évoquer tant de beauté, mais aussi tant de peine et de déception, car il songeait à abandonner ce pouvoir pour lequel ils étaient morts.

En ce Vendredi saint, Francis Xavier Kennedy ne savait pas qu'à Rome deux révolutionnaires insignifiants allaient changer tout cela.

2

Le matin du dimanche de Pâques, Romeo et son équipe de quatre hommes et trois femmes débarquèrent de leur camionnette avec tout leur équipement. Dans les rues aux abords de la place Saint-Pierre, ils se mêlèrent à la foule : femmes magnifiquement vêtues de robes aux teintes pastel et coiffées d'invraisemblables chapeaux, hommes élégants en complets de soie de couleur crème, une croix en feuilles de palmier jaunes épinglée au revers du veston. Les enfants étaient encore plus éblouissants : les petites filles avec des gants et des robes à frous-frous, les garçons en costumes de communiants, blazer bleu marine, chemise blanche et cravate rouge. Au milieu de la foule, des prêtres qui souriaient benoîtement aux fidèles.

Romeo était un pèlerin plus discret, un témoin sérieux de cette résurrection célébrée en ce jour de Pâques. Il était vêtu d'un costume noir, d'une chemise blanche lourdement amidonnée sur laquelle on distinguait à peine une cravate d'un blanc éclatant. Ses chaussures étaient également noires, mais avec des semelles en caoutchouc. Il boutonna son manteau en poil de chameau pour dissimuler le fusil qu'il portait dans un étui. Depuis trois mois il s'entraînait avec cette arme jusqu'à avoir acquis une précision redoutable.

Les quatre hommes de son équipe étaient déguisés en moines capucins, avec de longues robes brunes, serrées à la taille par une large ceinture de toile. Leur crâne tonsuré était recouvert d'un capuchon, et sous leurs robes ils dissimulaient des pistolets et des grenades.

Les trois femmes, dont Annee, étaient déguisées en nonnes, et sous leurs amples robes noir et blanc, elles aussi dissimulaient des armes. Annee et les deux autres religieuses marchaient en tête (les gens leur cédaient facilement le passage), avec Romeo dans leur sillage. Après Romeo venaient les quatre moines, l'œil aux aguets, prêts à intervenir si Romeo était intercepté par la police papale.

Finalement, comme des corbeaux sautillant au-dessus d'un océan de couleurs vives, Romeo et son équipe prirent position dans l'un des angles de la place, le dos protégé par des colonnes de marbre et des murs de pierre. Romeo se tenait un peu à l'écart. Il attendait un signal venu de l'autre côté de la place, où Yabril et son équipe étaient occupés à fixer aux murs des figurines pieuses.

Yabril et son équipe de trois hommes et trois femmes étaient vêtus simplement, avec des vestes plutôt amples. Les hommes portaient des armes de poing, tandis que les femmes s'occupaient des figurines, de petites statues du Christ, bourrées d'explosifs qui devaient être mis à feu par télécommande. Les statuettes étaient fixées aux murs par une colle extrêmement puissante, de façon à ce qu'aucun curieux ne puisse les détacher du mur. Elles étaient réalisées en terre cuite, moulée autour d'une forme en fil de fer, et peintes en blanc. Fort belles, elles donnaient l'impression de faire partie des décorations de la fête de Pâques, et ne risquaient pas d'être l'objet d'actes de vandalisme.

Lorsque l'opération fut terminée, Yabril et son équipe quittèrent la place Saint-Pierre et rejoignirent la camionnette qui les attendait. Yabril envoya ensuite l'un de ses hommes donner à Romeo l'appareil de télécommande, puis avec toute son équipe, il prit la direction de l'aéroport de Rome. Le pape Innocent ne devait apparaître au balcon que trois heures plus tard. Ils étaient dans les temps.

Dans la camionnette, Yabril songea à la façon dont toute l'affaire avait débuté...

Lors d'une mission réalisée ensemble quelques années auparavant, Romeo avait déclaré que c'était le pape qui, de tous les chefs d'État européens, bénéficiait de la protection la plus puissante. Yabril avait éclaté de rire : « Mais qui aurait envie de tuer le pape ? Ça serait comme tuer un serpent sans venin. Ça n'est jamais qu'une vieille potiche inutile, avec derrière lui une dizaine de vieillards tout aussi inutiles prêts à le remplacer. Des fiancées du Christ, une bande de figurants à chapeau rouge. Qu'est-ce que ça changerait dans le monde si on tuait le pape ? On pourrait à la rigueur le kidnapper : c'est l'homme le plus riche du monde. Mais le tuer, ça reviendrait à tuer un lézard qui dort au soleil. »

Mais Romeo avait défendu son idée, ce qui avait fini par intriguer Yabril. Le pape était révéré par des millions de catholiques dans le monde entier. Et le pape était à n'en pas douter un symbole du capitalisme ; les États bourgeois occidentaux le soutenaient. Le pape était un des piliers du pouvoir dans cette société. Il s'ensuivait que l'assassinat du pape représenterait un coup psychologique contre le vieux monde, car il était considéré comme le représentant de Dieu sur terre. Le roi de France et le tsar de Russie avaient été exécutés parce que eux aussi pensaient gouverner de droit divin, et ces exécutions avaient fait progresser l'humanité. Dieu était une escroquerie des riches, destinée à tromper les pauvres, et le pape n'était que l'instrument de ces menées. Mais de ce qui n'était qu'une idée, Yabril avait fait un projet. L'opération, désormais, possédait une dimension qui remplissait Romeo d'une admiration presque superstitieuse, et flattait le narcissisme de Yabril.

Romeo, en dépit de tous ses discours et de ses sacrifices, n'était pas, aux yeux de Yabril, un véritable révolutionnaire. Yabril avait étudié l'histoire des terroristes italiens. Ils étaient passés maîtres dans l'art d'assassiner les chefs d'État ; ils avaient tout appris des Russes, qui, après plusieurs tentatives, avaient fini par tuer leur tsar, et c'est d'ailleurs aux Russes que ces Italiens avaient emprunté ce nom que Yabril détestait tant, les Christ de la violence.

Yabril avait rencontré une fois les parents de Romeo. Le père était un homme inutile, un parasite de l'humanité. Oui, un véritable parasite, avec chauffeur, valet de chambre, et un gros chien, de la taille d'un mouton, dont il se servait pour harceler les femmes sur les boulevards. Mais un homme aux manières extraordinaires. Impossible de ne pas l'aimer si l'on n'était pas son fils.

Quant à la mère, c'était une véritable beauté, une réussite du système capitaliste, avide d'argent et de bijoux, fervente catholique. Élégamment vêtue, elle se rendait tous les matins à la messe, escortée de ses femmes de chambre. Cette pénitence accomplie, elle consacrait le reste de sa journée aux plaisirs. Comme son mari, elle était infidèle, se pardonnait tout et adorait son fils unique, Romeo.

Cette famille heureuse n'allait pas tarder à être punie. Le père, chevalier de l'ordre de Malte, la mère qui communiait tous les jours avec le Christ, allaient voir leur fils assassiner le pape. Quelle trahison, songea Yabril.

Pauvre Romeo, tu passeras un mauvais moment lorsque je te trahirai.

Car si Romeo connaissait toute l'opération, il en ignorait le dernier coup. Comme aux échecs, se dit Yabril. Échec au roi, échec au roi, échec et mat. Magnifique !

Yabril regarda sa montre : plus qu'un quart d'heure. La camionnette roulait doucement sur l'autoroute menant à l'aéroport.

Le moment était venu. Toutes les armes et les grenades de l'équipe furent rassemblées dans une valise. La camionnette s'arrêta devant le terminal de l'aéroport ; Yabril descendit le premier. La camionnette avança encore un peu et les autres membres de l'équipe descendirent devant une autre entrée. Yabril pénétra lentement dans le terminal, la valise à la main, cherchant à repérer des policiers en civil. À quelques pas des guérites de contrôle, il pénétra dans une boutique de fleurs et de cadeaux. Accroché à la poignée intérieure de la porte vitrée, un petit écriteau annonçait FERMÉ. C'était le signal convenu : il pouvait entrer, et aucun client ne se trouvait dans la boutique.

La femme qui tenait la boutique était une fausse blonde lourdement maquillée et à l'allure plutôt quelconque, mais elle possédait une voix chaude et sensuelle, et ses formes généreuses étaient moulées dans une robe en laine étroitement serrée à la taille.

– Excusez-moi, dit-elle à Yabril, mais vous avez vu l'écriteau sur la porte. C'est le dimanche de Pâques.

Mais sa voix était amicale et son sourire engageant.

Yabril prononça la phrase convenue.

– Le Christ est ressuscité, je le sais bien, mais je suis quand même obligé de voyager pour mes affaires.

Elle lui prit la valise des mains.

– L'avion est à l'heure ? demanda Yabril.

– Oui. Vous avez une heure devant vous. Il y a des changements ?

– Non, dit Yabril, mais rappelle-toi que tout dépend de toi.

Puis il sortit. Il n'avait jamais vu cette femme auparavant et ne la reverrait jamais ; en outre, elle ne connaissait que cette phase de l'opération. Il vérifia les horaires sur le tableau d'affichage. L'heure du décollage était confirmée.

Cette femme était l'un des rares membres féminins des Cent Premiers. Elle avait été installée dans la boutique trois ans auparavant, en qualité de propriétaire, et avait soigneusement tissé des liens avec le personnel du terminal et les gardes. Au cours de la troisième année, elle avait noué une relation amoureuse avec l'un des policiers chargés des contrôles des passagers. Habilement, c'est-à-dire ni trop souvent ni trop rarement, elle avait pris l'habitude de se servir de son amant pour faire passer des paquets à des passagers en évitant les portiques de sécurité. L'homme était de service ce jour-là ; elle lui avait promis un déjeuner suivi d'une sieste dans l'arrière-boutique, et il s'était porté volontaire pour travailler le dimanche de Pâques.

Elle vida la valise et rangea les armes dans des paquets-cadeaux de chez Gucci, aux couleurs vives. Puis elle déposa les paquets dans un sac en papier mauve et attendit vingt minutes, l'heure du départ. Sur la table, le déjeuner était déjà servi. Lorsque le moment fut venu, elle prit le sac dans ses bras, craignant que le papier ne cédât, et courut gauchement jusqu'au passage dépourvu de système de contrôle. Son amant lui fit un geste de la main, auquel elle répondit par un charmant sourire. Lorsqu'elle pénétra dans l'avion, l'hôtesse de l'air la reconnut et lui lança en riant : « Encore, Livia » Elle parcourut le couloir de la classe touriste et finit par apercevoir Yabril entouré des trois hommes et des trois femmes de son équipe.

La femme qui répondait au prénom de Livia confia le lourd colis à l'une des femmes assises qui tendait les bras vers elle, puis tourna les talons et quitta l'avion. Elle retourna à sa boutique et se consacra aux derniers préparatifs du déjeuner.

Le policier, Faenzi, était l'un de ces magnifiques spécimens de mâles italiens qui semblent avoir été délibérément créés pour les délices des femmes de ce monde. Sa beauté était probablement la moindre de ses qualités : ce qui importait avant tout, c'était que Faenzi était l'un de ces hommes au caractère doux, totalement satisfaits de leurs talents et de l'étendue de leurs ambitions. Faenzi portait son uniforme de la police de l'air avec la fierté d'un maréchal de la Grande Armée, et sa moustache était aussi fine et délicieuse que le nez en trompette d'une soubrette. On voyait tout de suite qu'il croyait à l'importance de sa tâche au service de l'État. Il regardait passer les femmes avec attendrissement : elles étaient sous sa protection. Dès le premier jour de son entrée en fonction dans les services de sécurité de l'aéroport, Livia l'avait remarqué. Elle jeta son dévolu sur lui. Au début, il l'avait traitée avec une courtoisie toute filiale, mais elle avait eu rapidement raison de cette attitude avec un comportement outrageusement séducteur, quelques menus cadeaux qui laissaient entendre qu'elle n'était pas dans le besoin, financièrement parlant, puis des repas fins, le soir, dans son arrière-boutique. À présent il l'aimait, ou du moins lui était dévoué comme un chien à un maître indulgent : elle était une source inépuisable de plaisirs.

Quant à Livia, elle y trouvait elle aussi son plaisir. C'était un amant gai et merveilleux, sans la moindre idée sérieuse en tête. Elle le préférait de loin comme amant à ces jeunes révolutionnaires d'humeur si sombre, rongés de culpabilité, étouffés par leur conscience politique, et avec qui elle couchait parce que c'étaient des camarades politiques.

Il devint son toutou et elle l'appelait affectueusement Zonzi. Lorsqu'il pénétra dans la boutique et referma la porte derrière lui, elle l'accueillit avec désir et affection, mais elle avait mauvaise conscience. Pauvre Zonzi, les services antiterroristes italiens n'allaient pas tarder à découvrir que la dénommée Livia avait disparu. Zonzi s'était certainement vanté de sa conquête : après tout, elle était plus âgée et plus expérimentée que lui, son honneur de femme n'avait nul besoin d'être protégé. Pauvre Zonzi, ce déjeuner allait être son dernier moment de bonheur.

Ils firent l'amour : lui avec joie et enthousiasme, elle avec brio et rapidité. Livia savourait l'idée qu'elle goûtait ces instants, mais aussi qu'ils servaient sa cause de femme révolutionnaire. Zonzi serait puni pour son orgueil et sa présomption, son amour condescendant pour une femme plus âgée ; elle remporterait une victoire tactique et stratégique. Et pourtant, elle ne pouvait s'empêcher de plaindre le pauvre Zonzi. Comme il était beau, nu, sa peau olivâtre, ses grands yeux de biche, ses cheveux aile de corbeau, sa belle moustache, son pénis et ses testicules durs comme le bronze.

– Ah, Zonzi, Zonzi, murmura-t-elle entre les cuisses de son amant. Rappelle-toi toujours que je t'aime.

Cela n'était pas vrai, mais pourrait l'aider à panser sa blessure narcissique lorsqu'il purgerait sa peine en prison.

Elle lui servit un repas magnifique, accompagné d'une excellente bouteille de vin, puis ils refirent l'amour. Ensuite, Zonzi s'habilla et lui souhaita au revoir en l'embrassant ; rayonnant, il semblait visiblement estimer qu'il méritait sa bonne fortune. Après son départ, elle examina les lieux avec attention. Elle rassembla toutes ses affaires et quelques vêtements qu'elle rangea dans la valise de Yabril. Telles étaient les instructions. Il ne devait plus rester aucune trace de Yabril. Elle se mit en devoir également d'effacer toutes les empreintes digitales qu'elle aurait pu laisser dans la boutique, mais elle ne se faisait guère d'illusions : elle en oublierait certainement. Puis, la valise à la main, elle sortit de la boutique, ferma la porte et traversa le terminal. Dehors, une femme de son groupe l'attendait dans une voiture. Elle s'installa à côté d'elle et l'embrassa rapidement.

– Dieu merci, c'est fini, dit-elle, presque à regret.

– Ça n'était pas si mal que ça, dit l'autre femme. On a gagné de l'argent avec cette boutique.

Yabril et son équipe avaient pris des places en classe touriste, parce que Theresa Kennedy, fille du président des États-Unis, voyageait en première classe avec ses six gardes du corps des services secrets. Yabril ne tenait pas à ce que ces hommes les voient recevoir les paquets-cadeaux. Il savait aussi que Theresa Kennedy ne monterait dans l'avion qu'un tout petit peu avant le décollage, et que ses gardes du corps ne s'installeraient pas avant elle parce qu'ils redoutaient ses fréquents changements de décision à la dernière minute. Ces gars-là, se dit Yabril, sont devenus paresseux et négligents.

L'avion, un gros porteur, était loin d'être plein. Peu de gens, en Italie, choisissent de voyager un jour de Pâques, et Yabril se demandait pourquoi la fille du président avait retenu cette date. Après tout, elle était catholique, bien qu'élevée selon les canons de la nouvelle religion, celle de la gauche libérale, cette frange politique la plus méprisable. Mais le petit nombre de passagers constituait finalement une aubaine : il est plus facile de tenir en respect une centaine d'otages.

Une heure plus tard, en plein vol, les femmes se mirent à défaire les paquets-cadeaux de chez Gucci. Yabril s'enfonça dans son siège. Les trois hommes de l'équipe jouèrent les boucliers, se penchant sur leurs sièges pour parler aux femmes. Comme aucun passager n'était assis à côté d'eux, ils disposaient d'un petit espace de tranquillité. Les femmes tendirent à Yabril les grenades enveloppées dans du papier-cadeau et il les dissimula rapidement sur lui. Les trois hommes prirent les pistolets et les firent disparaître sous leurs vestes. Yabril prit lui aussi un petit pistolet, puis ce fut au tour des trois femmes de s'armer.

Lorsque tout fut prêt, Yabril intercepta une hôtesse qui marchait dans le couloir. Avant même qu'il lui eût pris la main et lui eût murmuré quelques mots, elle aperçut les grenades et le pistolet. La stupéfaction, le choc, enfin la peur qui se lisaient sur le visage de la jeune femme étaient familiers à Yabril. Deux de ses hommes se mirent en position de façon à pouvoir contrôler tout ce qui passait en classe touriste. Tenant toujours l'hôtesse par la main, Yabril pénétra en première classe. Les gardes du corps l'aperçurent immédiatement et virent le pistolet et les grenades. « Restez assis, messieurs », leur dit-il en souriant. La fille du président tourna lentement la tête et regarda Yabril dans les yeux. Son visage était tendu mais ne trahissait aucune peur. Elle est courageuse, se dit Yabril, et belle. Quel dommage ! Il attendit que les trois femmes de son groupe eussent pris position dans les premières classes, puis il donna l'ordre à l'hôtesse d'ouvrir la cabine de pilotage. Yabril eut l'impression de pénétrer dans le cerveau d'une grande baleine et de paralyser ainsi le reste du corps.

Lorsque Theresa Kennedy aperçut Yabril, son corps fut secoué par une nausée due à une reconnaissance inconsciente. Devant elle se tenait le démon contre lequel on l'avait mise en garde. La férocité se lisait sur ce visage sombre et étroit ; l'épaisseur, la brutalité de sa mâchoire inférieure lui donnaient l'apparence d'un visage de cauchemar. Les grenades étaient suspendues sur sa veste comme un chapelet, et dans sa main elles ressemblaient à des crapauds verts et boursouflés. Elle aperçut alors les trois femmes vêtues de pantalons sombres et de vestes blanches, avec de grands pistolets d'acier dans les mains. Le premier moment de choc passé, ce fut un sentiment de culpabilité qu'éprouva Theresa Kennedy, comme une enfant. Ça y est, se dit-elle, j'ai mis mon père dans le pétrin. Jamais elle ne parviendrait à se débarrasser de ses gardes du corps. Lorsque Yabril conduisit l'hôtesse vers la cabine de pilotage, elle tourna la tête pour voir le chef de son équipe de sécurité, mais ce dernier observait les femmes en armes avec la plus grande attention.

À cet instant, l'un des hommes de Yabril pénétra dans la cabine des premières classes, une grenade à la main. L'une des femmes obligea une hôtesse à prendre le micro. La voix retentit, à peine tremblante.

– Attachez vos ceintures, s'il vous plaît. Un groupe révolutionnaire vient de s'emparer de l'avion. Nous vous demandons de rester calmes et d'attendre d'autres instructions. Ne vous levez pas. Ne touchez pas à vos bagages à main. Ne quittez votre siège sous aucun prétexte. Restez calmes, surtout restez calmes.

En voyant entrer l'hôtesse, le pilote s'écria, au comble de l'excitation :

– Hé, on vient d'apprendre par la radio que quelqu'un a tiré sur le pape.

Mais lorsqu'il aperçut Yabril derrière l'hôtesse, ses lèvres formèrent un O parfait, comme dans un dessin animé. Les derniers mots du pilote retentirent dans l'esprit de Yabril : « Quelqu'un a tiré sur le pape. » Cela voulait-il dire que Romeo l'avait manqué ? L'opération avait-elle déjà raté ? De toute façon, il n'avait pas le choix. Il ordonna au pilote de changer de route et de se diriger vers le sultanat du Sherhaben.

Dans la marée humaine qui recouvrait la place Saint-Pierre, Romeo et son groupe se laissèrent dériver jusqu'à un coin délimité par un mur de pierre, et formèrent leur propre petite île. Annee, déguisée en religieuse, se tenait juste devant Romeo, le pistolet sous sa robe. Son rôle consistait à le protéger, à lui donner le temps de tirer. Les autres membres du groupe, eux aussi déguisés en religieux, formaient un cercle, un périmètre destiné à lui donner de l'espace. Ils avaient trois heures à attendre avant l'apparition du pape.

Romeo s'adossa au mur, ferma les yeux pour se protéger du soleil et se remémora rapidement les détails de l'opération. Lorsque le pape apparaîtrait au balcon, Romeo taperait sur l'épaule de son voisin de gauche, qui alors donnerait le signal radio déclenchant l'explosion des statues. Au moment de l'explosion, il sortirait son fusil et tirerait ; tout devrait se faire très vite, de façon à ce que le coup de feu apparaisse comme la réverbération des autres explosions. Il jetterait ensuite son fusil par terre, les moines et les religieuses formeraient un cercle autour de lui, et ils fuiraient avec les autres. Il y avait également des bombes fumigènes dans les statues, et la place Saint-Pierre serait enveloppée d'une épaisse fumée. Il y aurait une immense confusion, une véritable panique qui leur permettrait de fuir. Les gens qui se trouvaient près d'eux, dans la foule, pourraient se révéler dangereux, mais le flot humain aurait tôt fait de les séparer. Quant à ceux qui seraient assez fous pour les poursuivre, ils seraient abattus.

Une sueur froide coulait sur la poitrine de Romeo. La

foule immense qui agitait des fleurs prenait pour lui l'apparence d'une mer blanche et violette, rose et rouge. Pourquoi toute cette joie ? Pourquoi cette croyance en la résurrection ? Pourquoi cet espoir extatique face à la mort ? Il s'essuya les mains sur son manteau et sentit le poids du fusil accroché à sa bretelle. Ses jambes commençaient à s'engourdir, à lui faire mal. Il lui restait de longues heures avant que le pape n'apparaisse à son balcon ; son esprit se mit à battre la campagne.

Il revit des scènes de son enfance. Lors de la préparation à la confirmation, un prêtre lui avait expliqué qu'un cardinal à chapeau rouge vérifiait la mort du pape en lui tapant sur le front avec un marteau d'argent. En allait-il encore ainsi ? Cette fois-ci, le marteau serait particulièrement sanglant. Mais quelle pouvait être la taille de ce marteau ? La taille d'un jouet ? Ou bien suffisamment gros et lourd pour planter un clou ? De toute façon, ça ne pouvait être qu'un objet d'art de la Renaissance, incrusté de pierreries. Peu importe, il ne resterait pas grand-chose de la tête du pape, car son fusil tirait des balles explosives. Romeo était sûr de ne pas manquer sa cible. Il était gaucher, et les gauchers, les *mancini*, ont de la chance en sport, en amour, et, bien entendu, en assassinat.

Romeo s'étonnait presque de n'avoir aucun sens du sacrilège : après tout, il avait été élevé dans la religion catholique, et dans une ville dont chaque rue, chaque bâtiment rappelait les premiers temps du christianisme. À présent encore, il apercevait les coupoles des églises, semblables à des disques de marbre se détachant contre le ciel, et il entendait le carillon consolateur et pourtant intimidant des cloches. Sur cette grande place, il voyait les statues des martyrs, il respirait le parfum des innombrables fleurs offertes par les vrais croyants.

Le parfum de ces milliers de fleurs l'enveloppait tout

entier et lui rappelait la façon dont son père et sa mère se parfumaient pour masquer l'odeur capiteuse de leurs corps de Méditerranéens.

Puis la foule se mit à crier d'une seule voix « Papa, Papa, Papa ! ». Debout dans la lumière citronnée de ces premiers jours de printemps, des anges de pierre au-dessus de leurs têtes, les gens réclamaient la bénédiction de leur pape. Finalement, deux cardinaux en robe rouge s'avancèrent sur le balcon et étendirent le bras en un geste de bénédiction. Alors le pape Innocent fit son apparition.

C'était un très vieil homme, vêtu d'une chasuble d'un blanc étincelant, et portant autour du cou le pallium de laine blanche brodé de croix noires. Il était coiffé d'une calotte blanche et chaussé des traditionnelles chaussures basses, de couleur rouge, brodées de croix d'or. Au doigt de l'une des mains levée pour bénir la foule, il portait l'anneau de Saint-Pierre.

Les fleurs jaillirent dans les airs, une longue clameur d'extase s'éleva, le balcon trembla dans le soleil, comme submergé par les fleurs qui retombaient vers le sol.

À cet instant, Romeo éprouva la terreur que ces symboles lui avaient toujours inspirée quand il était enfant, il se rappela le cardinal au chapeau rouge qui avait prononcé sa confirmation, le visage grêlé comme le diable, et puis un sentiment de joie l'envahit, dilatant tout son être. Il tapa sur l'épaule de son camarade, donnant ainsi l'ordre d'actionner la télécommande.

Le pape leva les bras pour répondre aux cris de « Papa, Papa ! » qui s'élevaient de la foule, pour la bénir, pour louer la résurrection du Christ et saluer les anges de pierre qui bordaient les murs de la place. Romeo tira son fusil de dessous son manteau ; devant lui, deux moines s'agenouillèrent pour dégager son champ de vision. Annee se plaça de façon à ce qu'il pût appuyer le canon de son fusil sur son épaule. Derrière lui, l'homme appuya sur le bouton de la télécommande.

Les explosions firent trembler les fondations de la place, un nuage rose se forma dans l'air, au parfum des fleurs se mêla la puanteur de la chair brûlée. Au même moment, l'œil au viseur, Romeo appuya sur la détente.

Sur le balcon, le corps du pape sembla se soulever, la calotte blanche vola dans les airs, tourbillonna un instant dans le vent de l'explosion et retomba dans la foule comme un chiffon sanglant. Le pape s'affaissa sur la rambarde du balcon, et un cri d'horreur, de terreur et de rage animale s'éleva de la multitude. Le pallium était taché de sang, sa croix en or se balançait.

Des nuages de poussière envahirent la place. Des morceaux de statues en marbre s'abattirent sur les assistants. Il y eut un silence terrible : la foule semblait tétanisée à la vue du pape mort. Sa tête avait éclaté. Puis ce fut la panique. La foule se mit à fuir la place, submergeant les gardes suisses qui tentaient de barrer les issues. Les magnifiques uniformes de la Renaissance disparurent au milieu des fidèles frappés de terreur.

Romeo jeta son fusil sur le sol. Entouré par son groupe de moines et de religieuses, il se laissa porter par le flot à travers les rues de Rome. Il titubait, comme un aveugle, et Annee dut le prendre par le bras pour le pousser dans la camionnette. Romeo se boucha les oreilles de ses deux mains pour ne plus entendre les hurlements ; il se mit à trembler, puis un sentiment d'exaltation s'empara de lui avant de laisser la place à l'incrédulité, comme si l'assassinat n'avait eu lieu qu'en rêve.

Dans l'avion, Yabril et son groupe maîtrisaient parfaitement la situation ; les premières classes avaient été vidées de tous leurs passagers, excepté Theresa Kennedy.

La fille du président semblait à présent plus curieuse qu'effrayée. Elle était fascinée par la facilité avec laquelle les pirates de l'air avaient neutralisé ses gardes du corps en se contentant de montrer les grenades qu'ils s'étaient accrochées sur le corps : cela voulait dire que la moindre balle pouvait faire exploser l'avion dans le ciel. Elle remarqua que les trois hommes et les trois femmes avaient le visage tendu comme des athlètes au moment le plus intense de la compétition. L'un des pirates de l'air poussa violemment l'un de ses gardes du corps hors des premières classes, et continua de le pousser dans le couloir de la classe touriste. L'une des femmes se tenait à distance, prête à ouvrir le feu. Lorsqu'un autre de ses gardes du corps montra quelque réticence à quitter le siège voisin de celui de Theresa, la femme lui appuya le canon de son pistolet contre la tempe. Ses yeux rétrécis à la largeur d'une fente, la crispation de sa mâchoire : visiblement elle allait tirer. Theresa repoussa alors son garde du corps et se plaça devant la femme qui sourit de soulagement et lui fit signe de regagner son siège.

Theresa observait la façon dont Yabril dirigeait les opérations. Il semblait presque distant, comme un metteur en scène regardant ses acteurs jouer sans vraiment leur donner de directives, en se contentant de vagues indications. Avec un petit sourire rassurant, il lui signifia de ne pas quitter son siège. Il agissait comme si elle avait été placée sous sa protection. Puis il pénétra dans la cabine de pilotage. L'un des pirates de l'air gardait l'entrée menant à la classe touriste. En première classe, deux femmes se tenaient dos à dos, prêtes à faire feu. L'une des hôtesses était chargée de transmettre par l'interphone aux passagers les messages que lui dictait un pirate de l'air. Ils semblaient tous bien trop insignifiants pour répandre autant de terreur.

Dans la cabine de pilotage, Yabril autorisa le pilote

à annoncer par radio que son avion avait été détourné et à communiquer son nouveau plan de vol vers le Sherhaben. Les Américains allaient croire qu'ils avaient affaire aux habituels terroristes arabes. Yabril demeura dans la cabine de pilotage pour écouter les échanges radio.

L'avion poursuivait sa route. Il n'y avait rien d'autre à faire qu'à attendre. Yabril songeait à la Palestine de son enfance, l'oasis verte de sa maison, son père et sa mère, deux anges de lumière, le magnifique Coran posé sur le bureau de son père, toujours prêt à retremper la foi. Et puis tout s'était écroulé au milieu des nuages de fumée et des explosions des bombes venues du ciel. Les Israéliens étaient venus et il lui semblait que dès lors son enfance tout entière s'était déroulée dans quelque camp de prisonniers fait de baraquements, où seule la haine des Juifs les maintenait unis. Ces mêmes Juifs que le Coran encensait.

Il se rappelait comment même à l'université certains professeurs parlaient de « travail arabe » pour un travail bâclé. Yabril lui-même avait utilisé l'expression à l'adresse d'un fabricant d'armes qui lui avait livré de la marchandise défectueuse. Mais cette fois-ci, on ne pouvait plus parler de « travail arabe ».

Il avait toujours haï les Juifs… non, pas les Juifs, les Israéliens. Il se rappelait que lorsqu'il avait quatre ou cinq ans, pas plus, les Israéliens avaient attaqué le camp de réfugiés où il allait à l'école. Ils avaient reçu de fausses informations (du « travail arabe »), selon lesquelles le camp abritait des terroristes. Tous les habitants avaient reçu l'ordre de sortir dans les ruelles, les mains en l'air. Y compris les enfants, qu'on avait fait sortir de la cabane en tôle jaune installée en dehors du camp, et qui servait d'école. En hurlant de terreur, serrés les uns contre les autres, les petits garçons et les petites filles, dont Yabril, étaient sortis en levant les mains. Yabril n'avait jamais oublié ce jeune soldat israélien, cette nouvelle sorte de Juif, blond comme un nazi, qui regardait les enfants avec horreur, et qui s'était subitement mis à pleurer. L'Israélien avait baissé son fusil et avait hurlé aux enfants de baisser les mains. Ils n'avaient rien à craindre, expliquait-il, les petits enfants n'avaient rien à craindre. Le soldat israélien parlait un arabe presque parfait, et en voyant que les enfants ne bougeaient pas, il passa parmi eux, toujours pleurant, pour tenter de leur faire baisser les bras. Yabril n'avait jamais oublié ce soldat, et plus tard, avait décidé de ne jamais lui ressembler, de ne jamais laisser la pitié le détruire.

À présent, en bas, il apercevait les déserts d'Arabie. Ils n'allaient pas tarder à arriver au sultanat du Sherhaben.

Le Sherhaben était l'un des plus petits pays du monde, mais il possédait tellement de pétrole que les centaines d'enfants et de petits-enfants de l'ancien sultan, qui lui se déplaçait à dos de chameau, conduisaient tous des Mercedes et faisaient leurs études dans les meilleures universités étrangères. Le premier sultan avait possédé de grandes sociétés industrielles en Allemagne et aux États-Unis, et à sa mort était considéré comme l'un des hommes les plus riches du monde. Seul l'un de ses petits-enfants avait survécu aux complots meurtriers des demi-frères, et c'était lui l'actuel sultan : il se nommait Maurobi.

Le sultan Maurobi était un musulman fanatique, tout comme les citoyens du Sherhaben, à présent fort riches. Aucune femme ne pouvait sortir sans voile, l'argent ne pouvait être prêté qu'avec intérêt, et en dehors des ambassades étrangères, on ne trouvait pas la moindre goutte d'alcool dans ce désert de la soif.

Longtemps auparavant, Yabril avait aidé le sultan à consolider son pouvoir en assassinant quatre de ses demi-frères, parmi les plus dangereux pour lui. Pour acquitter cette dette, et mû par sa propre haine des grandes puissances, le sultan avait accepté d'aider Yabril pour cette opération.

L'avion atterrit et roula lentement vers le petit terminal tout en vitres, qui jetait une pâle lueur jaune sous le soleil du désert. Au-delà du terrain d'atterrissage, on apercevait une longue, une interminable bande de sable hérissée de puits de pétrole. Lorsque l'avion s'immobilisa, Yabril s'aperçut que l'aéroport était encerclé par au moins un millier de soldats du sultan Maurobi.

À présent, allait débuter la partie la plus compliquée et la plus dangereuse de l'opération. Il lui faudrait être très prudent jusqu'à ce que Romeo fût en place. Il devrait parier sur la réaction du sultan à sa dernière initiative secrète. Non, ça n'était pas du travail arabe.

En raison du décalage horaire, Francis Kennedy apprit l'attentat contre le pape le dimanche de Pâques à six heures du matin. La nouvelle lui fut transmise par l'attaché de presse Matthew Gladyce, qui était de permanence ce jour-là à la Maison-Blanche. Eugene Dazzy et Christian Klee, déjà prévenus, étaient aussitôt accourus.

Francis Kennedy descendit au bureau ovale, où il retrouva Dazzy et Klee. Tous deux avaient l'air sombre. Au loin, dans les rues de Washington, on entendait le hurlement des sirènes. Kennedy s'assit derrière son bureau. Il regarda Eugene Dazzy, qui en sa qualité de chef de cabinet devait le mettre au courant des événements.

– Francis, le pape est mort. Il a été assassiné pendant la bénédiction de Pâques.

Kennedy eut un haut-le-corps.

– Qui a fait ça ? Et pourquoi ?

– On ne le sait pas, dit Klee. Mais il y a des nouvelles encore plus graves.

Kennedy tenta de déchiffrer les visages des deux hommes devant lui.

– Que peut-il y avoir de pire ?

– L'avion où se trouvait Theresa, dit Klee, a été détourné et se dirige à présent vers le Sherhaben.

Francis Kennedy sentit la nausée l'envahir.

– Les pirates de l'air maîtrisent parfaitement la situation, ajouta Dazzy, il n'y a pas eu d'incidents à bord. Quand l'avion aura atterri, on négociera, on fera tout ce qu'il faudra, ça se terminera bien. Je ne crois même pas qu'ils savaient que Theresa était à bord.

– Arthur Wix et Otto Gray vont arriver, dit Klee. Ainsi que le directeur de la CIA, le ministre de la Défense et la vice-présidente. Ils vous attendront dans la salle du conseil dans une demi-heure.

– D'accord, dit Kennedy en s'efforçant de garder son calme. Y a-t-il un rapport ?

Klee ne semblait pas surpris par sa question, mais visiblement Dazzy n'avait pas compris.

– Entre l'assassinat du pape et le détournement, expliqua Kennedy.

Et comme aucun d'entre eux ne répondait, il ajouta :

– Attendez-moi dans la salle du conseil. J'ai besoin de rester seul un moment.

Ils sortirent.

Il était presque impossible d'assassiner le président lui-même, mais il avait toujours su que jamais il ne pourrait assurer une protection totale à sa fille. Elle était trop indépendante, elle ne lui permettait pas d'avoir trop d'emprise sur sa vie. Et puis le danger ne semblait pas vraiment sérieux. Jamais l'on ne s'était attaqué à la fille d'un chef d'État. C'eût été une fort mauvaise publicité pour une organisation terroriste ou révolutionnaire.

Après la prise de fonctions de son père, Theresa avait suivi son propre chemin, prêtant son nom à des groupes gauchistes et féministes et menant une vie parfaitement distincte de celle de son père. Jamais il ne lui avait demandé d'agir autrement, de présenter à l'opinion publique une image différente de ce qu'elle était. Il lui suffisait de l'aimer. Et lorsqu'elle venait à la Maison-Blanche pour de brèves visites, ils passaient d'agréables moments à discuter politique, à analyser l'exercice du pouvoir.

La presse conservatrice républicaine et les journaux à scandale avaient publié des photos d'elle dans les manifestations féministes, antinucléaires, et même une fois, propalestinienne. Nul doute que cette dernière photo ne fût à présent rappelée sur le mode ironique.

Curieusement pourtant, le public américain ne ménageait pas son affection pour Theresa Kennedy, même lorsqu'on apprit qu'elle vivait à Rome avec un gauchiste italien. La presse publia des photos d'elle flânant dans les rues de Rome, embrassant son amoureux, et même des photos du balcon de leur appartement. Le jeune Italien était beau ; Theresa était jolie, avec sa chevelure blonde, sa peau laiteuse d'Irlandaise et les doux yeux bleus des Kennedy.

D'autres photos parurent également où on la voyait protéger son amant des coups de matraque de la police italienne, et ces photos ramenèrent à la mémoire des Américains la journée terrible de Dallas.

L'héroïne ne manquait pas d'astuce. Au cours de la campagne électorale de son père, des journalistes de la télévision avaient une fois réussi à la surprendre. « Alors vous êtes d'accord avec votre père, politiquement ? » lui avaient-ils demandé. Si elle répondait « oui », elle risquait de faire figure d'hypocrite ou d'enfant manipulée par un père avide de pouvoir. Si elle répondait « non », les journaux auraient tôt fait d'en faire leurs gros titres : la fille du candidat démocrate ne soutenait pas son père pour l'élection présidentielle. Mais à cette occasion, elle montra tout le génie politique des Kennedy. «Bien sûr», répondit-elle, «c'est mon père. Et je sais que c'est quelqu'un de bien. Mais s'il fait quelque chose qui ne me plaît pas, je le crierai haut et fort, comme vous avez l'habitude de le faire, vous autres journalistes.» À la télévision, ces paroles sonnaient bien. Son père ne l'en avait que plus aimée.

Mais à présent elle risquait sa vie. Si seulement elle était restée près de lui, si seulement elle avait été une fille plus aimante et avait vécu auprès de son père à la Maison-Blanche, si seulement elle n'avait pas été gauchiste, rien de tout cela ne serait arrivé. Et pourquoi un amant étranger, un étudiant gauchiste qui avait peut-être donné aux ravisseurs des informations essentielles ? Mais il ne put s'empêcher de se moquer de lui-même : il se conduisait comme ces parents exaspérés qui aimeraient bien que leurs enfants se confondent avec les murs. Il l'aimait et il la sauverait ! Au moins avait-il face à lui un adversaire qu'il pouvait combattre, ce qui n'avait pas été le cas lors de la terrible agonie de sa femme.

Eugene Dazzy fit alors son apparition : on l'attendait dans la salle du conseil.

Lorsque Kennedy entra, tout le monde se leva. D'un geste rapide il les pria de se rasseoir, mais on se pressait autour de lui. Il gagna l'extrémité de la longue table ovale et s'installa sur la chaise la plus proche de la cheminée.

Les assistants prirent place à leur tour après avoir déposé leurs dossiers sur la table.

Au fond se trouvaient les ministres et le directeur de la CIA, et à l'autre extrémité de la table le chef d'état-major des armées, un général de l'armée de terre, dont le brillant uniforme tranchait sur les costumes sombres des gens qui l'entouraient. La vice-présidente Du Pray, seule femme de l'assistance, était assise en bout de table, très loin de Kennedy. Elle portait un élégant tailleur bleu foncé et un chemisier en soie bleue. Son beau visage était fermé. Les parfums du jardin des roses, à l'extérieur, franchissaient la barrière des lourds rideaux masquant les portes-fenêtres, et sur le sol, le tapis bleu-vert donnait à la lumière une teinte verte un peu irréelle.

Ce fut le directeur de la CIA, Theodore Tappey, qui présenta les faits. Tappey, ancien directeur du FBI, était un personnage plutôt terne et dépourvu d'ambitions politiques. Jamais il n'avait enfreint la charte de la CIA en se lançant dans des opérations risquées, illégales ou démesurées. Le cabinet particulier de Kennedy, notamment Christian Klee, lui accordait une grande confiance.

— Au cours des dernières heures, nous avons reçu quelques nouvelles particulièrement graves, dit Tappey. D'abord, il semble que l'assassinat du pape ait été réalisé par une équipe entièrement italienne. Quant au détournement de l'avion dans lequel se trouve Theresa, il est le fait d'un groupe mixte dirigé par un Arabe du nom de Yabril. Le fait que les deux actions aient eu lieu le même jour dans la même ville semble une pure coïncidence. Cela dit, nous pouvons nous tromper.

— Pour l'instant, dit doucement Kennedy, l'assassinat du pape n'est pas notre préoccupation essentielle. Il faut s'occuper avant tout du détournement de l'avion. Ont-ils déjà présenté des exigences ?

— Non, dit rapidement Tappey, ce qui est en soi extrêmement curieux.

— Faites négocier les contacts que vous avez là-bas, dit Kennedy, et tenez-moi au courant des moindres développements. (Puis, se tournant vers le ministre des Affaires étrangères :) Quels pays vont nous aider ?

– Tous, répondit le ministre. Les autres pays arabes sont horrifiés, ils jugent méprisable qu'on retienne votre fille en otage. Cela est contraire à leur sens de l'honneur, et ils songent aussi à leurs propres coutumes de la dette de sang. D'après eux, cette affaire ne peut leur attirer aucun bien. La France a de bonnes relations avec le sultan. Ils offrent d'envoyer des observateurs pour nous. La Grande-Bretagne et Israël ne peuvent rien faire : on ne leur fait pas confiance. Mais tant que les pirates de l'air n'ont pas formulé d'exigences, on demeure dans le brouillard.

Kennedy se tourna vers Christian Klee.

– Christian, à votre avis, pourquoi n'ont-ils présenté encore aucune revendication ?

– Il est peut-être trop tôt, répondit le ministre de la Justice. Ou alors ils ont une autre carte à jouer.

Un silence effrayant s'abattit sur la salle du conseil ; sur leurs hauts sièges noirs, les assistants ressemblaient à des fantômes gris. Kennedy les écouta tous, les uns après les autres, exposer les différentes options qui s'offraient à eux : menaces de sanctions, menace de blocus naval, gel des avoirs du Sherhaben aux États-Unis… le fait que les ravisseurs chercheraient à faire traîner les négociations en longueur pour pouvoir occuper les écrans de télévision et les journaux le plus longtemps possible.

Finalement, Kennedy se tourna vers Oddblood Gray.

– Préparez une rencontre avec les dirigeants du Congrès et les présidents de commissions concernés, pour mon cabinet et moi.

Puis, à Arthur Wix :

– Mettez votre cabinet de sécurité nationale sur les plans à adopter au cas où les choses prendraient plus vilaine tournure.

Enfin, le président se leva.

– Messieurs, dit-il, je n'arrive pas à croire que

l'assassinat du pape et l'enlèvement de la fille du président des États-Unis, le même jour et dans la même ville, soient une pure coïncidence.

Pour Adam Gresse et Henry Tibbot, ce dimanche de Pâques fut un jour de travail ordinaire qu'ils consacrèrent non pas à poursuivre leurs recherches scientifiques, mais à effacer toutes les traces de leur crime. D'abord, nettoyer leur appartement. Ils rassemblèrent tous les vieux journaux dans lesquels ils avaient découpé les lettres de leur message, puis passèrent l'aspirateur pour faire disparaître les moindres fragments de papier. Ils se débarrassèrent même de la paire de ciseaux et de la colle. Ils lessivèrent les murs. Puis ils se rendirent à leur laboratoire à l'université pour se débarrasser de tous les outils et de tous les matériaux dont ils s'étaient servis pour fabriquer leur bombe. Ils n'allumèrent la télévision qu'une fois leur tâche achevée. En apprenant l'assassinat du pape et l'enlèvement de la fille du président, ils se regardèrent en souriant.

– Henry, dit Adam Gresse, je crois que notre heure est arrivée.

Ce fut un long dimanche de Pâques. À la Maison-Blanche se pressaient les membres des différents comités de crise mis en place par la CIA, l'armée et le ministère des Affaires étrangères. Que les ravisseurs n'eussent pas encore fait connaître leurs exigences pour la libération des otages semblait à tous particulièrement inquiétant.

Dehors, dans les rues, les habituels embouteillages. Les journalistes affluaient à Washington. En dépit des congés de Pâques, un certain nombre de hauts fonctionnaires avaient été priés de rejoindre leur poste. En outre, Christian Klee avait affecté un millier d'hommes supplémentaires des services secrets et du FBI à la garde de la Maison-Blanche.

Entre les bureaux de l'Executive Office et la Maison-Blanche, les allées et venues étaient incessantes, le volume des communications téléphoniques augmenta brutalement : la ruche semblait prise de folie. Eugene Dazzy, pourtant, s'efforçait de tout coordonner.

Tout au long de cette journée, Kennedy fut tenu au courant de l'évolution de la situation par la cellule de crise ; il assista à plusieurs réunions où furent détaillées les différentes options à la disposition du gouvernement, et s'entretint au téléphone avec plusieurs chefs d'État étrangers.

En fin de soirée, le président dîna en compagnie des membres de son cabinet particulier ; ils préparèrent le programme du lendemain tout en gardant un œil sur les nouvelles que diffusaient de façon ininterrompue les chaînes de télévision.

Finalement, Kennedy décida d'aller se coucher. En cas d'urgence, on n'hésiterait pas à le réveiller. Précédé par un agent des services secrets, Kennedy grimpa le petit escalier menant à ses appartements privés, au quatrième étage de la Maison-Blanche. Un autre agent secret fermait la marche. Tous deux savaient que le président détestait utiliser les ascenseurs.

Les escaliers débouchaient sur un salon où se trouvaient deux autres gardes des services secrets disposant d'une console de communications. En pénétrant dans ses appartements privés proprement dits, Kennedy n'était plus entouré que par ces domestiques : une femme de chambre, un majordome, et aussi un valet de chambre chargé essentiellement de l'imposante garde-robe du président.

Ce que Kennedy ignorait, c'est que même des domestiques appartenaient aux services secrets. C'était Christian Klee qui les avait placés là. Le ministre de la Justice avait élevé autour du président une muraille complexe destinée à le protéger et à lui éviter le plus possible les soucis personnels.

Avant de mettre en place cette équipe, Christian Klee en avait dûment chapitré les membres : « Vous allez devenir les meilleurs domestiques du monde ; après cela, vous pourrez sans problèmes postuler pour Buckingham Palace. Vous savez déjà que votre première tâche consiste à recevoir à sa place les balles qu'on pourrait tirer sur le président. Mais il vous appartient aussi de faciliter au maximum sa vie quotidienne. »

Le chef de cette équipe spéciale était le majordome, de service ce soir-là. Officiellement, ce grand Noir du nom de Jefferson était sous-officier d'ordonnance de la marine, mais en réalité il était officier supérieur dans les services secrets. De carrure athlétique, spécialiste du combat au corps à corps, il avait fait partie de l'équipe nationale universitaire de football américain, et possédait un QI de 160. Doué d'un grand sens de l'humour, il s'efforçait de devenir un serviteur accompli.

Jefferson aida Kennedy à retirer son veston et alla le suspendre avec le plus grand soin. Puis il tendit au président une veste d'intérieur en soie : il avait appris que ce dernier n'aimait pas qu'on l'aidât à l'enfiler. Puis Kennedy se dirigea vers le petit bar installé dans le salon, mais Jefferson s'y trouvait déjà et lui préparait une vodka-tonic avec de la glace.

– Monsieur le président, votre bain est prêt.

Kennedy le considéra avec un petit sourire. Jefferson était un peu trop prévenant pour être honnête.

– S'il vous plaît, coupez tous les téléphones. En cas de besoin, venez vous-même me réveiller.

Il resta dans son bain pendant près d'une demi-heure. Le jet des robinets à pression lui massait le dos et les cuisses, lui détendait les muscles. L'eau du bain exhalait un agréable parfum masculin, et sur les bords de la baignoire étaient disposés toutes sortes de savons, onguents et magazines. Il y avait même une corbeille en plastique avec une pile de dossiers.

En sortant de son bain, Kennedy enfila une robe de chambre blanche en tissu-éponge sur laquelle, dans le dos, étaient brodés en bleu, blanc et rouge les mots, THE BOSS. Cette robe de chambre était un cadeau personnel de Jefferson. Francis Kennedy se frotta vigoureusement avec la robe de chambre pour se sécher. Il avait toujours été furieux d'avoir la peau très blanche et pas de poil sur le corps.

Dans la chambre, Jefferson avait tiré les rideaux, allumé la lampe de chevet et rabattu le couvre-lit. Près du lit se trouvaient une table à roulettes au plateau de marbre, et un fauteuil confortable. Sur la table, recouverte d'une nappe rose pâle magnifiquement brodée, étaient posés un pot bleu foncé contenant du chocolat chaud, une tasse en porcelaine d'un bleu plus clair (déjà remplie), un plat garni de six variétés de biscuits, un ravier blanc pour le beurre et quatre autres de différentes couleurs pour les confitures : vert pour la compote de pommes, bleu taché de blanc pour la framboise, jaune pour la marmelade d'orange et rouge pour la fraise.

– C'est parfait, dit Kennedy avant que Jefferson ne quitte la pièce.

Ces petites attentions faisaient bien plus plaisir à Kennedy qu'il ne l'aurait lui-même souhaité. Il prit place dans le fauteuil, but son chocolat et essaya en vain de grignoter un biscuit. Il repoussa la table et se coucha. Une fois au lit il voulut parcourir des dossiers mais n'y parvint pas. Il ferma la lumière, bien décidé à dormir.

Mais à travers les murs de sa chambre lui parvenait la rumeur immense des journalistes du monde entier venus monter une garde permanente devant la Maison-Blanche. Il devait y avoir des dizaines de camions-sono et vidéo, une foule de journalistes et d'opérateurs, sans compter le bataillon de *marines* envoyé en renfort pour assurer la garde du président.

Comme une seule fois auparavant au cours de son existence, Francis Kennedy éprouva un pressentiment. Il se mit à penser à sa fille Theresa. Elle dormait dans cet avion, entourée par des assassins. Tout cela n'était pas dû à un simple hasard. Il y avait eu des présages. Lorsqu'il était encore enfant, ses deux oncles avaient été assassinés. Et trois ans auparavant, sa femme Catherine était morte d'un cancer.

La première grande défaite de sa vie, Francis Kennedy l'avait connue six mois avant sa désignation comme candidat à la présidence, le jour où Catherine Kennedy avait appris qu'elle avait une tumeur au sein. Kennedy avait aussitôt proposé d'abandonner la politique, mais elle avait refusé, déclarant même qu'elle tenait absolument à vivre à la Maison-Blanche. Elle avait confiance, et son mari ne doutait pas d'elle. D'abord, ils cherchèrent à éviter l'ablation du sein, et à cet effet, Kennedy consulta les plus grands spécialistes du monde. L'un des plus grands cancérologues américains, après avoir examiné le dossier de Catherine, se prononça en faveur de l'ablation du sein. «C'est une forme de cancer particulièrement virulente», déclara-t-il à cette occasion. Kennedy ne devait jamais oublier ces paroles.

Elle suivait une chimiothérapie lorsqu'il reçut l'investiture démocrate en juillet, et les médecins la renvoyèrent chez elle. C'était une période de rémission. Elle prit du poids. Elle commençait à se remplumer.

Elle se reposait beaucoup et ne pouvait pas quitter la maison, mais elle se levait toujours pour l'accueillir à son retour. Theresa retourna à l'école, Kennedy poursuivit sa campagne électorale. Mais il s'arrangeait pour rentrer en avion le plus souvent possible. Chaque fois, il la trouvait en meilleure santé ; ce fut une période douce, jamais ils ne s'étaient autant aimés. Il lui ramenait des cadeaux, elle lui tricotait des gants et des écharpes.

Une fois, elle accorda une journée de congé aux domestiques pour qu'ils puissent être seuls à la maison et prendre ensemble le dîner qu'elle avait préparé. Elle allait bien. Ce furent les jours les plus heureux de sa vie. Francis Kennedy pleurait des larmes de joie : la peur et l'angoisse s'en étaient allées. Le lendemain, ils allèrent se promener dans les vertes collines autour de leur maison, bras dessus, bras dessous. Autrefois, elle s'inquiétait beaucoup de son apparence, de ses nouvelles robes, de ses maillots de bain, des rides qui apparaissaient sous son menton. À présent, elle n'avait qu'une idée : reprendre du poids. Tandis qu'ils marchaient, il sentait tous les os du corps de sa femme. À leur retour, il prépara le petit déjeuner, et elle mangea avec un appétit qu'il ne lui avait jamais connu.

Sa rémission donna à Kennedy une énergie torrentielle pour sa campagne. Il balayait tous les obstacles devant lui ; les gens et les choses semblaient plier devant son destin. Son corps irradiait la puissance et son esprit fonctionnait avec une précision hallucinante.

C'est au retour d'un de ses voyages qu'il fut à nouveau plongé en enfer. Catherine, qui avait rechuté, n'était pas là pour l'accueillir. Toute sa force, tous ses cadeaux étaient désormais inutiles.

Catherine avait été pour lui une épouse parfaite. Non qu'elle eût été une femme extraordinaire, mais elle était de celles qui semblent presque génétiquement douées pour l'amour. Elle avait en elle une étonnante douceur naturelle. Jamais il ne l'avait entendue médire de personne ; à tout le monde elle pardonnait ses erreurs, et ne se sentait elle-même jamais ni lésée ni blessée. Jamais elle n'avait nourri le moindre ressentiment.

C'était une femme agréable à tous égards. Un corps mince, et un visage dont le calme et la beauté lui gagnaient l'affection de tous. Elle avait sa faiblesse, bien sûr : elle adorait les beaux vêtements et était un peu vaniteuse. Mais elle acceptait qu'on la taquine à ce propos. Spirituelle sans être jamais ni féroce ni insultante, elle n'était en outre jamais déprimée. Elle avait fait de bonnes études, avait été journaliste avant son mariage et possédait d'autres atouts. Pianiste amateur de bon niveau, elle était également peintre. Elle avait bien élevé sa fille et les deux femmes s'aimaient beaucoup ; elle se montrait compréhensive envers son mari et n'avait jamais jalousé ses succès. Elle était de ces personnes que l'on rencontre si rarement dans la vie : un être heureux et content de son sort.

Et puis un jour, dans un couloir de l'hôpital, le médecin expliqua à Francis Kennedy, avec franchise et une certaine brutalité, que sa femme allait mourir. Il y avait des trous dans ses os, son squelette allait s'effondrer. Elle avait aussi des tumeurs au cerveau, encore minuscules, mais qui allaient inexorablement se répandre. Et son sang fabriquait les poisons qui allaient la tuer.

Francis Kennedy fut incapable d'apprendre la nouvelle à sa femme. Il en fut incapable car il n'y croyait pas lui-même. Il fit appel à ses amis les plus puissants, et consulta même l'Oracle. En vain. Il existait pourtant, dans différents centres de recherche aux États-Unis, de nouveaux protocoles médicaux, dangereux, encore au stade expérimental, et réservés aux malades déjà condamnés. En raison de leur grande toxicité, ces médicaments n'étaient administrés qu'à des volontaires. Mais il y avait tant de personnes condamnées qu'il y avait cent volontaires pour chaque nouveau médicament.

Francis Kennedy se conduisit alors d'une façon qu'il aurait jugée chez tout autre immorale. Il utilisa toutes les ressources de son pouvoir pour que sa femme bénéficie de ces programmes de recherche, pour qu'elle puisse recevoir ces drogues létales mais peut-être salvatrices. Un certain nombre de gens avaient été guéris dans ces centres de recherche. Pourquoi pas sa femme ? Il avait gagné toute sa vie, pourquoi pas cette fois-ci ?

Commença dès lors un voyage à travers l'enfer. D'abord, le programme de recherche de Houston. Il la fit entrer dans un hôpital de cette ville et demeura à ses côtés tout le temps que dura le traitement ; mais les drogues l'affaiblirent tellement qu'elle fut clouée au lit. Elle l'obligea alors à la laisser pour qu'il puisse poursuivre sa campagne électorale. Il s'envola pour Los Angeles avec confiance, presque gaiement. Il revint à Houston dans la nuit et passa quelques heures au chevet de sa femme. Puis il repartit pour une autre ville.

Le traitement de Houston fut un échec. À Boston, on lui ôta la tumeur au cerveau ; l'opération fut un succès, mais les analyses révélèrent que la tumeur était maligne. Malignes également les nouvelles tumeurs aux poumons ; et aux rayons X, on s'aperçut que les trous dans ses os s'étaient agrandis. Dans un autre hôpital de Boston, de nouveaux médicaments et de nouveaux protocoles réalisèrent un miracle. La nouvelle tumeur au cerveau cessa de croître et celles qui étaient apparues dans son unique sein régressèrent. Tous les soirs, Francis Kennedy revenait en avion de la ville où il avait mené campagne pour passer quelques heures avec elle, lui faire la lecture, plaisanter. Parfois, Theresa quittait son école de Los Angeles pour rendre visite à sa mère. Theresa lui contait les petites histoires amusantes de son école, Francis les aventures comiques de sa campagne électorale. Catherine riait.

À nouveau, Kennedy proposa d'abandonner sa campagne électorale pour rester avec sa femme. À nouveau, Theresa proposa de quitter l'école pour demeurer nuit et jour auprès de sa mère. Mais Catherine refusa catégoriquement. Sa maladie pourrait durer longtemps. Ils devaient continuer de mener une existence normale. Cela seul pouvait lui donner espoir, lui donner la force de supporter la torture. Elle se montra intraitable. Elle menaça de quitter l'hôpital et de rentrer chez elle s'ils ne poursuivaient pas leurs activités normalement.

Francis s'émerveillait de sa ténacité. Catherine, gavée de poisons, s'accrochait désespérément à l'idée qu'elle guérirait et que les deux êtres qu'elle chérissait le plus au monde ne l'accompagneraient pas dans sa chute.

Nouvelle rémission. Le cauchemar semblait prendre fin. Francis put la ramener à la maison. Ils étaient allés un peu partout aux États-Unis, dans différents hôpitaux, elle avait suivi plusieurs traitements expérimentaux, et les médicaments semblaient avoir fait leur effet ; Francis, au comble de l'exaltation, croyait avoir remporté un nouveau succès. Il ramena sa femme chez eux, à Los Angeles, et un soir, Catherine, Theresa et lui allèrent dîner dehors avant qu'il ne reparte en campagne. C'était une merveilleuse nuit d'été, l'air de la Californie les berçait de sa douceur. Il y eut pourtant un moment étrange. Un serveur avait renversé une petite goutte de sauce sur la nouvelle robe de Catherine. Elle éclata en sanglots, et après le départ du serveur leur demanda : « Pourquoi m'a-t-il fait ça ? » Cela ne lui ressemblait pas : en d'autres temps elle aurait éclaté de rire. Francis éprouva un sombre pressentiment. Elle avait supporté la torture de plusieurs opérations : l'ablation d'un sein, d'une tumeur au cerveau, elle avait supporté la douleur des tumeurs qui grossissaient dans son corps et jamais elle n'avait pleuré, jamais elle ne s'était plainte. Mais une seule tache sur sa robe semblait l'affecter plus que tout ; elle était inconsolable.

Le lendemain, Kennedy devait s'envoler pour New York. Le matin, Catherine lui prépara son petit déjeuner. Elle était rayonnante et semblait plus belle que jamais. Tous les sondages donnaient Kennedy comme favori à l'élection présidentielle. Catherine les lisait à haute voix. « Oh, Francis, nous allons vivre à la Maison-Blanche. Theresa pourra amener ses amis pendant les vacances et les fins de semaine. Comme nous allons être heureux ! Et moi je ne serai plus jamais malade. Je te le promets. Tu feras de grandes choses, Francis, j'en suis sûre. » Elle l'enlaça et se mit à pleurer de joie et d'amour. « Je t'aiderai », reprit Catherine. « Nous parcourrons ensemble cet endroit merveilleux, et je t'aiderai à préparer tes projets. Tu seras le plus grand président que les États-Unis aient jamais eu. Et moi je vais aller mieux, mon chéri, j'ai tellement de choses à faire. Nous serons si heureux ! Quelle chance nous avons ! Quelle chance ! »

Elle mourut en automne. La lumière d'octobre fut son linceul. Au milieu des vertes collines qui s'estompaient autour de lui, Francis Kennedy pleura. Des arbres d'argent voilaient l'horizon, et envahi par une douleur insoutenable, il porta la main à ses yeux pour ne plus voir le monde. En cet instant dépourvu de lumière, il sentit sa raison s'effondrer.

C'était la première fois de sa vie que son extraordinaire intelligence ne valait plus rien. Sa fortune ne voulait plus rien dire. Son pouvoir politique, sa position dans la société ne voulaient plus rien dire. Il n'avait pas pu arracher sa femme à la mort. Tout était réduit à néant.

Il ôta la main de ses yeux, et par un terrible effort de volonté lutta contre ce néant. Il rassembla les morceaux épars de son existence et fit appel à toute sa force pour combattre le chagrin. Un mois seulement le séparait de l'élection et il réussit à accomplir le dernier effort.

Il entra à la Maison-Blanche sans sa femme, accompagné seulement de sa fille Theresa. Theresa qui s'efforçait d'être heureuse, mais qui avait passé cette première nuit en pleurs parce que sa mère n'était pas avec eux.

À présent, trois ans après la mort de sa femme, Francis Kennedy, président des États-Unis, l'un des hommes les plus puissants du monde, était couché seul dans son lit, incapable de trouver le sommeil, et tremblait pour la vie de sa fille.

Il chercha alors à conjurer la peur qui l'empêchait ainsi de dormir. Les ravisseurs n'oseraient pas faire de mal à Theresa, elle rentrerait chez elle saine et sauve. Face à cette situation, lui-même n'était pas désarmé : il n'avait pas comme alliés les seuls dieux inconséquents de la médecine, il n'avait pas à combattre d'invisibles cellules cancéreuses. Il pouvait sauver sa fille. Il pouvait utiliser la puissance de son pays, son autorité. Tout reposait entre ses mains, et grâce au ciel il n'avait pas de scrupules politiques. Sa fille était le seul amour qui lui restât sur cette terre. Il la sauverait.

Mais alors une vague de peur, une angoisse semblèrent arrêter les battements de son cœur, et il alluma la lampe qui se trouvait au-dessus de lui. Il se leva et alla s'asseoir dans le fauteuil. Il attira à lui la petite table en marbre et avala le reste de chocolat froid.

Il était persuadé que l'avion n'avait été détourné que parce que sa fille s'y trouvait. Ce détournement n'avait été rendu possible que parce que l'autorité établie était vulnérable aux attaques de quelques terroristes impitoyables et peut-être même inspirés par de nobles idéaux. Et lui, Francis Kennedy, président des États-Unis, était le vivant symbole de cette autorité établie. En voulant à toute force devenir président des États-Unis, il avait mis la vie de sa fille en danger.

À nouveau, les paroles du médecin lui revinrent en mémoire : « C'est une forme de cancer particulièrement virulente », mais à présent il en mesurait toutes les conséquences. Les choses étaient toujours plus dangereuses qu'elles n'y paraissaient au premier abord. Cette nuit, il fallait dresser des plans : il avait le pouvoir de contrecarrer le destin. De toute façon, son esprit était un tel champ de mines qu'il ne parviendrait pas à trouver le sommeil.

Au fond, qu'avait-il désiré ? Que le nom de Kennedy fût enfin synonyme de réussite ? Mais il n'était qu'un cousin. Il se rappelait encore son grand-oncle Joseph Kennedy, célèbre séducteur, homme d'affaires richissime, si clairvoyant pour le présent et si aveugle pour l'avenir. Il se rappelait avec tendresse le vieux Joe, bien que s'il eût vécu, les deux hommes eussent été totalement opposés du point de vue politique. Le vieux Joe lui avait offert des pièces d'or pour ses premiers anniversaires et avait ensuite créé à son intention un fonds de placement. Et pourtant, en baisant des actrices de Hollywood et en poussant ses fils vers les sommets, il n'avait jamais cessé de mener une vie d'égoïste. Ce dinosaure politique avait connu une fin tragique. Une vie heureuse jusqu'au dernier chapitre : le meurtre de ses deux fils, si jeunes, si brillants. Et puis la fin du vieil homme, terrassé par une congestion cérébrale.

Faire de son fils un président, quelle plus grande joie pour un père ? Mais le vieux faiseur de rois n'avait-il pas sacrifié ses fils pour rien ? Les dieux ne l'avaient-ils pas puni, moins d'ailleurs pour son orgueil que pour sa jouissance ? Ou bien n'était-ce qu'un accident de l'histoire ? Ses fils John et Robert, si beaux, si riches, si doués, tués par d'humbles inconnus qui inscrivaient leurs noms dans l'histoire en tuant des gens meilleurs qu'eux. Non, il n'y avait aucune raison à tout cela, ce n'était qu'un accident de l'histoire. Tant de petits détails pouvaient contrecarrer le destin, et de minuscules précautions pouvaient changer le cours de la tragédie.

Et pourtant... pourtant subsistait en lui ce sentiment étrange d'un destin implacable. Pourquoi, en même temps, l'assassinat du pape et l'enlèvement de sa fille ? Pourquoi les ravisseurs n'avaient-ils pas encore présenté leurs exigences ? Quelles nouvelles manœuvres tortueuses se préparaient ? Et tout cela était l'œuvre d'un homme dont il n'avait jamais entendu parler, un mystérieux Arabe nommé Yabril ; et il y avait aussi ce jeune Italien, qui par une effroyable ironie se faisait appeler Romeo.

L'obscurité. L'issue de tout cela pouvait être effroyable. Il sentait monter en lui cette rage toujours matée, cette vieille terreur. Il se rappelait ce jour affreux où il avait surpris ce que l'on disait à mi-voix : son oncle était mort ; et le long, le terrible hurlement de sa mère.

Mais les prisons de son esprit finirent par s'ouvrir, ses souvenirs s'enfuirent. Il s'endormit dans son fauteuil.

3

L'homme qui au sein du cabinet particulier du président possédait sur lui l'influence la plus considérable était le ministre de la Justice. Christian Klee appartenait à une riche famille dont la présence en Amérique remontait aux premiers jours de l'indépendance. À présent, grâce aux conseils judicieux de son parrain l'Oracle, Oliver Oliphant, ses fonds de placements se montaient à plus de cent millions de dollars. Il n'avait jamais manqué de rien, jusqu'au jour où il avait fini par ne plus rien désirer. Il avait en lui trop d'énergie et il était trop intelligent pour devenir l'un de ces riches oisifs qui investissent dans le cinéma, collectionnent les aventures féminines, plongent dans la drogue ou dans l'alcool, ou finissent dans un obscur délire mystique. Deux hommes, l'Oracle et Francis Xavier Kennedy, avaient décidé de sa carrière politique.

Christian Klee et Francis Kennedy s'étaient connus à l'université de Harvard non comme condisciples, mais comme étudiant et professeur. À l'époque, Kennedy était le plus jeune professeur de droit dans cette université. Agé de moins de trente ans, il faisait déjà figure de prodige. Klee se rappelait encore son cours inaugural. Kennedy avait commencé avec ces mots : « Tout le monde connaît ou a entendu parler de la majesté de la loi. C'est à la loi d'exercer son pouvoir sur l'organisation politique actuelle qui rend possible la civilisation. Cela est vrai. Hors du règne de la loi, nous sommes tous perdus. Mais n'oubliez pas que la loi est aussi une belle saleté. »

Il avait alors adressé un sourire à son public d'étudiants. « Je peux tourner toutes les lois que l'on promulgue. La loi peut être tordue de façon à servir une civilisation perverse. Le riche peut échapper à la loi, et même parfois le pauvre, s'il a de la chance. Certains juristes traitent la loi comme des maquereaux traitent leurs protégées. Des juges vendent la loi et des tribunaux la trahissent. Tout cela est vrai. Mais n'oubliez pas que nous n'avons rien de mieux à notre disposition. Il n'y a pas d'autre façon de fonder un contrat social avec notre prochain. »

En sortant de la faculté de droit de Harvard avec son diplôme en poche, Christian Klee n'avait pas la moindre idée de ce qu'il allait faire de sa vie. Rien ne l'intéressait. Il possédait des millions de dollars, mais l'argent ne l'intéressait pas, ni le droit, d'ailleurs. C'était un jeune homme romantique comme on peut l'être à son âge.

Il plaisait aux femmes. Il possédait une sorte de beauté altérée, c'est-à-dire des traits classiques légèrement gauchis. On eût dit un Dr. Jekyll sur le point de se transformer en Mr. Hyde, mais on ne le remarquait que lorsque sa colère éclatait. Il faisait preuve en outre de cette exquise courtoisie qu'acquièrent les fils de famille au cours de leurs études. En dépit de tout cela, les hommes le respectaient d'instinct pour ses extraordinaires qualités. Il était la main de fer dans le gant de velours de Kennedy, mais il avait l'intelligence et la délicatesse de le dissimuler aux yeux du public. Il aimait les femmes, avait quelques brèves liaisons amoureuses, mais ne trouvait pas en lui cette croyance véritable en l'amour qui conduit aux attachements de la passion. Désespérément, il recherchait quelqu'un à qui consacrer sa vie. Il aimait aussi les arts, mais n'était mû par aucun besoin de création, et ne possédait aucun talent, ni en musique, ni en peinture, ni en littérature. Il était moins malheureux que désorienté.

Pendant une courte période, il avait bien entendu goûté aux drogues : après tout, ne font-elles pas partie de la culture de l'Amérique comme elles faisaient partie autrefois de celle de l'empire chinois ? À cette occasion, il découvrit chez lui une chose stupéfiante : il ne supportait pas la perte de maîtrise de soi qu'entraînait l'usage des drogues. Peu lui importait d'être malheureux aussi longtemps qu'il conservait la maîtrise de son corps et de son esprit. La perte de ce pouvoir signifiait pour lui un désespoir absolu. Et les drogues ne lui apportaient même pas l'extase qu'elles apportent aux autres gens. C'est ainsi qu'à l'âge de vingt-deux ans, avec le monde à ses pieds, il avait le sentiment que rien ne valait la peine d'être entrepris. Il n'éprouvait même pas ce que tant de jeunes gens éprouvent à son âge, c'est-à-dire le désir de changer le monde dans lequel il vivait.

Il consulta alors son parrain, l'Oracle, « jeune homme » de soixante-quinze ans, à l'époque, qui faisait toujours preuve d'un insatiable appétit de vivre, possédait trois maîtresses, avait des intérêts partout et s'entretenait avec le président des États-Unis au moins une fois par semaine. L'Oracle possédait en lui le secret de la vie.

« Choisis quelque chose de parfaitement inutile pour toi », dit alors l'Oracle, « et pratique-le pendant quelques années. Quelque chose que tu n'aurais jamais pensé faire, que tu n'as aucune envie de faire. Mais quelque chose qui te fera progresser, au moins physiquement et intellectuellement. Plonge-toi dans quelque chose qui à ton avis ne fera jamais partie de ta vie. N'épargne pas ton temps. Apprends. Au début, c'est comme ça que je suis rentré dans la politique. Et mes amis seraient surpris s'ils apprenaient ça, mais je ne m'intéressais pas à l'argent. Fais quelque chose que tu détestes. Dans trois ou quatre ans, d'autres possibilités s'ouvriront devant toi, et ce qui est possible devient plus désirable. »

Le lendemain, Christian Klee posa sa candidature à l'académie militaire de West Point, et y passa les quatre années suivantes. L'Oracle, d'abord stupéfait, s'était ensuite montré enchanté. « Bravo », avait-il dit. « Tu ne seras jamais un soldat. Et tu acquerras le goût du reniement. »

Après quatre années passées à West Point, Christian demeura quatre autres années dans l'armée, dans les commandos, et devint rompu au maniement des armes et aux techniques du combat à mains nues. Le sentiment que son corps pouvait accomplir tout ce qu'il exigerait de lui lui conféra une impression d'immortalité.

À l'âge de trente ans il résilia son contrat avec l'armée et entra dans les services « action » de la CIA. Avec le grade d'officier, il participa à des opérations clandestines et passa les quatre années suivantes sur le théâtre d'opérations européen. Il passa ensuite six ans au Moyen-Orient, atteignant un grade élevé dans les services « action », jusqu'au jour où une bombe lui emporta un pied. Il apprit si bien à se servir de sa prothèse, un pied artificiel, qu'il ne boitait même pas. Mais c'en était fini de sa carrière sur le terrain : il rentra aux États-Unis et prit un poste dans un prestigieux cabinet juridique.

Alors, pour la première fois de sa vie, il tomba amoureux, et épousa une fille, qui, pensait-il, comblait tous les rêves de sa jeunesse. Elle était belle, intelligente, spirituelle et fort passionnée. Pendant cinq ans il fut heureux en mariage, heureux père de deux enfants, et trouvait avec satisfaction son chemin (grâce à l'Oracle) dans le labyrinthe politique. Il estimait, finalement, avoir trouvé sa place dans la vie. Et puis ce fut la catastrophe. Sa femme tomba amoureuse d'un autre homme et demanda le divorce.

Klee fut d'abord stupéfait, puis furieux. Il était heureux ; comment se pouvait-il que sa femme ne le fût pas ? Pourquoi avait-elle changé ? Il s'était montré tendre et attentif à ses moindres désirs. Bien sûr, sa carrière l'avait beaucoup accaparé, mais il était riche et elle ne manquait de rien. Fou de rage, il était décidé à refuser toutes les demandes qu'elle présenterait, à réclamer la garde des enfants, à lui refuser cette maison dont elle avait tellement envie, à ne pas lui accorder ces primes que l'on attribue d'ordinaire à la femme qui divorce. Surtout, il était sidéré qu'elle envisageât de vivre dans leur maison avec son nouveau mari. C'était vrai, cette maison était un véritable palais, mais elle faisait bon marché des souvenirs sacrés qui s'y attachaient. En outre, lui, avait été fidèle !

Une fois encore, il était allé conter sa peine à l'Oracle. À sa grande surprise, celui-ci ne lui manifesta pas la moindre compassion. « Tu as été fidèle et tu as le sentiment que c'est pour ça que ta femme devait l'être aussi ? Et si tu ne l'intéresses plus ? Bien sûr, l'infidélité est plus naturelle chez les hommes. L'infidélité, ça n'est que l'assurance d'un homme qui sait que sa femme peut sans raison valable le priver de sa maison et de ses enfants. Mais en te mariant tu as accepté les termes de ce contrat ; maintenant il faut t'y soumettre. » Et l'Oracle lui avait ri au nez. « Ta femme a eu parfaitement raison de te quitter. Elle a vu clair en toi, bien que je reconnaisse que tu as parfaitement joué ton numéro. Elle s'est rendu compte que tu n'as jamais été vraiment heureux. Mais crois-moi, c'est ce qui pouvait t'arriver de mieux. À présent, te voilà prêt à prendre vraiment ta place dans la vie. Le chemin est libre : une femme et des enfants n'auraient fait que t'encombrer. Tu es le genre d'homme qui a besoin de vivre seul pour faire de grandes choses. Je le sais parce que j'étais comme toi. Les femmes peuvent être dangereuses pour les hommes vraiment ambitieux, et les enfants sont à la source de bien des tragédies. Tu as du bon sens, sers-toi de ta formation juridique. Donne-lui tout ce qu'elle demande, de toute façon ça ne fera qu'un tout petit accroc à ta fortune. Tes enfants sont très jeunes, ils t'oublieront. Il faut voir les choses comme ça. Maintenant tu es libre. Tu seras le seul à diriger le cours de ton existence. »

Il en avait été ainsi.

En ce dimanche de Pâques, tard dans la soirée, Christian Klee, ministre de la Justice, quitta la Maison-Blanche pour se rendre chez Oliver Oliphant. Il entendait lui demander conseil, et aussi lui annoncer que la fête prévue pour son centième anniversaire avait été repoussée par le président Kennedy.

L'Oracle vivait dans une propriété entièrement close et sévèrement gardée ; grâce à son système de sécurité, cinq voleurs particulièrement entreprenants avaient été pincés au cours de l'année précédente. Il avait à son service un personnel nombreux et bien payé, dont un coiffeur, un valet de chambre, une cuisinière et des servantes, car de nombreuses personnalités venaient toujours chercher conseil auprès de l'Oracle, et il fallait parfois les régaler ou les loger.

Klee aimait bien rendre visite à l'Oracle. Il appréciait la compagnie du vieil homme, les histoires terribles de batailles sur le front de l'argent, de combats entre pères, mères, veuves et amants. L'Oracle évoquait volontiers la lutte perpétuelle à mener contre l'État, sa force prodigieuse, sa justice aveugle, ses lois scélérates, ses élections libres si corruptrices. Non que l'Oracle fût particulièrement cynique : il était seulement lucide. Il affirmait qu'on pouvait réussir dans la vie et être heureux tout en restant fidèle aux valeurs éthiques sur lesquelles repose la civilisation. L'Oracle pouvait être éblouissant.

L'Oracle reçut Christian Klee dans ses appartements du deuxième étage, constitués d'une petite chambre à coucher, d'une immense salle de bains carrelée de bleu, avec un jacuzzi, une douche dotée d'un banc en marbre et de poignées sculptées dans le mur ; il y avait également une pièce avec une énorme cheminée, une bibliothèque et un ravissant salon où l'on apercevait entre autres meubles un canapé recouvert d'un tissu aux couleurs vives et plusieurs fauteuils.

L'Oracle se trouvait au salon, installé dans un fauteuil roulant à moteur spécialement conçu pour lui. À côté de lui se trouvait une table, et devant lui un fauteuil et une autre table sur laquelle on avait disposé un nécessaire à thé.

Christian Klee s'installa dans le fauteuil, se servit lui-même une tasse de thé et prit un petit sandwich. Comme toujours, Klee était impressionné par la vivacité de l'Oracle, par l'intensité du regard de cet homme qui avait vécu cent ans. Une peau ridée, un crâne chauve également ridé et recouvert de taches brunes semblables à des taches de nicotine. Et puis des mains elles aussi tachées de brun, émergeant d'un costume admirablement bien coupé : le grand âge ne lui avait pas fait perdre le goût de l'élégance. Le cou, entouré d'un foulard de soie, était ridé, la peau en était squameuse ; son dos était large et courbé comme les parois d'un verre à vin. Mais la poitrine était étroite (on avait l'impression de pouvoir l'enserrer à deux mains) et ses jambes ressemblaient à deux fils d'une toile d'araignée. Seul le visage semblait ne pas avoir subi les ravages de la mort qui approchait.

Klee versa une tasse de thé à l'Oracle, et pendant quelques instants les deux hommes se sourirent en buvant leur thé.

L'Oracle prit la parole le premier.

– Tu es venu m'annoncer que ma fête d'anniversaire était annulée, j'imagine. J'ai regardé la télévision avec mes secrétaires. Je leur ai déjà annoncé que la réception allait être retardée.

La voix était caverneuse, comme s'il avait eu une affection du larynx.

– Oui, dit Klee. Mais elle n'est retardée que d'un mois. Tu crois que tu pourras tenir jusque-là ? ajouta-t-il en souriant.

– Bien sûr. Sur toutes les télévisions on ne parle que de cette histoire. Suis mon conseil, mon garçon, achète des actions des chaînes de télévision. Elles vont faire des fortunes avec cette tragédie et avec celles qui vont suivre. Ce sont les crocodiles de notre société.

Il s'interrompit un instant, et d'une voix plus douce ajouta :

– Comment est-ce que ton président adoré prend la chose ?

– J'admire cet homme plus que jamais, dit Klee. Je n'ai jamais vu personne dans sa position affronter une situation aussi tragique avec autant de calme. Il est beaucoup plus fort maintenant qu'après la mort de sa femme.

– Quand le pire arrive et qu'on le supporte, alors on est l'homme le plus fort du monde, dit sèchement l'Oracle. Mais ça n'est peut-être pas ce qu'il y a de mieux.

Il avala une gorgée de thé puis reprit :

– Voudrais-tu me dire quelles actions vont être entreprises ? À condition bien sûr que tu n'aies pas l'impression de manquer aux devoirs de ta charge ni de trahir ton président.

Klee savait bien que le vieil homme ne vivait que pour cela. Pour se sentir en étroite communion avec le pouvoir.

– Francis est très inquiet : il se demande pourquoi les ravisseurs n'ont pas encore présenté leurs revendications. Cela fait déjà dix heures. Pour lui, ça ne présage rien de bon.

– Il a raison.

Ils demeurèrent silencieux pendant un long moment. Les yeux de l'Oracle avaient perdu leur éclat et semblaient se perdre derrière leurs paupières ridées.

– Francis m'inquiète beaucoup, reprit Klee. Il ne pourra supporter un autre malheur. Si quelque chose arrive à sa…

– Alors la situation deviendra extrêmement dangereuse, l'interrompit l'Oracle. Tu sais, je me souviens de Francis Kennedy quand il était petit garçon. Même à l'époque j'avais été frappé par la façon dont il dominait ses cousins. Tout jeune, il avait déjà un côté chevalier. Il défendait les plus petits, il organisait la paix. Et parfois il faisait plus de mal que n'en auraient fait les petites brutes. Il y avait des yeux au beurre noir au nom des grands principes.

L'Oracle s'interrompit, et bien que sa tasse fût encore à moitié pleine, Klee lui reversa du thé car il savait que le vieil homme ne pouvait plus savourer que les boissons et aliments très chauds ou très froids.

– De toute façon, dit Klee, je ferai ce que le président me dira de faire.

Le regard de l'Oracle retrouva subitement son éclat.

– Tu es devenu un homme très dangereux ces dernières

années, Christian, dit-il pensivement. Mais pas très original. Tout au long de l'histoire de l'humanité, il y a eu des hommes, que l'on considère parfois comme de «grands» hommes, qui ont eu à choisir entre Dieu et leur pays. Et certains de ces hommes, pourtant très religieux, ont choisi leur pays contre Dieu, persuadés qu'ils iraient en enfer, mais également persuadés qu'ils agissaient noblement. Mais tu sais, Christian, à notre époque il s'agit de savoir s'il faut se dévouer pour son pays ou pour la simple survie de l'humanité. Nous vivons à l'âge de la bombe atomique. Ce problème est nouveau, et jamais aucun homme, dans l'exercice solitaire du pouvoir, n'a eu à le résoudre. C'est en ces termes qu'il faut penser. Si tu te ranges aux côtés du président, mets-tu en danger l'humanité ? Ce n'est pas aussi simple que de rejeter Dieu.

– Peu importe, répondit Klee. Le Congrès, le club Socrate et les terroristes ne connaissent pas Francis aussi bien que moi.

– Je me suis toujours interrogé sur ta loyauté indéfectible à l'égard de Francis Kennedy. Selon certains ragots, il y aurait là-dedans quelque chose d'ambigu, de carrément homosexuel. De ta part. Pas de la sienne. Ce qui est quand même curieux, parce que toi tu as des aventures avec des femmes et pas lui, depuis que sa femme est morte, il y a trois ans. Mais pourquoi les gens qui entourent Kennedy lui vouent-ils une telle vénération alors que tout le monde s'accorde à dire que c'est un imbécile politique ? Quand on pense à toutes ces lois réformistes qu'il a essayé de faire passer pour museler ce Congrès fossilisé ! Je te croyais plus intelligent que ça, mais apparemment tu n'as rien pu faire. Tout de même… ton affection extraordinaire pour Kennedy demeure pour moi un mystère.

– J'ai toujours voulu lui ressembler, répondit Klee, c'est aussi simple que ça.

– Si cela avait été le cas, nous ne serions pas restés amis aussi longtemps. Je n'ai jamais beaucoup aimé Francis Kennedy.

– C'est un homme extraordinaire, dit Klee. Je le connais depuis vingt ans, et c'est le seul homme politique qui a été honnête avec le peuple : il ne lui ment pas.

– L'homme que tu décris n'aurait jamais pu être élu président des États-Unis, rétorqua sèchement l'Oracle. Son charme m'échappe, mais il est vrai que nous ne nous sommes jamais entendus. Maintenant, il faut que je t'avertisse. Au cours de son existence, tout le monde commet des erreurs. C'est humain et inévitable. Le problème c'est de ne jamais commettre l'erreur qui puisse vous détruire. Fais attention à ton ami Kennedy, qui est si vertueux, rappelle-toi que l'enfer est pavé de bonnes intentions. Sois prudent.

– Le caractère ne change pas, dit Klee d'un air confiant.

L'Oracle agita les bras comme un oiseau ses ailes.

– Bien sûr que si ! La douleur change le caractère. Le chagrin change le caractère. L'amour et l'argent aussi. Et le temps effiloche un caractère. Laisse-moi te raconter une petite histoire. Quand j'avais cinquante ans, j'avais une maîtresse de trente ans plus jeune que moi. Elle avait un frère qui avait dix ans de plus qu'elle, qui devait donc avoir environ trente ans. J'étais son mentor, comme je l'étais avec toutes mes jeunes maîtresses. Leur intérêt me tenait à cœur. Son frère était un gros bonnet de Wall Street, et un homme plutôt insouciant, ce qui lui causa par la suite un tort considérable. Moi, de mon côté, je n'étais pas jaloux : elle avait des amants de son âge. Mais pour l'anniversaire de ses vingt et un ans, son frère donna une fête et invita, par plaisanterie, un strip-teaseur, un homme, qui se déshabilla devant sa sœur et ses amis. Tout ça se faisait en tout bien tout honneur, ils ne s'en sont pas cachés. Mais moi j'avais toujours été conscient de ma laideur, je savais que pour une femme je n'étais guère attirant. Alors j'ai pris ça pour un affront, et ce sentiment ne m'honorait pas. Nous sommes pourtant demeurés amis, et elle a fini par se marier et faire une carrière. Moi, j'ai continué à avoir des maîtresses plus jeunes que moi. Dix ans plus tard, son frère, comme beaucoup de ces gars de Wall Street, a eu de gros ennuis. Des histoires de pots-de-vin, de tripatouillages avec l'argent qui lui était confié. Ça l'a envoyé pour deux ans en prison, et en tout cas pour lui ça a été terminé à Wall Street.

« À l'époque, j'avais soixante ans et j'étais encore très ami avec le frère et la sœur. Ils ne m'ont demandé aucune aide : ils ne savaient pas à quel point j'avais du pouvoir. En fait, j'aurais pu le sauver, mais je n'ai pas levé le petit doigt. Je l'ai laissé s'enfoncer. Je me suis alors rendu compte que c'était à cause de ce qui s'était passé dix ans auparavant, le jour où il avait offert à sa sœur le corps d'un homme tellement plus jeune que moi. Il ne s'agissait pas de jalousie sexuelle, il s'agissait plutôt de l'affront fait à mon pouvoir, ou à celui que je croyais détenir. J'y ai souvent repensé. C'est une des rares actions de ma vie dont je me sente honteux. À trente ou quarante ans, je n'aurais éprouvé aucune honte, alors pourquoi à soixante ? Parce que le caractère change. C'est la réussite de l'homme, mais c'est aussi sa tragédie.

Klee avala une gorgée de cognac. Un alcool très cher et somptueux. L'Oracle servait toujours les alcools les plus rares. Klee y prenait plaisir, tout en sachant qu'il ne se serait jamais offert pareil régal ; né riche, il ne pensait pourtant pas mériter de telles attentions pour lui-même.

– Je te connais depuis quarante-cinq ans, dit Klee, et tu n'as pas changé. La semaine prochaine tu vas avoir cent ans et tu es toujours le grand homme que j'ai connu.

L'Oracle secoua la tête.

— Tu ne m'as connu que déjà âgé, de soixante à cent ans. Ça ne veut rien dire. Le venin a disparu, de même que la force pour mordre. Il n'y a aucun mérite à être vertueux quand on est vieux, et ce vieux charlatan de Tosltoï le savait bien. (Il s'interrompit et poussa un long soupir.) Bon, et cette grande réception pour mon anniversaire ? Ton ami Kennedy ne m'a jamais beaucoup aimé, et je sais que c'est toi qui as lancé l'idée d'une grande fête dans le jardin des roses de la Maison-Blanche, d'un événement médiatique. Est-ce qu'il se sert de cette situation de crise pour se défiler ?

— Non, non, répondit Klee, il a beaucoup d'estime pour toi et il est toujours décidé à t'offrir cette réception. Oliver, sache que tu as été et que tu es toujours un grand homme. Un peu de patience. Après tout, qu'est-ce que ça représente quelques mois sur cent ans ? Mais si tu préfères, comme je sais que tu n'aimes pas beaucoup Francis, on peut renoncer à cette fête d'anniversaire, au grand battage médiatique : tu n'auras pas ton nom dans tous les journaux, et on renonce aux reportages télévisés. Je peux toujours t'organiser une petite réception privée, et on en reste là.

Il sourit pour montrer qu'il plaisantait. Le vieil homme avait parfois tendance à le prendre au pied de la lettre.

— Non, vraiment, merci, dit l'Oracle. J'ai besoin de quelque chose pour me raccrocher à la vie. Et une fête d'anniversaire donnée par le président des États-Unis ça me paraît tout indiqué. Mais laisse-moi te dire que ton Kennedy est un malin. Il sait que mon nom a encore du poids. La publicité donnée à cet anniversaire améliorera son image. Ton Francis Xavier Kennedy est aussi rusé que son oncle John. Bobby, lui, aurait abattu ses cartes.

— Aucun de tes contemporains n'est plus en vie, dit Klee, mais tes protégés comptent parmi les hommes et les femmes les plus influents de ce pays, et ils entendent bien te rendre cet hommage. Y compris le président. Il n'oublie pas que tu l'as aidé. Il invite même tes copains du club Socrate, et pourtant il les déteste. Ce sera ta plus belle fête d'anniversaire.

– Et ma dernière, dit l'Oracle. Putain, je ne tiens plus à la vie que par un fil !

Klee se mit à rire. L'Oracle n'avait commencé à utiliser de mots grossiers qu'à l'âge de quatre-vingt-dix ans, en sorte qu'à présent il en usait avec l'innocence d'un enfant.

– C'est entendu, dit l'Oracle. Bon, maintenant laisse-moi te dire quelque chose à propos des grands hommes, Kennedy et moi y compris. Ils finissent par se détruire et par détruire les gens autour d'eux. Cela dit, je ne trouve pas que ton Kennedy soit un grand homme. Dès qu'il a été élu président, il s'est mis à taper sur les classes dirigeantes. Combien de temps crois-tu que ça peut durer ? Pourquoi crois-tu qu'on les appelle les classes dirigeantes ? C'est un truc d'illusionniste. Sais-tu, au fait, que dans les métiers du spectacle on considère d'ordinaire que l'illusionniste est quelqu'un de totalement dépourvu de talent artistique ? (L'Oracle se mit à pencher la tête, ce qui le fit ressembler à un hibou.) Je t'accorde que Kennedy n'est pas un homme politique ordinaire. C'est un idéaliste, il est beaucoup plus intelligent que ses confrères et c'est un homme moral, encore que je me demande si l'abstinence sexuelle est quelque chose de bien sain. Mais toutes ces qualités sont en réalité un handicap pour une carrière politique. Un homme sans vice ? Mais c'est un voilier sans voile !

– Tu n'es pas d'accord avec sa politique, entendu, mais toi, qu'aurais-tu fait ? demanda Klee.

– Ça fait trois ans qu'il a le cul entre deux chaises, et ça, ça amène toujours des ennuis. (Le regard de l'Oracle devint brumeux.) J'espère que tout ça ne retardera pas trop longtemps ma fête d'anniversaire. Quelle vie j'ai menée, hein ? Qui a mieux vécu que moi, tu peux me le dire ? Je suis né pauvre et j'ai pu jouir pleinement de l'argent que j'ai gagné par la suite. Je suis plutôt laid et j'ai réussi à séduire les femmes les plus belles. J'ai su réfléchir et la vie m'a fait acquérir une sensibilité au malheur des autres qui vaut bien mieux que celle dont on peut hériter de naissance. Une énergie immense, qui continue de m'animer à mon âge ! Une vie intense, et longue ! Mais l'ennui c'est ça : peut-être un peu trop longue ! Je ne supporte pas de me regarder dans la glace, mais de toute façon, comme je te l'ai dit, je n'ai jamais été beau. (Il s'interrompit un instant, puis reprit, abruptement :) Quitte le gouvernement ! Désolidarise-toi de ce qui t'arrive en ce moment.

– Impossible, dit Klee. C'est trop tard.

Il observa le crâne ridé du vieil homme et s'émerveilla de cette lucidité à un âge aussi avancé. Ses yeux ressemblaient à un océan infini recouvert de brumes. Lui-même deviendrait-il aussi vieux, et aurait-il ce même genre de corps fripé, comme celui d'un insecte mort ?

Et l'Oracle, qui contemplait Christian Klee, se disait : comme ils sont transparents, tous, et désemparés comme de petits enfants ! Visiblement, ses conseils arrivaient trop tard, et Christian était sur le point de se trahir lui-même.

Klee termina son verre de cognac et se leva pour prendre congé. Il arrangea la couverture sur les genoux du vieil homme et appuya sur le bouton de la sonnette pour faire venir l'infirmière. Puis il murmura quelques mots à l'oreille ridée de l'Oracle :

– Dis-moi la vérité à propos d'Helen Du Pray, je sais qu'elle a été ta protégée avant son mariage. Je sais aussi que c'est grâce à toi qu'elle est entrée dans le milieu politique. Tu as baisé avec elle, ou bien tu étais déjà trop vieux ?

L'Oracle secoua la tête.

– Je n'ai jamais été trop vieux avant quatre-vingt-dix ans. Et laisse-moi te dire que quand t'as plus ton zizi, eh bien, c'est ça la vraie solitude. Mais pour répondre à ta question, je te dirai que je ne lui plaisais pas ; je n'étais pas assez bel homme. J'avoue que j'ai été déçu : elle était à la fois belle et intelligente ; les deux qualités que j'apprécie le plus chez une femme. Je n'ai jamais pu aimer les femmes intelligentes mais laides : elles me ressemblaient trop. J'ai pu aimer des femmes belles et stupides, mais lorsqu'elles étaient intelligentes, là, j'étais au paradis. Helen Du Pray... ah, je savais qu'elle irait loin, elle avait de la volonté, c'était une maîtresse femme. Oui, j'ai essayé avec elle, mais j'ai échoué : c'est même un des rares échecs dans ma vie. Mais nous sommes restés bons amis. C'était un talent qu'elle possédait : refuser un homme sexuellement et demeurer son amie intime. C'est très rare. C'est là que je me suis rendu compte que c'était une femme réellement ambitieuse.

Christian Klee serra la main du vieil homme, qui lui fit l'effet d'une cicatrice.

– Je t'appelle ou je passe te voir tous les jours, je te tiens au courant.

Après le départ de Christian Klee, l'Oracle fut très occupé. Il lui fallait transmettre au club Socrate les informations que Klee lui avait confiées. Le club Socrate rassemblait certaines personnalités parmi les plus influentes des États-Unis, et il n'avait pas l'impression, en agissant ainsi, de trahir Christian, qu'il aimait beaucoup. Comme toujours, l'amour passait après.

Le pays commençait à glisser sur une pente dangereuse : il fallait prendre des mesures. Son devoir était d'intervenir. De toute façon, à son âge, que faire d'autre pour que la vie vaille encore d'être vécue ? Et à dire vrai, il avait toujours méprisé la légende des Kennedy. Aujourd'hui, s'offrait à lui le moyen d'en finir une fois pour toutes.

Après cela, l'Oracle laissa l'infirmière s'occuper de lui et lui préparer son lit. Il gardait un souvenir tendre d'Helen Du Pray et ne lui vouait aucune rancune. À l'époque, elle avait un peu plus de vingt ans, et sa beauté se doublait d'une vitalité extraordinaire. Il l'avait souvent chapitrée : comment parvenir au pouvoir, comment l'utiliser, et, surtout, ne pas l'utiliser. Et elle avait écouté avec la patience nécessaire... au pouvoir.

L'une des grandes énigmes de l'être humain, lui avait-il dit, c'est la façon dont il peut agir contre ses propres intérêts. L'orgueil bien souvent le conduit à sa perte. L'envie et le fantasme le conduisent dans des impasses. Pourquoi les gens s'accrochent-ils ainsi à des images d'eux-mêmes ? Il y a ceux qui ne s'abaissent jamais, ne flattent jamais, ne mentent jamais, ne reculent jamais, ne trahissent jamais ni ne trompent jamais. Et il y a ceux qui toujours jalousent le sort plus heureux de leur prochain. Elle avait su déchiffrer ce plaidoyer pro domo et s'était éloignée de lui. Seule, sans son aide, elle avait poursuivi son rêve de pouvoir.

Le problème, quand on a cent ans et l'esprit clair comme de l'eau de roche, c'est qu'on voit sourdre en soi la bassesse inconsciente, et qu'on la débusque dans l'histoire passée. Il avait été mortifié lorsque Helen Du Pray avait refusé de faire l'amour avec lui. Il savait qu'elle n'était pas prude, qu'elle avait d'autres amants. Mais, chose curieuse, à soixante-dix ans il était encore vaniteux.

Il avait subi des traitements de jouvence dans un centre en Suisse : effaçage chirurgical des rides, ponçage de la peau, injection d'extraits de fœtus animaux. Mais on ne pouvait rien contre le vieillissement des os, la désagrégation des cartilages, la transmutation du sang en eau.

Cela ne lui apportait plus aucune satisfaction, mais l'Oracle était persuadé qu'il comprenait encore tout à l'amour. Même après son soixantième anniversaire, ses jeunes maîtresses l'adoraient. Le secret consistait à ne pas vouloir réglementer leur conduite, à n'être jamais jaloux, à ne jamais blesser leurs sentiments. Leurs véritables amants étaient des hommes jeunes, et elles traitaient l'Oracle avec une insouciante cruauté. C'était sans importance. Il les couvrait de cadeaux somptueux, toiles ou bijoux. Elles utilisaient son influence pour obtenir des faveurs détournées, et il les laissait utiliser son argent, de façon libérale mais non démesurée. C'était un homme prudent, et il avait toujours trois ou quatre maîtresses en même temps, car ces jeunes femmes, de leur côté, avaient leur vie à mener. Elles tombaient amoureuses et le négligeaient, elles partaient en voyage, se consacraient à leur carrière. Il ne pouvait exiger trop de leur temps. Mais lorsqu'il avait besoin d'une présence féminine (pas seulement pour faire l'amour, mais pour jouir de la douceur de leurs voix, de l'innocente perversité de leurs quatre volontés), il y en avait toujours une qui était disponible. Elles, de leur côté, savaient qu'en étant vues à son bras lors de réceptions importantes, elles s'ouvraient des portes qu'elles auraient été bien en mal de franchir toutes seules. Ses relations sociales constituaient l'un de ses meilleurs atouts.

Il ne faisait aucun mystère, chacune connaissait l'existence des autres. Il pensait qu'au fond de leur cœur, les femmes n'aimaient pas les hommes monogames.

Chose cruelle pour lui, il se rappelait plus volontiers ses mauvaises actions que ses bonnes. Il avait fait construire des centres médicaux, des églises, des maisons de retraite ; il avait fait beaucoup de bien autour de lui. Mais les souvenirs qu'il gardait de lui n'étaient pas bons. Heureusement, il songeait souvent à l'amour. De façon curieuse, l'amour avait été l'activité la plus commerciale de sa vie. Et pourtant il avait possédé des sociétés de bourse, des banques, des compagnies aériennes.

À l'âge de quatre-vingts ans, son squelette avait commencé de se contracter sous son enveloppe de chair. Le désir physique avait disparu, et un océan d'images perdues de sa jeunesse avait envahi son cerveau. A partir de ce moment-là, il avait loué les services de jeunes femmes qu'il payait pour qu'elles demeurent simplement allongées dans son lit et qu'il puisse les regarder. Oh, comme elle est méprisée par les littérateurs cette perversité, et moquée par ces jeunes qui deviendront vieux un jour. Et pourtant, quelle paix elle apportait à son vieux corps cette simple contemplation d'une beauté qu'il ne pouvait plus dévorer. Quelle pureté ! La rondeur des seins avec cette peau d'un blanc satiné couronnée d'une petite rose rouge. Les mystères des cuisses arrondies qui se perdaient dans le surprenant triangle de poils (de tant de couleurs différentes) – et, de l'autre côté, ces fesses attendrissantes, divisées en deux exquis monticules. Tant de beauté offerte à un corps déserté par les sens, mais où le désir vivait encore, réfugié dans les milliards de cellules de son cerveau. Et leurs visages… ! Le coquillage mystérieux des oreilles dont la spirale plongeait vers quelque mer intérieure, le creux des yeux où couvaient des brasiers bleus, gris, bruns et verts, les lignes du visage aboutissant aux lèvres offertes, ouvertes au plaisir et aux blessures. Il les contemplait avant de s'endormir. Il tendait le bras et touchait la chair tiède ; le satin des cuisses et des fesses, le brasier des lèvres, et parfois, rarement, il posait la main sur les plis de la vulve pour sentir la pulsation qui l'animait. Il y avait à cet endroit tant de confort qu'il s'endormait, et la pulsation venait adoucir les terreurs de ses rêves. Dans ses rêves il haïssait les jeunes et les dévorait. Il voyait des tranchées pleines de cadavres de jeunes hommes, des milliers de marins morts flottant sur l'océan, des cieux immenses obscurcis par les corps d'astronautes en combinaisons spatiales, tournoyant sans fin dans les trous noirs de l'univers.

Éveillé il rêvait aussi. Mais il reconnaissait alors dans ses rêves une forme de démence sénile, il y voyait le dégoût de son propre corps. Il détestait sa peau, semblable à une multitude de cicatrices, les taches brunes sur ses mains et son crâne chauve, taches maudites annonciatrices de la mort, il détestait sa vue qui baissait, la faiblesse de ses membres, son cœur qui battait la chamade, le mal qui rongeait son esprit clair comme de l'eau de roche.

Quel dommage que les fées ne se penchent que sur le berceau des nouveau-nés! Car ces enfants n'ont besoin de rien; leurs présents auraient dû être réservés aux vieillards comme lui. Surtout ceux qui ont l'esprit clair comme de l'eau de roche.

LIVRE DEUX

4

Lundi

La fuite de Romeo avait été soigneusement préparée. Après l'attentat de la place Saint-Pierre, le groupe gagna en camionnette une cachette en ville; là, Romeo changea de vêtements, reçut un faux passeport presque indétectable, et fut conduit par des routes détournées jusque dans le sud de la France. À Nice, il prit un avion pour Paris, et de là pour New York. Bien qu'il n'eût pas dormi depuis une trentaine d'heures, Romeo gardait l'esprit en alerte. Inutile de faire échouer l'opération en négligeant un petit détail qui pouvait paraître anodin.

Sur les vols d'Air France, les repas et les vins sont toujours excellents, et Romeo parvint petit à petit à se détendre. Par le hublot, il observa les vastes étendues d'eau vert pâle et l'horizon où se mêlaient le bleu du ciel et le blanc des nuages. Il avala deux comprimés d'un somnifère puissant, mais il était tellement tendu qu'il ne parvint pas à trouver le sommeil. Et s'il se passait quelque chose aux douanes américaines? Mais de toute façon, même s'il était arrêté à ce moment-là, cela ne changerait rien au plan de Yabril. Une sorte d'instinct de survie le tenait éveillé. Romeo ne se faisait guère d'illusions sur l'épreuve qui l'attendait. Il avait accepté de se sacrifier pour racheter les torts de sa famille, de sa classe et de son pays, mais la peur n'en taraudait pas moins son esprit.

Finalement, les comprimés firent leur effet et il s'endormit. Dans son rêve, il tira sur le pape, quitta la place Saint-Pierre, et il courait encore lorsqu'il s'éveilla. L'avion atterrissait à l'aéroport Kennedy, à New York. L'hôtesse lui tendit sa veste et il prit son sac dans le compartiment à bagages au-dessus de lui. Aux contrôles il joua son rôle à merveille, puis se dirigea vers la place centrale du terminal.

Il aperçut immédiatement ses correspondants. La fille portait un bonnet de ski vert avec des bandes blanches. Le jeune homme, lui, se coiffa d'une casquette rouge portant l'inscription «Yankees». Romeo, pour sa part, ne portait aucun signe distinctif. Il fit semblant de fouiller dans son sac pour étudier les deux jeunes gens tout à loisir. Rien de suspect. De toute façon, cela n'aurait eu aucune importance.

La fille était blonde, maigre, et trop anguleuse au goût de Romeo, mais son visage possédait une dureté qui lui plaisait. Comment pouvait-elle être, au lit ? Pourvu, se dit-il, qu'il restât libre suffisamment longtemps pour pouvoir la séduire. Ce ne devrait pas être trop difficile. Il avait toujours plu aux femmes. Sur ce plan-là, il remportait plus de succès que Yabril. Elle devinerait certainement qu'il était lié à l'affaire de l'assassinat du pape : un vrai rêve pour une révolutionnaire à l'air aussi sérieux. Il remarqua qu'elle ne se penchait pas vers l'homme avec qui elle se trouvait et qu'elle ne le tenait pas par la main.

Le jeune homme avait un visage si chaleureux, si ouvert, il émanait de lui une telle gentillesse américaine, qu'il déplut immédiatement à Romeo. Ces Américains nageaient dans un tel confort : de vrais cons ! En plus de deux cents ans, ils n'avaient même pas été fichus d'avoir un parti révolutionnaire ! Alors que leur pays avait accédé à l'existence grâce à une révolution ! Le jeune homme qu'on lui avait envoyé possédait cette douceur typique des Américains. Romeo ramassa ses sacs et se dirigea vers eux.

– Excusez-moi, dit-il en souriant, pouvez-vous me dire où l'on doit prendre le bus pour Long Island ?

La fille se tourna vers lui. De près, elle semblait beaucoup plus jolie. Il remarqua une petite cicatrice sur son menton, ce qui ne fit qu'exciter son désir.

– Nord ou Sud ? demanda-t-elle.

– Pour East Hampton, répondit Romeo.

La jeune fille sourit. Son sourire était chaleureux, il marquait presque l'admiration. Le jeune homme prit l'un des sacs de Romeo.

– Suivez-nous, dit-il.

Ils sortirent du terminal, Romeo sur leurs talons. La densité de la foule, le bruit de la circulation le stupéfièrent. Une voiture attendait ; au volant, un homme coiffé de la même casquette de base-ball rouge. Le jeune homme s'installa devant, et la jeune fille derrière, à côté de Romeo. Tandis que la voiture se glissait dans la circulation, elle se présenta :

– Je m'appelle Dorothea. Ne t'inquiète pas.

À l'avant, les deux jeunes gens grommelèrent leurs noms.

– Tu seras bien installé et tu seras en sécurité, reprit la jeune fille.

Romeo, alors, sentit l'étreindre le remords de Judas.

Ce soir-là, le jeune couple américain s'efforça de lui préparer un bon dîner. On lui donna une chambre confortable avec vue sur l'océan ; le lit était bien un peu bosselé, mais cela n'avait guère d'importance, car Romeo savait qu'il n'y passerait qu'une seule nuit. La maison était meublée de façon coûteuse, mais sans goût véritable. Ils passèrent une soirée tranquille à bavarder dans un mélange d'anglais et d'italien.

La fille, Dorothea, était surprenante. Elle était à la fois jolie et extrêmement intelligente. Malheureusement pour Romeo, qui avait espéré passer sa dernière nuit de liberté à des jeux amoureux, elle n'y semblait pas du tout disposée. Le jeune homme, Richard, était lui aussi assez sérieux. Visiblement, ils avaient compris qu'il était lié à l'affaire de l'assassinat du pape, mais ils ne lui posèrent pas de questions directes. Ils se contentaient de le traiter avec ce respect mêlé de crainte que les gens éprouvent face à quelqu'un arrivé au stade terminal d'une maladie mortelle. Romeo était impressionné. Ils se déplaçaient avec une telle légèreté ! Leurs propos étaient empreints d'intelligence, ils se montraient sensibles aux malheurs du monde, et on les sentait pénétrés de leurs convictions.

Romeo, lui, se sentait un peu honteux. Était-il vraiment nécessaire d'entraîner ces deux-là dans la trahison ? Lui finirait par être relâché, il croyait au plan de Yabril, qu'il jugeait à la fois simple et élégant. Et il avait lui-même proposé de se jeter dans la gueule du loup. Mais ces deux-là croyaient aussi à leur idéal, ils étaient de son côté. On allait les enchaîner, ils allaient connaître les souffrances des révolutionnaires. L'espace d'un instant, il eut envie de les prévenir. Mais il fallait que le monde sût que des Américains étaient mêlés à l'affaire ; ces deux-là étaient les agneaux du sacrifice. L'impatience le prit : il s'apitoyait trop ! C'est vrai, à la différence de Yabril, il était incapable de jeter une bombe dans un jardin d'enfants, mais il pouvait tout de même sacrifier quelques adultes. Après tout, il avait bien tué le pape !

Et de toute façon, que risquaient-ils ? Ils feraient quelques années de prison. Et encore ! L'Amérique était tellement mollassonne qu'ils pouvaient fort bien rester en liberté. Il y avait dans ce pays des avocats aussi intrépides que les Chevaliers de la Table Ronde. Ils pouvaient faire sortir de prison n'importe qui.

Il chercha à s'endormir, mais toutes les terreurs de ces jours passés tourbillonnaient dans sa chambre, poussées à travers la fenêtre ouverte par le vent de l'océan. À nouveau il leva son fusil, à nouveau il vit le pape s'effondrer, à nouveau il quittait la place en courant au milieu des cris d'horreur des pèlerins.

Le lendemain matin, très tôt (le lundi de Pâques), vingt-quatre heures après avoir tué le pape, Romeo décida d'aller se promener le long de l'océan et d'aspirer ses dernières bouffées de liberté. Pas un bruit dans la maison lorsqu'il descendit les escaliers, et il découvrit Richard et Dorothea qui dormaient sur deux lits, dans le salon, comme s'ils montaient la garde. Le poison de la trahison lui tordit l'estomac, et il se dépêcha de gagner la plage et de respirer l'air marin. Tout de suite, il détesta cette plage d'un pays étranger, les hideux buissons gris, les grandes herbes jaunes, les boîtes de soda qui étincelaient dans la lumière du soleil. Même le soleil semblait délavé, et dans ce pays inconnu le printemps semblait plus froid. Mais il était content de ne pas avoir à assister aux conséquences de sa trahison. Un hélicoptère passa au-dessus de la plage et disparut; deux bateaux étaient ancrés non loin du rivage, mais apparemment il n'y avait personne à bord. Le soleil se leva, semblable à une grosse orange, puis se para des couleurs de l'or blond en montant dans le ciel. Il marcha longtemps, doubla un cap et perdit la maison de vue. Curieusement, il éprouva un sentiment de panique en n'apercevant plus la maison, à moins que ce ne fût à la vue de la véritable forêt d'herbes grises qui atteignaient presque le bord de l'eau. Il retourna sur ses pas.

C'est alors qu'il entendit les sirènes des voitures de police. Au bout de la plage, il aperçut les gyrophares, et il accéléra le pas en direction de la maison. Il pouvait encore fuir, mais il n'avait pas peur, ne doutait pas de Yabril. Décidément, ces Américains méritaient bien le mépris qu'il leur vouait : ils étaient même incapables de le capturer convenablement. Mais alors l'hélicoptère réapparut dans le ciel, et les deux bateaux qui semblaient tellement inoffensifs se ruaient à présent vers le rivage. La peur s'empara de lui. À présent qu'il n'avait plus aucune chance de s'échapper, il avait envie de s'enfuir. Mais il parvint à se ressaisir et continua d'avancer vers la maison entourée d'hommes en armes. L'hélicoptère se posa sur le toit plat de la maison. Des deux côtés de la plage, des hommes s'avançaient. Peur et culpabilité mêlées, Romeo se livra à sa dernière comédie : il se mit à courir vers l'océan. Mais des hommes-grenouilles sortirent aussitôt de l'eau. Il se mit à courir vers la maison, et c'est à ce moment-là qu'il vit Richard et Dorothea.

On leur avait passé les menottes et on les avait ligotés avec des chaînes. Ils pleuraient. Romeo savait ce qu'ils éprouvaient pour l'avoir lui-même vécu. Réduits à l'impuissance, ils pleuraient de honte et d'humiliation. Leur sort n'était plus entre les mains de dieux fantasques et peut-être miséricordieux, mais entre celles d'hommes semblables à eux.

Romeo leur adressa un sourire de compassion. Il savait que lui serait libre quelques jours plus tard, il savait qu'il les avait trahis, eux qui partageaient les mêmes convictions que lui. Mais sa décision était de pure tactique, elle n'était pas dictée par la malveillance. Des hommes armés se jetèrent alors sur lui et le chargèrent de chaînes.

De l'autre côté de la terre, Yabril prenait son petit

déjeuner au palais du sultan du Sherhaben. Très haut au-dessus de leur tête tournoyaient les satellites-espions, l'espace était saturé par les ondes des radars, des navires de guerre américains cinglaient vers le Sherhaben, et sur les continents, les armées étaient en état d'alerte, prêtes à déchaîner la mort. Mais Yabril prenait le petit déjeuner en compagnie du sultan.

Le sultan du Sherhaben croyait à l'émancipation des Arabes, au droit des Palestiniens à une patrie. Il consi-dérait les États-Unis comme le rempart d'Israël ; sans le soutien américain, Israël n'aurait pas pu tenir. Donc les États-Unis étaient l'ennemi principal. Le plan de Yabril pour déstabiliser les États-Unis l'avait séduit. L'idée l'enchantait que le Sherhaben, un petit pays sans réelles capacités militaires, pût humilier une grande puissance.

Au Sherhaben, le sultan jouissait d'un pouvoir absolu. Il possédait d'immenses richesses ; il pouvait disposer de tous les plaisirs de la vie, mais tout cela avait fini par se révéler sans intérêt. Le sultan n'avait aucun vice pour épicer son existence. C'était un homme vertueux, qui observait scrupuleusement la loi musulmane. Grâce aux immenses revenus du pétrole, le niveau de vie au Sherhaben était l'un des plus élevés du monde ; le sul-tan avait fait construire de nouvelles écoles et de nou-veaux hôpitaux. Il rêvait de faire du Sherhaben la Suisse du Moyen-Orient. Seule excentricité, sa manie de la pro-preté, aussi bien sur sa personne que dans son État.

Le sultan avait accepté de participer à l'opération par goût de l'aventure et par idéalisme. En outre, il y avait peu de risques pour lui et pour son pays, car il possédait un bouclier magique : les millions de barils de pétrole enfouis sous les sables du désert.

Il éprouvait également une immense gratitude et une affection sincère pour Yabril. À l'époque où le sultan n'était encore qu'un prince sans grande importance, de féroces luttes pour le pouvoir avaient déchiré le Sherhaben, surtout après que l'on se fut rendu compte de l'importance des réserves pétrolières du pays. Les sociétés pétrolières américaines avaient soutenu les opposants. Le sultan, qui avait fait des études à l'étranger, comprenait l'importance du pétrole et se battait pour que son pays en conservât la maîtrise. Une guerre civile avait éclaté. Yabril, alors très jeune, avait aidé le sultan en assassinant ses opposants. Le monarque, qui était un homme intègre, reconnaissait pourtant que la lutte politique avait ses propres lois.

Dès lors, chaque fois que cela était nécessaire, Yabril trouvait asile au Sherhaben. Au cours des dix dernières années, c'était là qu'il avait passé le plus clair de son temps. Il s'était installé dans le pays sous une fausse identité avec femme et enfants. Sous cette même identité, il était officiellement employé comme fonctionnaire subalterne. Aucun service de renseignements étranger n'avait réussi à percer cette identité. Au cours de ces dix années, le sultan et lui étaient devenus très proches. Ils avaient tous deux étudié longuement le Coran, suivi des études à l'étranger et étaient unis par une même haine d'Israël. Mais là aussi, tous deux faisaient la différence : ils ne détestaient pas les Juifs en tant que Juifs, c'était leur État qu'ils haïssaient.

Le sultan du Sherhaben nourrissait un rêve secret, un rêve si étrange qu'il n'osait le confier à personne, pas même à Yabril. Il rêvait qu'un jour Israël serait détruit et les Juifs à nouveau dispersés de par le monde. Alors, lui, le sultan de Sherhaben, ferait venir dans son pays savants et artistes juifs. Il créerait une grande université capable d'attirer les plus grandes célébrités juives. L'histoire n'avait-elle pas prouvé que cette race possédait en elle les gènes d'une intelligence supérieure ? C'étaient Einstein et d'autres savants juifs qui avaient donné au monde la bombe atomique. Quels mystères de Dieu et de la nature n'étaient-ils pas capables d'élucider ? Et n'étaient-ils pas des Sémites, tout comme les Arabes ? Le temps efface la haine ; Juifs et Arabes pouvaient vivre en paix côte à côte et faire la grandeur du Sherhaben. Il saurait les attirer avec de l'argent et des faveurs ; il saurait respecter les traits les plus indéracinables de leur culture. Qui sait ? Le Sherhaben pouvait devenir une nouvelle Athènes. Le sultan sourit en songeant à sa folie, mais après tout, quel mal y avait-il à rêver ?

En revanche, l'affaire de Yabril, elle, risquait de tourner au cauchemar. Le sultan avait fait venir Yabril au palais pour tenter d'endiguer sa férocité. Yabril avait toujours tendance à fausser les opérations les mieux préparées en y apportant sa marque personnelle.

Yabril put prendre un bain, se raser, et on lui amena l'une des belles danseuses du palais. Détendu, mais redevable au sultan de son bien-être, Yabril rejoignit le maître des lieux sur la terrasse vitrée et munie de l'air conditionné.

Le sultan choisit de lui parler avec franchise.

– Je dois vous féliciter, dit-il. Le déroulement de l'opération a été impeccable. Visiblement, Allah veille sur vous. (Avant de poursuivre, il adressa un sourire affectueux à Yabril.) J'ai déjà reçu des informations laissant penser que les États-Unis accéderont à toutes vos exigences. Vous pouvez être satisfait. Vous avez humilié le plus grand pays du monde. Vous avez tué le plus grand dirigeant religieux du monde. En obtenant la libération de l'assassin, ce sera comme si vous leur pissiez au visage. Mais n'allez pas plus loin. Songez à ce qui se passera ensuite. Vous serez l'homme le plus traqué de ces cent dernières années.

Yabril se doutait bien de ce qui allait suivre : le sultan allait lui demander comment il comptait mener les négociations. Ne risquait-il pas de vouloir les mener lui-même ?

– Je serai en sûreté ici, au Sherhaben, dit Yabril. Et il ajouta : comme toujours.

Le sultan secoua la tête.

– Vous savez aussi bien que moi qu'après la fin de cette affaire ils mettront le paquet sur le Sherhaben. Il vous faudra trouver un autre refuge.

– Je me ferai mendiant à Jérusalem, dit Yabril en riant. Mais il faut surtout vous inquiéter de votre propre sort. Ils sauront que vous avez participé à l'opération.

– Ce n'est pas sûr, dit le sultan. Et je suis assis sur le plus grand océan de pétrole qu'il y ait au monde. En outre, les Américains ont investi ici cinquante milliards de dollars, sans compter la cité pétrolière de Dak. Non, je crois qu'ils me pardonneront plus rapidement qu'à vous et à votre Romeo. Écoutez, Yabril, mon ami, je vous connais bien : cette fois-ci, vous êtes allé suffisamment loin, ce que vous avez réalisé là est magnifique. Je vous en prie, ne faites pas tout échouer avec l'une de ces dernières pirouettes dont vous êtes coutumier. (Il demeura un instant silencieux.) Quand voulez-vous que je présente vos exigences ?

– Romeo est arrivé à bon port, dit doucement Yabril. Présentez l'ultimatum cet après-midi. Ils doivent donner leur réponse avant mardi matin onze heures, heure de Washington. Je ne négocierai pas.

– Soyez très prudent, Yabril. Donnez-leur plus de temps.

Ils s'étreignirent, puis Yabril fut reconduit à l'avion, à présent aux mains de trois membres de son groupe, auxquels étaient venus s'ajouter quatre hommes montés à bord au Sherhaben. Les otages, y compris l'équipage, avaient été rassemblés en classe touriste. L'avion était isolé au milieu des pistes ; le public, les équipes de télévision venues du monde entier se trouvaient à environ cinq cents mètres, tenus à distance par un cordon de l'armée du Sherhaben.

Yabril entra dans l'avion déguisé en membre de l'équipe chargée d'approvisionner les otages en eau et en nourriture.

À Washington, il était très tôt ce lundi matin. Avant de prendre congé de lui, Yabril avait dit au sultan du Sherhaben : « Maintenant, on va voir de quel bois il est fait, ce Kennedy. »

5

Lorsqu'un homme renonce aux plaisirs de l'existence pour se consacrer au bien de ses semblables, ces derniers ont toute raison de se méfier. Le président des États-Unis, Francis Xavier Kennedy, avait renoncé aux plaisirs de l'existence.

Avant d'embrasser la carrière politique, c'est-à-dire avant l'âge de trente ans, Kennedy avait brillamment réussi dans la vie et avait amassé une fortune considérable. Se posa alors pour lui le problème de ce qui rend la vie digne d'être vécue. Homme religieux, d'une grande valeur morale, frappé dès son enfance par l'assassinat de ses deux oncles, il en était venu à la conclusion qu'il lui fallait améliorer le monde dans lequel il vivait. Rien de moins que forcer le destin lui-même.

Une fois élu président des États-Unis, il annonça que son gouvernement déclarait la guerre à toutes les misères humaines. Il entendait représenter ces millions de gens qui n'avaient pas les moyens de s'offrir les services de lobbies et autres groupes de pression.

En d'autres circonstances, un tel programme eût semblé beaucoup trop radical pour l'électorat américain, mais

Kennedy possédait une présence quasiment magique à la télévision. Il était plus beau que ses deux célèbres « oncles », et bien meilleur acteur. Il était également plus intelligent qu'eux et possédait une plus vaste culture, c'était un véritable érudit. Il était capable d'appuyer sa rhétorique sur un ensemble impressionnant de statistiques. Il pouvait avec une éloquence stupéfiante disséquer les plans élaborés par les plus éminents spécialistes, et cela dans les disciplines les plus diverses.

« S'il a fait de bonnes études », avait coutume de dire Francis Kennedy, « n'importe quel voleur, n'importe quel malfaiteur peut voler sans blesser personne. Il saura comment voler comme les gens de Wall Street, comment frauder le fisc, voler comme les gens respectables. Nous créerons peut-être plus de délinquance en col blanc, mais au moins il n'y aura plus de morts. »

– Pour la gauche, je suis un réactionnaire, et pour la droite je suis un cataclysme, avait dit Kennedy à Klee le jour où il lui avait présenté une nouvelle charte du FBI qui donnait à cette administration des pouvoirs quasiment discrétionnaires. « Lorsqu'un homme commet un crime, je le ressens comme s'il avait commis un péché. Ma théologie c'est l'application de la loi. Un homme qui commet un acte criminel exerce sur un autre être humain les pouvoirs de Dieu. C'est alors à la victime de décider si elle accepte cet autre dieu dans sa vie. Lorsque la victime et la société acceptent le crime, de quelque façon que ce soit, c'est la volonté de survie de la société tout entière qui est menacée. La société et même l'individu n'ont le droit ni de pardonner ni d'alléger la peine. Pourquoi imposer la tyrannie du criminel sur une population qui se soumet aux lois et adhère au contrat social ? Dans les cas extrêmes de meurtre, viol et attaque à main armée, le criminel proclame son caractère divin.

– Faut-il tous les mettre en prison ? demanda Christian Klee en souriant.

– Nous n'avons pas assez de prisons, répondit Kennedy d'un air sombre.

Klee venait de lui donner les dernières statistiques relatives à la criminalité aux États-Unis. Kennedy étudia le rapport pendant quelques minutes puis laissa éclater sa fureur.

– Si seulement les gens connaissaient les statistiques sur la criminalité, s'exclama-t-il. Si seulement les gens savaient le nombre de crimes qui ne rentrent pas dans les statistiques. Les voleurs déjà fichés retournent rarement en prison. Ce domicile que l'État ne peut pas violer à cause des précieuses libertés publiques, à cause de cet intouchable contrat social, eh bien, ce domicile sacré est quotidiennement violé par d'autres citoyens armés qui viennent tuer, voler et violer.

Kennedy récita alors le célèbre adage du droit anglais :

– La pluie peut entrer, le vent peut entrer, mais le roi ne peut pas entrer… Quelle connerie ! En une année, il y a, simplement en Californie, six fois plus de meurtres qu'en Angleterre. Aux États-Unis, les meurtriers font en moyenne moins de cinq ans de prison. Si on a la chance de les faire condamner !

« Le peuple américain est terrorisé par quelques millions de cinglés, continua Kennedy. Les gens ont peur de marcher la nuit dans les rues. Ils protègent leurs domiciles avec des systèmes de sécurité qui leur coûtent trente milliards de dollars par an.

Mais une chose, surtout, exaspérait Kennedy.

– Est-ce que vous savez que 98 % des crimes restent impunis ? Nietzsche l'avait déjà dit il y a longtemps : « Lorsqu'elle s'attendrit et s'amollit, une société prend fait et cause pour ceux qui veulent sa perte. » Avec tout leur bataclan de pitié, les religions pardonnent aux criminels. Elles n'ont pas le droit de pardonner aux criminels, ces salauds! La chose la plus horrible que j'ai vue de ma vie, c'était cette femme à la télévision, dont la fille avait été violée et assassinée de façon atroce, et qui disait: «Je leur pardonne.» En quoi avait-elle le droit de leur pardonner?

Alors, à la surprise de Klee, lui aussi homme de culture, Kennedy se mit à attaquer la littérature.

– Orwell s'est complètement fourvoyé dans *1984*. L'individu est une bête sauvage, et Huxley, dans *Le Meilleur des mondes*, a fait de cette société la pire des choses. Mais moi ça ne me dérangerait pas de vivre dans *Le Meilleur des mondes*: il vaut mieux que celui dans lequel nous vivons. C'est l'individu qui est le tyran, pas l'État.

Christian Klee prit son air le plus ingénu.

– Je suis stupéfait par les statistiques que je vous ai montrées. Les gens sont vraiment terrorisés.

– Le Congrès doit voter les lois dont nous avons besoin. Mais les journaux et les autres médias poussent des cris d'orfraie en disant qu'on veut attenter à la Déclaration des droits et à leur Constitution de droit divin.

Klee eut l'air un peu choqué. En souriant, Kennedy poursuivit sa diatribe.

– Laissez-moi vous raconter quelque chose. J'ai discuté de la situation avec les gens qui dans ce pays ont vraiment le pouvoir, ceux qui possèdent l'argent. J'ai fait un discours devant le club Socrate. Je pensais qu'ils se sentiraient concernés. Mais quelle surprise! Ils ont la possibilité de faire bouger le Congrès, mais ils ne le feront pas. Et devinez un peu pourquoi.

Il s'interrompit, comme s'il attendait une réponse de Klee.

Son visage se crispa en une grimace qui aurait pu être soit un sourire, soit une expression de mépris.

– Les riches et les puissants ont les moyens de se protéger. Ils ne comptent pas pour ça sur la police. Ils entourent leurs propriétés de coûteux systèmes de protection. Ils ont des gardes du corps. Ils vivent complètement à l'abri du crime. Et les plus prudents se tiennent loin de tout ce qui touche à la drogue. La nuit, ils peuvent dormir tranquilles derrière leurs barrières électrifiées.

Christian Klee avala une gorgée de cognac.

– Bon, on en est là, reprit Kennedy. Disons que nous faisons adopter des lois pour réprimer plus durement la criminalité, nous punirons donc avant tout les criminels noirs. Et vers quoi se tourneront les déshérités, les gens sans instruction ? Quelles ressources auront-ils contre notre société ? S'ils n'ont aucune échappatoire dans le crime, ils se tourneront vers l'action politique. Ils deviendront des extrémistes. Et l'équilibre politique basculera. Nous risquons de ne plus être une démocratie capitaliste.

– Vous y croyez vraiment ? demanda Klee.

– Qui sait, dit Kennedy en soupirant. Mais les gens qui dirigent ce pays y croient, eux. Ils se disent : « Laissons les chacals dévorer les pauvres. De toute façon, qu'est-ce qu'ils peuvent voler ? Quelques milliards de dollars, c'est tout. Il y a des milliers de vols, de viols, de meurtres ? Ça n'est pas grave, ça n'arrive qu'à des gens sans importance ! Il vaut mieux ces inconvénients mineurs qu'un véritable soulèvement politique. »

– Vous allez trop loin, dit Klee.

– Peut-être.

– Et quand ça va trop loin, on a toutes sortes de milices privées, un fascisme à l'américaine.

– Mais ça c'est le genre de mouvement politique qu'on peut maîtriser, dit Kennedy. En fait, ça aide même les gens qui dirigent notre société.

Puis il adressa une sourire à Christian Klee et ramassa le rapport.

– J'aimerais le garder, dit-il. Je le ferai encadrer et je l'accrocherai au mur de mon bureau : ce sera une relique de l'époque où Christian Klee n'était pas encore ministre de la Justice et chef du FBI.

En ce lundi de Pâques, à sept heures du matin, le cabinet privé de Francis Kennedy, ainsi que la vice-présidente Helen Du Pray et les membres du gouvernement étaient rassemblés dans la salle du Conseil de la Maison-Blanche.

Sur un signe de Kennedy, le chef de la CIA, Theodore Tappey, ouvrit la séance.

– Laissez-moi vous dire d'abord que Theresa va bien. Il n'y a eu aucun blessé. Pour l'instant, aucune exigence n'a été formulée. Mais elles seront présentées dans la soirée, et on nous a prévenus : il faudra y satisfaire immédiatement, sans négociation. Mais ça, c'est habituel. Le chef des ravisseurs, Yabril, est célèbre dans les milieux terroristes, et il est connu de nos services. C'est un franc-tireur qui d'habitude monte lui-même ses opérations, avec l'aide de certains groupes organisés, comme les mythiques Cent.

– Pourquoi mythiques ? l'interrompit Klee.

– Ce ne sont pas Ali Baba et les quarante voleurs. Ce ne sont que des réseaux d'action entre terroristes de différents pays.

– Continuez, dit sèchement Kennedy.

Tappey consulta ses notes.

– Il est évident que le sultan du Sherhaben apporte son aide à Yabril. Son armée protège l'aéroport pour empêcher toute tentative d'assaut. Cela dit, le sultan prétend être notre ami et propose ses services comme médiateur. On ne sait pas ce qu'il recherche, mais c'est dans notre intérêt. Le sultan est un homme raisonnable et il est sensible aux pressions. Yabril, lui, est totalement imprévisible.

Le chef de la CIA hésita un instant, puis, sur un signe de tête de Kennedy, reprit la parole, comme à regret.

– Yabril essaie de faire subir à votre fille un lavage de cerveau, monsieur le président. Ils ont eu plusieurs longues conversations. Il semble voir en elle une révolutionnaire possible ; pour lui, ce serait un coup extraordinaire s'il parvenait à lui faire faire une déclaration qui aille dans son sens. Elle ne semble pas avoir peur de lui.

Dans la salle, tout le monde gardait le silence, pourtant, ils auraient bien aimé savoir comment Tappey avait obtenu ses informations.

Dehors, on entendait les cris des équipes de télévision qui montaient la garde devant la Maison-Blanche. Puis l'un des assistants d'Eugene Dazzy pénétra dans la salle et tendit à son patron une note écrite à la main. Le chef de cabinet du président y jeta un coup d'œil.

– C'est confirmé ? demanda-t-il à son assistant.

– Oui, monsieur.

Dazzy regarda alors directement Francis Kennedy.

– Monsieur le président, je viens de recevoir des nouvelles absolument extraordinaires. L'assassin du pape a été capturé ici, aux États-Unis. Le prisonnier confirme qu'il est bien l'assassin du pape, et que son nom de code est Romeo. Il refuse de donner sa véritable identité. Le prisonnier a donné des détails qui confirment qu'il dit vrai : nous avons vérifié auprès des services italiens.

Arthur Wix explosa, comme si un intrus avait fait irruption dans une petite fête intime.

– Mais enfin qu'est-ce qu'il fait aux États-Unis ? C'est incroyable !

Dazzy expliqua patiemment les vérifications qui avaient été faites. Les services italiens avaient déjà arrêté certains membres du groupe, et ils avaient désigné Romeo comme leur dirigeant. Le chef des services de sécurité italiens, Franco Sebbediccio, était célèbre pour sa faculté d'extorquer des aveux. Mais il n'avait pas pu apprendre pourquoi Romeo avait gagné les États-Unis et pourquoi il avait été arrêté aussi facilement.

Francis Kennedy s'approcha des portes-fenêtres donnant sur le jardin des roses et observa les détachements militaires qui patrouillaient dans les jardins de la Maison-Blanche et dans les rues adjacentes. À nouveau, il éprouva cette terreur désormais familière. Rien dans sa vie n'arrivait par hasard, la vie était une conspiration mortelle, non seulement entre les êtres humains, mais aussi entre la foi et la mort.

Francis retourna à la table de conférences. D'un ton presque plaisant, il lança :

— Qu'est-ce que vous pariez qu'aujourd'hui nous allons recevoir un catalogue d'exigences de la part des ravisseurs ? Et l'une de ces exigences sera que nous relâchions l'assassin du pape.

Les autres regardèrent Kennedy avec stupéfaction.

— C'est une affaire énorme, s'exclama Otto Gray. C'est une exigence impossible, ça n'est pas négociable.

— Les rapports ne montrent aucune connection entre les deux actions, dit prudemment Tappey. Il semble inconcevable qu'un groupe terroriste puisse lancer deux opérations aussi importantes le même jour et dans la même ville.

Il se tourna vers Christian Klee.

— Monsieur le ministre de la Justice, comment avez-vous fait, au juste, pour capturer ce... Romeo ?

— Grâce à un informateur que nous utilisons depuis des années. Cela semblait impossible, mais mon assistant, Peter Cloot, a suivi l'opération de bout en bout. Je dois dire que je suis surpris. Ça semble parfaitement absurde.

— Je propose que nous suspendions la réunion, dit

Kennedy, et que nous la reprenions lorsque les ravisseurs auront présenté leurs exigences.

En un éclair de lucidité paranoïde, il avait deviné le plan que Yabril avait élaboré avec tant de minutie. À présent, pour la première fois, il craignait pour la vie de sa fille.

Par l'intermédiaire du bienveillant sultan du Sherhaben, les exigences de Yabril parvinrent au centre de communications de la Maison-Blanche le lundi en fin d'après-midi. Premièrement, cinquante millions de dollars pour l'avion ; deuxièmement, la libération de six cents Arabes emprisonnés dans les geôles israéliennes ; troisièmement, la libération de l'assassin du pape, Romeo, et son transfert au Sherhaben. Enfin, si les exigences n'étaient pas satisfaites dans les vingt-quatre heures, un premier otage serait exécuté.

Francis Kennedy et son cabinet particulier se retrouvèrent au premier étage de la Maison-Blanche, dans la grande salle à manger du nord-ouest. Il y avait là Helen Du Pray, Otto Gray, Arthur Wix, Eugene Dazzy et Christian Klee. Kennedy était installé en bout de table, et avait un peu plus d'espace que les autres.

Francis Kennedy se mit à la place des terroristes : il avait toujours possédé ce don d'empathie. Leur but essentiel était d'humilier les États-Unis, de détruire l'impression de toute-puissance qu'ils offraient au monde entier, et surtout aux yeux des nations amies. C'était un coup de maître. Qui, désormais, prendrait les États-Unis au sérieux si quelques hommes armés et un petit sultanat pétrolier pouvaient les tenir à merci ? Pouvait-il permettre cela simplement pour sauver sa fille ? Et pourtant, il devinait que le scénario n'était pas complet, qu'il lui réservait encore des surprises. Mais il ne dit mot, laissant les autres commencer la réunion.

Eugene Dazzy, en sa qualité de chef de cabinet, ouvrit la discussion. Sa voix était pâteuse : il n'avait pas dormi depuis trente-six heures.

– Monsieur le président, nous estimons qu'il faut céder aux exigences des terroristes, mais dans des limites bien précises. Il faut remettre Romeo non à Yabril, mais au gouvernement italien, ce qui reste dans la légalité. Nous ne sommes pas d'accord pour verser de l'argent, et nous ne pouvons pas forcer Israël à relâcher ses prisonniers. De cette façon, nous n'apparaissons pas comme trop faibles et nous ne les provoquons pas non plus. Lorsque Theresa sera de retour, nous nous occuperons de ces terroristes.

– Je vous promets que le problème sera réglé en moins d'un an, dit Klee.

Francis Kennedy demeura longtemps silencieux, puis déclara :

– Je ne crois pas que ça marchera.

– Mais ça, c'est notre réponse publique, dit Arthur Wix. En coulisses, nous pouvons promettre de libérer Romeo, de payer la rançon et de faire pression sur Israël. Ça, je crois que ça marchera. Au moins, ça leur donnera du temps et nous pourrons poursuivre les négociations.

– Ça ne peut pas faire de mal, dit Dazzy. Dans ce genre de situation, l'ultimatum fait partie de la règle du jeu. Ces vingt-quatre heures de délai ne signifient rien.

– Je crois que ça ne marchera pas, répéta tout de même Kennedy.

– Nous, nous y croyons, dit Oddblood Gray. Et il faut être prudent, monsieur le président. Le député Jintz et le sénateur Lambertino m'ont averti que le Congrès pourrait vous demander de vous retirer complètement de cette affaire en raison de votre implication personnelle. La situation peut devenir très grave.

– Ça n'arrivera jamais, dit Kennedy.

– Laissez-moi traiter avec le Congrès, dit la vice-présidente. Je servirai d'éclaireur. C'est moi qui proposerai toutes les capitulations.

Ce fut Dazzy qui résuma l'affaire.

– Dans votre situation, monsieur le président, vous devez vous fier au jugement collectif de votre cabinet. Vous savez que nous vous protégerons et que nous agirons au mieux.

Kennedy poussa un soupir, demeura longtemps silencieux, puis déclara :

– D'accord, allez-y.

Adjoint de Christian Klee plus spécialement chargé de la direction du FBI, Peter Cloot s'était révélé un homme d'une redoutable efficacité. Cloot était un homme sec, tout en muscles. Il arborait une fine moustache qui ne faisait rien pour adoucir un visage osseux. Mais Cloot n'était pas sans défauts. Il avait du mal à déléguer ses responsabilités et il croyait un peu trop à la sécurité intérieure. Ce soir-là, le visage sombre, il accueillit Christian Klee avec une pile de dossiers et une lettre de trois pages qu'il tendit au ministre.

La lettre était composée avec des caractères découpés dans des journaux. Encore une de ces lettres annonçant qu'une bombe atomique artisanale allait exploser à New York.

– C'est pour ça que vous m'avez fait demander chez le président ?

– J'ai attendu que nous ayons fait toutes les vérifications. Il semble que ce ne soit pas une blague.

– Bon sang, s'exclama Klee, pas maintenant !

Il relut la lettre avec plus d'attention. Les différents corps de caractères donnaient une impression d'étrangeté. On eût dit un tableau d'avant-garde. Il s'assit et lut la lettre mot à mot. Elle était adressée au *New York*

Times. D'abord il lut les paragraphes passés au marqueur fluorescent pour en souligner l'importance :

«Nous avons placé une bombe de faible puissance, entre un demi-kilotonne et deux kilotonnes au maximum, dans la ville de New York. Nous nous adressons à votre journal pour que vous publiiez notre lettre et que les habitants de la ville soient ainsi prévenus. La bombe est réglée pour exploser sept jours après la date ci-dessus. Vous comprenez pourquoi vous devez la publier immédiatement.»

Klee regarda la date. L'explosion était prévue pour le jeudi. Il poursuivit sa lecture.

«Cette action est destinée à faire prendre conscience au peuple des États-Unis que le gouvernement doit coopérer avec le reste du monde, de façon égalitaire, pour maîtriser l'énergie nucléaire. Il en va du salut de notre planète. On ne nous achètera ni avec de l'argent ni avec autre chose. En publiant cette lettre, vous permettrez l'évacuation de New York et vous sauverez des milliers de vies humaines.

«Pour vous prouver que cette lettre n'est pas une blague, faites examiner en laboratoire le papier et l'enveloppe. Vous y trouverez des résidus d'oxyde de plutonium.

«Publiez cette lettre immédiatement.»

Le reste de la lettre consistait en un cours de moralité politique, où il était également demandé que les États-Unis cessent de fabriquer des armes nucléaires.

– Vous avez fait examiner la lettre ? demanda Klee.

– Oui, répondit Peter Cloot. Il y a des résidus. Les caractères sont découpés dans différents journaux et magazines, mais ils nous ont donné une piste. Ils ont pris soin de choisir des journaux de différents coins des États-Unis, mais il y a une prédominance de journaux de Boston. J'ai envoyé cinquante hommes supplémentaires là-bas pour activer les recherches.

Klee soupira.

– La nuit sera longue. Gardons ça encore sous le bois-
seau. Pas de déclarations aux médias. Pour cette affaire,
tout devra passer par mon bureau. Le président a suffisamment d'ennuis comme ça… réglons ça le plus rapidement possible. À mon avis, c'est encore une de ces
lettres à la con comme il y en a tant.

– Possible, dit Cloot. Mais vous savez, un jour il y en
aura une qui ne sera pas de la blague.

La nuit fut longue. Les rapports ne cessaient d'arriver. Le chef de l'Agence de l'énergie et de la recherche
nucléaires fut averti, en sorte que ses équipes pussent
intervenir immédiatement (elles étaient équipées de
matériel de détection sophistiqué).

Klee fit amener un dîner pour Cloot et lui, et prit
connaissance des rapports. Le *New York Times*, bien
entendu, n'avait pas publié la lettre ; comme d'habitude,
ils l'avaient transmise au FBI. Klee appela le directeur
du journal et lui demanda de ne pas divulguer l'information avant la fin de l'enquête. Cela aussi était affaire
de routine. Les journaux recevaient chaque année des
milliers de lettres semblables. C'était par hasard que cette
lettre ne leur était parvenue que lundi au lieu de samedi.

Un peu avant minuit, Peter Cloot rejoignit son bureau
pour s'entretenir avec les membres de son cabinet, qui
recevaient des centaines d'appels de leurs agents, la plupart venus de Boston. Klee, lui, continuait de prendre
connaissance des rapports au fur et à mesure qu'ils arrivaient. Avant tout épargner au président ce fardeau supplémentaire. L'idée lui vint qu'il s'agissait peut-être
d'une nouvelle manœuvre des ravisseurs, mais il l'écarta
rapidement : même eux n'oseraient pas placer la barre
aussi haut. Il fallait plutôt y voir l'une des aberrations
produites par notre société. On avait déjà eu des affaires

semblables, des cinglés qui prétendaient avoir déposé quelque part une bombe atomique artisanale et exigeaient des sommes allant de dix à cent millions de dollars. L'une de ces lettres réclamait même un portefeuille d'actions d'IBM, General Motors, Sears, Texaco et certaines des plus grandes sociétés de génie génétique. Après examen par des psychologues, on en avait conclu que la menace de bombe atomique était mensongère, mais que l'auteur de la lettre connaissait fort bien le marché boursier. La police ne tarda pas à arrêter un petit agent de change de Wall Street, qui avait détourné l'argent de ses mandants et cherchait à se refaire.

Klee se disait qu'on pouvait fort bien avoir affaire à un mauvais plaisant du même genre, mais en attendant cela lui causait bien du souci. Il allait falloir dépenser des centaines de millions de dollars. Heureusement, les médias ne publiaient pas ce genre de lettres. Ces crapules de journalistes préféraient ne pas perdre leur temps avec ces affaires-là. Ils savaient bien qu'on pouvait invoquer contre eux certaines clauses légales touchant au secret militaire, des clauses qui remettaient même en question la muraille sacrée que la Déclaration des droits dressait autour d'eux. Pourvu, se répétait-il, que tout ça se termine bien et qu'il n'ait pas besoin d'accabler le président avec cette nouvelle histoire.

6

À l'intérieur de l'avion, Yabril se préparait au nouvel acte de la pièce qui se jouait. Puis il se détendit et se mit à inspecter le désert qui l'entourait. Le sultan avait fait disposer des missiles et des radars autour de l'aéroport. Une division blindée avait également pris position, tenant les journalistes et la foule des curieux à une distance d'une centaine de mètres de l'appareil. Le lendemain, se dit Yabril, il donnerait l'ordre à la troupe de laisser la foule et les caméras de télévision s'approcher plus près, beaucoup plus près. Pas de danger que l'avion fût pris d'assaut ; l'appareil était piégé de telle façon qu'au moindre mouvement suspect il pouvait le réduire en miettes : il faudrait aller ramasser les os dans les sables du désert !

Il quitta l'embrasure de la porte où il se tenait depuis un moment et alla s'asseoir près de Theresa Kennedy. Ils se trouvaient seuls dans la cabine des premières classes. Les autres otages étaient sous bonne garde en classe touriste, et l'équipage dans le cockpit, également sous la garde de terroristes.

Yabril faisait de son mieux pour mettre Theresa à

l'aise. Il lui affirma que les passagers étaient correcte-ment traités. Évidemment, ajoutait-il, la situation n'était pas des plus agréables, ni pour elle, ni pour lui, ni pour personne.

– Vous savez, déclara-t-il, mon intérêt c'est qu'il ne vous soit fait aucun mal.

Theresa le croyait. En dépit de tout ce qui se passait, elle trouvait sympathique ce visage intense et sombre, et bien qu'elle le sût dangereux, elle n'arrivait pas à le détester. Dans son innocence, elle croyait que sa posi-tion la rendait invulnérable.

– Vous pouvez nous aider, vous pouvez aider les autres otages, reprit Yabril, comme s'il plaidait sa cause. Notre combat est juste, vous l'avez dit vous-même il y a quelques années. Mais la bourgeoisie juive améri-caine est trop puissante, on vous a fait taire.

Theresa secoua la tête.

– Je suis sûre que vous avez vos raisons pour agir ainsi, tout le monde a ses raisons. Mais les passagers de cet avion sont innocents, ils ne vous ont jamais fait aucun mal. Ce sont des gens comme vous. Ils ne devraient pas payer pour les crimes commis par vos ennemis.

Yabril la trouvait courageuse et intelligente, ce qui lui causait un plaisir certain. Son joli minois d'Américaine lui plaisait également, elle lui faisait l'effet d'une pou-pée.

À nouveau, il fut frappé par le fait qu'elle n'avait pas peur de lui, qu'elle ne semblait pas craindre ce qui pourrait lui arriver. Les riches et les puissants étaient déci-dément bien aveugles face au destin ! Et puis, bien sûr, il y avait l'histoire de sa famille.

– Mademoiselle Kennedy, dit-il d'une voix enjôleuse qui ne fut pas sans effet sur la jeune fille, nous savons bien que vous n'êtes pas de ces Américaines pourries, que vos sympathies vont aux pauvres et aux opprimés.

Vous doutez également qu'Israël ait le droit de chasser un peuple de sa terre pour y établir son propre État belliciste. Vous pourriez peut-être dire tout cela sur un film vidéo qui serait vu par le monde entier.

Theresa Kennedy étudia le visage de Yabril. Ses yeux sombres étaient humides et chaleureux, et son sourire lui donnait une allure presque enfantine. Toute son éducation la poussait à faire confiance aux gens, et elle se fiait en outre à ses propres convictions et à son intelligence. Elle voyait bien que cet homme croyait sincèrement à ce qu'il faisait. D'une certaine façon, il lui inspirait le respect.

Elle refusa avec politesse.

– Ce que vous dites est peut-être vrai, mais je ne ferai rien qui puisse blesser mon père... Et puis je ne crois pas que vos méthodes soient intelligentes. Je ne crois pas que le meurtre ni la terreur changent quoi que ce soit.

Cette remarque fit naître chez Yabril un sentiment de mépris, mais il répondit avec douceur.

– Israël a été créé par la terreur et l'argent américain. Est-ce qu'on vous a appris ça dans votre université américaine ? Nous avons suivi les leçons d'Israël, mais sans son hypocrisie. Les rois du pétrole n'ont jamais été aussi généreux avec nous que vos philanthropes juifs avec Isaël.

– Je crois en l'État d'Israël, répondit Theresa, et je crois aussi que le peuple palestinien devrait avoir une patrie. Mais je n'ai aucune influence sur mon père, nous nous disputons sans arrêt. Cela dit, rien ne justifie ce que vous êtes en train de faire à présent.

Yabril laissa percer son impatience.

– Vous devez comprendre que vous êtes mon trésor de guerre. J'ai présenté mes exigences. Après l'heure de l'ultimatum, un otage sera exécuté toutes les heures. Et vous serez la première.

134

À la surprise de Yabril, aucun signe de peur n'apparut sur son visage. Était-elle idiote ? Une femme aussi protégée qu'elle pouvait-elle être à ce point courageuse ? Sa curiosité était piquée. Jusque-là, elle avait été traitée avec le plus grand respect par ses gardiens. Elle avait l'air furieuse, mais elle se calma en avalant une gorgée de la tasse de thé qu'il lui avait servie.

Elle leva alors les yeux vers lui. Ses cheveux d'un blond pâle encadraient de façon sévère ses traits délicats. Elle avait les yeux gonflés de fatigue, et sans maquillage ses lèvres semblaient décolorées.

– Deux de mes grands-oncles ont été tués par des gens comme vous, dit Theresa sans émotion. Ma famille a vécu avec la mort. Et quand mon père est devenu président, il a eu peur pour moi. Il m'a dit qu'il existait des gens comme vous, mais j'ai refusé de le croire. Maintenant, je suis curieuse. Pourquoi vous conduisez-vous de façon aussi effroyable ? Vous croyez que vous pouvez effrayer le monde entier en tuant une jeune fille ?

Peut-être pas, songea Yabril, mais j'ai tué le pape. Cela, elle ne le savait pas encore. L'espace d'un instant, il fut tenté de le lui apprendre. De tout lui raconter. Le projet. Le grandiose projet. L'affaiblissement de ces autorités craintes de tous, les États, les Églises. Et la façon dont cette peur pouvait être combattue par des actes solitaires de terreur.

Mais il posa sur son bras une main rassurante.

– Je ne vous ferai aucun mal. Ils vont négocier. La vie est négociation. Vous et moi, quand nous parlons nous négocions. Tout mot de prière, toute insulte, tout acte terrible est une négociation. Ne prenez pas ce que j'ai dit trop sérieusement.

Elle rit.

Il appréciait qu'elle le trouvât spirituel. Elle lui rappelait Romeo ; elle avait le même enthousiasme instinctif pour les petits plaisirs de la vie, comme, par exemple, un simple jeu de mots. Un jour, Yabril avait dit à Romeo: «Dieu est le plus grand des terroristes», et Romeo avait applaudi, enchanté.

À présent, Yabril éprouvait une sorte de nausée. Il se sentait honteux de vouloir ainsi charmer Theresa Kennedy. Il se croyait au-delà d'une telle faiblesse. Si seulement il pouvait la persuader de faire cette bande vidéo, il n'aurait pas à la tuer.

7

Mardi

Le mardi, soit deux jours après l'assassinat du pape et le détournement de l'avion où voyageait sa fille, le président Francis Kennedy pénétrait dans la salle de projection de la Maison-Blanche : il devait visionner un film de la CIA sorti clandestinement du Sherhaben.

La salle de projection avait quelque chose d'une salle de pénitence : de minables fauteuils verts pour quelques privilégiés et des chaises métalliques pliantes pour tous ceux qui n'avaient pas rang de ministre. Se trouvaient présents le directeur de la CIA, le ministre des Affaires étrangères, le ministre de la Défense, les membres de leurs cabinets respectifs et les membres du cabinet personnel du président.

À l'entrée du président, tout le monde se leva. Kennedy prit un fauteuil vert ; le directeur de la CIA, Theodore Tappey, alla se poster près de l'écran pour les commentaires.

Le film débuta. On voyait un camion d'approvisionnement s'approcher de l'arrière de l'avion détourné. Les manutentionnaires portaient des chapeaux à larges bords pour se protéger du soleil ; ils étaient vêtus de pantalons marron et de chemisettes de même couleur. On voyait ensuite les ouvriers quitter l'avion, puis l'objectif se braqua sur l'un d'entre eux. Sous les bords du chapeau, on aperçut le visage de Yabril, sombre, aux traits anguleux, les yeux brillants, le léger sourire. Yabril monta dans le camion avec les autres ouvriers.

Le film s'interrompit et Tappey prit la parole.

– Le camion s'est ensuite rendu au palais du sultan. Nous avons appris qu'on y a donné un véritable banquet, avec des danseuses. Ensuite, Yabril est retourné à l'avion de la même façon. Le sultan du Sherhaben participe donc directement à ces actes de terrorisme.

La voix du ministre des Affaires étrangères jaillit de l'obscurité.

– Nous sommes les seuls à en avoir la certitude. Les rapports des services secrets sont toujours suspects. Et même si nous pouvions le prouver, nous ne pourrions pas rendre cette information publique. Cela bouleverserait tout l'équilibre politique dans le golfe Persique. Nous serions obligés de lancer des actions de représailles, et cela irait contre nos intérêts.

– Bon sang ! grommela Otto Gray.

Christian Klee, lui, éclata de rire.

Eugene Dazzy, qui pouvait écrire dans le noir – une preuve de son génie administratif, répétait-il souvent –, prenait des notes sur son calepin.

Le chef de la CIA poursuivit son allocution.

– Nos informations se résument à ça. Vous aurez les rapports détaillés un peu plus tard. Il semble que nous ayons affaire à une opération financée par le groupe terroriste international nommé les Cent Premiers, ou parfois les Christ de la violence. Comme je l'ai déjà dit lors de la précédente réunion, il s'agit d'un réseau de groupes marxistes issus d'universités de différents pays, qui fournissent des caches et du matériel. Ces groupes sont surtout présents en Allemagne, en Italie, en France et au Japon, et quelques éléments se trouvent également en Angleterre et en Irlande. Mais d'après nos informations, même les Cent n'ont jamais vraiment su de quoi il en retournait. Ils croyaient que l'opération se limitait à l'assassinat du pape. On en arrive à la conclusion que seul cet homme, Yabril, avec le sultan du Sherhaben, dirige cette opération.

Le film reprit. On voyait l'avion isolé sur la piste, et le cordon de soldats équipés de canons antiaériens. On apercevait également la foule, tenue à distance, à une centaine de mètres.

La voix du directeur de la CIA s'éleva.

– Ce film, ainsi que d'autres informations, nous montre qu'on ne peut tenter aucun assaut, à moins d'écraser purement et simplement l'État du Sherhaben. Mais bien sûr, ni la Russie ni peut-être les autres États arabes ne nous le permettront. Il faut dire aussi que cinquante milliards de dollars américains ont été consacrés à bâtir la ville de Dak, ce qui constitue un autre otage. Nous n'allons pas détruire cinquante milliards de dollars investis par des citoyens américains. En outre, la plupart des batteries de missiles de ce pays sont servies par des mercenaires américains, mais maintenant, nous en arrivons à quelque chose d'encore plus curieux…

Sur l'écran, apparut l'image tremblante de l'intérieur de l'appareil. La caméra, visiblement tenue à la main, se déplaçait dans la classe touriste, et l'on apercevait les passagers terrorisés coincés sur leurs sièges. Puis la caméra passa en première classe et se braqua sur un passager qui s'y trouvait assis. Yabril apparut alors dans le champ. Il portait un pantalon brun en coton et une chemise à manches courtes de la même couleur que le sable au-dehors. La caméra se déplaça à nouveau, montrant alors Theresa Kennedy assise à sa place. Yabril et Theresa semblaient discuter de façon animée et amicale.

Un petit sourire presque amusé flottait sur les lèvres de Theresa, et son père eut presque envie de détourner la tête. Ce sourire, il se rappelait l'avoir eu dans sa propre enfance, c'était le sourire de ceux qui ont été élevés dans les allées du pouvoir et n'imaginent même pas qu'ils puissent un jour souffrir de la dureté du monde. Francis Kennedy avait souvent vu ce sourire sur le visage de ses oncles.

– Quand ce film a-t-il été tourné, et comment l'avez-vous eu ? demanda le président.

– Il n'a que douze heures, répondit Tappey. Nous l'avons acheté à prix d'or, à quelqu'un qui est visiblement très proche des terroristes. Après la réunion, je pourrai vous donner tous les détails en privé, monsieur le président.

Kennedy eut un geste de la main. Peu lui importaient les détails.

– D'autres informations, reprit Tappey. Aucun passager n'a été maltraité. Et curieusement, les femmes pirates de l'air ont été remplacées par des hommes, certainement avec la complicité du sultan. Cela me paraît de très mauvais augure.

– Pourquoi ? demanda sèchement Kennedy.

– Les terroristes qui tiennent l'avion sont tous des hommes. Ils sont au moins une dizaine. Puissamment armés. Il est possible qu'ils soient déterminés à massacrer leurs otages si une attaque est lancée. Ils se sont peut-être dit que des femmes ne seraient pas capables de se livrer à un tel massacre. D'après les évaluations de nos services, on ne peut absolument pas tenter une opération de sauvetage.

– Ils utilisent peut-être des gens différents parce qu'il s'agit d'une phase différente de l'opération, rétorqua

140

Klee. Ou alors Yabril se sent plus à l'aise avec des hommes. Après tout, c'est un Arabe.

– Vous savez aussi bien que moi que ce remplacement n'a rien d'une aberration, dit Tappey en souriant. Je crois que cela n'est arrivé qu'une seule fois en de pareilles circonstances. Vous avez l'expérience des opérations clandestines : vous savez pertinemment que cela empêche toute attaque frontale pour libérer les otages.

Kennedy demeurait silencieux.

Ils regardèrent le petit bout de film qui restait. Yabril et Theresa discutaient avec animation, et semblaient de plus en plus amicaux. Finalement, Yabril lui tapotait l'épaule d'un air rassurant, comme s'il lui apportait une bonne nouvelle, car Theresa se mit à rire. Puis il fit un geste du bras, comme pour lui signifier qu'elle était sous sa protection et qu'il ne lui arriverait rien de mal.

– Ce type me fait peur, déclara Klee. Il faut sortir Theresa de là.

Dans son bureau, Eugene Dazzy passa méthodiquement en revue toutes les solutions qui s'offraient à eux pour aider le président Kennedy. D'abord, il appela sa maîtresse pour lui annoncer qu'il ne pourrait pas la voir avant la fin de la crise. Ensuite il appela sa femme pour lui dire d'annuler tous leurs rendez-vous et les dîners qu'ils devaient donner. Puis, après mûre réflexion, il appela Bert Audick, qui depuis trois ans était l'un des plus farouches adversaires du gouvernement Kennedy.

– Il faut que vous nous aidiez, monsieur Audick. Je saurai vous en être reconnaissant.

– Écoutez, dans cette affaire, nous sommes tous des Américains.

Bert Audick avait déjà avalé deux gigantesques sociétés pétrolières américaines, comme une grenouille avalant des mouches, disaient ses adversaires. D'ailleurs, il ressemblait à une grenouille, avec sa bouche large et ses yeux légèrement globuleux. Pourtant, c'était un homme impressionnant, grand et large d'épaules, la tête massive, la mâchoire carrée. Il avait toujours été dans le pétrole, depuis sa plus tendre enfance. Né riche, il avait multiplié par cent sa fortune. Sa société pétrolière (il en possédait 51 % des parts) était évaluée à vingt milliards de dollars. Agé à présent de soixante-dix ans, il en savait plus sur le pétrole que quiconque aux États-Unis. Sur toute la surface de la terre, il connaissait le moindre endroit recelant du précieux liquide.

Au siège de sa société, à Houston, sur des écrans d'ordinateurs, apparaissaient des cartes du monde montrant les innombrables pétroliers en mer, leurs ports d'origine et de destination, le nom de leur propriétaire, leur prix d'achat, le volume de leur cargaison. Il pouvait donner à n'importe quel pays un milliard de barils de pétrole aussi facilement que le premier pékin venu glisser un billet de cinquante dollars à un maître d'hôtel.

Il devait une bonne partie de sa fortune à la crise du pétrole des années 70, lorsque les pays de l'OPEP semblaient serrer le monde à la gorge. Mais c'était Bert Audick qui étranglait ainsi la planète. Il avait gagné des milliards de dollars en tablant sur une pénurie dont il savait parfaitement qu'elle était artificielle.

Mais ce n'était pas par simple avidité qu'il avait agi ainsi. Il aimait le pétrole, et il était scandalisé que cette énergie vitale pût être ainsi bradée à vil prix. Il contribua à la hausse des prix du pétrole avec l'ardeur idéaliste d'un jeune homme luttant contre les injustices de la société. Ensuite, il avait consacré une grande partie de ses bénéfices à des œuvres de charité.

Il avait fait construire des hôpitaux, des maisons de retraite gratuites, des musées. Il avait créé des milliers de bourses pour des étudiants défavorisés, sans aucun critère de race ni de religion. Il s'était également occupé de ses amis et de sa famille, et avait fait la fortune de quelques cousins éloignés. Il aimait sa patrie et n'avait jamais étendu ses largesses à d'autres pays, sauf pour les indispensables pots-de-vin aux gens influents.

Il n'aimait pas les hommes politiques américains, ni l'impitoyable machine étatique. Ces gens-là se conduisaient comme ses ennemis avec leurs lois antitrust, leurs règlements, leur ingérence perpétuelle dans ses affaires. Bert Audick était loyal envers son pays, mais c'était *son* entreprise, et c'était son droit démocratique d'étrangler ses concitoyens et de leur faire payer ce pétrole qu'il vénérait.

Audick tenait à garder son pétrole dans le sol le plus longtemps possible. Il songeait souvent avec amour à ces milliards et ces milliards de dollars, qui gisaient, nappes immenses, sous les sables du Sherhaben, ailleurs aussi, bien à l'abri. Cet immense lac d'argent, il le garderait caché aussi longtemps que possible. Il achèterait le pétrole des autres, il achèterait d'autres sociétés pétrolières. Il fouillerait les océans, il achèterait des morceaux de la mer du Nord à l'Angleterre, il achèterait une partie du Venezuela. Et puis il y avait l'Alaska. Lui seul savait l'étendue exacte de la fortune dissimulée sous les glaces.

Dans ses affaires, il était aussi vif qu'un danseur de ballet. Il connaissait avec plus de précision que la CIA les réserves de pétrole de l'Union soviétique. Cette information, il ne l'avait pas communiquée au gouvernement ; pourquoi l'aurait-il fait, puisqu'il avait dû payer une somme colossale pour l'obtenir, et que c'était à lui qu'elle profitait exclusivement ?

Il croyait dur comme fer – comme de nombreux Américains – qu'un citoyen libre dans un pays libre a le droit de faire passer ses intérêts personnels avant ceux du gouvernement élu. Car si chaque citoyen n'avait pour but que de s'enrichir, comment le pays tout entier n'en tirerait-il pas sa prospérité ?

Sur l'insistance de Dazzy, Kennedy accepta de recevoir cet homme. Pour le public, Bert Audick était une sorte de roi du pétrole de bande dessinée dont on parlait dans les journaux et dans le magazine *Fortune*. Mais il possédait une influence énorme sur les parlementaires des deux chambres. Il avait également beaucoup d'amis et d'associés parmi les quelques milliers d'hommes qui dirigeaient les principales industries du pays et appartenaient au club Socrate. Les membres de ce club possédaient journaux et chaînes de télévision, dirigeaient des sociétés de courtage et de transport de céréales ; c'étaient les géants de Wall Street, les colosses de l'automobile et de l'électronique, les grands prêtres des temples de l'argent, les banques. Et surtout, Bert Audick était un ami personnel du sultan du Sherhaben.

Bert Audick fut conduit dans la salle du conseil, où se trouvaient réunis, autour de Francis Kennedy, son cabinet particulier et les ministres concernés par l'affaire des otages. On comprit qu'il n'était pas seulement venu pour aider le président, mais pour l'avertir : la société d'Audick avait investi cinquante milliards de dollars dans les champs de pétrole du Sherhaben et dans la grande ville de Dak. Il avait une voix magique, à la fois amicale et persuasive. Il aurait pu faire un homme politique extraordinaire s'il n'avait été incapable de mentir sur les questions politiques ; en outre, il était si outrageusement d'extrême droite qu'il n'aurait pu être élu, même dans la circonscription la plus conservatrice du pays.

Il commença par faire part au président de sa terrible inquiétude, et cela avec une telle sincérité qu'on ne pouvait douter qu'il fût venu avant tout pour tenter de sauver Theresa Kennedy.

– Monsieur le président, j'ai pris contact avec tous les gens que je connais dans les pays arabes. Ils condamnent cette affaire effroyable, et ils nous aideront dans toute la mesure de leurs moyens. Je suis un ami personnel du sultan du Sherhaben et j'userai de toute mon influence sur lui. On m'a dit que d'après certains éléments, il serait mêlé à ce détournement d'avion et à l'assassinat du pape. Je peux vous assurer que quelles que soient les preuves, le sultan est de notre côté.

Ces paroles éveillèrent les soupçons de Francis Kennedy. Comment Audick avait-il entendu parler de l'implication du sultan ? Seuls les ministres et les membres de son cabinet particulier étaient au courant, et l'information avait été classée «hautement confidentiel». Le sultan comptait-il sur Audick pour être blanchi une fois l'affaire terminée ?

Le scénario voulait-il que le sultan et Audick apparaissent comme les sauveurs de sa fille ?

– Monsieur le président, reprit Audick, je vous conseillerais d'accéder aux exigences des ravisseurs. Il est vrai que cela abaisserait le prestige, l'autorité des États-Unis dans le monde, mais cela pourra être réparé par la suite. En attendant, laissez-moi vous parler de ce qui certainement vous touche le plus près. Il ne sera fait aucun mal à votre fille.

La voix était plus persuasive que jamais.

Ce fut son assurance qui fit douter Kennedy. D'après sa propre expérience, il savait que la confiance aveugle est la qualité la plus suspecte chez tout dirigeant.

– Pensez-vous que nous devrions leur livrer l'homme qui a tué le pape ? demanda Kennedy.

Audick ne comprit pas la question.

– Monsieur le président, je sais que vous êtes catholique. Mais n'oubliez pas que notre pays est essentiellement protestant. En matière de politique étrangère, l'assassinat du pape ne peut constituer notre principale préoccupation. Pour l'avenir de notre pays, il est nécessaire de protéger notre approvisionnement en pétrole. Nous avons besoin du Sherhaben. Nous devons agir prudemment, avec intelligence et sans passion. Je ne peux que vous réitérer ma conviction : votre fille ne risque rien.

Il était sans aucun doute sincère, et son assurance était impressionnante. Kennedy le remercia et le raccompagna jusqu'à la porte. Lorsqu'il fut parti, le président se tourna vers Dazzy.

– Qu'est-ce qu'il a dit, en fait ?

– Il cherche seulement à préciser les choses, répondit Dazzy. Il veut probablement vous dissuader d'utiliser les cinquante milliards de la ville de Dak comme monnaie d'échange.

Il demeura un instant silencieux, puis ajouta :

– Je crois qu'il peut nous aider.

Christian Klee se pencha alors à l'oreille du président :

– Francis, il faut que je vous voie seul.

Kennedy s'excusa auprès des autres personnes présentes et emmena Klee dans le bureau ovale.

Klee aimait le bureau ovale, la lumière que laissaient passer les trois hautes fenêtres à l'épreuve des balles, les deux drapeaux – les couleurs gaies du drapeau national, bleu, blanc et rouge, à droite du petit bureau, et sur la gauche le drapeau présidentiel, plus sombre, et dont le bleu était plus profond.

Kennedy fit signe à Klee de s'asseoir. Le ministre se demanda comment Kennedy pouvait avoir l'air aussi emprunté. Ils étaient amis depuis des années, mais il ne parvenait à déceler chez lui aucun signe d'émotion.

– Il y a d'autres ennuis, annonça Klee. Ici, aux États-Unis. Ça m'ennuie de vous inquiéter encore, mais c'est nécessaire.

Il raconta au président l'affaire de la lettre annonçant qu'une bombe atomique avait été dissimulée à New York.

– C'est probablement une blague, dit Klee. Il y a une chance sur un million qu'une telle bombe ait été posée quelque part. Mais si c'est vrai, elle pourrait détruire dix pâtés de maisons et tuer des milliers de gens. Sans parler des retombées radioactives qui rendront la zone inhabitable pendant je ne sais combien de temps. Même s'il ne s'agit que d'une chance sur cent, il faut prendre cette menace au sérieux.

– J'espère que vous n'allez pas me dire que c'est lié à l'affaire de l'enlèvement ! lança Kennedy.

– Allez savoir.

– Alors bloquez toute l'information sur cette affaire. Classez-la secret atomique.

Par l'interphone, Kennedy appela le bureau d'Eugene Dazzy.

– Eugene, faites-moi parvenir une copie de la loi sur le secret atomique. Ainsi qu'un dossier sur la recherche médicale sur le cerveau. Et préparez-moi un rendez-vous avec le Dr Annaccone. Prévoyez la date après la crise des otages.

Kennedy relâcha le bouton de l'interphone, se leva et alla se planter devant les fenêtres du bureau ovale. D'un air absent, il promena le doigt sur le drapeau frangé qui se trouvait sur son bureau. Il demeura là un long moment, perdu dans ses pensées.

– Je crois qu'il s'agit d'un problème intérieur, finit par dire Klee, une sorte de retombée psychologique qui a été prévue et étudiée depuis des années. Nous ne sommes pas loin de mettre la main sur des suspects.

Kennedy ne répondit pas tout de suite, toujours plongé dans ses réflexions.

– Christian, dit-il alors à voix basse, cette information

ne doit être connue d'aucun autre membre du gouvernement. Ni même de Dazzy ni d'aucun membre de mon cabinet personnel. Ça doit rester entre vous et moi. Inutile d'en rajouter.

Venues du monde entier, les équipes de journalistes avec leur matériel avaient envahi Washington. Une ambiance de stade régnait dans la ville, et devant la Maison-Blanche une foule s'était agglutinée, comme pour venir partager la souffrance du président. À chaque instant, des avions sillonnaient le ciel : des émissaires du gouvernement accompagnés par leur équipe s'envolaient pour l'étranger, ou bien c'étaient des avions militaires amenant une nouvelle division pour garder les alentours de la Maison-Blanche. La foule semblait disposée à veiller toute la nuit comme pour assurer au président qu'il n'était pas seul dans son malheur. Le bruit de cette foule pénétrait de partout dans la Maison-Blanche.

Sur les télévisions, les programmes habituels avaient été interrompus pour annoncer la mort du pape. Dans toutes les cathédrales du monde, des foules immenses vêtues de noir étaient venues pleurer. En dépit des sermons prêchant la charité, il flottait dans ces églises comme un parfum de vengeance. On priait aussi pour la libération de Theresa Kennedy.

La rumeur courait que le président entendait libérer l'assassin du pape en échange de la libération des otages et de sa fille. Les experts politiques recrutés par les chaînes de télévision étaient divisés sur l'opportunité d'une telle mesure, mais estimaient tous que ces exigences initiales étaient sujettes à négociation, comme cela avait été le cas par le passé lors d'affaires semblables. Tout le monde s'accordait plus ou moins à dire que le président avait cédé à la panique en raison du danger couru par sa fille.

Tout au long de la nuit, la foule ne cessa de grossir autour de la Maison-Blanche. Les rues de Washington étaient encombrées par le flot des véhicules et des piétons qui convergeaient vers le cœur symbolique du pays. Beaucoup avaient apporté nourriture et boissons pour soutenir leur longue veillée. Ils entendaient attendre toute la nuit auprès de leur président, Francis Xavier Kennedy.

Lorsque le mardi soir Kennedy gagna sa chambre à coucher, il pria pour que les otages fussent libérés le lendemain. Yabril allait gagner. Pour le moment. Sur sa table de nuit s'entassaient les rapports de la CIA, du Conseil national de sécurité, du ministère des Affaires étrangères, du ministère de la Défense, et ceux émanant de son cabinet personnel. Son majordome, Jefferson, lui apporta son chocolat chaud et ses biscuits, et il s'installa pour lire les rapports.

Il lut entre les lignes. Il s'efforça de synthétiser les points de vue différents des divers ministères et agences gouvernementales, puis de se mettre à la place d'un chef d'État rival prenant connaissance de ces rapports. Ce chef d'État s'apercevrait rapidement que les États-Unis étaient un pays chancelant, décadent, un géant obèse et arthritique. Un géant qui souffrait en outre d'hémorragie interne : les riches devenaient de plus en plus riches, les pauvres de plus en plus pauvres. Quant aux classes moyennes, elles luttaient désespérément pour conserver une part du gâteau.

Kennedy voyait bien que les derniers événements avaient été délibérément planifiés pour saper l'autorité morale des États-Unis.

Mais il y avait aussi cette attaque venue de l'intérieur, cette menace de bombe atomique. Le cancer interne. Les études psychologiques avaient montré que de tels événements pouvaient arriver et l'on avait pris des précautions.

Mais pas suffisamment. Et cela ne pouvait venir que de l'intérieur, le coup était trop dangereux à jouer pour des terroristes, trop aléatoire. Ils pouvaient, en agissant ainsi, ouvrir la boîte de Pandore de la répression, et ils savaient qu'en suspendant les libertés civiles, tous les gouvernements, notamment celui des États-Unis, pouvaient facilement écraser n'importe quelle organisation terroriste.

Kennedy étudia les rapports sur les groupes terroristes et les pays qui leur prêtaient appui. Il fut surpris de voir que la Chine finançait des groupes terroristes arabes. Il y avait des organisations, qui pour l'heure ne semblaient pas liées à l'opération de Yabril ; elle était par trop bizarre et les bénéfices semblaient bien improbables pour le prix à payer. En matière de terrorisme, les Russes n'avaient jamais défendu la libre entreprise. Mais il y avait la mosaïque des groupes arabes, le Front arabe, la Saïka, le FPLP-G, et tous les autres, seulement désignés par leurs initiales. Et puis les différentes brigades rouges : les Brigades rouges italiennes, la Brigade rouge japonaise, et la Brigade rouge allemande, qui avait absorbé la multitude des petits groupes allemands à la suite d'une meurtrière guerre intestine.

Tout cela était trop pour Kennedy. Le mercredi, dans la matinée, les négociations seraient terminées et les otages libérés. Il n'y avait plus qu'à attendre. Tout cela dépassait les vingt-quatre heures de l'ultimatum, mais c'était prévu. Son cabinet lui avait assuré que les terroristes se montreraient patients.

Avant de s'endormir il revit le sourire confiant de sa fille tandis qu'elle discutait avec Yabril, ce sourire que lui avaient transmis ses oncles morts. Il sombra alors dans un sommeil plein de rêves torturés, et, en criant, appela à l'aide. Jefferson accourut dans la chambre et contempla un instant le visage convulsé du président endormi avant de se résoudre à le réveiller. Il lui apporta une autre tasse de chocolat et lui donna le comprimé de somnifère prescrit par le médecin.

Sherhaben, mercredi matin

Francis Kennedy dormait encore lorsque Yabril se leva. Yabril aimait les petits matins dans le désert, la fraîcheur qui fuyait la fournaise du soleil, le ciel qui s'incendiait de rouge. Dans ces moments, il songeait toujours au Lucifer musulman, que l'on nomme Azazel.

L'ange Azazel, debout devant Dieu, refusa d'adorer la création de l'homme, et Dieu le précipita hors du paradis. Azazel, alors, incendia les sables du désert et les transforma en fournaise. Oh, être Azazel, se disait Yabril. Encore jeune et romantique, il avait utilisé le nom d'Azazel comme nom de code lors de sa première opération.

Ce matin-là, la chaleur brûlante du soleil lui donnait le vertige. Il se tenait dans l'ombre de la porte ouverte de l'avion, où régnait l'air conditionné, mais la bouffée d'air brûlant le fit reculer. Une nausée le submergeait, et il se demanda si elle était due à ce qu'il devait faire. Il allait enfin commettre l'acte irréparable, le dernier mouvement sur l'échiquier de la terreur, un mouvement dont il n'avait parlé ni à Romeo ni au sultan du Sherhaben ni à ses alliés des Brigades rouges. Un ultime sacrilège.

Au loin, près du terminal, il apercevait le cordon de soldats qui tenaient à distance les équipes de journalistes. Il avait capté l'attention du monde entier ; il détenait la fille du président des États-Unis. Il bénéficiait d'une audience plus large que n'importe quel chef d'État, n'importe quel pape, n'importe quel prophète. De ses mains, il pouvait couvrir la terre entière. Yabril tourna le dos à la porte et fit face à l'intérieur de la cabine.

Quatre hommes de sa nouvelle équipe prenaient leur petit déjeuner en première classe. Vingt-quatre heures s'étaient écoulées depuis qu'il avait lancé l'ultimatum. Le moment était venu. Il les fit se hâter puis leur distribua leurs tâches. L'un alla porter au chef du dispositif de sécurité l'ordre, écrit de la main de Yabril, de laisser les équipes de télévision s'approcher de l'avion. À un autre homme il confia un paquet de tracts expliquant que puisque les exigences de Yabril n'avaient pas été satisfaites dans les vingt-quatre heures prévues, l'un des otages allait être exécuté.

Deux hommes reçurent l'ordre d'aller chercher la fille du président américain au premier rang des sièges de la classe touriste, et de la ramener en première classe, là où se trouvait Yabril.

Lorsque Theresa Kennedy aperçut Yabril qui l'attendait, son visage se détendit et un sourire apparut sur ses lèvres. Yabril se demanda comment elle pouvait être aussi belle après avoir passé tout ce temps à bord de l'avion. Il se dit alors qu'elle ne s'était mis sur la peau aucune crème qui eût pu fixer la crasse. Il lui rendit son sourire, et, plaisantant à moitié, lui dit :

– Vous êtes magnifique, mais un peu chiffonnée. Allez donc vous rafraîchir, maquillez-vous un peu, coiffez-vous. Les caméras de la télévision nous attendent. Le monde entier va vous regarder, et je ne veux pas qu'on pense que je vous ai maltraitée.

Elle pénétra dans les toilettes de l'avion et il attendit. Elle y demeura près de vingt minutes. Il entendit la chasse d'eau et il l'imagina assise sur les toilettes, comme une petite fille ; une douleur aiguë lui transperça le cœur, et il pria Azazel de lui donner de la force. C'est alors qu'il entendit le rugissement de la foule massée sous le soleil du désert ; ils avaient lu les tracts. Il entendit les camions de télévision s'approcher de l'avion.

Theresa réapparut. Une ombre de tristesse passa sur le visage de la jeune fille, mais il y lut aussi l'entêtement. Elle avait décidé de ne pas parler, de ne pas apparaître sur ses bandes vidéo. Elle était fraîche, jolie, confiante dans sa force. Mais elle avait perdu un peu de son innocence.

– Je ne parlerai pas, lui dit-elle en souriant.

Yabril la prit par la main.

– Je veux seulement qu'ils vous voient.

Il la conduisit jusqu'à la porte ouverte. Le soleil rouge du désert incendiait leurs deux corps. Six engins mobiles de télévision semblaient garder l'avion comme des monstres préhistoriques, bloquant presque la foule au-delà du périmètre.

– Souriez-leur, dit Yabril, je veux que votre père voie que vous êtes saine et sauve.

À ce moment, il souleva sur sa nuque la masse soyeuse de ses cheveux, laissant apparaître la peau d'un blanc d'ivoire si effrayant, que seul venait tacher un grain de beauté noir, près de l'épaule.

Elle frémit à son contact et se tourna pour voir ce qu'il faisait, mais il raffermit son étreinte et la força à tourner à nouveau la tête vers les caméras de télévision, pour qu'elles puissent saisir la beauté de son visage. Le soleil lui faisait un cadre d'or, et le corps de Yabril était comme son ombre.

Une main appuyée au-dessus de la porte, Yabril se pressa de tout son long contre elle, contre son dos et ses fesses, à la manière d'une tendre étreinte. Il prit son pistolet de la main droite, approcha le canon de sa nuque, et avant qu'elle eût pu sentir le froid du métal il appuya sur la détente et laissa choir le corps devant lui.

Elle sembla s'élever dans les airs, vers le soleil, dans le halo de son propre sang. Puis son corps bascula, les jambes en l'air, et elle alla s'écraser sur la piste en béton. Le soleil incendiait son crâne éclaté. D'abord, il n'y eut que le ronronnement des caméras et des engins mobiles de télévision, le crissement du sable, puis, à travers le désert, monta la clameur poussée par des milliers de gens, un infini hurlement de terreur.

Yabril, qui s'attendait à une explosion de joie, fut surpris. Il recula à l'intérieur de l'avion. Les hommes de son groupe le regardaient avec horreur, avec mépris, avec une terreur presque animale. « Allah soit loué », leur dit-il, mais ils ne lui répondirent pas. Un long moment de silence suivit ses paroles.

– Maintenant, le monde va comprendre notre détermination, finit-il par lancer d'un ton sec. Nous allons obtenir ce que nous voulons.

Mais en même temps, il ne pouvait s'empêcher de songer au cri d'horreur poussé par la foule. Curieuse réaction. En exécutant la fille du président des États-Unis, symbole intouchable de l'autorité, il avait sans s'en rendre compte violé un tabou. Tant pis !

Il songea alors à Theresa Kennedy, à son doux visage, au parfum de violette et à la blancheur de sa nuque, il songea à son corps pris dans un halo de poussière rouge. Qu'elle repose avec Azazel, se dit-il, dans les sables du désert pour les siècles des siècles. Il conserva une dernière image d'elle, son pantalon blanc serré autour des chevilles, découvrant ses pieds chaussés de sandales. Le soleil déversait sa lave sur la carlingue et il était trempé de sueur. Il songea : « Je suis Azazel. »

Washington

Le mercredi matin, avant l'aube, un cauchemar agitait le sommeil du président Kennedy, où il entendait la clameur terrifiée d'une foule immense. Puis Jefferson le secoua. Curieusement, alors qu'il était à présent réveillé,

154

les rugissements de la foule lui parvenaient à travers les murs de la Maison-Blanche.

Il y avait quelque chose d'étrange chez Jefferson... il ne ressemblait plus au majordome déférent qui lui apportait son chocolat, brossait ses vêtements. Son visage tendu, ses muscles crispés trahissaient l'homme qui vient de recevoir un coup terrible. «Monsieur le président, réveillez-vous, réveillez-vous», ne cessait-il de répéter.

— Mais qu'est-ce que c'est que ce bruit? dit Kennedy qui était parfaitement réveillé.

La lumière du lustre inondait la pièce, et un groupe d'hommes se tenait derrière Jefferson. Il reconnut l'officier de marine qui était le médecin de la Maison-Blanche, l'officier de sécurité chargé des codes nucléaires, puis Eugene Dazzy, Arthur Wix et Christian Klee. Il se sentit presque soulevé de son lit par Jefferson, qui lui enfila ensuite une robe de chambre. Sans qu'il sût pourquoi, ses genoux se dérobèrent sous lui et Jefferson dut le soutenir.

Tous ces hommes avaient le visage tendu, livide. Kennedy les considéra d'abord avec étonnement, puis avec horreur. L'espace d'un instant, il lui sembla avoir perdu les sens de l'ouïe et de la vue tant la terreur le submergeait. L'officier de marine ouvrit sa serviette et en tira une seringue déjà remplie. «Non», dit Kennedy. Il regarda tous les hommes un par un, mais aucun ne parla.

— C'est bon, Christian, je savais qu'il allait le faire. Il a tué Theresa, c'est ça?

Alors il attendit que Klee lui réponde non, qu'il s'agissait d'autre chose, une catastrophe naturelle, l'explosion d'une centrale nucléaire, la mort d'un grand chef d'État, un bateau de guerre coulé dans le golfe Persique, un tremblement de terre dévastateur, un raz de marée, un gigantesque incendie, la peste. N'importe quoi. Mais Klee, le visage livide, lui dit « oui ».

Et Kennedy eut l'impression qu'une très longue maladie, une fièvre indéterminée atteignait son paroxysme. Il se plia en deux et en un bond Klee fut à ses côtés, comme pour le protéger des autres gens présents dans la chambre, car le visage de Kennedy ruisselait de larmes et il suffoquait. Tout le monde sembla alors s'approcher, le médecin plongea une aiguille dans son bras, et Jefferson et Klee le couchèrent sur son lit.

Ils attendirent que Francis Kennedy se fût remis du choc. Finalement, lorsqu'il eut retrouvé un certain empire sur lui-même, il donna ses instructions. Réunir les différents membres de son cabinet, prévenir les dirigeants des groupes parlementaires, demander à la foule d'évacuer les rues et les abords de la Maison-Blanche. Écarter tous les journalistes. Il convoquait son cabinet particulier à sept heures du matin.

Avant que l'aube ne paraisse, Kennedy congédia tout le monde. Jefferson lui apporta alors son plateau habituel, avec le chocolat chaud et les biscuits.

– Je me tiendrai derrière la porte, dit Jefferson. Si vous êtes d'accord, monsieur le président, je viendrai voir toutes les demi-heures si tout va bien.

Kennedy acquiesça et Jefferson quitta la pièce.

Le président éteignit alors toutes les lumières. Une lueur grise régnait dans la pièce. Son chagrin était délibérément voulu par un ennemi, et il tenta de le maîtriser. En regardant les hautes fenêtres ovales, il se rappela qu'elles étaient faites d'un verre spécial, qu'il pouvait voir au travers mais que personne ne pouvait le faire depuis l'extérieur, et qu'elles étaient à l'épreuve des balles. En outre, les jardins de la Maison-Blanche et les bâtiments tout autour étaient occupés par des agents des services secrets; quant au parc, il était équipé de barrières spéciales et surveillé par des patrouilles munies de chiens. Lui-même était en sécurité; Christian Klee le lui avait certifié. Mais il n'y avait eu aucun moyen de sauver Theresa.

C'était fini, elle était morte. À présent, passé le premier moment de douleur, il s'étonnait lui-même de son calme. Était-ce parce qu'elle avait tenu à vivre sa vie après la mort de sa mère ? Parce qu'elle avait refusé de vivre avec lui à la Maison-Blanche, en déclarant qu'elle se situait bien à la gauche des deux grands partis et qu'elle s'opposait à lui sur le plan politique ? N'aimait-il donc pas sa fille ?

Il s'accorda l'absolution. Il aimait Theresa et elle était morte. Mais le choc avait été atténué parce que depuis ces derniers jours il se préparait à cette mort. Sa paranoïa aiguë mais inconsciente, enracinée dans l'histoire des Kennedy, lui avait envoyé des signaux.

L'assassinat du pape et le détournement de l'avion où se trouvait la fille du président des États-Unis, le pays le plus puissant de la terre, faisaient partie d'une seule et même opération. Il y avait eu ce retard dans la présentation des exigences jusqu'à la capture aux États-Unis de l'assassin du pape. Puis cette demande arrogante de libération.

Grâce à un prodigieux effort de volonté, Francis Kennedy écarta de son esprit tout sentiment personnel, s'efforçant de suivre un raisonnement logique. Les choses étaient simples : le pape et une jeune fille avaient perdu la vie. Objectivement, à l'échelle du monde, ces faits n'avaient guère d'importance. Les chefs religieux peuvent être canonisés, et les jeunes filles sont tendrement pleurées. Mais il y avait autre chose. Le monde allait mépriser les États-Unis et leurs dirigeants. Le pays allait subir d'autres attaques imprévues. Une autorité sur laquelle l'on crache ne peut maintenir l'ordre. Une autorité moquée et humiliée ne peut prétendre maintenir la cohésion de son propre tissu social.

La porte de la chambre s'ouvrit et un flot de lumière venue du couloir y pénétra. Mais la chambre était déjà éclairée par la lueur du soleil levant. Jefferson, qui avait revêtu une chemise et une veste propres, poussait la table roulante avec le petit déjeuner du président. Il adressa un regard interrogatif à Kennedy, comme pour lui demander s'il devait rester, puis se résolut à partir.

Kennedy sentait des larmes couler sur ses joues, et il savait que c'étaient des larmes d'impuissance. À nouveau, il se rendit compte que sa douleur avait disparu, et il se demanda pourquoi. Il sentit alors une rage terrible le submerger, une rage dirigée y compris contre son cabinet particulier qui n'avait pas été à la hauteur des événements ; il avait toujours méprisé chez les autres ces accès de fureur qu'il n'éprouvait jamais, et il tenta d'y résister.

Il songea à la façon dont les membres de son cabinet avaient voulu le réconforter. Christian Klee lui avait témoigné cette affection qui ne se démentait pas depuis des années, il l'avait serré dans ses bras, l'avait aidé à se remettre au lit. Oddblood Gray, d'habitude si froid, si impersonnel, lui avait passé un bras autour des épaules en lui disant : « C'est affreux, c'est affreux. » Arthur Wix et Eugene Dazzy s'étaient montrés plus réservés. Ils lui avaient rapidement serré le bras en murmurant des mots qu'il n'avait pas compris. Et Kennedy avait remarqué qu'en sa qualité de chef de cabinet, Eugene Dazzy avait été l'un des premiers à quitter la chambre à coucher pour s'occuper de tout ce qu'il y avait à faire à la Maison-Blanche. Wix était parti avec Dazzy. Chef du Conseil national de sécurité, il avait des tâches urgentes à remplir, et peut-être avait-il peur de recevoir quelque ordre insensé de représailles de la part d'un homme submergé par le chagrin.

Dans le court instant qui le sépara du retour de Jefferson avec le petit déjeuner, Kennedy comprit que sa vie ne serait plus jamais la même, et qu'il en avait peut-être perdu la maîtrise. Il s'efforça pourtant de raisonner froidement sans se laisser dominer par la colère.

Il se rappela les séminaires de stratégie au cours desquels de semblables événements avaient été envisagés. Il se rappela l'Iran et l'Irak.

Son esprit revint quarante années en arrière. Il avait alors sept ans et jouait sur le rivage rocheux de Hyannis avec les enfants de son oncle John et de son oncle Bobby. Et les deux oncles, grands, minces et blonds, avaient joué quelques minutes avec eux avant de monter dans un hélicoptère, comme des dieux. Enfant, il avait toujours préféré son oncle John, parce qu'il connaissait tous ses secrets. Il l'avait vu une fois embrasser une femme avant de la conduire dans sa chambre. Il en était ressorti une heure après. Il n'avait jamais oublié cet air de bonheur qui se lisait sur le visage de son oncle John, comme s'il avait reçu un cadeau inoubliable. Personne n'avait remarqué le petit garçon dissimulé derrière l'une des tables du couloir. En cette époque d'innocence, les hommes des services secrets n'étaient pas aussi proches du président.

Il se rappelait d'autres scènes de son enfance, qui dressaient de vivants tableaux de l'exercice du pouvoir. Ses deux oncles à qui des gens plus âgés qu'eux s'adressaient comme à des rois. Les musiciens qui commençaient à jouer dès que son oncle John apparaissait dans les jardins, les visages qui se tournaient tous vers lui, les conversations qui cessaient jusqu'à ce qu'il ait parlé. L'élégance avec laquelle ses deux oncles exerçaient le pouvoir. La confiance avec laquelle ils attendaient que les hélicoptères jaillissent du ciel, l'impression de sécurité que donnaient tous ces hommes costauds qui les protégeaient, la majesté avec laquelle ils savaient descendre de leur hauteur…

Leurs sourires resplendissaient, il émanait d'eux une impression de savoir divin, d'autorité. Et malgré tout cela, ils prenaient le temps de jouer avec des petits garçons et des petites filles, leurs enfants, leurs nièces et neveux, les dieux descendaient au milieu des mortels. Et puis alors…

Aux côtés de sa mère en larmes, il avait regardé à la télévision les funérailles de son oncle John, l'affût de canon, le cheval sans cavalier, les millions de gens bouleversés, sa petite camarade de jeux devenue actrice sur une scène aux dimensions du monde. Et puis son oncle Bobby et sa tante Jackie. À un moment, sa mère l'avait pris dans ses bras et lui avait dit: «ne regarde pas, ne regarde pas», et il avait été aveuglé par ses longs cheveux et ses larmes poisseuses.

À présent, le rectangle de lumière dessiné par la porte tranchait ses souvenirs, et il vit Jefferson poussant une table roulante.

– Emportez ça et donnez-moi une heure, dit Kennedy. Ne m'interrompez pas avant.

Il ne lui avait jamais parlé aussi sèchement, et Jefferson le regarda avec étonnement avant de répondre:

– Bien, monsieur le président.

Jefferson roula la table hors de la chambre et referma la porte derrière lui.

Le soleil était suffisamment haut pour éclairer la chambre mais pas assez pour apporter sa chaleur. Mais la pulsation de Washington pénétrait dans la pièce. Les camions de télévision encombraient les rues devant les grilles et d'innombrables moteurs de voitures ronronnaient comme un gigantesque nuage d'insectes. Des avions sillonnaient le ciel, tous militaires : l'espace aérien avait été interdit au trafic civil.

Francis Kennedy se prépara alors à faire ce qu'il redoutait le plus depuis qu'il avait appris la mort de sa fille. Il tira les rideaux, plongeant la pièce dans l'obscurité. Puis il glissa dans le magnétoscope la cassette vidéo tournée dans l'avion, celle où l'on voyait sa fille en compagnie de Yabril, les derniers instants de sa vie.

Il s'efforça de réprimer la fureur qui le submergeait, de chasser le goût de bile dans sa bouche. Le grand triomphe de sa vie s'était mué en son plus grand malheur. Il avait été élu à la présidence, et sa femme était morte avant son entrée en fonctions. Ses grands projets pour une Amérique utopique avaient été battus en brèche par le Congrès. Et à présent sa fille avait payé de sa vie l'ambition et les rêves de son père. Une salive écœurante lui naissait dans la bouche. Son corps semblait sécréter un poison qui le terrassait, et il avait le sentiment que seule la fureur pouvait lui faire du bien. À cet instant, quelque chose se produisit dans son cerveau, une décharge électrique sembla redonner vie à son corps affaibli. Une telle énergie éclata en lui qu'il tendit les poings en direction des fenêtres qu'illuminait à présent le soleil du matin.

Il avait le pouvoir, et ce pouvoir il l'utiliserait ! Il ferait trembler ses ennemis, et c'est dans leurs bouches que la salive aurait un goût amer. Il balayerait ces petits hommes insignifiants avec leurs pétoires ridicules, tous ceux qui étaient responsables de sa tragédie.

Il se sentait à présent semblable à un homme longtemps affaibli, qui se remet enfin d'une longue maladie et se réveille un beau matin en se rendant compte qu'il a recouvré ses forces. Il ressentait une euphorie, presque une paix de l'âme qu'il n'avait pas ressentie depuis la mort de sa femme. Il s'assit au bord de son lit et s'efforça de maîtriser ses sentiments, de retrouver le cours rationnel de ses pensées. Plus calmement, il passa en revue les différentes options qui s'offraient à lui, avec tous leurs dangers, et finalement sut ce qu'il devait faire et quels dangers il devait écarter. Puis une dernière douleur à la pensée que sa fille n'existait plus.

LIVRE TROIS

8

Mercredi (Washington)

Le mercredi matin, à onze heures, les plus hauts personnages de l'État se retrouvèrent dans la salle du Conseil de la Maison-Blanche pour décider des mesures à prendre. Outre les ministres, il y avait là la vice-présidente Helen Du Pray, le chef de la CIA, et aussi le chef d'état-major interarmes, qui d'habitude n'assistait pas à ce genre de réunion, mais qui, à la demande du président, avait été convoqué par Eugene Dazzy. Lorsque Kennedy pénétra dans la salle, tout le monde se leva.

Kennedy leur fit signe de s'asseoir. Seul le ministre des Affaires étrangères demeura debout.

– Monsieur le président, nous voudrions tous, ici, vous dire à quel point votre drame nous a touchés. Les condoléances que nous vous présentons viennent du fond de notre cœur. Dans cette crise que traverse le pays et cette crise personnelle, nous vous assurons de notre plus parfaite loyauté et de tout notre dévouement. Nous sommes ici pour vous apporter plus que notre appui professionnel. C'est pour chacun d'entre nous l'occasion de faire preuve de son dévouement à votre personne.

Le ministre avait des larmes dans les yeux, et c'était un homme connu pour sa réserve, voire sa froideur.

Kennedy demeura un moment la tête inclinée. C'était la seule personne qui, en dehors de la pâleur de son visage, semblait ne manifester aucune émotion. Il regarda chacun longuement, comme pour les remercier de leur témoignage d'affection. Il savait pourtant qu'il allait faire voler en éclats tous ces bons sentiments.

– Je vous remercie, finit-il par déclarer, et je sais que je peux compter sur vous. Mais maintenant je vous demande qu'au cours de cette réunion il ne soit plus tenu compte de mon malheur personnel. Les décisions que nous allons prendre concernent le pays tout entier. C'est notre devoir le plus sacré. Les décisions que j'ai prises l'ont été dans l'intérêt du pays.

Il s'interrompit un instant pour que chacun pût se pénétrer de cette idée extraordinaire que c'était lui et lui seul qui dominait la situation.

Helen Du Pray éprouva comme un vertige.

– Au cours de cette réunion, reprit Kennedy, nous allons examiner toutes les possibilités qui s'offrent à nous. Je doute qu'aucune des propositions que vous présenterez ne soit adoptée, mais je vous donnerai la possibilité de les défendre. Mais laissez-moi d'abord présenter mon scénario. Je vous préviens également que j'ai l'appui de mon cabinet personnel.

Il s'interrompit à nouveau, pour faire sentir toute la puissance de son magnétisme personnel. Puis il se leva et reprit la parole.

– D'abord, l'analyse. Les derniers et tragiques événements font partie d'un plan impitoyable conçu et exécuté de main de maître. L'assassinat du pape le dimanche de Pâques, le détournement de l'avion le même jour, les exigences délibérément impossibles à satisfaire présentées pour la libération des otages, et cela pour des raisons

166

logistiques, et, bien que j'aie été d'accord pour satisfaire ces exigences, le meurtre inutile de ma fille ce matin. Et même la capture de l'assassin du pape, ici, dans notre pays, capture qui eût été sans cela parfaitement impossible, n'avait pour but que de pouvoir exiger ensuite sa libération. Tout cela prouve l'existence d'un complot de grande envergure.

Il voyait bien l'incrédulité qui se peignait sur le visage des assistants. Il reprit le fil de son discours.

– Mais quel pouvait être le but d'un scénario aussi terrifiant que tortueux ? Eh bien, il existe dans le monde d'aujourd'hui un mépris pour l'autorité, pour l'autorité de l'État, et particulièrement un mépris pour l'autorité morale des États-Unis. Cela va bien au-delà du mépris habituel qu'au cours de l'histoire les jeunes ont pu avoir pour l'autorité, et qui est souvent une bonne chose. Le but de ce plan terroriste est de discréditer les États-Unis en tant qu'image de l'autorité. Et cela non seulement aux yeux de milliards d'êtres humains, mais encore aux yeux des États. À certains moments, il faut savoir répondre à de tels défis, et ce moment est venu.

« Il est établi que les États arabes ne participent pas à ce complot. Sauf le Sherhaben. Il est certain que le mouvement terroriste international connu sous le nom des Cent a apporté un soutien personnel, et logistique. Mais les rapports prouvent qu'un seul homme dirige cette opération. Et il semble qu'il n'accepte d'ordres de personne, sauf peut-être du sultan du Sherhaben.

À nouveau il s'interrompit.

– Nous savons avec certitude que le sultan est complice. Ses troupes gardent l'aéroport non pour nous aider à délivrer les otages, mais pour empêcher toute attaque venue de l'extérieur. Le sultan prétend agir au mieux de nos intérêts, mais en réalité il est partie prenante à cette affaire. Cela dit, pour lui rendre justice, nous avons la preuve qu'il ne savait pas que Yabril allait tuer ma fille.

Il jeta un coup d'œil autour de la table dans l'intention évidente d'impressionner les personnes présentes par son calme.

– Deuxièmement : le pronostic. Avec les otages, nous ne nous trouvons pas dans une situation habituelle. Il s'agit d'un complot destiné à humilier profondément les États-Unis. Notre pays devrait supplier qu'on lui rende ses otages, après avoir subi une série d'humiliations qui nous feraient paraître comme impuissants. Pendant des semaines entières, les médias du monde entier se repaîtront de cette situation. Et nous n'aurons aucune garantie que les otages auront la vie sauve. Dans de telles circonstances, je ne peux imaginer pour la suite qu'une situation de véritable chaos. Notre propre peuple perdra foi en nous et en notre pays.

Une fois encore, Kennedy s'interrompit. Les personnes présentes comprenaient bien, désormais, qu'il avait un plan.

– Solutions : j'ai étudié le rapport présentant les différentes options qui s'offrent à nous. À mon avis, ce sont les habituelles solutions boiteuses du passé. Sanctions économiques, opération de commando pour délivrer les otages, bras de fer politique, concessions faites en secret tandis que publiquement l'on maintient ne jamais négocier avec des terroristes. Le fait que l'Union soviétique ne nous autorisera pas à lancer une opération militaire de grande envergure dans le golfe Persique. Tout cela implique que nous devons nous soumettre et accepter d'être profondément humiliés aux yeux du monde. Et à mon avis, la plupart des otages peuvent fort bien perdre la vie.

Le ministre des Affaires étrangères l'interrompit.

– Mes services viennent de recevoir une promesse en bonne et due forme du sultan du Sherhaben de libérer tous les otages lorsque les exigences des terroristes auront été satisfaites. Il est indigné par ce qu'a fait Yabril et affirme qu'il est prêt à faire prendre l'avion d'assaut. Il se porte garant de la promesse de Yabril qui compte libérer cinquante otages pour prouver sa bonne foi.

Kennedy le regarda fixement pendant un moment. Ses yeux de porcelaine bleue semblaient piquetés de minuscules taches noires. Puis, d'un ton courtois mais avec une voix qui avait le tranchant de l'acier, il lui dit :

– Monsieur le ministre, lorsque j'en aurai fini, toutes les personnes présentes ici auront le loisir de s'exprimer. Jusque-là, je vous demanderai de ne pas m'interrompre. Leur proposition ne sera pas rendue publique, elle ne sera pas communiquée aux médias.

Le ministre était visiblement surpris. Le président ne lui avait jamais parlé avec une telle froideur, n'avait jamais fait à ce point étalage de son pouvoir. Il baissa la tête, faisant semblant de se plonger dans l'étude de ses notes ; seules ses joues s'empourprèrent légèrement. Kennedy poursuivit :

– Décisions : j'ordonne donc à présent au chef d'état-major interarmes de lancer une attaque aérienne sur les champs pétrolifères du Sherhaben et la ville pétrolière de Dak. La mission de l'aviation consistera à détruire toutes les installations pétrolières, puits, pipelines, etc. La ville sera rasée. Quatre heures avant le bombardement, des tracts seront lâchés sur la ville ordonnant aux habitants de l'évacuer. L'attaque aérienne aura lieu exactement dans trente-six heures, c'est-à-dire jeudi à onze heures du soir, heure de Washington.

Un silence de mort régnait dans cette pièce où se trouvaient rassemblées plus de trente personnes qui détenaient les leviers du pouvoir aux États-Unis.

– Le ministre des Affaires étrangères prendra contact avec les pays concernés pour les autorisations de survol, reprit Kennedy. Il fera savoir très clairement que tout refus de l'utilisation de l'espace aérien se traduira par une dénonciation des accords économiques et militaires avec ce pays. Les conséquences d'un tel refus seraient terribles.

Le ministre des Affaires étrangères sembla léviter de son siège pour protester, mais il parvint à se ressaisir. Un murmure parcourut la salle.

Kennedy leva les mains d'un geste qui semblait plein de colère, mais il souriait, d'un sourire rassurant. Il semblait moins autoritaire, plus détendu, et en souriant, il s'adressa directement au ministre des Affaires étrangères.

– Le ministre des Affaires étrangères m'enverra, aussitôt, l'ambassadeur du sultanat du Sherhaben. Voici ce que je dirai à l'ambassadeur : Le sultan devra avoir libéré les otages demain après-midi. Il nous livrera le terroriste Yabril de telle façon qu'il ne puisse attenter à ses jours. Si le sultan refuse, le sultanat du Sherhaben sera rayé de la carte.

Kennedy demeura silencieux pendant un moment ; personne ne prononça le moindre mot.

– Les propos tenus lors de cette réunion sont classés hautement confidentiels. Il ne doit pas y avoir la moindre fuite. Si c'était le cas, les sanctions les plus sévères seraient prises, conformément à la loi. Maintenant, vous pouvez tous parler.

Les personnes présentes étaient abasourdies par ses paroles ; les membres de son cabinet gardaient les yeux baissés pour ne pas croiser le regard des autres assistants.

Kennedy s'assit et s'enfonça dans son fauteuil de cuir noir, les jambes sur le côté. Tandis que la réunion se poursuivait, il se mit à contempler le jardin de roses par la fenêtre. Il écouta les voix qui s'élevaient. D'abord celle du ministre des Affaires étrangères.

– Monsieur le président, je ne peux que m'élever à nouveau contre votre décision. Ce sera un désastre pour les États-Unis. En utilisant la force pour écraser un petit pays, nous deviendrons un paria dans le concert des nations…

La voix continua de bourdonner, mais il n'entendait plus les mots.

Puis il entendit la voix du ministre de l'Intérieur, une voix dénuée d'expression, mais qui captait pourtant l'attention.

– Monsieur le président, sachez qu'en détruisant Dak, nous détruisons cinquante milliards de dollars, un argent qui appartient à une société pétrolière américaine, un argent que les classes moyennes américaines ont investi dans des sociétés pétrolières. Nous compromettons également nos importations de pétrole. Le prix de l'essence à la pompe va doubler aux États-Unis.

Puis la mêlée confuse des différents arguments. Pourquoi détruire la ville de Dak avant d'avoir obtenu satisfaction ? Il y avait différentes solutions à explorer. Le grand danger, c'était d'agir avec précipitation. Kennedy regarda sa montre. Cela durait depuis plus d'une heure. Il se leva.

– Je remercie chacun d'entre vous pour ses conseils, dit-il. Le sultan du Sherhaben pourrait certainement sauver Dak en donnant immédiatement satisfaction à mes exigences. Mais il ne le fera pas. Dak doit être détruite, sinon nos menaces ne seront pas prises au sérieux. Dans le cas contraire, nous aurons à gouverner un pays qu'un seul homme légèrement armé peut humilier, pour peu qu'il fasse preuve de courage. Dans ce cas, autant dissoudre nos forces armées et économiser l'argent de leur budget. Je vois notre chemin tout tracé, et je le suivrai.

« Maintenant, en ce qui concerne les cinquante milliards de dollars perdus par les actionnaires américains. C'est Bert Audick qui dirige le consortium qui possède ces biens. Il a déjà amorti ces cinquante milliards de dollars, et même au-delà. Bien entendu, nous ferons de notre mieux pour l'aider. Je permettrai à M. Audick de sauver ses investissements d'une autre façon. J'envoie un avion au Sherhaben pour ramener les otages, et un avion militaire qui doit ramener les terroristes pour qu'ils soient jugés aux États-Unis. Le ministre des Affaires étrangères invitera M. Audick à embarquer à bord de l'un de ces deux avions. Son travail consistera à convaincre le sultan d'accepter mes conditions. Il devra le convaincre que la seule façon de sauver le Sherhaben et le pétrole américain dans ce pays est d'accepter toutes mes conditions. Tel est le marché.

– Si le sultan n'accepte pas, dit le ministre de la Défense, cela veut dire que nous perdrons deux autres avions, Audick et les otages.

– C'est très vraisemblable, dit Kennedy. Nous verrons si Audick a du cran. Mais c'est un homme intelligent. Il sait, comme nous, que le sultan doit accepter. J'en suis tellement sûr, que j'envoie également là-bas le conseiller en matière de sécurité nationale, M. Wix.

– Monsieur le président, dit alors le chef de la CIA, vous devez savoir que les batteries de DCA autour de Dak sont servies par des Américains qui sont sous contrat civil avec le gouvernement du Sherhaben et les sociétés pétrolières américaines. Ce sont des Américains spécialement entraînés au maniement des batteries de missiles. Ils risquent de riposter.

– Audick leur donnera l'ordre de partir, répond Kennedy en souriant. Bien entendu, en tant qu'Américains, s'ils nous combattent, ce seront des traîtres, et les Américains qui les payent seront également poursuivis pour trahison.

Il laissa cette idée faire son chemin : Audick serait poursuivi. Puis il se tourna vers Christian Klee.

– Christian, commencez à travailler sur les aspects juridiques de la question.

Deux parlementaires assistaient à cette réunion : le chef de la majorité au Sénat, Thomas Lambertino, et le président de la Chambre des représentants, Alfred Jintz. Ce fut le sénateur qui prit le premier la parole.

– J'estime que ces mesures sont trop extrêmes pour être prises sans avoir été au préalable discutées par les deux chambres.

Kennedy lui répondit avec courtoisie :

– Avec tout mon respect, monsieur le sénateur, nous n'avons pas le temps. Et en tant que chef de l'exécutif, je suis habilité à entreprendre pareille action. Bien entendu, le Congrès pourra en discuter ensuite et prendre toutes les mesures qu'il jugera utile. Mais j'espère sincèrement que le Congrès nous appuiera, le peuple et moi-même, en des circonstances aussi dramatiques.

– C'est effroyable, dit alors le sénateur Lambertino, les conséquences seront terribles. Monsieur le président, je vous supplie de ne pas agir aussi rapidement.

Pour la première fois, le président abandonna le ton courtois adopté jusqu'alors.

– Le Congrès s'est toujours opposé à moi. Nous pouvons discuter à perte de vue des différentes options, jusqu'à ce que les otages soient tous morts et que les États-Unis soient un objet de risée dans les villages le plus reculés de la planète. Je m'en tiens à mes analyses et à mes solutions ; cette décision entre dans le cadre de mes attributions en ma qualité de chef de l'exécutif. Lorsque la crise sera passée, je me présenterai devant le peuple et je lui expliquerai toute l'affaire. Jusque-là, je vous rappelle que les propos échangés ici sont hautement confidentiels. Bon, je sais que vous avez tous beaucoup à faire. Vous rendrez compte de vos démarches à mon chef de cabinet.

Ce fut Alfred Jintz, le président de la Chambre des représentants, qui répondit.

– Monsieur le président, j'espérais ne pas avoir à vous le dire, mais le Congrès vous demande de ne pas participer à ces négociations. Je dois donc vous avertir qu'à partir d'aujourd'hui, la Chambre et le Sénat feront tout pour contrecarrer votre action, au motif que votre tragédie personnelle vous empêche d'exercer sereinement vos fonctions.

Kennedy se redressa face à eux. Son beau visage se figea comme un masque, ses yeux bleus s'aveuglèrent comme ceux d'une statue.

– Vous agissez ainsi à vos risques et périls, et à ceux de l'Amérique.

Et il quitta la pièce.

Brouhaha et mouvements divers dans la salle du Conseil. Oddblood Gray se précipita vers les deux parlementaires, Lambertino et Jintz. Mais les deux hommes avaient le visage sombre, et ils lui répondirent froidement :

– On ne peut pas autoriser cela, dit Jintz. J'estime que le cabinet personnel du président s'est conduit comme une bande de délinquants en ne le dissuadant pas de prendre de telles mesures.

– Il m'a convaincu qu'il n'agissait pas par haine personnelle, répondit Oddblood Gray. Que c'était l'action la plus efficace à entreprendre. C'est effroyable, bien sûr, mais c'est l'époque qui est comme ça. On ne peut pas laisser la situation nous échapper. Cela pourrait être catastrophique.

– C'est la première fois que je vois Francis Kennedy agir avec une telle morgue, déclara le sénateur Lambertino. Jusque-là, il s'était toujours montré courtois avec le Congrès. Il aurait pu au moins faire semblant de nous associer au processus de décision.

– Il est extrêmement tendu, répondit Oddblood Gray. Il serait bien que le Congrès n'ajoute pas à cette tension.

Mais au moment où il prononçait ces mots il se rendait compte qu'il commettait une gaffe.

– Vous avez raison, dit le député Jintz, il est probablement trop tendu.

Oddblood Gray prit cordialement congé des deux parlementaires et retourna précipitamment à son bureau pour donner des centaines de coups de téléphone. Bien que stupéfait par l'impétuosité de Kennedy, il était bien décidé à faire accepter les décisions du président par le Congrès. Après tout, il s'agissait d'une crise internationale : personne n'était en position de juge.

Le conseiller en matière de sécurité nationale, Arthur Wix, cherchait de son côté à sonder le ministre de la Défense, et à s'assurer que serait rapidement organisée une réunion avec les chefs d'état-major des trois armes. Mais le ministre semblait dépassé par les événements : il grommela quelques paroles indistinctes qui pouvaient passer pour une approbation sans pour autant constituer une réponse ferme.

Eugene Dazzy avait remarqué les difficultés rencontrées par Oddblood Gray avec les parlementaires. Les ennuis ne faisaient que commencer.

Dazzy se tourna vers Helen Du Pray.

– Qu'en pensez-vous ?

Elle le toisa. Belle femme, se dit-il, en se promettant de l'inviter à dîner.

– Je crois que vous et son cabinet personnel avez laissé tomber le président. La riposte qu'il entend donner est beaucoup trop radicale. Et Christian Klee, où est-il en un moment aussi difficile ?

Klee avait effectivement disparu, ce qui ne manquait pas de surprendre Helen Du Pray ; cela ne ressemblait guère au ministre de la Justice de s'évanouir dans la nature dans un moment pareil.

— Sa position est logique, répondit Dazzy avec colère, et même si nous ne sommes pas d'accord avec lui, il faut le soutenir.

— C'est comme ça que Kennedy a présenté les choses. En tout cas, le Congrès va essayer de lui ôter la négociation des mains. Ils vont essayer de le démettre de ses fonctions.

— Il faudra qu'ils nous passent sur le corps, dit Dazzy.

— Soyez prudents, je vous en prie, répondit Helen Du Pray avec le plus grand calme. Notre pays court un grave danger.

9

En ce mercredi après-midi, Peter Cloot était certainement le seul haut fonctionnaire de Washington à ne pas prêter attention à la nouvelle du jour : l'assassinat de la fille du président. Toute son attention était focalisée sur cette affaire de bombe atomique dissimulée à New York.

Chef adjoint du FBI, c'était lui, en fait, qui en assumait la pleine et entière responsabilité. Christian Klee était le titulaire du poste, mais il se contentait de tenir d'une main ferme les rênes du pouvoir, d'assurer la mainmise du ministère de la Justice sur la police fédérale. Cette concentration de pouvoirs avait toujours préoccupé Peter Cloot. Comme l'inquiétait le fait que les services secrets eussent été également placés sous l'autorité de Klee. Cela faisait trop pour un seul homme. Il savait également qu'il existait au sein du FBI un service spécial dirigé directement par Klee, et que ce service était composé d'anciens collègues de Klee à la CIA. Cela le choquait.

Mais cette histoire de menace nucléaire, il s'en occupait personnellement. C'était son affaire à lui. Par chance, il existait des directives particulières pour le guider dans sa tâche, et il avait participé aux séminaires consacrés aux menaces nucléaires venues de l'intérieur. S'il y avait un expert en cette matière, c'était bien Cloot. Et il ne manquait pas de main-d'œuvre. Depuis l'arrivée de Klee au ministère, les effectifs du FBI avaient triplé.

Lorsqu'il avait pris connaissance de la lettre et des diagrammes qui l'accompagnaient, Cloot avait immédiatement pris les mesures nécessaires. Il avait également été effrayé. Ses services avaient déjà reçu des centaines de lettres semblables, mais aucune aussi convaincante. Conformément aux directives, ces menaces avaient été gardées secrètes.

Immédiatement, Cloot avait transmis la lettre au poste de commandement du ministère de l'Énergie, dans le Maryland, en utilisant pour cela les services de communication réservés à ce seul usage. Il avait également alerté les équipes spéciales de recherche du ministère de l'Énergie, basées à Las Vegas, et connues sous le nom de NEST. Ces services avaient déjà fait parvenir à New York les équipements et le matériel de recherche. Les équipes elles-mêmes devaient arriver à New York à bord d'autres avions. Elles utiliseraient des camionnettes banalisées et spécialement équipées pour la détection. Il y aurait également des hélicoptères, et des hommes à pied parcourraient les rues de la ville avec des compteurs Geiger dissimulés dans des cartables. Mais ce n'était déjà plus le problème de Cloot. Tout ce qu'il aurait à faire, c'était de fournir des gardes armés pour protéger les équipes du NEST. Le boulot de Cloot, c'était de trouver les malfrats.

D'après le profil psychologique, l'homme qui avait écrit la lettre était probablement très jeune et très instruit. Il devait être étudiant en physique dans une grande université. Grâce à ces seules indications, Cloot avait réussi en quelques heures à dénicher deux très bons suspects. C'était stupéfiant de facilité. Il avait travaillé toute la nuit, demeurant sans cesse en contact avec les équipes opérant sur le terrain. En apprenant le meurtre de Theresa Kennedy, l'idée lui était fugitivement venue que les deux affaires pouvaient être liées, mais il l'avait aussitôt écartée de son esprit. Pour l'heure, il lui fallait trouver l'auteur de la lettre. Grâce à Dieu, le type était un idéaliste, ce qui le rendait plus facile à repérer. Il y avait dans ce pays un million de salopards cupides qui auraient fait la même chose pour de l'argent et il aurait été dur de les trouver.

En attendant les informations, il introduisit les dossiers de toutes les précédentes menaces nucléaires dans l'ordinateur. On n'avait jamais trouvé la moindre bombe atomique, et les maîtres chanteurs arrêtés en essayant de récupérer leur argent avaient avoué qu'il n'y en avait jamais eu. Certains avaient des connaissances scientifiques. D'autres s'étaient servis d'informations parues dans un journal de gauche expliquant comment fabriquer une bombe atomique. On avait fait pression sur la revue pour qu'elle ne publie pas cet article, mais la direction avait introduit un recours devant la Cour suprême qui avait estimé qu'une telle interdiction violerait la liberté d'expression. Peter Cloot en tremblait encore de rage. Ce putain de pays était en train de se suicider. Parmi les indications fournies par l'ordinateur, certaines attirèrent son attention : dans les deux cents affaires recensées, n'était impliqué aucun Noir, aucune femme ni même aucun terroriste étranger. Tous étaient des Américains purs et durs.

Après en avoir fini avec l'ordinateur, il se prit à penser à son patron, Christian Klee. Il n'aimait pas la façon dont le ministre dirigeait les affaires. Pour Klee, la principale tâche du FBI consistait à protéger le président des

États-Unis. Pour cela, Klee n'utilisait pas seulement les services secrets : il avait également dans chaque bureau du FBI, à travers tout le pays, des hommes chargés tout spécialement de détecter tout danger potentiel menaçant le président. Pour ce travail, Klee utilisait un grand nombre d'hommes habituellement affectés à d'autres opérations.

Cloot considérait avec suspicion la division spéciale de Klee, ses anciens de la CIA. À quoi étaient-ils donc employés ? Peter Cloot n'en savait rien, et il avait pourtant le droit de savoir ! Cette division n'avait de comptes à rendre qu'à Klee, et c'était une fort mauvaise chose dans un service de police que l'opinion considérait toujours avec une certaine méfiance. Cloot passait beaucoup de temps à protéger ses arrières, au cas où la division spéciale commettrait quelque faux pas qui amènerait le Congrès à créer l'une de ses célèbres commissions d'enquête.

À une heure du matin, l'adjoint de Cloot vint lui annoncer que deux suspects étaient placés sous surveillance. On avait des présomptions qui confirmaient le profit psychologique. On n'attendait plus que l'ordre de les arrêter.

– Je dois d'abord en parler à Klee, dit Cloot. Restez ici pendant que je l'appelle.

Cloot savait que Klee devait se trouver dans le bureau du chef de cabinet du président ; dans le cas contraire, les tout-puissants opérateurs téléphoniques de la Maison-Blanche sauraient le retrouver.

Il réussit à avoir Klee au premier coup.

– Tout est prêt pour notre histoire, dit Cloot. Mais il faut que je vous en parle avant de les amener. Pouvez-vous venir me voir ?

– Non, c'est impossible, répondit Klee d'une voix tendue. En ce moment, je dois rester avec le président. J'imagine que vous me comprenez.

– Voulez-vous que j'agisse et que je vous tienne au courant ensuite ?

Il y eut un long moment de silence à l'autre bout du fil.

– Je crois que j'aurais le temps de vous recevoir ici, finit par dire Klee. Si je ne suis pas libre sur le moment, attendez-moi un peu. Mais dépêchez-vous.

– J'arrive.

Il ne leur était même pas venu à l'idée de s'entretenir de l'affaire au téléphone. N'importe qui pouvait intercepter ce message dans l'infini labyrinthe des ondes aériennes.

À la Maison-Blanche, on conduisit Cloot dans une petite salle de réunions. Klee l'attendait ; il avait retiré sa prothèse et massait son moignon à travers sa chaussette.

– Je n'ai que quelques minutes, dit Klee. J'ai une réunion importante avec le président.

– C'est terrible ce qui lui est arrivé. Comment prend-il ça ?

Klee secoua la tête.

– Avec Francis on ne sait jamais. Mais ça semble aller.

Puis, d'un ton sec :

– Bon, je vous écoute.

Il regarda Cloot avec une sorte de dégoût. L'aspect de cet homme l'avait toujours agacé. Cloot n'avait jamais l'air fatigué, et c'était le genre à n'avoir jamais un pli sur sa chemise ni sur son complet. Il portait invariablement des cravates à gros nœud en laine tricotée, généralement gris clair et parfois de la couleur du sang séché.

– On les a trouvés, dit Cloot. Deux jeunes gars, vingt ans, qui travaillent dans les laboratoires nucléaires du MIT. De vrais petits génies, un QI supérieur à 160, ils viennent de familles riches, et le père de l'un des deux est membre du club Socrate, quoique à un échelon inférieur. Ils sont de gauche, ils ont participé à des manifestations antinucléaires. Ils ont eu accès à des documents confidentiels. Ils travaillent sur un programme cofinancé par l'État et l'université. Il y a deux mois, ils sont venus à New York ; un de leurs copains leur a fait rencontrer des filles. Il est sûr que c'était la première fois qu'ils baisaient. Ça leur a plu. Chez ces gars-là il y a la combinaison mortelle de l'idéalisme et des hormones folles de la jeunesse. Ils sont sous étroite surveillance.

– Vous avez une preuve solide ? demanda Klee. Quelque chose de concret ?

– Il n'y a pas encore d'inculpation, dit Cloot. On peut seulement procéder à une arrestation préventive conforme aux lois sur la bombe atomique. Une fois bouclés, ils nous diront où se trouve leur machin, si jamais il existe. Mais moi je crois qu'il n'y en a pas. Je suis sûr que c'est du baratin. En tout cas, ce qui est sûr c'est qu'ils ont écrit la lettre. Ils correspondent au profil psychologique. Il y a aussi la date de la lettre, la date où ils sont descendus au Hilton de New York.

Christian Klee s'émerveillait sans cesse des résultats qu'obtenaient les services de sécurité grâce à leurs ordinateurs et leur équipement électronique. Ils pouvaient retrouver n'importe qui en n'importe quel endroit, en dépit de toutes les précautions prises pour brouiller les pistes. En moins d'une heure, leurs ordinateurs pouvaient éplucher tous les registres d'hôtels de la ville. Et pouvaient faire des tas d'autres choses tout aussi compliquées. À un prix prohibitif, bien sûr.

– Bon, d'accord, on les arrête, dit Klee. Mais je ne suis pas sûr que vous pourrez les faire avouer. Ils ont l'air intelligent.

– C'est entendu, dit Cloot en regardant le ministre droit dans les yeux. Nous sommes dans un pays civilisé, on ne les fera pas avouer. On laisse la bombe exploser et tuer des milliers de gens. (Il laissa naître sur ses lèvres un sourire presque mauvais.) Ou alors vous demandez au président de signer une ordonnance d'interrogatoire médical. Section IX de la loi sur les armes atomiques.

Cloot ne cessait d'y penser.

Toute la nuit, Klee avait essayé de se défaire de la même idée. Il avait toujours trouvé choquant qu'un pays comme les États-Unis possédât des lois secrètes. La presse aurait facilement pu en faire état, mais il y avait un accord entre les dirigeants du pays et les propriétaires de médias. Cette loi était donc demeurée inconnue du public.

Klee connaissait parfaitement bien la section IX. En tant qu'avocat, il l'avait étudiée. La sauvagerie de cette loi l'avait toujours horrifié.

Aux termes de la section IX, le président pouvait ordonner une exploration chimique du cerveau ; cette technique permettait l'introduction d'un détecteur de mensonges dans le cerveau lui-même. Cette loi était essentiellement destinée à obtenir des informations au cas où une bombe atomique aurait été dissimulée quelque part. Elle s'appliquait donc parfaitement à la situation présente. Il n'y aurait pas de torture, la victime ne souffrirait pas. On examinerait seulement les neurones du cerveau afin de déterminer si le sujet mentait ou non. Le seul ennui, c'est qu'on ne savait pas exactement ce qui se passait dans le cerveau après l'opération. D'après les expériences, il y avait de rares cas de perte de mémoire, quelques légères altérations du fonctionnement. Le sujet n'en sortait pas idiot, mais peut-être un peu diminué. Le seul problème, c'est qu'il y avait dix pour cent de risques que le sujet perde totalement la mémoire. Une amnésie complète et définitive.

– Est-ce que cette affaire pourrait être liée à l'enlèvement de Theresa et à l'assassinat du pape ? demanda

Klee. Même cette histoire du gars qui a été capturé à Long Island, ça a l'allure d'un coup fourré. Est-ce que tout ça ne pourrait pas être un écran de fumée, un piège ?

Cloot réfléchit un long moment avant de répondre.

– C'est possible, dit-il enfin. Mais à mon avis ça n'est que l'une de ces fameuses coïncidences historiques.

– Qui mènent toujours à la tragédie, dit sombrement Klee.

– À leur manière, géniale, ces deux jeunes sont simplement des cinglés, reprit Cloot. Ce sont des politiques. Ils sont obsédés par le danger nucléaire qui pèse sur la planète. Mais les querelles politiciennes ne les intéressent absolument pas. Ils se moquent éperdument du conflit entre Israël et les pays arabes, ou des histoires de riches et de pauvres aux États-Unis. Même chose pour la lutte entre démocrates et républicains. Ces gars-là veulent simplement faire tourner la terre plus rapidement sur son axe. (Il eut un sourire méprisant.) Ils se prennent tous pour Dieu. Rien ne peut les atteindre.

Mais Christian Klee s'arrêtait au danger politique que représentaient ces deux affaires. Ne pas agir trop vite, se disait-il. Francis court en ce moment un danger mortel. Il fallait le protéger. Peut-être pouvait-on se servir de l'une de ces deux affaires pour contrer l'autre.

– Écoutez, dit-il à Cloot, je tiens à ce que cette opération se fasse dans le secret le plus absolu. Personne ne doit être au courant. Je veux que ces deux gars soient placés à l'hôpital carcéral que nous avons ici à Washington. À part vous et moi, ne doivent être au courant que les agents de la division spéciale. Expliquez aux agents qu'ils agissent en vertu de la loi sur le secret atomique, et que cette affaire doit rester strictement confidentielle. Personne ne doit les voir ni leur parler à part moi. Je procéderai moi-même à l'interrogatoire.

Cloot le regarda d'un air étrange. Il n'aimait guère voir l'opération confiée à la division spéciale de Klee.

– L'équipe médicale voudra voir l'ordonnance présidentielle avant d'introduire le produit dans le cerveau de ces deux types, dit Cloot.

– Je le demanderai au président.

– Le temps est un facteur crucial dans cette affaire, dit alors Cloot d'un air détaché, et vous avez dit que personne en dehors de vous ne procéderait aux interrogatoires. Cela vaut pour moi aussi ? Et si vous ne pouvez quitter le président, en raison des circonstances ?

– Ne vous inquiétez pas, répondit Klee en souriant. Je serai présent. Il n'y aura que moi. Et maintenant, donnez-moi les détails.

D'autres choses encore occupaient l'esprit du ministre de la Justice. Bientôt, il allait réunir les chefs de sa division spéciale au FBI et leur donnerait l'ordre de procéder à une surveillance électronique des parlementaires les plus influents et des principaux membres du club Socrate.

Adam Gresse et Henry Tibbot avaient placé leur minuscule bombe atomique, une bombe fabriquée avec beaucoup d'efforts et d'ingéniosité. Ils étaient si fiers de leur œuvre qu'ils avaient difficilement résisté à l'envie de l'utiliser pour une cause aussi noble.

Ils surveillèrent les journaux, mais leur lettre ne fut pas publiée en première page du *New York Times*. On les ignorait. Ils étaient à la fois effrayés et furieux. La bombe allait exploser et faire des milliers de victimes. Mais c'était peut-être pour la bonne cause. Y avait-il un autre moyen pour alerter le monde sur les dangers de l'arme nucléaire ? Comment contraindre les autorités à prendre les mesures nécessaires ? Ils avaient calculé que la bombe détruirait au moins entre quatre et six pâtés de maisons de New York. Ils avaient la conscience pure ;

la bombe était conçue pour produire un minimum de retombées radioactives. Cela coûterait pourtant un certain nombre de vies humaines, et ils le regrettaient. Mais le prix à payer serait peu élevé pour que l'humanité s'aperçoive que le chemin suivi était erroné. Il fallait établir des garde-fous ; le monde entier devait renoncer une fois pour toutes à fabriquer des bombes atomiques.

Le mercredi, Gresse et Tibbot continuèrent de travailler dans leur laboratoire longtemps après que les bâtiments se furent vidés de tous leurs occupants. Ils s'interrogeaient : devaient-ils téléphoner aux autorités pour les avertir ? Au début, ils n'avaient jamais eu l'intention de faire exploser cette bombe. Ils voulaient voir leur lettre publiée dans le *New York Times*, et ils pensaient aller ensuite désamorcer l'engin. Mais à présent, deux volontés s'affrontaient. Allait-on les traiter comme des enfants : alors même qu'ils faisaient tant pour l'humanité ? Ou allait-on les écouter ? En toute conscience, ils ne pouvaient poursuivre leur travail scientifique si les autorités politiques devaient en faire mauvais usage.

Ils avaient choisi de punir New York car lors de leur visite dans cette ville ils avaient été horrifiés par l'impression de décadence et de pourriture qui émanait de ses rues. Les mendiants menaçants, l'arrogance des conducteurs de véhicules, la grossièreté des vendeurs dans les magasins, le nombre infini des vols, des attaques à main armée et des meurtres. Ils avaient été particulièrement révoltés par Times Square, un quartier qui ressemblait à une immense cuvette grouillante de cafards. À Times Square, les maquereaux, les putains et les vendeurs de drogue leur semblèrent tellement menaçants qu'ils battirent en retraite vers leur hôtel. Et c'est pleins d'un juste courroux qu'ils avaient décidé de déposer la bombe en plein cœur de Times Square.

Comme tous les Américains, Gresse et Tibbot découvrirent avec horreur le meurtre de Theresa Kennedy sur leurs écrans de télévision. Mais ils étaient également un peu agacés que cela vînt distraire l'attention générale de leur opération, qui, finalement, revêtait infiniment plus d'importance pour l'avenir de l'humanité.

Et puis l'anxiété les avait gagnés. Gresse avait entendu des cliquetis suspects au téléphone, et s'était aperçu que sa voiture était suivie ; il avait en outre remarqué de curieux bourdonnements électriques lorsque certains hommes le dépassaient dans la rue. Il en avait parlé à Tibbot.

Henry Tibbot était un jeune homme très grand et très mince, et semblait fait d'un assemblage de fils de fer maintenus ensemble par des lambeaux de chair et de peau transparente. Il avait un esprit plus scientifique qu'Adam et des nerfs plus solides.

– Tu réagis comme le font tous les criminels, dit-il à Adam. C'est normal. Chaque fois qu'on frappe à la porte, tu crois que ce sont les fédéraux.

– Et si un jour c'est le cas ?

– Ne prononce pas un mot avant l'arrivée de l'avocat. C'est le plus important. On peut prendre vingt-cinq ans rien que pour la lettre. Alors si la bombe explose, ça ne fera que quelques années de plus.

– Tu crois qu'ils peuvent nous retrouver ? demanda Adam.

– Aucune chance. Nous nous sommes débarrassés de tout ce qui pouvait constituer une preuve. Enfin, on est plus intelligents qu'eux ou non ?

Cela rassura Adam, mais il demeurait tout de même inquiet.

– Peut-être qu'on devrait les appeler et leur dire où elle est.

– Non, dit Henry. Ils sont sur les dents, maintenant.

Ils repéreront tout de suite notre appel. Ce sera le seul moyen de nous mettre la main dessus. Rappelle-toi que si ça tourne mal il faut la boucler. Et maintenant, au travail !

Cette nuit-là, Adam et Henry travaillèrent tard dans leur laboratoire parce qu'en fait ils avaient besoin d'être ensemble. Alors qu'ils s'apprêtaient à partir, la sonnerie du téléphone retentit. C'était le père de Henry.

– Écoute-moi bien, dit-il à son fils. Tu es sur le point d'être arrêté par le FBI. Ne leur dis rien avant d'avoir vu ton avocat. Ne dis rien. Je sais…

À ce moment, la porte s'ouvrit brutalement et des hommes armés envahirent la salle.

10

Aux États-Unis, les riches possèdent sans aucun doute une conscience sociale plus élevée que dans le reste du monde. Cela est vrai surtout des gens extrêmement riches, ceux qui possèdent et dirigent d'énormes sociétés, et dont l'influence s'exerce aussi bien dans les domaines économique et politique que culturel. Cela s'appliquait tout particulièrement aux membres du Socratic Country Golf and Tennis Club of Southern California, fondé quelque soixante-dix ans auparavant par des magnats de l'immobilier, des médias, du cinéma et de l'agriculture ; ce club, d'orientation politique plutôt libérale, était essentiellement voué aux loisirs. C'était une organisation très fermée : pour y adhérer, il fallait être très riche. Statutairement, on pouvait être Blanc ou Noir, juif ou catholique, homme ou femme, artiste ou magnat de l'industrie. En fait, il y avait très peu de Noirs et aucune femme.

Le club Socrate, comme on l'appelait communément, avait fini par devenir un club de riches éclairés et responsables. Prudemment, le club avait confié la direction de ses services de sécurité à un ancien chef adjoint de la CIA, et ses clôtures électriques étaient les plus hautes des États-Unis.

Quatre fois par an, le club servait de lieu de retraite à une centaine d'hommes qui possédaient à peu près tout aux États-Unis. Ils venaient là pour une semaine, et au cours de cette semaine le service était réduit au minimum. Ils faisaient eux-mêmes leurs lits, se servaient eux-mêmes leurs boissons et préparaient parfois eux-mêmes leur cuisine le soir, sur des barbecues dans les jardins. Mais il y avait aussi, bien sûr, des cuisiniers, des serveurs et quelques femmes de chambre, sans compter les inévitables assistants de ces hommes importants ; après tout, le monde des affaires et de la politique américaines ne pouvait pas cesser de tourner tandis qu'ils rechargeaient leurs batteries spirituelles.

Tout au long de cette semaine, ces hommes se réunissaient par petits groupes de discussion. Ils assistaient aussi à des séminaires donnés par d'éminents professeurs venus des universités les plus prestigieuses, et touchant aux questions d'éthique et de philosophie, à la responsabilité des élites fortunées envers les défavorisés. De célèbres scientifiques venaient donner des conférences sur les bienfaits et les dangers des armes nucléaires, la recherche sur le cerveau, l'exploration de l'espace, l'économie.

Ils jouaient aussi au tennis, nageaient dans la piscine, disputaient des tournois de bridge et de backgammon, et poursuivaient tard dans la nuit d'interminables discussions sur les sujets les plus divers : le bien et le mal, les femmes et l'amour, le mariage et l'infidélité. Ces hommes étaient investis des plus hautes responsabilités du pays, et ils poursuivaient deux buts parallèles : devenir eux-mêmes meilleurs en retrouvant les préoccupations de leur adolescence, et améliorer la société, selon l'idée qu'ils s'en faisaient.

190

Après une semaine passée ensemble, ils retournaient à leur vie habituelle, ragaillardis par un nouvel espoir, un désir d'aider l'humanité, et une conscience plus aiguë de la façon dont leurs activités pourraient aider à préserver la société, et peut-être aussi après avoir resserré des liens personnels toujours utiles dans les affaires.

Cette semaine-là avait débuté le lundi de Pâques. En raison de la crise internationale, l'assassinat du pape et celui de la fille du président, il n'y avait qu'une vingtaine de personnes.

George Greenwell était le plus âgé de ces hommes. À quatre-vingts ans il était encore capable de jouer au tennis en double, mais par courtoisie, ne s'imposait pas face à des hommes plus jeunes qui se seraient sentis obligés de le laisser gagner. Pourtant, il était encore redoutable lors des longs tournois de backgammon.

Greenwell estimait que la présente crise ne le concernait pas, à moins que d'une façon ou d'une autre elle ne finisse par retentir sur le marché des céréales : sa société régnait en effet en maître sur la plus grande partie du blé produit aux États-Unis. Son heure de gloire avait sonné une trentaine d'années auparavant, lorsque les États-Unis avaient décrété un embargo sur les ventes de céréales à l'Union soviétique.

George Greenwell était un patriote mais pas un imbécile. Il savait que l'Union soviétique ne pouvait supporter une telle mesure. Il savait également que cet embargo imposé par le gouvernement fédéral risquait de ruiner les agriculteurs américains. Défiant alors le président, il avait fait livrer le grain en Union soviétique en utilisant des sociétés écran. Il s'était ainsi attiré les foudres de l'exécutif. Des projets de loi avaient été présentés au Congrès prévoyant la nationalisation ou du moins la réglementation des activités de sa société, pourtant propriété de sa famille. Mais grâce à l'argent habilement distribué aux parlementaires, Greenwell avait réussi à écarter la menace.

Greenwell aimait le club Socrate pour son luxe, mais appréciait aussi le fait que ce luxe ne fût pas ostentatoire au point d'exciter la jalousie des moins fortunés. Il appréciait aussi que le club fût connu des médias, car parmi ses membres on comptait les propriétaires de la plupart des stations de télévision, journaux et magazines. Enfin, son appartenance au club le rajeunissait, lui permettait de participer à la vie sociale d'hommes plus jeunes et aussi puissants que lui.

Il avait gagné beaucoup d'argent lors de l'embargo sur les céréales à destination de l'Union soviétique, mais il avait tenu à ce que cet argent profitât au peuple américain. C'était pour lui une question de principe : il entendait prouver qu'il était plus intelligent que l'administration fédérale. Ses bénéfices, des centaines de millions de dollars, avaient été investis dans des musées, des fondations pour l'éducation, des programmes culturels de télévision, notamment en matière de musique, la grande passion de Greenwell.

Greenwell se flattait d'être un homme cultivé : il avait fait ses études dans les meilleures écoles, où on lui avait appris l'amour du prochain et les responsabilités qui incombent aux riches. Son intransigeance dans les affaires était pour lui une forme d'art ; les mathématiques des millions de tonnes de grains résonnaient à ses oreilles avec la douceur de la musique de chambre.

Un jour, cela lui arrivait rarement, il s'était mis dans une rage folle : un jeune professeur de musique occupant une chaire d'université créée par lui avait publié un essai dans lequel il élevait le jazz et le rock and roll au-dessus de Brahms et de Schubert, et où il qualifiait la musique classique de «funèbre».

Greenwell avait d'abord voulu faire chasser le

professeur de sa chaire, mais sa courtoisie naturelle avait fini par prévaloir. Puis le jeune professeur avait récidivé dans un autre essai, où il avait écrit cette phrase malheureuse : « Tout le monde se fout éperdument de Beethoven. » C'en était trop. Le jeune professeur ne sut jamais exactement ce qui s'était passé, mais l'année suivante il donnait des leçons de piano à San Francisco.

Le club Socrate s'était offert une seule extravagance : un système de communication ultra-perfectionné. Moins d'une heure après que le président eut décidé de lancer un ultimatum au Sherhaben, les vingt membres présents du club Socrate étaient au courant. Seul Greenwell savait que cette information avait été transmise par Oliver Oliphant, l'Oracle.

Il était explicitement convenu entre les membres du club que ces retraites annuelles ne pouvaient servir à organiser de conjurations ; elles devaient uniquement avoir pour but d'échanger des idées d'ordre général, et d'éclairer l'opinion des participants sur les grands problèmes contemporains. C'est donc bien dans cet esprit que le mardi, George Greenwell invita trois autres personnalités du club à partager son déjeuner dans l'un des jolis pavillons jouxtant les courts de tennis.

Le plus jeune de ces hommes, Lawrence Salentine, était propriétaire d'une importante chaîne de télévision et de quelques réseaux câblés, de journaux dans trois grandes villes, de cinq magazines et d'une des plus grandes sociétés américaines de production cinématographique. Il possédait en outre, par l'intermédiaire de filiales, une grosse maison d'édition. Il était également propriétaire de douze stations de télévision locale dans des grandes villes. Et cela uniquement aux États-Unis. Il possédait également une participation importante dans les médias de plusieurs pays étrangers. Agé seulement de quarante-cinq ans, Salentine était un bel homme mince, une abondante chevelure grise et bouclée à la façon des empereurs romains, très en vogue chez les intellectuels, les artistes et les gens d'Hollywood. Il émanait de lui une impression de force et d'intelligence, et c'était l'un des hommes qui possédait le plus d'influence sur la politique américaine. Pas un député, un sénateur ni un ministre qui ne lui retournât son coup de téléphone. Pourtant, il n'était pas parvenu à gagner l'amitié du président Kennedy, qui semblait tenir pour une attaque personnelle l'hostilité manifestée par les médias à l'égard du programme de réformes sociales lancé par le gouvernement.

Le deuxième homme se nommait Louis Inch. À lui tout seul il possédait plus de biens immobiliers que quiconque, personne privée ou société, dans les plus grandes villes des États-Unis. Très jeune – il avait à présent cinquante ans – il avait compris l'intérêt de bâtir très haut, à des hauteurs que l'on jugeait jusque-là impensables. Il avait acheté l'espace aérien au-dessus de nombreux bâtiments existants, et bâti ensuite d'énormes gratte-ciel, multipliant par dix la valeur de ses biens. Plus que tout autre, il avait contribué à changer la lumière des villes, créant d'interminables canyons sombres entre des immeubles commerciaux dont on n'avait pas soupçonné jusque-là l'impérieuse nécessité. Il avait à ce point fait grimper les loyers à New York, Chicago et Los Angeles que les familles ordinaires avaient dû quitter ces villes, les abandonnant aux riches qui seuls pouvaient désormais y vivre confortablement. Il avait soudoyé les municipalités pour obtenir des abattements d'impôts, et s'était à ce point affranchi des contrôles de loyers qu'il se vantait d'amener un jour le prix de location du mètre carré au niveau de Tokyo.

En dépit de ses ambitions, son influence politique était plus réduite que celle des autres personnes rassemblées ce jour-là au pavillon. Sa fortune personnelle dépassait les cinq milliards de dollars, mais elle avait l'inertie de la terre. Sa force réelle était plus sinistre. Il visait avant tout à accumuler richesses et pouvoir sans s'estimer responsable du monde dans lequel il vivait. Il avait corrompu fonctionnaires et syndicats du bâtiment. Il possédait des hôtels-casinos à Las Vegas et Atlantic City, et avait réussi dans ces deux villes à supplanter les caciques du crime organisé. En agissant ainsi, il s'était attiré, par les curieux détours du processus démocratique, le soutien des seconds couteaux du milieu. Ses nombreux hôtels avaient passé des contrats avec des firmes marrons prestataires de divers services : linge de table, blanchisserie, personnel, boissons et aliments. À travers ses subordonnés, il représentait un lien avec le milieu du crime organisé. Bien sûr, il n'était pas assez sot pour que ce lien fût autre chose qu'un fil microscopique. Le nom de Louis Inch n'avait jamais été éclaboussé par le moindre scandale : cela était d'ailleurs dû autant à sa prudence qu'à son absence de charisme personnel.

Pour toutes ces raisons, la plupart des membres du club Socrate le méprisaient. On ne le tolérait que parce que c'étaient ses sociétés qui étaient propriétaires des terrains entourant le club Socrate, et que l'on craignait qu'il n'y installât des lotissements bon marché pour cinquante mille familles de Noirs et d'Hispaniques.

Le troisième homme, Martin Mutford, vêtu d'un pantalon de coton, d'un blazer bleu et d'une chemise à col ouvert, âgé de soixante ans, était peut-être le plus puissant des quatre : il maîtrisait d'énormes flux financiers dans les domaines les plus divers. Dans sa jeunesse il avait été l'un des protégés de l'Oracle, et avait bien appris ses leçons. Pour le plus grand plaisir des membres du club Socrate, il racontait souvent d'admirables histoires à propos de l'Oracle.

Mutford avait fait carrière dans la banque d'investissements, et grâce à l'Oracle, disait-il, avait réussi malgré un mauvais départ. Jeune homme, il était d'un tempérament sexuel «fougueux», selon ses propres mots. Avec surprise, il voyait parfois venir à lui les maris des femmes qu'il avait séduites, non pour se venger mais pour réclamer un prêt bancaire. Sourires complices et bonne humeur semblaient de rigueur. Instinctivement, il accordait des prêts dont il savait bien qu'ils ne seraient jamais remboursés. À l'époque, il ne savait pas que les gestionnaires de comptes touchaient des pots-de-vin pour accorder des prêts à de petites sociétés aux finances douteuses. La paperasse était réduite au minimum: après tout, n'était-ce pas l'intérêt des banquiers de prêter de l'argent ? Bien sûr, les employés étaient censés prendre un certain nombre de garanties, mais Mutford fit perdre à sa banque plusieurs centaines de milliers de dollars avant d'être muté dans un autre service et dans une autre ville. Il prit sa mutation pour une promotion et ne comprit plus tard qu'il ne l'avait due qu'à l'indulgence de certains de ses supérieurs.

Une fois la leçon apprise et les erreurs de jeunesse oubliées, Mutford poursuivit son ascension sociale jusqu'à devenir l'un des financiers les plus puissants des États-Unis. Il était président d'une grande banque et possédait des parts considérables dans plusieurs chaînes de télévision; ses amis et lui possédaient une grande partie du capital de plusieurs géants de l'automobile, ainsi que des intérêts dans l'aéronautique. Il avait tissé sa toile dans l'électronique. Il siégeait également dans plusieurs sociétés financières de Wall Street qui se chargeaient, pierre après pierre, d'agrandir l'édifice de sa fortune en rachetant les firmes les plus diverses. Lorsque ces batailles financières atteignaient leur paroxysme, Mutford faisait pencher la balance en jetant dans le plateau des sommes colossales. Comme les trois autres, il «possédait» un certain nombre de députés et de sénateurs.

Les quatre hommes étaient assis autour d'une table ronde, dehors, devant les courts de tennis. Autour d'eux, des fleurs de Californie, et une verdure qui rappelait la Nouvelle-Angleterre.

– Que pensez-vous de la décision du président? demanda George Greenwell.

– C'est affreux ce qu'ils ont fait à sa fille, dit Mutford. Mais détruire pour cinquante milliards d'investissements, la riposte est disproportionnée.

Un serveur hispanique, vêtu d'un pantalon blanc et d'une chemise à manches courtes ornée de l'emblème du club, vint prendre leurs commandes.

– S'il réussit, les Américains vont considérer Kennedy comme un héros, dit Salentine d'un air pensif. Il sera réélu avec une énorme majorité.

– Mais la riposte est disproportionnée, nous le savons tous. Les relations internationales vont être bouleversées dans les années à venir, dit Greenwell.

– La situation politique est pourtant bonne dans le pays, dit alors Mutford. Le Congrès exerce une sorte de pouvoir sur l'exécutif. Vous croyez que le pays bénéficierait d'un changement radical de majorité?

– Mais même s'il est réélu, que peut faire Kennedy? dit Inch. En dernier ressort, c'est le Congrès qui décide, et au sein des deux assemblées nous avons plus que notre mot à dire. À la chambre des représentants il n'y a pas plus de cinquante députés qui soient élus sans notre argent. Et chez les sénateurs, il n'y en a pas un qui ne soit millionnaire. Il n'y a pas de raison de s'inquiéter du président.

Au-delà des courts de tennis, Greenwell observait l'immensité calme et bleue de l'océan Pacifique. En ce moment même, sur cet océan, des navires transportaient dans leurs cales, aux quatre coins du monde, des céréales qui lui appartenaient. Il y en avait pour des milliards de dollars. Un vague sentiment de culpabilité s'empara de lui lorsqu'il songea qu'il pouvait nourrir ou affamer presque le monde entier.

Il reprit la parole, mais s'interrompit presque aussitôt en voyant le serveur approcher avec leurs verres. À son âge, Greenwell se montrait prudent, et il avait commandé une eau minérale. Il but une gorgée d'eau, et ne reprit sa phrase qu'après le départ du serveur. Il s'exprimait avec la courtoisie exquise d'un homme que les circonstances de la vie avaient malheureusement contraint à commettre quelques actions brutales.

– Nous ne devons jamais oublier que la fonction de président des États-Unis peut se révéler extrêmement dangereuse pour la démocratie.

– C'est absurde, rétorqua Salentine. Les ministres et ses conseillers l'empêchent de prendre des décisions personnelles inconséquentes. Aussi aveugles qu'ils soient, les militaires ne permettraient pas l'aventure, vous le savez bien, George.

– En temps normal c'est vrai, concéda Greenwell. Mais regardez Lincoln : pendant la guerre de Sécession, il a suspendu l'habeas corpus et les libertés civiles. Regardez Franklin Roosevelt : c'est lui qui nous a entraînés dans la Deuxième Guerre mondiale. Songez aux pouvoirs dont dispose le président. Il peut accorder sa grâce pour n'importe quel crime. C'est le privilège d'un roi. Vous vous rendez compte de ce que l'on peut faire avec un tel pouvoir ? Les allégeances que cela peut créer ? S'il n'a pas en face de lui un Congrès très fort, ses pouvoirs sont presque illimités. Heureusement, nous avons un tel Congrès ! Mais il faut voir plus loin, il faut faire en sorte que l'exécutif reste soumis aux représentants dûment élus par le peuple.

– Avec la télévision et les autres médias, dit Salentine, Kennedy ne tiendrait pas un jour s'il se lançait dans une entreprise dictatoriale. C'est une possibilité qui lui est refusée. S'il y a une valeur bien enracinée aujourd'hui aux États-Unis, c'est bien la liberté individuelle... D'ailleurs vous le savez bien, George : vous avez vous-même défié cette infâme mesure d'embargo.

– Vous ne comprenez pas ce que je veux dire, répondit Greenwell. Un président déterminé peut surmonter ces obstacles. Et dans cette crise, Kennedy fait preuve d'une détermination peu commune.

– Voulez-vous dire que nous devrions présenter un front uni contre l'ultimatum de Kennedy au Sherhaben ? demanda Inch d'un ton impatient. Personnellement, j'apprécie qu'il ait fait preuve de fermeté. La force, la pression, ça marche, aussi bien sur les États que sur les gens.

Inch le savait bien, lui qui aux premiers temps de sa carrière avait utilisé toutes sortes de pressions pour vider de leurs occupants certains immeubles qu'il avait acquis. Il avait coupé l'eau et le chauffage, et cessé tout entretien des bâtiments, rendant ainsi extrêmement difficile la vie de milliers de locataires. Il avait «arrosé» certaines banlieues de façon à ce que l'afflux de Noirs et d'Hispaniques fasse fuir les Blancs; il avait corrompu gouvernements d'États et administrations municipales, et enrichi des contrôleurs fédéraux. Il savait de quoi il parlait. Le succès venait de la force.

– Là non plus vous ne voyez pas ce que je veux dire, répondit Greenwell. Dans une heure, nous aurons une téléconférence avec Bert Audick. Pardonnez-moi d'avoir organisé ceci sans vous consulter : je n'avais pas le temps d'attendre, les événements vont si vite. Mais ces cinquante milliards qui vont être réduits en cendres appartiennent à Audick, et il est terriblement inquiet. Et il est important d'envisager l'avenir. Si le président se comporte de cette façon avec Audick, il peut le faire aussi avec nous.

– Kennedy est fou, dit Mutford pensivement.

– Je crois que nous devrions nous mettre d'accord avant cette téléconférence avec Audick, dit Salentine.

– Il est complètement azimuté par ces histoires de pétrole, dit alors Inch, qui avait toujours eu le sentiment que d'une certaine façon, les intérêts du pétrole et de l'immobilier étaient antagonistes.

– Il faudra écouter Audick avec la plus grande considération, dit Greenwell.

Dans la salle de communications du club, l'image de Bert Audick apparut sur un écran de télévision. Il leur adressa un sourire, mais son visage était anormalement rouge, ce qui pouvait être l'effet d'un mauvais réglage ou d'une rage bouillonnante. La voix d'Audick était calme.

– Je pars pour le Sherhaben, dit-il. Ce sera peut-être un dernier coup d'œil à mes cinquante milliards de dollars.

Les hommes dans la salle pouvaient dialoguer avec Audick comme s'il s'était trouvé présent. Ils apercevaient leur propre image sur le moniteur, celle qu'Audick recevait dans son bureau. Il leur fallait surveiller aussi bien leurs visages que leurs voix.

– Vous y allez vraiment ? s'enquit Inch.

– Oui. Le sultan est un de mes amis et la situation est particulièrement délicate. En étant là-bas personnellement, je peux faire beaucoup pour notre pays.

– D'après mes informateurs, dit Salentine, la Chambre des représentants et le Sénat tentent d'opposer leur veto à la décision du président. Est-ce possible ?

L'image d'Audick leur sourit.

– C'est non seulement possible mais certain. J'ai discuté avec certains ministres. Ils proposent que le président soit temporairement suspendu de ses fonctions au motif qu'il se livrerait à une vengeance personnelle, ce qui dénote un déséquilibre mental passager. Aux termes d'un amendement de la Constitution, c'est légal. Il nous faut seulement la signature des membres du gouvernement et de la vice-présidente au bas d'un texte que le Congrès ratifiera. Même si la suspension ne dure qu'un mois, nous pourrions éviter la destruction de Dak. Et je garantis que les otages seront libérés lorsque je serai au Sherhaben. J'estime que vous devriez soutenir la demande de suspension du président. Vous devez bien ça à la démocratie américaine, comme moi je le dois à mes actionnaires. Nous savons tous que si c'était un autre otage que sa fille qui avait été abattu, il n'aurait jamais choisi de prendre de telles mesures.

– Écoutez, Bert, dit Greenwell, nous en avons discuté tous les quatre, ici, et nous avons décidé de vous soutenir, vous et le Congrès... c'est notre devoir. Nous donnerons les coups de téléphone nécessaires, nous coordonnerons nos efforts. Mais Lawrence Salentine aimerait vous faire part d'un certain nombre de remarques importantes.

Sur l'écran, le visage d'Audick exprima colère et dégoût.

– Salentine, ça n'est pas le moment que vos médias restent sur les côtés à compter les points. Si Kennedy est prêt à m'enlever cinquante milliards de dollars, dites-vous qu'un jour toutes vos stations de télévision risquent de se retrouver sans licence et vous pourrez aller vous faire foutre. Ce jour-là, je ne lèverai pas le petit doigt pour vous aider.

Greenwell accueillit avec un froncement de sourcils

la vulgarité d'Audick. Inch et Mutford souriaient. Salentine, lui, demeura impassible et répondit avec le plus grand calme.

– Vous savez, Bert, je suis avec vous à cent pour cent, vous n'avez aucune raison d'en douter. J'estime qu'un homme qui décide arbitrairement de détruire cinquante milliards de dollars pour appuyer une menace militaire est incontestablement un déséquilibré et qu'il n'a pas sa place à la présidence des États-Unis. Je suis avec vous, je puis vous l'assurer. Les programmes de télévision seront interrompus pour annoncer que le président Kennedy va être soumis à une expertise psychiatrique, que le traumatisme que représente l'assassinat de sa fille a temporairement affecté sa raison. Cela préparera le terrain pour le Congrès. Mais là nous entrons dans un domaine que je connais peut-être mieux que quiconque. Le peuple américain va approuver la décision du président: la foule a toujours tendance à soutenir ce genre de réaction nationaliste. Si son action réussit et qu'il parvienne à ramener les otages, il bénéficiera d'un soutien sans faille de l'opinion et d'un futur raz de marée électoral. Kennedy est un homme intelligent et énergique, s'il remporte la première manche, il peut parfaitement balayer le Congrès. (Salentine s'interrompit alors un instant, pour pouvoir choisir ses mots avec soin.) Mais si sa menace fait long feu, c'est-à-dire si les otages sont tués, que le problème ne soit pas résolu – alors Kennedy est politiquement un homme mort.

Sur l'écran, l'image de Bert Audick tressaillit.

– Ça n'est pas une alternative, dit-il d'un ton grave. Si ça va jusque-là, alors il faut sauver les otages, notre pays doit gagner. En outre, les cinquante milliards de dollars seront déjà perdus. Aucun Américain sincère ne peut souhaiter l'échec de la mission de Kennedy. On peut certainement souhaiter des mesures moins radicales, mais une fois que l'action est engagée il faut qu'elle réussisse.

– Je suis d'accord, dit Salentine qui n'en pensait pas un mot. Je suis tout à fait d'accord. Je voudrais soulever aussi un autre problème. Lorsque le président se sentira menacé par le Congrès, son premier réflexe sera de vouloir s'adresser au pays à la télévision. Quelles que soient les fautes de Kennedy, à la télévision c'est un magicien. À ce moment-là, le Congrès aura beaucoup de mal vis-à-vis du pays. Que se passera-t-il si le Congrès parvient à suspendre Kennedy pendant un mois ? Il est possible que le président ait vu juste : les ravisseurs peuvent faire durer les choses tant que Kennedy sera sur la touche… Alors sa popularité sera plus grande que jamais, il deviendra un véritable héros national. Le mieux serait de le laisser poursuivre son entreprise, qu'il gagne ou qu'il perde. De cette façon, nous évitons tout danger institutionnel à long terme. Ce serait peut-être le plus sage.

– Et comme ça, moi je perds cinquante milliards de dollars, c'est ça ?

Sur l'écran, le visage d'Audick devenait cramoisi. Le réglage de la télévision n'avait jamais été défectueux.

– C'est vrai que c'est une somme énorme, dit Mutford, mais ça n'est quand même pas la fin du monde.

Le visage de Bert Audick vira au rouge violacé. Salentine se dit à nouveau que les couleurs devaient être déréglées : aucun homme ne pouvait rester vivant avec un teint pareil. La voix d'Audick résonna dans la pièce.

– Allez vous faire foutre, Mutford, vous m'entendez ? Et ça représente plus que cinquante milliards. Et les pertes de revenus le temps que durera la reconstruction de Dak ? Vos banques vont-elles me prêter de l'argent sans intérêts ? Vous avez sous votre cul plus d'argent que le Trésor des États-Unis, mais ces cinquante milliards, c'est vous qui allez me les donner ? Tu parles !

– Bert, Bert, nous sommes avec vous, lança Greenwell avec précipitation. Salentine ne faisait que soulever certains problèmes auxquels vous n'aviez peut-être pas pensé dans le feu de l'action. De toute façon, même si on essayait, on ne pourrait pas empêcher l'action du Congrès. Le Congrès ne permettra jamais que l'exécutif décide tout seul dans une crise aussi grave. Bon... nous avons tous beaucoup de travail, et je vous propose d'en rester là de cette conférence.

– Écoutez, Bert, dit Salentine en souriant, d'ici trois heures les bulletins relatifs à la santé mentale du président seront diffusés sur toutes mes chaînes de télévision. Les autres chaînes suivront forcément. Appelez-moi pour me dire ce que vous en pensez, vous aurez peut-être d'autres idées à me soumettre. Autre chose : si le Congrès suspend le président avant qu'il se soit adressé au pays à la télévision, les chaînes seront en droit de lui refuser le passage à l'antenne au motif qu'il a été suspendu pour cause de déséquilibre mental et qu'il n'exerce plus les fonctions de président.

– C'est entendu, dit Bert Audick, dont le visage avait repris une couleur naturelle.

La téléconférence prit fin de la manière la plus courtoise.

– Messieurs, dit Salentine, je vous propose de vous ramener à Washington à bord de mon avion. Je crois que nous devrions aller rendre visite à notre vieil ami Oliver Oliphant.

– Ah, l'Oracle est mon vieux maître, dit Mutford en souriant. Ses conseils nous seront précieux.

Une heure plus tard, ils s'envolaient pour Washington.

Convoqué par le président Kennedy, l'ambassadeur du Sherhaben, Charif Waleeb, assista à la projection des bandes vidéo de la CIA où l'on voyait Yabril dîner au palais en compagnie du sultan. L'ambassadeur fut sincèrement choqué. Comment le sultan avait-il pu se conduire de façon aussi dangereuse ? Le Sherhaben était un petit pays, pacifique, comme il est sage d'être pacifique quand on est sans réelle puissance militaire.

La réunion se tenait dans le bureau ovale, en présence de Bert Audick. Le président était flanqué de deux membres de son cabinet personnel, Arthur Wix, conseiller en matière de sécurité nationale, et Eugene Dazzy, son chef de cabinet.

– Monsieur le président, dit l'ambassadeur du Sherhaben après les politesses d'usage, vous devez me croire : je n'étais absolument pas au courant de tout cela. Je vous présente mes excuses personnelles, mes condoléances les plus sincères, du fond du cœur. (Il avait les larmes aux yeux.) Mais je dois aussi vous dire quelque chose que je crois profondément : le sultan n'a certainement jamais autorisé que l'on fasse le moindre mal à votre fille.

– J'espère que cela est vrai, dit Francis Kennedy avec gravité, car alors il acceptera mes propositions.

L'ambassadeur écouta alors avec une appréhension qui était plus personnelle que politique. Il avait fait ses études dans une université américaine et admirait le mode de vie de ce grand pays. Il aimait la cuisine américaine, l'alcool américain, et les femmes américaines, avec cette façon qu'elles avaient de se rebeller sous la férule des hommes. Il aimait la musique et le cinéma américains. Il avait distribué de l'argent à tous les hommes politiques influents et enrichi de nombreux hauts fonctionnaires du ministère des Affaires étrangères. C'était un expert en matière pétrolière et il était l'ami de Bert Audick.

C'était moins le sort du Sherhaben et du sultan qui l'inquiétait que le sien propre. Au pire, il y aurait des sanctions économiques. La CIA monterait probablement une opération clandestine pour renverser le sultan, mais cela pouvait se révéler favorable à l'ambassadeur.

Aussi fut-il profondément choqué en entendant les propos du président.

– Écoutez-moi bien, monsieur l'ambassadeur, lui dit Francis Kennedy. Dans trois heures, vous serez à bord d'un avion en route pour le Sherhaben afin de transmettre vous-même mon message au sultan. M. Bert Audick, que vous connaissez, et mon conseiller en matière de sécurité nationale, Arthur Wix, vous accompagneront. Le message est le suivant : dans vingt-quatre heures, la ville de Dak sera détruite.

Horrifié, la gorge nouée, l'ambassadeur ne put prononcer le moindre mot.

– Les otages doivent être libérés, poursuivit le président, et le terroriste Yabril doit nous être livré. Vivant. Si le sultan ne s'exécute pas, l'État du Sherhaben lui-même sera rayé de la carte.

L'ambassadeur avait l'air tellement stupéfait que Kennedy se demanda s'il l'avait bien compris. D'un ton presque rassurant, il ajouta :

– Tout ceci sera consigné dans les documents que je vous charge de remettre à votre sultan.

L'ambassadeur sembla hésiter.

– Euh… excusez-moi, monsieur le président, avez-vous bien dit que la ville de Dak allait être détruite ?

– C'est exact. Le sultan ne croira à mes menaces que s'il voit Dak en ruine. Je vous le répète donc : les otages doivent être libérés, et Yabril doit nous être remis en prenant toutes les précautions nécessaires pour qu'il ne puisse attenter à ses jours. Il n'y aura pas d'autres négociations.

– Mais vous ne pouvez pas menacer de détruire un pays libre, aussi petit soit-il, s'exclama l'ambassadeur d'un ton incrédule. Et en détruisant Dak vous détruisez des milliards de dollars d'investissements américains.

– C'est possible, dit Kennedy. Nous verrons cela. En tout cas, persuadez votre sultan que ma décision est irrévocable : telle est votre tâche. Vous voyagerez à bord d'un de mes avions personnels en compagnie de M. Audick et de M. Wix. Deux autres avions vous accompagneront. L'un pour ramener les otages et le corps de ma fille, et l'autre destiné à Yabril.

L'ambassadeur était incapable de réagir. Ça ne pouvait être qu'un cauchemar. Le président était devenu fou.

Lorsqu'ils se retrouvèrent seuls, Audick dit d'un air sombre à l'ambassadeur :

– Ce salopard est bien décidé à faire ce qu'il a dit, mais il nous reste une carte à jouer. Je vous en parlerai dans l'avion.

Dans le bureau ovale, Eugene Dazzy prenait des notes.

– Avez-vous fait le nécessaire pour que les documents soient transmis à l'ambassade et à l'avion ? demanda Kennedy.

– On a un peu arrangé ça, dit Dazzy. La destruction de Dak est déjà une affaire sérieuse, mais nous ne pouvons pas écrire noir sur blanc que le Sherhaben tout entier sera rayé de la carte. Mais votre message est clair. Au fait, pourquoi envoyer Wix ?

– Parce que en voyant que je lui envoie mon conseiller en matière de sécurité nationale, le sultan comprendra que je suis sérieux, répondit Kennedy en souriant. Et Arthur lui redira mon message de vive voix.

– Vous croyez que ça va marcher ? demanda Dazzy.

– Il attendra de voir si nous détruisons vraiment Dak. Ensuite, je suis sûr que ça va marcher, sinon ça veut dire qu'il est complètement fou.

11

Suspendre de ses fonctions en vingt-quatre heures le président des États-Unis semblait presque impossible. Mais quatre heures après l'ultimatum de Kennedy au Sherhaben, le Congrès et le club Socrate semblaient avoir cette victoire à portée de la main.

Après avoir quitté la réunion, Christian Klee reçut de sa division spéciale du FBI les rapports de surveillance informatique des dirigeants du Congrès et des membres du club Socrate. Trois mille appels étaient répertoriés, et figurait également le compte rendu de toutes les réunions qui avaient eu lieu. Les preuves étaient accablantes. Dans les vingt-quatre heures, le Sénat et la Chambre des représentants s'efforceraient de prononcer la suspension du président.

Furieux, Klee fourra les documents dans sa serviette et se précipita à la Maison-Blanche. Mais avant de partir, il donna l'ordre à Peter Cloot de retirer dix mille hommes de leur affectation habituelle et de les envoyer à Washington.

Au même moment, ce mercredi, le sénateur Thomas Lambertino, l'homme fort du Sénat, son assistante

Elizabeth Stone, et le député Alfred Jintz, chef du groupe démocrate à la Chambre des représentants, se retrouvaient dans le bureau de Lambertino. Sal Troyca, chef du cabinet personnel d'Alfred Jintz, accompagnait son patron, pour le chaperonner, disait-il souvent, car il le tenait pour un parfait imbécile. L'opinion de Sal Troyca était d'ailleurs assez largement partagée par les parlementaires des deux bords.

Sal Troyca n'était pas seulement un excellent chef de cabinet, c'était aussi un séducteur et même un habile entremetteur. Troyca avait déjà remarqué qu'Elizabeth Stone, la directrice de cabinet du sénateur Lambertino, était une fort belle femme, mais il lui fallait encore découvrir jusqu'où cela pouvait aller. Mais pour l'instant, il lui fallait s'occuper de l'affaire en cours.

Troyca lut à haute voix les passages du vingt-cinquième amendement à la Constitution américaine relatifs à leur projet, détachant soigneusement les mots et les phrases clés : « Lorsque le vice-président et une majorité ou les principaux membres de l'exécutif » – il se pencha vers Jintz, et lui murmura : « c'est-à-dire les ministres » – « ou bien tout autre organe désigné légalement par le Congrès, transmettent au… Sénat et… la Chambre des représentants une déclaration écrite stipulant que le président est dans l'incapacité d'assumer les devoirs de sa charge, le vice-président assume immédiatement les fonctions et les prérogatives du président en exercice ».

– C'est bidon ! s'exclama Jintz. Ça ne peut pas être aussi facile que ça de suspendre un président.

– Mais personne ne dit que c'est facile, dit Lambertino d'un ton apaisant. Continuez, Sal.

Sal Troyca songea avec amertume que son patron ne connaissait même pas la Constitution du pays dont il était député. Et merde ! Cet abruti de Jintz ne comprendrait jamais rien ! Il fallait lui traduire les articles de la Constitution en langage courant. Ce qu'il fit.

– Ça veut dire que le vice-président et le gouvernement doivent signer un texte le déclarant incompétent pour que le président soit suspendu. Alors, le vice-président devient président. Une seconde plus tard, Kennedy publie une contre-déclaration pour affirmer qu'il va très bien. Il redevient président. C'est alors le Congrès qui décide. Entre-temps, Kennedy peut faire ce qu'il veut.

– Et alors adieu Dak, dit Jintz.

– La plupart des ministres signeront la déclaration, dit Lambertino. Il nous faudra la signature de la vice-présidente : nous ne pouvons rien faire sans elle. Le Congrès devra se réunir avant jeudi dix heures du soir si l'on veut empêcher la destruction de Dak. Et pour emporter la décision, il nous faut les deux tiers des votes aussi bien à la Chambre qu'au Sénat. Moi je me porte garant du Sénat, mais la Chambre des représentants ?

– La Chambre nous est acquise, dit Jintz. J'ai reçu un coup de fil du club Socrate : ils vont faire pression sur tous les députés.

– La Constitution, dit alors Troyca d'un ton respectueux, dispose que tout organe désigné légalement par le Congrès peut transmettre cette déclaration. Pourquoi ne pas se passer des signatures des ministres et de la vice-présidente, et faire du Congrès lui-même cet organe ? Il pourra alors prendre une décision sur-le-champ.

– Sal, ça ne marchera pas, dit Jintz avec douceur. Il ne faut pas que ça ait l'air d'une vendetta. Les électeurs seront de son côté et par la suite ils risqueraient de nous le faire payer. N'oubliez pas que Kennedy est populaire… un démagogue a cet avantage sur des législateurs responsables.

– Il n'y a aucun inconvénient à suivre la procédure, dit alors le sénateur Lambertino. L'ultimatum lancé au

Sherhaben est une mesure excessive et montre bien qu'en raison de sa tragédie personnelle, le président a momentanément perdu la raison. Cela dit, cette tragédie personnelle me touche profondément. Comme nous tous.

– Mes collègues de la Chambre se présentent devant leurs électeurs tous les deux ans, dit alors Jintz. Kennedy pourrait en faire sauter un grand nombre s'il reprenait ses fonctions après ses trente jours de suspension. Il faut l'écarter définitivement.

Lambertino acquiesça. Il savait que le mandat de six ans des sénateurs avait toujours agacé les députés.

– C'est vrai, dit-il, mais n'oubliez pas que sa suspension aura pour cause l'existence de sérieux problèmes psychologiques, et le parti démocrate pourra arguer de cela pour lui refuser l'investiture.

Troyca avait remarqué que depuis le début de la réunion, Elizabeth Stone, la directrice de cabinet de Lambertino, n'avait pas prononcé un mot. Mais son patron était un homme intelligent : elle n'avait pas besoin de le protéger contre sa propre stupidité.

– Permettez que je résume la situation, dit alors Troyca. Si la vice-présidente et la majorité des membres du gouvernement sont d'accord pour suspendre le président, ils signeront la déclaration cet après-midi. Le cabinet personnel du président refusera de signer. Ce serait parfait s'ils acceptaient, mais ils ne le feront pas. D'après la Constitution, la signature essentielle est celle du vice-président. Traditionnellement, un vice-président soutient toutes les mesures prises par le président. Sommes-nous absolument sûrs qu'elle va signer ? Ou qu'elle ne va pas faire traîner les choses en longueur ? Nous en sommes à une question d'heures.

– Mais quelle vice-présidente ne rêverait pas de devenir présidente ? lança Jintz en riant. Ça fait trois ans qu'elle attend qu'il ait une crise cardiaque !

Pour la première fois, Elizabeth Stone prit la parole.

– La vice-présidente ne raisonne pas de cette façon-là, dit-elle sèchement. Elle est absolument loyale envers le président. Cela dit, il est vrai qu'elle signera presque à coup sûr cette déclaration. Mais ce sera pour la bonne cause.

Jintz la considéra avec un air de patiente résignation et fit un geste d'apaisement de la main. Lambertino fronça les sourcils. Troyca, lui, demeura impassible, mais il était enchanté.

– Je continue à penser qu'il faut passer par-dessus la tête de tout le monde, dit Troyca. Laissons le Congrès se charger entièrement du travail.

Jintz se leva, abandonnant son confortable fauteuil.

– Ne vous inquiétez pas, Sal. La vice-présidente ne peut pas avoir l'air de vouloir écarter Kennedy trop rapidement. Mais elle signera. Simplement, elle ne veut pas apparaître comme une usurpatrice.

« Usurpateur » était un terme que l'on entendait fréquemment à la Chambre des représentants, s'agissant du président Kennedy.

Le sénateur Lambertino considéra Troyca avec agacement. Une certaine familiarité chez cet homme lui déplaisait, comme cette façon de discuter les plans de ses supérieurs.

– Cette action visant à suspendre le président est légale, même s'il n'existe pas de précédent, dit-il. Le vingt-cinquième amendement à la Constitution n'exige pas de preuve médicale, mais cette décision de détruire Dak constitue bel et bien un élément de preuve.

Troyca ne résista pas.

– Une fois que ça sera fait, cela créera un précédent. Les deux tiers du Congrès peuvent suspendre un président. Au moins en théorie.

Il remarqua avec satisfaction qu'il avait enfin attiré l'attention d'Elizabeth Stone. Il poursuivit :

– Nous deviendrions une nouvelle république bananière… mais à l'envers : ce sera le parlement qui sera le dictateur.

– Par définition, c'est faux, rétorqua sèchement Lambertino. Les parlementaires sont élus directement par le peuple, ils ne peuvent pas exercer de dictature à la façon d'un seul homme.

Non, songea Troyca avec mépris, à moins que le club Socrate ne vous pousse au cul. Il comprit alors ce qui rendait le sénateur si acerbe : l'homme se voyait déjà dans la peau d'un chef d'État, et il goûtait peu l'idée que le Congrès pût se débarrasser du président quand il lui plaisait.

– Je vous propose d'en rester là, dit alors Jintz. Nous avons tous beaucoup de choses à faire. De toute façon, notre action représente un grand pas en faveur d'une véritable démocratie.

Troyca ne s'était toujours pas habitué à la rude simplicité d'hommes tels que Jintz et Lambertino, à cette façon qu'ils avaient d'aller directement là où le commandait leur intérêt. Une mimique fugace sur le visage d'Elizabeth Stone lui apprit qu'elle pensait exactement la même chose que lui. Celle-là, se dit-il, il l'aurait, quel qu'en soit le prix. Mais, avec une humilité feinte, il reprit la parole.

– Le président ne peut-il affirmer que le Congrès tente de contrecarrer une mesure qu'il désapprouve, et qu'en conséquence il passe outre au vote des deux chambres ? Ne peut-il pas faire une déclaration à la télévision ce soir même, avant que le Congrès se réunisse ? Et puisque le cabinet personnel de Kennedy refuse de signer la demande de suspension, l'opinion publique ne va-t-elle pas penser que Kennedy est tout à fait sain d'esprit ? Cela pourrait entraîner pas mal d'ennuis. Surtout si les otages sont tués après la suspension de Kennedy.

Cela pourrait entraîner des répercussions terribles sur le Congrès.

Ni le sénateur ni le député ne semblèrent s'inquiéter de cette analyse. Jintz lui tapota amicalement l'épaule.

– Tout est prévu, Sal. Vous, de votre côté, assurez-vous que la paperasserie suive.

À ce moment, la sonnerie du téléphone retentit, et Elizabeth Stone décrocha l'appareil. Elle écouta quelques secondes.

– Monsieur le sénateur, c'est la vice-présidente.

Avant de prendre sa décision, la vice-présidente Helen Du Pray alla faire sa course à pied quotidienne.

Première femme à exercer les fonctions de vice-présidente des États-Unis, elle était âgée de cinquante-cinq ans et d'une intelligence à tous égards extraordinaire. Elle était encore très belle, peut-être parce que avant l'âge de trente ans, enceinte, et alors qu'elle n'était encore que substitut du procureur, elle s'était entichée de nourriture biologique. Toute jeune encore, et avant son mariage, elle s'était également adonnée à la course à pied. L'un de ses premiers amants l'avait entraînée dans ses courses quotidiennes de dix kilomètres, et à vive allure. Citant le proverbe latin «Mens sana in corpore sano», il lui en avait donné une traduction toute personnelle : «Si le corps est sain, l'esprit est sain.» Ses piètres qualités de traducteur et sa façon de prendre la maxime au pied de la lettre (combien d'esprits sains ont-ils été anéantis par un corps trop sain ?) lui firent rapidement congédier cet amant.

Mais sa discipline diététique se révélait pour elle extrêmement importante : elle chassait les poisons de son organisme, lui donnait une énergie débordante et une silhouette de rêve. Ses opposants politiques disaient en plaisantant qu'elle n'avait pas de papilles gustatives, mais c'était faux. Elle savait apprécier le velouté d'une pêche, le fondant d'une poire, le goût profond des légumes frais, et dans ces moments de spleen auxquels personne n'échappe, elle était tout à fait capable d'avaler une énorme boîte de gâteaux au chocolat.

C'était par hasard qu'elle était devenue adepte des nourritures biologiques. Au début de sa carrière de procureur, elle avait eu à poursuivre l'auteur d'un livre de diététique pour des passages jugés mensongers et injurieux. Pour préparer son dossier, elle avait mené une recherche sérieuse sur le sujet. Elle avait réussi à faire condamner l'auteur à une énorme amende, tout en estimant qu'elle avait contracté une dette envers lui.

Devenue vice-présidente des États-Unis, Helen Du Pray continuait de se nourrir avec frugalité et de courir au moins dix kilomètres par jour (les fins de semaine, elle en faisait le double.) Aujourd'hui, alors qu'elle allait avoir à prendre l'une des décisions les plus importantes de son existence, elle décida d'aller courir pour s'éclaircir l'esprit.

Ses gardes du corps devaient en payer le prix. Au début, le chef de son service de sécurité n'y vit aucun problème. Après tout, ses hommes étaient physiquement bien entraînés. Mais la vice-présidente allait courir tôt le matin, et dans des bois où ses gardes avaient du mal à la suivre ; en outre, lors de sa longue course hebdomadaire, ces hommes se révélaient incapables d'adopter son train d'enfer et restaient loin derrière. Le chef des gardes du corps était stupéfait de voir qu'à plus de cinquante ans, cette femme était capable de courir vingt kilomètres à une telle allure.

La vice-présidente ne voulait pas être dérangée lors de sa course à pied ; dans sa vie, c'était un moment sacré. La course avait remplacé pour elle les plaisirs de la bonne chère, de l'alcool et de l'amour, la chaleur et la tendresse qui avaient déserté sa vie six ans auparavant, à la mort de son mari.

Elle avait allongé son kilométrage quotidien et écarté toute idée de se remarier. Elle occupait une position politique trop élevée pour risquer de se retrouver aux côtés d'un homme qui pouvait se révéler une véritable bombe à retardement, avec des cadavres dans ses placards. Elle voyait beaucoup de gens, avait deux filles et beaucoup d'amis qui suffisaient à occuper sa vie.

Elle s'était acquis le soutien des groupes féministes non avec la rhétorique politique habituelle en la matière, mais grâce à son intelligence méthodique et à son intraitable autorité. Elle avait monté une attaque en règle contre les adversaires de l'avortement et lors de différents débats publics, avait écrasé ses adversaires phallocrates qui, sans prendre le moindre risque personnel, cherchaient à imposer aux femmes, par voie légale, ce qu'elles devaient faire de leur corps.

Sa victoire dans cette bataille avait beaucoup contribué à son ascension politique.

Elle avait toujours méprisé les théories selon lesquelles hommes et femmes devaient tendre à plus de ressemblance ; elle préférait célébrer leurs différences. Ces différences étaient bonnes d'un point de vue moral, comme elles sont bonnes en matière de musique ou de religion. Et Dieu sait qu'hommes et femmes sont différents. Au cours de sa carrière de magistrat, puis de femme politique, elle avait appris que dans les domaines essentiels de la vie, les femmes sont supérieures aux hommes. Les statistiques étaient là pour le prouver. Les hommes commettaient plus de meurtres, d'attaques à main armée, de parjure, ils trahissaient plus souvent amis et amantes. Fonctionnaires, ils étaient plus souvent corrompus, croyants, ils étaient plus souvent intolérants et cruels, amants, ils étaient infiniment plus égoïstes, et dans tous les domaines, ils exerçaient leur pouvoir de façon beaucoup plus dure. Les hommes avaient toutes les chances de détruire un jour la planète avec leurs guerres, parce que paradoxalement ils craignaient plus la mort que les femmes. Mais à part tout cela, elle n'en voulait nullement aux hommes.

En ce mardi, son chauffeur la déposa à l'orée d'un bois, dans la banlieue de Washington, et elle se mit à courir, fuyant le document fatal qui l'attendait sur son bureau. Ses gardes du corps des services secrets couraient à une certaine distance d'elle, devant, derrière et sur les côtés. Longtemps, elle s'était amusée de les voir transpirer : alors qu'elle-même était en survêtement, eux gardaient leur complet et trimbalaient tout leur attirail d'armes, de munitions et d'équipement radio. Ils avaient souffert un certain temps, jusqu'au jour où, perdant patience, le chef de son service de sécurité avait recruté des champions de course à pied dans d'obscures universités. Helen Du Pray en avait été un peu mortifiée.

Plus elle avait grimpé dans la hiérarchie politique, et plus elle avait couru tôt le matin. Son plus grand plaisir, c'était lorsqu'une de ses filles venait courir avec elle. Cela faisait également de belles photos dans la presse. Tout avait son importance.

Pour occuper une charge aussi élevée, la vice-présidente Helen Du Pray avait dû surmonter bien des obstacles. Le premier, visiblement, était d'être une femme, et le deuxième, plus curieusement, était d'être belle. La beauté suscite souvent l'hostilité, aussi bien chez les hommes que chez les femmes. Elle avait réussi à dissiper cette hostilité grâce à son intelligence, sa modestie et son intégrité morale. Elle sut également se montrer astucieuse. Sachant qu'en matière de politique l'électorat américain préfère les hommes beaux et les femmes laides, Helen Du Pray avait volontairement gommé sa séduction naturelle au profit d'une allure à la Jeanne d'Arc. Cheveux coupés court, silhouette mince de garçonne et poitrine aplatie sous une veste de tailleur. Pour armure elle se contenta d'un collier de perles et à la main ne porta que son alliance en or. Un foulard, un chemisier à jabot et parfois des gants étaient les seuls signes visibles de sa féminité. Mais l'image de rigueur qu'elle entendait donner disparaissait lorsqu'elle riait ou souriait, la révélant alors dans tout l'éclat de sa sensualité. Elle était féminine sans être provocante ; elle était forte sans être le moins du monde masculine. En bref, elle représentait de façon idéale la première femme qui eût pu accéder à la présidence des États-Unis. Et en signant la déclaration qui se trouvait sur son bureau, elle y accédait ipso facto.

Terminant sa course, elle sortit du bois et gagna la voiture qui l'attendait sur la route. Son équipe de gardes du corps convergea vers elle, et elle regagna la grande maison qui servait de résidence aux vice-présidents. Elle prit une douche, revêtit son «vêtement de travail» (un tailleur très strict) et partit pour son bureau, où l'attendait la déclaration.

En sa qualité de vice-présidente, elle devait suivre au plus près son mari politique, le président, et s'acquitter de ses obligations subalternes. Elle recevait les chefs d'État ou de gouvernement de petits pays, participait à des commissions politiques sans grand pouvoir mais parées de titres ronflants, assistait à des réunions où on la traitait avec une certaine condescendance, donnait des avis qu'on accueillait avec courtoisie mais qu'on ne suivait pas. Il lui fallait se faire l'écho des opinions du président et soutenir sa politique.

Elle admirait Francis Xavier Kennedy et lui était reconnaissante de l'avoir choisie comme candidate à ses côtés, mais à bien des égards elle était différente de lui.

Elle songeait parfois avec amusement que si en tant qu'épouse elle avait réussi à ne pas se laisser dominer par son mari, à présent qu'elle avait atteint le rang le plus élevé jamais atteint par une femme dans l'appareil d'État, les lois de la politique faisaient d'elle la subalterne de son mari politique.

Mais aujourd'hui elle pouvait devenir une veuve politique, et n'avait guère à se plaindre de sa police d'assurances puisque la prime n'était rien de moins que la présidence des États-Unis. Après tout, le « mariage » s'était révélé malheureux. Francis Kennedy avait réagi trop brutalement, et avec trop de rapidité. Comme beaucoup d'épouses malheureuses, Helen Du Pray avait commencé de rêver à la mort de son mari.

En signant la déclaration, elle pouvait obtenir le statut de divorcée politique et gagner le gros lot. La présidence. Pour une femme moins intègre, cela eût paru une aubaine miraculeuse.

Elle savait qu'il est impossible de maîtriser ses fantasmes, aussi n'en éprouvait-elle aucune culpabilité, mais elle risquait de se sentir coupable d'une situation réelle qu'elle aurait contribué à créer. Lorsque le bruit avait commencé à courir que Kennedy ne se représenterait pas pour un second mandat, elle avait mis en état d'alerte son propre réseau d'amis politiques. Kennedy avait alors donné sa bénédiction. Mais les choses avaient changé.

Elle avait besoin d'y voir plus clair. Cette déclaration avait déjà été signée par la plupart des membres du gouvernement, notamment le ministre des Affaires étrangères, le ministre de la Défense et le ministre des Finances. Le chef de la CIA, cette crapule sans principes de Tappey, avait refusé de signer. De même que Christian Klee, un homme qu'elle détestait. Mais sa décision à elle ne devait dépendre que de son jugement et de sa conscience. Elle devait agir pour le bien public et non pour favoriser son ambition personnelle.

Pouvait-elle à la fois signer, c'est-à-dire trahir, et garder de l'estime pour elle-même ? Mais il fallait mettre de côté toute considération personnelle et ne prendre en compte que les faits.

Comme Christian Klee et tant d'autres, elle avait remarqué à quel point Kennedy avait changé après la mort de sa femme. Il avait perdu toute énergie. Comme tout le monde, Helen Du Pray savait qu'un président ne peut valablement exercer ses fonctions qu'en établissant un consensus avec le Congrès. Il faut courtiser, cajoler et parfois distribuer quelques coups de pied. Il faut courtiser, cajoler et parfois distribuer quelques coups de pied. Il faut séduire, infiltrer et déjouer les manœuvres de la bureaucratie. Il faut que le gouvernement marche au doigt et à l'œil, et que le cabinet personnel du président joue tout à la fois les Attila et les Salomon. Il faut marchander, punir et récompenser. Dans les hautes sphères de l'État, chacun doit pouvoir se dire : «C'est bon pour le pays et c'est bon pour moi.»

En n'agissant pas ainsi, Kennedy n'avait pas été à la hauteur de sa tâche de président; en cela aussi il était trop en avance sur son temps. Son cabinet personnel aurait dû agir en conséquence. Un homme aussi intelligent que Kennedy aurait dû agir en conséquence. Et pourtant, elle sentait chez Kennedy une manière d'extrémisme moral, une volonté de parier de façon insensée sur le bien contre le mal.

Elle espérait, elle voulait croire qu'il n'était pas en train de régresser vers une sorte de sentimentalité féminine, et que la dérive de sa politique ne s'expliquait pas par la mort de sa femme. Mais les hommes hors du commun, comme Kennedy, peuvent-ils basculer simplement à cause d'une tragédie personnelle ? La réponse est oui, bien sûr.

Helen Du Pray était un véritable animal politique, mais d'après elle, Kennedy était loin de posséder un tel tempérament. C'était plus un professeur, un scientifique, un universitaire. Il était trop idéaliste ; c'était, au meilleur sens du terme, un homme naïf.

Les deux chambres du Congrès avaient déclaré la guerre au gouvernement, et comme il est d'usage en pareil cas, l'avaient gagnée. Voilà une chose qui ne lui arriverait pas.

Elle ramassa alors la déclaration, sur son bureau, et se mit à l'étudier. L'affaire était présentée de la façon suivante : Francis Xavier Kennedy n'était plus capable d'exercer les devoirs de sa charge en raison d'un dérangement mental de caractère temporaire. C'est ainsi que la décision de détruire Dak et de menacer d'anéantir un pays souverain était parfaitement irrationnelle, elle apparaissait comme tout à fait disproportionnée par rapport à la provocation, et constituait un dangereux précédent susceptible de dresser l'opinion internationale contre les États-Unis.

Mais face à cela, il y avait l'argumentation de Kennedy, telle qu'il l'avait présentée lors de la réunion avec les membres du gouvernement et son cabinet particulier : il s'agissait d'un complot international. Le pape, puis la fille du président des États-Unis avaient été assassinés, un certain nombre d'otages étaient encore retenus, et la situation pouvait durer pendant des semaines et même des mois. Et les États-Unis devraient libérer l'assassin du pape. Quelle perte immense d'autorité pour le pays le plus puissant de la planète, pour le chef de file de la démocratie, et, bien sûr, du capitalisme démocratique.

Comment, dès lors, affirmer que la riposte du président n'était pas la bonne ? Il est sûr que si Kennedy ne bluffait pas, ses mesures se révéleraient payantes. Le sultan du Sherhaben serait mis à genoux. Où donc se trouvaient les vraies valeurs ?

Argument : Kennedy avait pris sa décision sans consulter véritablement ni le gouvernement, ni son cabinet particulier, ni les principaux dirigeants du Congrès. C'était très grave. Il y avait là un danger potentiel. Le président donnait l'impression de se comporter comme un chef de bande ordonnant une vendetta.

Il savait bien que personne ne serait d'accord. Mais il était convaincu d'avoir raison. Le temps manquait. On retrouvait en ces circonstances l'esprit de décision dont faisait preuve Francis Kennedy avant de devenir président.

Contre-argument : il avait agi dans le cadre des pouvoirs qui lui étaient conférés en tant que chef de l'exécutif. Sa décision était légale. La déclaration réclamant sa suspension n'avait été signée par aucun membre de son cabinet particulier, c'est-à-dire les gens qui lui étaient le plus proches. L'accusation d'instabilité mentale était affaire d'opinion et ne reposait que sur la décision politique qu'il avait prise. Donc, cette déclaration d'incompétence était une tentative illégale pour contourner l'autorité de l'exécutif. Le Congrès n'était pas d'accord avec la décision prise et cherchait donc à s'y opposer en suspendant le président. Cela constituait une violation flagrante de la Constitution.

L'affaire se présentait donc en ces termes, d'un point de vue à la fois moral et juridique. Elle devait prendre sa décision en tenant compte, aussi, de son intérêt, ce qui en matière de politique, n'est pas déraisonnable.

Elle connaissait la procédure. Le gouvernement avait signé, en sorte que si elle signait à son tour, elle devenait présidente des États-Unis. Kennedy signerait alors une contre-déclaration, et elle redeviendrait vice-présidente. Le Congrès serait alors réuni, et à la majorité des deux tiers déciderait de suspendre le président ; elle serait à nouveau présidente, au moins pendant trente jours, jusqu'à la fin de la crise.

Elle serait, pendant quelque temps, la première femme présidente des États-Unis. Peut-être même jusqu'à la fin du mandat de Kennedy, c'est-à-dire jusqu'au mois de janvier. Mais elle ne se faisait guère d'illusions. Après cela, elle n'obtiendrait pas l'investiture de son parti.

Elle ne deviendrait présidente que par la grâce de ce que certains verraient comme une trahison de femme. Les clichés avaient la vie dure, et l'on ne cessait d'accuser les femmes d'avoir causé la perte des grands hommes ; elle risquait d'en conforter un autre : on ne peut jamais faire confiance à une femme. On la jugerait « infidèle », éternel péché de la femme que l'homme jamais ne pardonne. Et elle trahirait le grand mythe national des Kennedy.

Un sourire éclaira alors son visage lorsqu'elle se rendit compte que dans sa situation, elle n'avait rien à perdre en refusant de signer la déclaration.

L'action du Congrès ne serait pas entravée.

Le Congrès, agissant peut-être illégalement sans sa signature, suspendrait Kennedy et elle deviendrait présidente des États-Unis. Mais elle aurait fait la preuve de sa « fidélité », et si Kennedy retrouvait ses pouvoirs au bout de ses trente jours de suspension, il continuerait de lui apporter son soutien. Pour obtenir l'investiture démocrate aux prochaines élections, elle bénéficierait encore de l'appui du clan Kennedy. Quant au Congrès, quoi qu'elle fît, il était son ennemi.

Les choses lui apparaissaient avec de plus en plus de clarté. Si elle signait cette déclaration, l'électorat ne le lui pardonnerait jamais, et la classe politique la mépriserait. Si elle devenait présidente, cette même classe politique chercherait de toute façon à entraver son action.

Ils mettraient certainement ses insuffisances politiques sur le compte de son cycle menstruel, ce qui inspirerait les caricaturistes de tout le pays.

Sa décision était prise. Elle ne signerait pas la déclaration. Elle ferait ainsi la preuve de sa loyauté et de son absence d'ambition personnelle.

Elle commença alors de rédiger le brouillon d'une déclaration dont son chef de cabinet tirerait une version définitive. Elle expliquerait qu'en son âme et conscience, elle ne pouvait signer un document qui lui conférait automatiquement d'aussi hautes fonctions. Dans cette lutte, elle entendait demeurer neutre. Mais même cela pouvait se révéler dangereux. Elle froissa la feuille de papier. Elle refusait tout simplement de signer. Au Congrès de prendre ses responsabilités. Elle laissa un message à l'intention du sénateur Lambertino. Ensuite, elle appellerait d'autres parlementaires pour expliquer sa position. Mais rien par écrit.

Deux jours après avoir assassiné l'effigie en carton de Kennedy, David Jatney quitta l'université de Brigham. Mais il ne retourna pas chez lui, dans l'Utah, où ses parents, des mormons de stricte obédience, possédaient une chaîne de teintureries. Il savait, pour l'avoir déjà subi, le sort qui l'attendait là-bas. Le père estimait que son fils devait commencer au bas de l'échelle, et il lui avait fait trimbaler des ballots de linge sale sentant la sueur, des ballots qui semblaient peser des tonnes. Il éprouvait une profonde répugnance pour tous ces vêtements imprégnés de sueur et de crasse humaines.

Et comme la plupart des jeunes gens, il en avait marre de ses parents. C'étaient de braves gens, durs à la tâche, qui aimaient leur travail, leurs amis et la camaraderie de l'Église mormone. Mais son père et sa mère étaient pour lui les gens les plus ennuyeux du monde.

Et ils menaient aussi une existence heureuse, ce qui ne laissait pas d'irriter David. Lorsqu'il était petit, ses parents l'avaient adoré, mais il était devenu ensuite si difficile, qu'en plaisantant ils disaient souvent qu'on avait dû leur remettre un autre enfant à la maternité. Ils possédaient des vidéos de David à tous les âges de la vie : le petit bébé qui rampe sur le sol, le grand bébé qui trottine autour de la pièce, le petit garçon qu'on amène à l'école pour la première fois, son dernier jour d'école primaire, le jour de la distribution des prix, au collège, où il avait remporté un prix de composition anglaise, et puis lors de parties de pêche avec son père, ou de chasse avec son oncle.

Après son quinzième anniversaire, il refusa de se laisser filmer. Il était horrifié par la banalité de sa vie ainsi fixée sur pellicule ; il se sentait comme un insecte programmé pour une éternité de moments semblables. Il était bien décidé à ne jamais ressembler à ses parents, ne se rendant pas compte qu'il retombait là dans un autre lieu commun.

Physiquement, il ne ressemblait en rien à ses parents. Alors qu'ils étaient grands et blonds, puis plus massifs avec l'âge, David était mince, anguleux, et avait la peau sombre. Ses parents évoquaient ce contraste sur le mode de la plaisanterie, mais prédisaient qu'avec l'âge il finirait par leur ressembler, ce qui lui faisait horreur. Vers l'âge de quinze ans, il adopta à leur égard une froideur qu'ils ne purent feindre d'ignorer. Leur propre tendresse n'en fut pas diminuée, mais c'est avec soulagement qu'ils le virent partir pour l'université de Brigham Young.

Il était beau garçon avec ses cheveux noirs et brillants. Son visage était celui de l'Américain moyen : le nez droit, la bouche forte mais point trop généreuse, le menton volontaire sans être agressif. Au début, il semblait vif de corps et d'esprit. Lorsqu'il parlait, ses mains étaient sans cesse en mouvement. Ensuite, on le voyait sombrer dans une sorte de lassitude, d'ennui pesant.

À l'université, sa vivacité et son intelligence le firent apprécier de ses condisciples. Mais ses réactions étaient un peu bizarres, il se montrait presque toujours condescendant et parfois même insultant.

La vérité, c'est que David brûlait de devenir célèbre, d'être un héros, de faire savoir au monde qu'il était un être à part.

Avec les femmes il faisait preuve d'un mélange d'assurance et de timidité qui le rendait attirant au premier abord. Elles le trouvaient intéressant et il vécut ainsi quelques histoires d'amour. Mais elles ne durèrent jamais. Rapidement, il se révélait distant, rébarbatif ; après quelques semaines de vivacité et de bonne humeur, il se retranchait en lui-même. Même dans l'amour physique il semblait lointain, comme s'il ne voulait pas perdre la maîtrise de lui-même. Dans le domaine de l'amour, son plus grand défaut était de ne pas adorer l'être cher, pas même lorsqu'il lui faisait la cour ; et lorsqu'il faisait de son mieux pour tomber profondément amoureux, il avait l'air d'un valet qui se démène pour obtenir un pourboire généreux.

La politique, la question sociale l'avaient toujours intéressé. Comme beaucoup de jeunes gens, il méprisait l'autorité sous toutes ses formes ; ses études lui révélèrent que toute l'histoire de l'humanité n'était qu'une guerre sans fin entre une élite puissante et une multitude dépourvue de tout. S'il désirait la célébrité, c'était pour rejoindre le camp des puissants.

Tout naturellement, il fut choisi comme chasseur en chef pour le jeu annuel de l'université. Grâce à sa préparation minutieuse, il réussit à assassiner l'effigie en carton de Kennedy, dont il avait également dirigé la fabrication.

L'assassinat de l'effigie et le banquet de victoire qui s'ensuivit entraînèrent chez lui un dégoût pour la vie d'étudiant. Il était temps de faire carrière. Depuis toujours il écrivait des poèmes et tenait un journal dans lequel il pensait faire la preuve de son intelligence. Comme il était sûr d'être un jour célèbre, ce journal qu'il tenait en gardant un œil sur la postérité ne péchait pas par humilité. C'est ainsi qu'il écrivit : « Je quitte l'université, j'ai appris tout ce qu'on pouvait m'y apprendre. Demain je pars pour la Californie, pour voir si je peux réussir dans le monde du cinéma. »

À Los Angeles, David Jatney ne connaissait personne. Cela lui convenait bien. Dégagé de toute responsabilité, il pouvait se consacrer à ses pensées, à ses projets. La première nuit, il la passa dans un petit motel, et trouva le lendemain un petit studio à Santa Monica, moins cher qu'il ne l'avait craint tout d'abord. Il trouva ce studio grâce à la serveuse du café où il prit son premier petit déjeuner. David avait mangé frugalement – un verre de jus d'orange, un toast et du café – et la serveuse avait remarqué qu'il lisait les petites annonces immobilières du *Los Angeles Times*. Elle lui demanda s'il cherchait un logement et il répondit oui. Elle lui écrivit alors un numéro de téléphone sur un bout de papier et lui dit qu'il ne s'agissait que d'une seule pièce, mais que le loyer était raisonnable parce que les gens de Santa Monica s'étaient longtemps battus contre les propriétaires immobiliers et qu'ils avaient obtenu une loi limitant sévèrement les hausses de loyer. Santa Monica était une ville magnifique, et puis il ne se trouvait qu'à quelques minutes de la plage de Venice et de sa promenade, ce qui était bien agréable.

David, d'abord, se montra soupçonneux. Pourquoi cette femme qu'il ne connaissait pas se souciait-elle tant de lui ? Elle avait une allure maternelle, mais il flottait autour d'elle comme un air de sensualité. Bien sûr, elle était très vieille, elle devait avoir au moins quarante ans. Mais elle ne semblait pas avoir de visée sur lui. Et lorsqu'il partit, elle lui souhaita un amical au revoir. Il ne devait pas tarder à apprendre qu'en Californie les gens se conduisent souvent ainsi. Ce soleil permanent semblait les adoucir.

David était venu en Californie au volant de la voiture que ses parents lui avaient donnée pour l'université. Il y avait entassé toutes ses possessions, sauf la guitare dont il avait essayé d'apprendre à jouer et qu'il avait renvoyée en Utah. Son bien le plus important était une machine à écrire portative dont il se servait pour écrire son journal, des poèmes, des nouvelles et des romans. À présent qu'il se trouvait en Californie, il essayerait d'écrire son premier scénario.

Tout s'arrangeait avec facilité. Il obtint l'appartement, une petite pièce avec une douche mais sans baignoire. Avec ses rideaux à fanfreluches, et sur les murs des gravures représentant des tableaux célèbres, on eût dit une maison de poupée. La maison dans laquelle se trouvait son appartement appartenait à une rangée de bâtiments à deux étages derrière Montana Avenue, et il pouvait même garer sa voiture dans la rue. Il avait eu beaucoup de chance.

Il consacra les deux semaines suivantes à flâner sur le bord de mer à Venice, et poussa quelques reconnaissances jusqu'à Malibu pour voir comment vivaient les gens riches et célèbres. Derrière la barrière métallique séparant la plage publique de la colonie de Malibu, il apercevait la longue rangée de maisons de plage qui s'étendait vers le nord. Chacune de ces maisons valait au moins trois millions de dollars, et pourtant la plupart avaient l'air de bicoques bien ordinaires. En Utah, elles vaudraient moins de vingt mille dollars. Mais il y avait le sable, l'océan violet, l'azur du ciel, et les montagnes au loin, derrière la grande route côtière. Un jour, installé au balcon de l'une de ces maisons, il contemplerait lui aussi l'océan Pacifique.

Le soir, de retour dans sa chambre de poupée, il songeait à ce qu'il ferait quand il serait riche et célèbre. Il demeurait ainsi des nuits entières, sans dormir. Ce fut pour lui une période heureuse et solitaire.

Lorsqu'il appela ses parents pour leur indiquer sa nouvelle adresse, son père lui donna le numéro d'un de ses amis d'enfance, Dean Hocken, producteur de cinéma. David attendit une semaine avant de se résoudre à appeler. Une secrétaire lui demanda de patienter. Quelques instants plus tard, elle lui apprit que M. Hocken n'était pas là. David se dit qu'il avait été éconduit et éprouva un sentiment de rage envers son père, si bête et si naïf. Mais il accepta de donner son numéro de téléphone à la secrétaire. Une heure plus tard, alors qu'il remâchait encore sa rancœur, la sonnerie du téléphone retentit. C'était la secrétaire ; était-il libre le lendemain matin à onze heures ? Dans ce cas, M. Hocken l'attendait à son bureau. Elle lui laisserait un laissez-passer à la grille pour qu'il puisse gagner le bâtiment en voiture.

En raccrochant, David fut surpris par le sentiment de joie qui l'envahissait. Un homme qu'il n'avait jamais vu avait honoré une amitié d'enfance. Il eut alors honte de sa propre complaisance. Bien sûr, cet homme était sûrement une grosse légume, son temps était précieux, mais tout de même : il ne lui avait donné rendez-vous qu'à onze heures, ce qui voulait dire qu'il n'était pas invité à déjeuner. Une petite entrevue, voilà tout, histoire que le bonhomme ne se sente pas trop coupable. Histoire qu'en Utah, son vieux copain n'aille pas raconter qu'il avait la grosse tête. Un simple geste de politesse sans conséquence.

Mais le lendemain il en alla différemment. Le bureau de Dean Hocken, situé dans un bâtiment bas, était fort impressionnant. Dans une salle d'attente ornée de photos de vedettes de cinéma, se tenait une réceptionniste. Derrière la salle d'attente on devinait deux bureaux occupés par des secrétaires, puis un bureau plus grand, beaucoup plus grand. Cette dernière pièce était meublée magnifiquement avec des canapés et des fauteuils profonds, et un bar avec un grand réfrigérateur ; au mur, des toiles étaient accrochées. Dans un coin, on apercevait un bureau recouvert de cuir. Derrière le bureau, une photographie représentant Dean Hocken serrant la main du président Francis Xavier Kennedy. Il y avait aussi une table basse recouverte de magazines et de scénarios. Le bureau était vide.

– Monsieur Hocken sera là dans dix minutes, lui annonça la secrétaire qui l'avait fait entrer. Voulez-vous un café, ou un rafraîchissement ?

David refusa avec politesse. Il s'était aperçu que la jeune secrétaire lui avait lancé un regard appréciateur et il avait pris sa voix la plus mondaine. Il savait qu'il faisait bonne impression. Au premier abord, il plaisait aux femmes ; ce n'était qu'ensuite qu'elles ne l'aimaient plus. Mais peut-être était-ce parce que lui non plus, de son côté, ne les aimait plus quand il les connaissait mieux.

Au bout d'un quart d'heure, Dean Hocken entra dans le bureau par une porte dérobée. Pour la première fois de sa vie, David fut réellement impressionné. Voilà un homme qui avait l'air d'avoir réussi et qui semblait puissant ; tout son être exprimait chaleur et confiance en soi.

Dean Hocken était un homme grand, et David maudit sa petite taille. Il devait avoir l'âge du père de David, c'est-à-dire cinquante-cinq ans, mais il semblait incroyablement jeune. Il portait des vêtements décontractés mais sa chemise était d'un blanc immaculé. David n'avait jamais vu de blanc plus blanc. Sa veste, en lin, lui seyait à ravir. Son pantalon, également en lin, était d'un blanc cassé. Le visage de Hocken, dépourvu de rides, était délicatement bronzé par le soleil de la Californie.

Hocken était un homme affable. Avec beaucoup de diplomatie, il fit part de sa nostalgie pour les montagnes de l'Utah, la vie mormone, la paix et le silence de la vie à la campagne. Et il révéla également à David qu'il avait autrefois demandé la main de sa mère.

– Votre mère était ma petite amie et votre père me l'a enlevée. Mais votre père et votre mère s'aimaient beaucoup, et finalement cela a été une bonne chose. Ils sont heureux ensemble.

C'est vrai, se dit David, mon père et ma mère s'aiment pour de vrai, mais leur amour était si parfait qu'il l'avait exclu, lui. Pendant les longues soirées d'hiver, ils se réchauffaient dans le lit conjugal pendant que lui regardait la télévision. Mais c'était il y a longtemps.

– J'ai été marié quatre fois depuis que j'ai quitté l'Utah, poursuivit Hocken, et j'aurais été beaucoup plus heureux avec votre mère.

David guettait l'attitude égoïste, l'insinuation : votre mère aurait été plus heureuse avec moi, qui ai si bien réussi dans la vie. Mais ce fut en vain. Sous le poli californien, Dean Hocken était resté un gars de la campagne.

David écouta poliment et rit aux bons mots de son interlocuteur. Il l'appela « monsieur », jusqu'au moment où celui-ci lui demanda de l'appeler « Hock », ce qui fit qu'il se débrouilla pour ne plus avoir à le faire. Au bout d'une heure de discussion, Hocken regarda brusquement sa montre.

– C'est bien agréable de rencontrer quelqu'un du pays, mais je suppose que vous n'êtes pas venu ici pour me parler de l'Utah. Que puis-je faire pour vous ?

– J'écris, dit alors David. Les trucs habituels, un roman que j'ai jeté et quelques pièces de théâtre, je continue à me perfectionner.

Il n'avait jamais écrit de roman.

D'un signe de tête, Hocken montra qu'il appréciait sa modestie.

– Il faut faire vos preuves. Voilà ce que je peux faire pour vous : je peux vous trouver un boulot au service de lecture de la société. Vous lisez les scénarios, vous en faites un résumé et vous donnez votre opinion. Une demi-page par scénario. C'est comme ça que j'ai commencé. Vous rencontrerez des gens et vous apprendrez les rudiments du métier. C'est vrai que personne ne se soucie beaucoup de ce que vous écrivez, mais faites quand même de votre mieux. C'est un point de départ. Je vais préparer tout ça et l'une de mes secrétaires vous contactera d'ici quelques jours. Et puis dans quelque temps nous irons dîner ensemble. Transmettez mon bon souvenir à vos parents.

Puis Hocken raccompagna David à la porte. Ils ne déjeuneraient pas ensemble, se dit David, et le dîner serait renvoyé aux calendes grecques. Mais au moins il aurait un petit boulot, il mettrait un pied dans la place, et lorsqu'il aurait écrit ses scénarios tout changerait.

Le député Alfred Jintz et le sénateur Thomas Lambertino reçurent comme un soufflet l'annonce que la vice-présidente ne signerait pas la déclaration. Il n'y avait qu'une femme pour être aussi aveugle aux nécessités de la politique et aussi dépourvue d'habileté pour ne pas saisir la chance qui lui était offerte de devenir présidente des États-Unis. Ils agiraient donc sans elle. Sal Troyca avait eu raison ; il fallait sauter toutes les étapes intermédiaires. Le Congrès devrait se saisir lui-même de toute la procédure. Mais Lambertino et Jintz cherchaient tout de même un moyen de faire apparaître l'impartialité du Congrès. Ils ne s'aperçurent pas qu'à ce moment, Sal Troyca était tombé amoureux d'Elizabeth Stone.

« Ne jamais baiser une femme de plus de trente ans », tel était le credo de Sal Troyca. Mais pour la première fois, il se dit qu'il ferait bien une exception pour la directrice de cabinet du sénateur Thomas Lambertino. Elle était grande et souple, de beaux yeux gris et un visage apaisé. Elle était visiblement intelligente mais savait aussi garder le silence. Mais ce qui fit chavirer le cœur de Troyca, ce fut le regard qu'elle lui lança lorsqu'ils apprirent que Helen Du Pray refusait de signer la déclaration. C'était lui qui avait eu raison.

D'excellentes raisons venaient appuyer la décision de Sal Troyca. D'abord, les femmes n'aiment pas autant baiser que les hommes, elles courent plus de risques dans ce genre d'affaires. Mais avant trente ans elles ont plus de flamme et moins de cervelle. Après trente ans, elles commencent à devenir méfiantes, elles deviennent trop malignes, elles commencent à se dire que les hommes ont décidément ramassé la meilleure part du gâteau. Avec elles, on ne sait plus si c'est seulement une histoire de cul ou si on signe une promesse de mariage. Mais à la façon toute virginale de certaines femmes, Elizabeth affichait un mélange de réserve et de provocation sexuelle, et en outre elle avait plus de pouvoir que lui. Peu importait, dès lors, qu'elle approchât la quarantaine.

En discutant stratégie avec Alfred Jintz, Thomas Lambertino remarqua que Troyca s'intéressait à sa chef de cabinet. Cela lui était égal. Lambertino était un homme vertueux, marié depuis trente ans et père de quatre grands enfants. Il disposait d'une fortune personnelle et n'avait rien à se reprocher du point de vue financier. En matière de politique il était aussi irréprochable qu'on peut l'être aux États-Unis, mais il était réellement dévoué au bien public. Il est vrai qu'il était ambitieux, mais cela était au principe même de la vie politique. Sa vertu personnelle ne le rendait pas pour autant aveugle aux turpitudes de la société. Le refus de la vice-présidente avait stupéfié Jintz, mais Lambertino n'était pas aussi aisément surpris. Il avait toujours pensé que Helen Du Pray était une femme très intelligente. Il lui en voulait d'autant moins qu'à son avis aucune femme ne possédait le réseau d'appuis politiques, ni les circuits financiers nécessaires pour être élue à la présidence. Lors de la bataille pour l'investiture démocrate, elle ne serait pas une adversaire bien redoutable.

— Il faut agir rapidement, dit Lambertino. Le Congrès doit désigner un organe législatif ou judiciaire qui suspendrait le président. Il peut également s'autodésigner comme organe compétent.

— Pourquoi pas dix sénateurs choisis parmi les plus sages ? proposa Jintz avec un sourire narquois.

— Dans ce cas, pourquoi pas une commission de cinquante députés choisis parmi les moins idiots ? rétorqua Lambertino avec irritation.

— J'ai une surprise pour vous, monsieur le sénateur, lança alors Jintz à brûle-pourpoint. Je crois que je peux amener l'un des membres du cabinet particulier du président à signer la déclaration.

Ça, ça serait pas mal, songea Troyca. Mais qui ? Certainement pas Klee, ni Dazzy. Ce ne pouvaient être qu'Oddblood Gray, ou le type de la sécurité nationale, Wix. Non, se dit-il alors, Wix est au Sherhaben.

— Nous avons une tâche douloureuse à accomplir aujourd'hui, dit alors sèchement Lambertino. Une tâche historique. Nous ferions bien de nous y mettre sans tarder.

Troyca fut surpris que Lambertino ne demandât pas le nom de ce membre du cabinet particulier, mais peut-être préférait-il ne pas le savoir.

– Dans cette affaire, nous marchons main dans la main, dit Alfred Jintz à Lambertino, en lui offrant une poignée de main célèbre pour ce qu'elle signifiait d'engagement inébranlable.

« L'homme qui tient parole » : c'est ainsi qu'Alfred Jintz avait acquis une véritable stature dans sa fonction de président de la Chambre des représentants. La presse s'en faisait volontiers l'écho. Une poignée de main de Jintz valait bien un document signé des deux mains. Il avait l'allure d'un escroc alcoolique de bande dessinée, courtaud, rondouillard, le nez violacé, des cheveux blancs trop longs qui le faisaient ressembler à un sapin enneigé, et pourtant, d'un point de vue politique, on le considérait comme le parlementaire le plus honorable qui fût. Promettait-il une rallonge sur l'inépuisable budget de l'État ? Elle était accordée. L'un de ses confrères, auprès de qui il avait contracté une dette politique, désirait-il que tel projet de loi fût bloqué ? Il obtenait satisfaction. Mais tel autre parlementaire (échange de bons procédés) demandait-il au contraire qu'une loi fût adoptée ? Aussitôt dit, aussitôt fait ! Il est vrai qu'il livrait souvent des secrets à la presse, mais cela expliquait pourquoi celle-ci évoquait si souvent sa franche poignée de main.

À présent, Jintz allait devoir convaincre la Chambre des représentants de voter la suspension du président Kennedy. Des coups de téléphone par centaines, des promesses par dizaines, tout cela pour s'assurer au moins une majorité des deux tiers. Le Congrès suivrait, bien sûr, mais il faudrait payer le prix. Et tout cela devait être fait en moins de vingt-quatre heures.

En parcourant la longue suite de bureaux, Sal Troyca passait mentalement en revue tous les coups de téléphone qu'il devait donner et les documents qu'il devait préparer.

235

Il savait qu'il était en train de faire l'Histoire, mais il savait aussi que sa carrière pouvait être brisée net en cas de brusque retournement de situation. Il était stupéfait de voir que des hommes comme Jintz et Lambertino, qu'il méprisait secrètement, pouvaient avoir le courage de se mettre en première ligne. Ils prenaient de gros risques. En se fondant sur une interprétation discutable de la Constitution, ils allaient placer le Congrès en position de suspendre le président des États-Unis.

En passant au milieu des terminaux d'ordinateur, il bénit silencieusement ces machines. Comment diable faisait-on avant leur invention ? Arrivant à la hauteur d'une jeune secrétaire, il lui posa la main sur l'épaule, mais ce geste de franche camaraderie ne pouvait en aucun cas être confondu avec une manifestation de harcèlement sexuel.

– Ne prenez pas de rendez-vous, lui dit-il, nous allons travailler jusqu'à demain matin.

Le *New York Times Magazine* avait publié récemment un article sur les mœurs sexuelles de la colline du Capitole, où se trouvent rassemblés députés, sénateurs et leurs collaborateurs. On y faisait remarquer que sur les milliers de personnes travaillant là (dont cent sénateurs et quatre cent trente-cinq députés), plus de la moitié étaient des femmes.

D'après l'article, l'activité sexuelle de cette catégorie de citoyens était particulièrement intense. Les horaires contraignants, la tension permanente, tout cela expliquait que la vie mondaine de ces travailleurs politiques était plutôt réduite, et qu'ils devaient chercher une compensation sur les lieux mêmes de leur travail. D'ailleurs, révélait l'article, les bureaux des sénateurs et députés étaient équipés de lits. Des médecins étaient également présents en permanence, chargés de traiter discrètement les nombreuses maladies vénériennes. Les chiffres étaient évidemment confidentiels, mais selon le journaliste, le taux de ces maladies était plus élevé que la moyenne nationale. L'article attribuait cela moins à la promiscuité qu'à un environnement social de type incestueux. En conclusion, le journaliste se demandait si cette fornication effrénée ne nuisait pas au travail législatif des parlementaires.

Sal Troyca avait considéré cet article comme une attaque personnelle. Il travaillait en moyenne seize heures par jour, six jours par semaine, et le dimanche pouvait être appelé à n'importe quel moment. N'avait-il pas droit, comme n'importe quel citoyen, à une vie sexuelle normale ? Lui n'avait pas le temps de se rendre à des réceptions, de courtiser les femmes, de se consacrer à une relation féminine. Tout devait se passer là, dans le labyrinthe des bureaux et des couloirs, dans la lueur verte des écrans d'ordinateur et au milieu des sonneries impératives des téléphones. Il fallait arriver à ses fins en quelques minutes de badinage, un sourire complice, et en tenant compte des stratégies du travail. Cette saleté de journaliste du *Times*, lui, pouvait aller aux fêtes de journalistes, inviter des femmes à déjeuner, bavarder nonchalamment avec des collègues, et pouvait aller voir des putes sans une meute de journalistes à ses basques.

Une fois dans son bureau, Troyca se rendit dans la salle de bains et, avec un soupir de soulagement, s'installa sur le siège des toilettes, un stylo à la main. Rapidement, il écrivit la liste de ce qu'il avait à faire. Puis, après s'être lavé les mains, alla se préparer un gin-tonic. Il songea alors à Elizabeth Stone. Il était sûr qu'il n'y avait rien entre elle et son patron. Et elle était maligne, plus maligne que lui, puisqu'elle n'avait pas ouvert la bouche.

La porte de son bureau s'ouvrit alors, livrant le passage à la fille dont il avait tapoté l'épaule quelques instants auparavant. Elle apportait une pleine brassée de listings d'ordinateur, et Troyca s'assit à son bureau pour les examiner. Elle vint à ses côtés. Il sentait la chaleur de son corps, une chaleur née des longues heures qu'elle avait passées dans la salle des ordinateurs.

Troyca avait personnellement interrogé cette fille lorsqu'elle avait posé sa candidature pour le poste. Il disait souvent que si les filles gardaient la même apparence que le jour de leur première entrevue, il pourrait les mettre toutes dans *Playboy*. Et si elles demeuraient aussi douces et réservées, il les épouserait. Cette fille s'appelait Janet Wyngale, et elle était réellement belle. La première fois qu'il l'avait vue, un vers de Dante lui avait traversé l'esprit : « Voilà la déesse qui va me subjuguer. » Malheureusement, elle ne fut plus jamais aussi belle qu'en ce premier jour. Ses cheveux étaient toujours blonds, mais plus dorés ; ses yeux avaient toujours ce bleu stupéfiant, mais elle portait des lunettes, et sans son maquillage irréprochable, elle paraissait même presque laide. Ses lèvres non plus n'avaient plus cette magnifique couleur de cerise. Son corps n'était plus aussi voluptueux que ce fameux premier jour, ce qui était normal, car elle travaillait beaucoup et avait besoin de vêtements confortables pour être plus efficace. Mais malgré tout il avait pris une bonne décision : elle ne louchait pas.

Janet Wyngale se penchait par-dessus l'épaule de son patron pour lui montrer quelque chose sur les feuilles d'ordinateur. Elle se tenait à présent plus à côté de lui que derrière lui. Ses cheveux d'or lui balayaient la joue, doux comme de la soie et parfumés comme des fleurs.

– Votre parfum est délicieux, dit Troyca.

Il manqua frissonner lorsque la chaleur de son corps l'enveloppa tout entier. Elle ne bougeait pas et ne disait rien, mais sa chevelure semblait capter le désir qui envahissait peu à peu l'homme assis à côté d'elle. Toute la nuit, ils travailleraient ainsi sur leurs listings d'ordinateur, ils répondraient au téléphone ensemble. Ils lutteraient côte à côte.

Tenant les feuilles dans la main gauche, Troyca laissa sa main droite reposer contre la cuisse de la jeune femme. Elle ne bougea pas. Tous deux examinaient avec attention la liasse de feuilles. Il laissa sa main immobile, brûlante, contre le satin de la peau protégée par la jupe. Il ne se rendit pas compte que les feuilles étaient tombées sur le bureau. La chevelure aux senteurs florales balaya son visage, et Troyca glissa les mains sous la jupe, atteignant rapidement la chair satinée sous le nylon de la culotte. Troyca fut littéralement propulsé hors de son siège, il lui semblait léviter, immobile, se transformer en un nid d'aigle surnaturel dans lequel vint se blottir, avec un froissement d'ailes, la jeune Janet Wyngale. Miraculeusement, elle était assise sur son sexe, qui avait émergé de façon mystérieuse ; ils s'embrassèrent. Il enfouit son visage dans le parfum des fleurs blondes, tandis qu'elle répétait une phrase passionnée qu'il mit un certain temps à comprendre : « Ferme la porte. » Troyca libéra sa main gauche toute humide et appuya sur le bouton de commande de la porte qui se trouvait sur son bureau. Ils tombèrent tous deux sur le sol avec la grâce de deux oiseaux ; elle enserra la nuque de l'homme entre ses longues jambes, et quelque temps plus tard ils parvinrent ensemble à l'orgasme, tandis que Troyca ne cessait de répéter, au comble de l'extase : « oh ! que c'est bon ! oh ! que c'est bon ! »

Alors, comme par miracle, ils se retrouvèrent à nouveau assis, le feu aux joues, les yeux brillants, ragaillardis, joyeux, prêts à affronter les longues heures de travail qui les attendaient. Galamment, il lui offrit son verre de gin-tonic, avec les glaçons tintinnabulants. Avec gratitude, elle humecta ses lèvres sèches.

– C'était merveilleux, dit Troyca avec sincérité.

Elle l'embrassa en lui passant la main autour du cou.

– C'était magnifique.

Quelques instants plus tard, ils étaient de nouveau installés derrière le bureau, examinant chiffres et phrases avec la plus grande attention. Janet était une rédactrice des plus compétentes. Troyca, de son côté, éprouvait une immense gratitude.

– Janet, je suis vraiment fou de toi, dit-il avec sincérité. Dès que cette crise sera terminée, on se revoit, d'accord ?

– Mmmmm, dit-elle avec un chaud sourire. J'adore travailler avec toi.

12

Ce fut une semaine de gloire pour la télévision. Le dimanche, la nouvelle de l'assassinat du pape avait été annoncée des dizaines de fois sur toutes les chaînes. Le mardi, le meurtre de Theresa Kennedy avait été encore plus diffusé, et les images faisaient inlassablement le tour de la planète.

Le visage de Yabril, faucon dans le désert planant au-dessus des otages, pénétra dans tous les foyers des États-Unis. Il devint le monstre mythique des informations télévisées, le cauchemar récurrent venu hanter les nuits de millions d'Américains. Les messages de condoléances affluaient à la Maison-Blanche. Dans toutes les grandes villes, des gens descendaient dans la rue avec un brassard noir en signe de deuil. Aussi, lorsque le mercredi la télévision révéla l'ultimatum lancé par le président Kennedy au sultan du Sherhaben, des foules immenses se rassemblèrent dans les rues pour acclamer le président. Les journalistes de télévision qui interrogeaient ces gens dans les rues furent stupéfaits par la férocité de leurs propos. L'opinion semblait unanime : « Il faut balancer une bombe atomique sur ces salopards. » Puis, brutalement, l'ordre vint des directeurs de chaînes : Plus de couverture des manifestations de rues et plus d'interviews. L'ordre, en fait, venait d'encore plus haut, de Lawrence Salentine, qui avait formé un véritable comité avec d'autres propriétaires d'organes de presse.

À la Maison-Blanche, le président Francis Kennedy n'avait pas le temps de pleurer sa fille. Il était en liaison téléphonique permanente avec les chefs d'États du monde entier pour les rassurer : il n'y aurait pas de modifications territoriales au Moyen-Orient, mais aussi pour les persuader de sa détermination : il ne bluffait pas, Dak serait détruite, et si le sultan du Sherhaben ne cédait pas à l'ultimatum, l'État du Sherhaben lui-même serait détruit.

Arthur Wix et Bert Audick étaient déjà en route pour le Sherhaben, à bord d'un avion extrêmement rapide, dont ne disposait pas encore l'aviation commerciale. Oddblood Gray essayait désespérément de rallier le Congrès aux vues du président, mais à la fin de la journée il dut s'avouer vaincu. Eugene Dazzy, lui, lisait posément tous les rapports établis par les ministres et les plus hautes autorités militaires, le baladeur fermement fixé sur les oreilles pour décourager toute tentative d'interruption. Quant à Christian Klee, il apparaissait et disparaissait de la plus mystérieuse façon.

Thomas Lambertino et Alfred Jintz multiplièrent toute la journée les réunions avec leurs homologues du Sénat et de la Chambre des représentants. Le club Socrate battit le rappel de ses troupes au Congrès. On admettait bien qu'en se désignant lui-même comme compétent pour suspendre le président, le Congrès se livrait à une interprétation un peu tordue de la Constitution, mais les circonstances étaient exceptionnelles : l'ultimatum de Kennedy au Sherhaben était visiblement dicté par l'émotion personnelle et non par l'intérêt supérieur de l'État.

Le mercredi en fin de journée, la coalition était formée. Les deux chambres (la majorité des deux tiers y était tout juste réunie) devaient siéger le jeudi pendant la nuit, quelques heures seulement avant l'expiration de l'ultimatum.

Lambertino et Jintz informaient constamment Oddblood Gray de l'évolution de la situation, dans l'espoir qu'il parviendrait à convaincre Kennedy d'annuler l'ultimatum. Oddblood Gray, lui, leur assurait que le président ne reviendrait jamais sur sa décision. Ensuite, il transmit ses informations à Kennedy.

– Otto, répondit le président, je crois que ce soir Klee, Dazzy, vous et moi devrions dîner ensemble. Disons vers onze heures. Et ne prévoyez pas de rentrer chez vous aussitôt après.

Le président et ses conseillers dînèrent dans le salon jaune, le préféré de Kennedy, bien que cela occasionnât un surcroît de travail aux cuisiniers et aux serveurs. Comme d'habitude, le dîner fut très simple pour Kennedy : un petit steak grillé, des tomates finement coupées, puis un café accompagné d'un assortiment de crèmes et de tartes aux fruits. Les autres se virent offrir également du poisson. Ils ne mangèrent que du bout des lèvres.

À la différence des trois autres, Kennedy semblait parfaitement à l'aise. Tous, comme le président, portaient un brassard noir sur la manche. Tout le monde à la Maison-Blanche, y compris les serviteurs, portait ce même brassard noir, ce qui semblait à Klee parfaitement archaïque. Il savait que c'était Eugene Dazzy qui était à l'origine de la circulaire rendant obligatoire l'usage du brassard de deuil.

– Christian, dit Kennedy, je crois qu'il est temps de partager notre problème avec nos amis. Mais ça ne doit pas aller plus loin. Je ne veux pas de rapport écrit.

Christian Klee exposa alors ce qu'il en était de la

menace nucléaire, et leur apprit que sur le conseil de leur avocat, les deux jeunes gens avaient refusé de parler.

– Il y a une bombe atomique dissimulée à New York ? s'exclama Oddblood Gray d'un air incrédule. C'est incroyable ! Tout ce merdier en même temps !

– Etes-vous sûr qu'ils avaient vraiment dissimulé une bombe ? demanda Dazzy.

– À mon avis, dit Klee, il n'y a que dix pour cent de risques.

En fait, il estimait la probabilité à quatre-vingt-dix pour cent, mais il préférait ne pas le dire.

– Que comptez-vous faire ? demanda Dazzy.

– Nous avons mis sur l'affaire les équipes de détection nucléaire, mais le temps nous est compté. (Il se tourna alors vers Kennedy.) J'ai besoin de votre signature pour l'interrogatoire médical.

Il expliqua alors la teneur des dispositions secrètes contenues dans la loi sur la sécurité nucléaire.

– Non, répondit Francis Kennedy.

La stupéfaction fut générale.

– On ne peut pas courir ce risque, dit Dazzy, il faut que vous signiez cette autorisation.

– Qu'un représentant de l'État puisse pénétrer par effraction dans le cerveau d'un citoyen ! dit Kennedy en souriant. Vous vous rendez compte du danger que cela représente ? Nous ne pouvons sacrifier ainsi une liberté individuelle sur un simple soupçon. Surtout celle de citoyens aussi potentiellement importants que ces jeunes gens. Christian, lorsque vous disposerez de faits nouveaux, vous pourrez représenter votre demande. (Puis, se tournant vers Oddblood Gray:) Otto, racontez à Christian et à Eugene ce qui se passe au Congrès.

– Voilà leur plan, dit Gray. Ils savent maintenant que la vice-présidente ne va pas signer la déclaration visant à vous suspendre en vertu du vingt-cinquième amendement. Mais il y a suffisamment de ministres qui ont signé pour qu'ils puissent entreprendre une action. Le Congrès va donc se déclarer lui-même compétent pour prononcer votre incapacité à remplir les devoirs de votre charge. Les deux chambres se réuniront jeudi en fin de journée pour voter la suspension. Ils visent avant tout à vous retirer le pouvoir de négocier la libération des otages. Leur argument, c'est que vous êtes sous le choc de la mort de votre fille.

« Dès votre suspension, le ministre de la Défense rapportera votre ordre de bombarder Dak. Ils comptent sur Bert Audick pour convaincre le sultan de libérer les otages au cours de cette période de trente jours. Le sultan acceptera certainement.

Kennedy se tourna vers Dazzy.

– Préparez une directive présidentielle. Aucun membre du gouvernement ne prendra contact avec le Sherhaben. Toute désobéissance serait considérée comme un acte de haute trahison.

– La plupart des ministres sont contre vous, dit doucement Dazzy, vos ordres n'ont aucune chance d'être obéis. En ce moment, vous ne disposez plus d'aucun pouvoir.

Le président se tourna alors vers Christian Klee.

– Christian, il leur faut une majorité des deux tiers pour me suspendre, c'est ça ?

– Oui, dit Klee. Mais sans la signature de la vice-présidente, une telle mesure est illégale.

Kennedy plongea le regard dans celui de son ministre.

– Pouvez-vous faire quelque chose ?

Un signal retentit dans l'esprit de Klee. Francis pensait qu'il pouvait faire quelque chose, mais quoi ?

– Nous pouvons faire appel à la Cour suprême, dit Klee d'une voix hésitante, et leur demander de statuer sur l'inconstitutionnalité de la décision du Congrès. Les termes du vingt-cinquième amendement sont plutôt vagues. Ou nous pouvons faire valoir que le Congrès agit en contradiction avec l'esprit du vingt-cinquième amendement en se constituant lui-même en chambre d'accusation après que la vice-présidente a refusé de signer. Je peux réunir la Cour suprême de façon à ce qu'elle statue aussitôt après le vote du Congrès.

En voyant une lueur de déception dans les yeux de Kennedy, Christian Klee se mit à réfléchir furieusement. Quelque chose lui échappait.

Oddblood Gray, lui, semblait inquiet.

– Le Congrès va mettre en doute votre équilibre mental. Ils ne cessent de faire référence à cette semaine où vous avez disparu, aussitôt avant votre prise de fonctions.

– Ça ne regarde personne, riposta Kennedy.

Klee se rendit compte que les autres attendaient qu'il s'exprimât. Ils savaient qu'il se trouvait avec le président au cours de cette mystérieuse semaine.

– Ce qui s'est passé au cours de cette semaine ne peut pas nous faire de tort, déclara-t-il.

– Eugene, dit alors Kennedy, préparez les documents pour le limogeage de tout le gouvernement, sauf Theodore Tappey. Dès que ça sera prêt je les signerai. Dites au porte-parole de la présidence d'annoncer la nouvelle à la presse avant la réunion du Congrès.

Eugene Dazzy prit des notes, puis demanda :

– Et le chef d'état-major interarmes ? Limogé lui aussi ?

– Non, dit Kennedy. Au fond, il est d'accord avec nous. Les autres ont agi sans son accord. De toute façon, le Congrès n'aurait pas pu agir de cette façon s'il n'y avait pas derrière ces salopards du club Socrate.

– J'ai procédé à l'interrogatoire des deux jeunes gens, dit Klee. Ils ont décidé de garder le silence. Et si leur avocat maintient cette ligne de conduite, ils seront libérés sous caution dès demain.

– Il y a une disposition de la loi sur la sécurité nucléaire qui vous permet de les garder en détention, dit sèchement Dazzy. Elle suspend l'habeas corpus et les libertés civiles. Vous devez le savoir, Christian.

– D'abord, dit Klee, à quoi sert-il de les garder si Francis refuse de signer l'ordre d'interrogatoire médical ? Leur avocat va demander la liberté sous caution, et si nous la refusons, nous avons également besoin de la signature du président pour suspendre l'habeas corpus. Francis, êtes-vous disposé à signer un ordre de suspension de l'habeas corpus ?

– Non, dit Kennedy en souriant, le Congrès s'en servirait contre moi.

Christian Klee se sentait à présent rassuré. Pourtant, pendant un moment, une nausée le submergea et un goût de bile envahit sa bouche. Puis tout cela disparut. Il avait compris ce que voulait Kennedy, il savait ce qu'il avait à faire.

Tous les hommes présents sirotaient leur café.

– Serai-je encore président dans quarante-huit heures ? demanda brusquement Kennedy.

– Annulez l'ordre de bombarder Dak, dit Oddblood Gray, confiez la négociation à une cellule de crise, et le Congrès ne cherchera pas à vous suspendre.

– Qui vous a proposé ce marché ? demanda Kennedy.

– Un sénateur et un député : Lambertino et Jintz. Lambertino est un brave type et Jintz est un homme responsable. Ils ne nous doubleraient pas.

– Bon, d'accord, c'est une autre possibilité, dit Kennedy. Il y a donc ça et en appeler à la Cour suprême. Quoi d'autre ?

– Appelez-en directement au peuple à la télévision, avant que le Congrès ne se réunisse, dit Dazzy. Le peuple vous soutiendra et ça pourra faire reculer le Congrès.

– D'accord, dit Kennedy. Eugene, voyez ça avec les directeurs de chaînes: je n'ai besoin que de quinze minutes.

– Francis, dit Dazzy avec une certaine douceur, c'est une décision extrêmement grave. Le président et le Congrès sont en conflit ouvert, et le président en appelle à l'opinion publique pour trancher. Ça peut déboucher sur quelque chose d'extrêmement grave.

– Et ce Yabril va nous manœuvrer pendant des semaines, et les États-Unis auront l'air de quoi, je vous le demande!

– La rumeur court, dit Christian Klee, qu'un membre du cabinet personnel, présent dans cette salle, ou bien Arthur Wix, va signer la déclaration réclamant la suspension du président. Si cela est vrai, il faut qu'il s'explique maintenant.

– Cette rumeur est une absurdité, dit Kennedy avec impatience. Si l'un d'entre vous comptait agir ainsi, il aurait déjà démissionné. Je vous connais tous trop bien... aucun d'entre vous ne me trahirait.

Après le dîner, le président et ses conseillers se rendirent dans la petite salle de projection qui se trouvait de l'autre côté de la Maison-Blanche. Kennedy avait expliqué à Dazzy qu'il voulait que tout le monde assiste au reportage filmé sur l'assassinat de sa fille.

Pendant quelques secondes, l'écran de cinéma fut strié de lignes noires.

Puis l'écran s'illumina, et l'image d'un avion cloué sur le sable du désert apparut. Zoom des caméras sur Yabril présentant Theresa dans l'encadrement de la porte. Kennedy regarda à nouveau sa fille sourire et adresser un geste aux caméras de télévision. Le geste était étonnant, il visait à rassurer et en même temps il était le fruit d'une volonté étrangère. Yabril se tenait à côté d'elle, et ensuite légèrement de retrait. Puis ce fut le mouvement du bras droit, le pistolet qu'on ne voyait pas, le bruit sourd de la détonation, l'éclaboussure rose et le corps de Theresa qui tombe en avant. Dans la clameur de la foule, Kennedy reconnut l'horreur et non le triomphe. Alors, la silhouette de Yabril apparut dans l'encadrement de la porte. Il tenait son pistolet en l'air et l'on apercevait le tube de métal noir et luisant. Il le brandissait comme un gladiateur brandit son glaive, mais ne suscitait aucun applaudissement. Le film se termina. Eugene Dazzy avait procédé à de sévères coupures.

Les lumières se rallumèrent, mais Kennedy demeura immobile. Une faiblesse familière s'était abattue sur son pauvre corps. Il ne pouvait bouger ni les jambes ni le torse. Mais l'esprit était clair, le cerveau fonctionnait. Il n'était pas terrassé comme la victime de la tragédie. Il n'avait à lutter ni contre le Destin ni contre Dieu. Il n'avait en face de lui que des ennemis en chair et en os, et il les vaincrait.

Aucun mortel ne l'emporterait sur lui. Lorsque sa femme était morte, il n'avait eu aucun recours contre la volonté de Dieu, contre les arrêts de la nature. Il s'était incliné. Mais il pouvait punir le mal, venger la mort de sa fille assassinée par la main de l'homme. Cette fois-ci, il ne courberait pas la tête. Malheur à ce monde-là, à ses ennemis, malheur aux méchants !

Lorsqu'il put à nouveau se mouvoir et quitter son fauteuil, il adressa un sourire à ses conseillers. Il avait accompli son devoir. Il avait fait souffrir avec lui ses amis les plus proches et les plus puissants. Il ne leur serait plus aussi facile de s'opposer aux mesures qu'il devait prendre.

Kennedy quitta la pièce, laissant derrière lui ses

conseillers silencieux. On eût dit qu'il flottait dans la pièce comme une odeur de soufre, née de l'usage dévoyé de la force. La terreur jaillie du désert du Sherhaben s'était imposée à eux.

Mais ce qu'ils ne disaient pas, c'est qu'à présent leur principal sujet d'inquiétude n'était pas Yabril mais Francis Kennedy.

Ce fut Oddblood Gray qui rompit le silence.

– Croyez-vous que le président soit devenu un peu fou ?

Eugene Dazzy secoua la tête.

– Cela n'a pas d'importance. Peut-être que nous sommes tous un peu fous. À présent, il faut le soutenir. Il faut gagner.

Le Dr Zed Annaccone était l'un de ces hommes minces et pourtant larges d'épaules. Il avait le regard extraordinairement vif, et l'arrogance qu'on croyait lire parfois sur son visage n'était en fait que la certitude intime d'un homme persuadé d'en savoir plus que tout le monde sur les grands problèmes de l'humanité. Ce qui était assez vrai.

Le Dr Annaccone était le conseiller médical du président des États-Unis. Il était également directeur de l'Institut national de la recherche sur le cerveau, et directeur administratif du Conseil médical consultatif de la Commission à la sécurité nucléaire. Un jour, lors d'une réception à la Maison-Blanche, Klee l'avait entendu déclarer que le cerveau était un organe si complexe qu'il pouvait produire toutes les substances chimiques dont l'organisme avait besoin. « Et alors ? » s'était dit Klee.

Lisant dans son esprit, le médecin lui avait tapoté l'épaule.

– Ce fait à lui tout seul est plus important pour la civilisation que tout ce que vous pouvez faire à la Maison-Blanche. Tout ce qu'il nous faut pour le prouver, c'est un milliard de dollars. Après tout, qu'est-ce que c'est ? Un avion gros porteur !

Et il avait souri à Klee pour montrer que son propos n'avait rien d'offensant.

À présent, il souriait encore tandis que Klee pénétrait dans son bureau.

– Alors, dit le Dr Annaccone, les juristes finissent par venir me voir. Vous vous rendez compte que votre philosophie est directement attaquée ?

Klee savait que le Dr Annaccone allait faire une plaisanterie sur les professions juridiques et cela l'agaçait un peu. Pourquoi les gens se croyaient-ils toujours obligés de blaguer les avocats ?

– Ah, la vérité ! reprit le Dr Annaccone en souriant. Les avocats cherchent toujours à l'obscurcir tandis que nous, les scientifiques, nous cherchons à la révéler.

– Non, non, dit Klee en souriant lui aussi pour prouver qu'il avait le sens de l'humour. Je suis venu chercher une information. La situation nous oblige à procéder à cette investigation particulière prévue par la loi sur la sécurité nucléaire.

– Vous savez qu'il faut pour cela la signature du président, dit le Dr Annaccone. Personnellement, j'utiliserais ce TVP dans de nombreuses situations, mais les défenseurs des libertés civiles ne me louperaient pas.

– Je sais, dit Klee.

Il lui raconta alors l'affaire de la bombe atomique dissimulée à New York, et l'arrestation de Gresse et Tibbot.

– Personne ne croit qu'ils aient vraiment placé une bombe quelque part, mais si jamais c'est vrai, alors il faut faire vite. Et le président refuse de signer l'ordre d'interrogatoire médical.

– Pourquoi ? demanda le Dr Annaccone.

– À cause des lésions au cerveau qui peuvent résulter de cet interrogatoire.

Annaccone sembla surpris.

– Avec le TVP, les risques de lésions graves au cerveau sont très réduits. Peut-être dix pour cent. Le plus grand danger est celui d'un arrêt cardiaque et plus rarement d'une perte totale de la mémoire. Une amnésie complète. Mais dans une affaire de cette importance, cela ne devrait pas l'arrêter. J'ai envoyé à ce sujet des papiers au président. J'espère qu'il les a lus.

– Il lit tout, dit Klee, mais j'ai peur que cela ne le fasse pas changer d'avis.

– Dommage que nous n'ayons pas plus de temps, dit le Dr Annaccone. Nous sommes en train de mettre au point un protocole basé sur la mesure informatique des modifications chimiques à l'intérieur du cerveau, et qui détectera le mensonge de façon infaillible. Ce nouveau test est très semblable au TVP, mais sans les dix pour cent de risques. Mais on ne peut pas l'utiliser maintenant ; il y aurait trop d'éléments de doute jusqu'à ce qu'on ait réuni les éléments nécessaires pour répondre aux normes juridiques.

Klee ne cacha pas son intérêt.

– Un détecteur de mensonges sûr, infaillible, qui serait recevable en justice ?

– Recevable en justice, je n'en sais rien. Scientifiquement, lorsque nos tests auront été soigneusement analysés par ordinateur, ce nouveau détecteur cérébral de mensonge sera aussi infaillible que l'ADN et les empreintes digitales. Ça c'est une chose. Mais que ça passe au niveau légal, c'en est une autre. Les groupes de défense des libertés civiles vont combattre ce test avec acharnement. Ils sont persuadés qu'un homme ne doit pas être amené à témoigner contre lui-même. Et combien de parlementaires vont apprécier l'idée qu'eux-mêmes pourraient être un jour soumis à ce test en matière pénale ?

252

– Moi, par exemple, dit Klee, je n'aimerais pas y être soumis.

Annaccone se mit à rire.

– Le Congrès signerait son propre arrêt de mort politique. Et pourtant, où se trouve la véritable logique ? Nos lois ont été conçues pour empêcher que les aveux puissent être obtenus par des moyens douteux. Pourtant, la science c'est ça. (Il s'interrompit un instant.) Et les hommes d'affaires, voire les maris et les femmes infidèles ?

– C'est assez effrayant, reconnut Klee.

– Mais d'un autre côté, reprit le Dr Annaccone, il y a ces vieux dictons : « La vérité rend libre. La vérité c'est l'essence de la vie. La recherche de la vérité est l'idéal le plus élevé de l'humanité. » (Le Dr Annaccone se mit à rire.) Je parie que lorsque nos tests seront prêts, le budget de mon institut sera sévèrement réduit.

– On entre là dans le domaine de ma compétence, dit Christian Klee. On rédige une loi prévoyant que votre test ne pourra être utilisé que dans les affaires criminelles les plus graves ; seule la Justice pourra l'utiliser. On prévoit un contrôle sévère, comme pour les narcotiques et la fabrication des armes. Si vous, vous pouvez prouver la valeur scientifique de ce test, moi je peux préparer le cadre légal. Mais au fait… comment ça marche ?

– Ce nouveau TVP ? C'est très simple. Physiquement, il n'y a pas de traumatisme. Pas de chirurgien avec un scalpel à la main. Pas de cicatrice. Simplement une petite injection d'un produit chimique dans le cerveau par le circuit veineux. Une sorte d'autosabotage chimique.

– Pour moi, c'est de la sorcellerie. Vous devriez être en prison avec ces deux jeunes physiciens.

Le Dr Annaccone éclata de rire.

– Aucun rapport. Ces deux gars veulent faire exploser la planète, moi je cherche à atteindre la vérité intérieure, ce que l'homme pense réellement, ce qu'il ressent réellement.

Mais même le Dr Annaccone savait qu'un détecteur cérébral de mensonge cela voulait dire des ennuis au point de vue juridique.

– Ce sera peut-être la découverte médicale la plus importante de notre temps, dit le docteur. Imaginez que nous puissions lire dans le cerveau. Tous vos avocats seront au chômage.

– Croyez-vous qu'il soit vraiment possible de savoir comment fonctionne le cerveau ?

Le Dr Annaccone haussa les épaules.

– Non. Si le cerveau était aussi simple, nous serions nous-mêmes trop simples pour l'expliquer. (Il adressa un nouveau sourire à Klee.) Notre cerveau ne rejoindra jamais le cerveau. Et à cause de ça, peu importe ce qui peut arriver, l'homme ne sera jamais qu'une forme supérieure d'animal.

Cette constatation semblait le réjouir. Puis il poursuivit son raisonnement, de façon plus abstraite.

– Vous savez, selon les mots de Koestler, qu'il y a « un fantôme dans la machine ». L'homme, en fait, a deux cerveaux, le cerveau primitif, et le cerveau civilisé, qui le recouvre. Avez-vous remarqué qu'il y a chez l'homme une méchanceté inexplicable ? Une méchanceté inutile ?

– Parlez au président de ce nouveau TVP. Essayez de la persuader.

– Entendu. Il est trop froussard. Ce procédé ne fera aucun mal à ces deux gamins.

Lorsque le bruit avait couru qu'un membre du cabinet particulier du président Kennedy allait signer la demande de suspension, Christian Klee s'était inquiété.

Eugene Dazzy était assis à son bureau, dictant des

textes à trois secrétaires. Il portait un baladeur sur les oreilles, mais le son était coupé. Lui, d'habitude si gai, semblait bien sombre. Il leva les yeux vers ce visiteur qu'il n'attendait pas.

– Mon cher Christian, c'est le plus mauvais moment pour venir me voir.

– Arrête de me rouler dans la farine, lança Klee. Comment se fait-il que personne ne s'inquiète de savoir qui serait le traître au sein du cabinet particulier ? Ça veut dire que tout le monde le sait sauf moi. Alors que c'est moi qui devrais être le premier informé.

Dazzy renvoya ses secrétaires. Ils se retrouvèrent seuls dans le bureau.

– Je n'ai jamais pensé que tu ne le savais pas, dit Dazzy en souriant. Avec tes gars du FBI et des services secrets tu es au courant de tout. Tu ouvres le courrier, tu écoutes les conversations, et à l'insu du Congrès tu disposes de milliers d'agents qui n'émargent à aucun budget. Comment se fait-il que tu sois si ignorant ?

– Je sais que deux fois par semaine, tu baises une danseuse dans les appartements qui dépendent du restaurant de Jeralyn, répondit froidement Klee.

– C'est vrai, répondit Dazzy en soupirant. Le membre du lobby qui me prête l'appartement est venu me voir. Il m'a demandé de signer la demande de suspension du président. Il ne s'est pas montré grossier, il n'a pas proféré de menaces directes, mais le propos était clair. Signez, sans cela toutes vos turpitudes s'étaleront dans les journaux et à la télévision. (Dazzy se mit à rire.) Je n'arrivais pas à y croire. Comment est-ce qu'ils pouvaient être aussi bêtes ?

– Alors, qu'est-ce que tu as répondu ?

– J'ai rayé son nom de la liste de mes amis, répondit Dazzy en souriant. Je lui ai interdit de me revoir. Et je lui ai dit que je le signalerai à mon vieux copain Christian

Klee puisqu'il constituait désormais une menace potentielle contre la sécurité du président. Et puis j'en ai parlé à Francis. Il m'a dit de ne pas m'inquiéter pour toute cette histoire.

– Qui a envoyé ce type ?

– Le seul qui aurait osé est un membre du club Socrate. Et ça ne peut être que notre vieil ami Martin Mutford.

– Il est plus malin que ça.

– C'est vrai, dit sombrement Dazzy, tout le monde est malin jusqu'au jour où on est acculé. Et lorsque la vice-présidente a refusé de signer la demande de suspension, ils ont été acculés. Et puis on ne sait jamais quand quelqu'un peut se dégonfler.

– Mais ils te connaissent, rétorqua Klee. Ils savent que tu es un dur. Je t'ai vu à l'œuvre. Tu as dirigé l'une des plus grandes sociétés des États-Unis, il y a cinq ans tu l'as mis jusque-là à IBM. Comment est-ce qu'ils pouvaient croire que tu allais te dégonfler ?

Dazzy haussa les épaules.

– Les gens pensent toujours qu'ils sont plus durs que tout le monde… Toi aussi tu le penses, même si tu ne t'en vantes pas. Moi aussi. Wix aussi, et Gray aussi. Francis, lui, ne le croit pas. Mais il peut le devenir. Et nous devons veiller sur lui. Nous devons faire attention qu'il ne devienne pas trop dur.

Christian Klee alla voir Jeralyn Albanese, propriétaire du célèbre restaurant de Washington, tout naturellement baptisé Jera. Ce restaurant comportait trois grandes salles à manger séparées par un luxueux salon. Les républicains fréquentaient une salle à manger, les démocrates une autre, et les membres du gouvernement et de la Maison-Blanche la troisième. Les seules choses sur lesquelles s'accordaient les trois partis, c'est que la cuisine était délicieuse, le service excellent, et l'hôtesse l'une des femmes les plus charmantes du monde.

Vingt ans auparavant (elle avait alors une trentaine d'années), Jeralyn était employée par un membre du lobby de la banque. Cet homme l'avait présentée à Martin Mutford, alors en pleine ascension. Martin Mutford avait été charmé par son intelligence, sa fougue et son goût de l'aventure. Pendant cinq ans ils eurent une liaison sans incidence sur leur vie personnelle. Jeralyn Albanese poursuivit sa carrière de membre de groupe de pression, une carrière beaucoup plus complexe et subtile qu'on ne le suppose généralement, qui requiert un sens aigu de la recherche et un véritable génie de l'administration. Curieusement, le fait d'avoir été championne de tennis à l'université constituait l'un de ses principaux atouts.

En sa qualité d'assistante du chef du lobby de la banque, Jeralyn Albanese passait une grande partie de son temps à rassembler des informations qui lui permettaient ensuite de persuader les parlementaires des commissions des finances de voter des lois favorables à l'activité bancaire. Ensuite, elle organisait des conférences-dîners avec les députés et sénateurs concernés. En ces occasions, elle fut plusieurs fois frappée par la lubricité de ces dignes parlementaires. En privé, ils se conduisaient comme des chercheurs d'or en virée, ils buvaient trop, beuglaient des chansons gaillardes, et lui claquaient les fesses comme au bon vieux temps de la conquête de l'Ouest. Leur paillardise la stupéfiait et l'enchantait à la fois. Tout naturellement, elle en vint à accompagner aux Bahamas et à Las Vegas les parlementaires les plus jeunes et les plus présentables (officiellement il s'agissait toujours de conférences), et une fois même à Londres à l'occasion d'une convention mondiale des conseillers économiques. Il ne s'agissait pas pour elle de faire voter une loi ni de corrompre les membres du Congrès, mais si le vote de tel projet de loi était tangent, un rapport rédigé par d'éminents économistes avait plus de chances d'être pris en considération s'il était présenté par une femme aussi charmante que Jeralyn Albanese. Comme le disait Martin Mutford : « Il est difficile à un homme de voter contre une fille qui lui a sucé la queue la nuit précédente. »

Ce fut Mutford qui lui apprit à apprécier les bonnes choses de la vie. Il l'avait amenée dans les musées de New York ; il l'avait présentée aux artistes, aux anciens et aux nouveaux riches, aux journalistes célèbres de la presse et de la télévision, aux écrivains qui écrivaient des romans sérieux et à ceux qui rédigeaient les scénarios des plus grands films. L'apparition d'un joli minois ne créait guère de surprise dans ces milieux-là, mais le fait d'être une bonne joueuse de tennis lui permit de sortir du lot.

Bien souvent, les hommes tombaient amoureux d'elle non à cause de sa beauté mais à cause de son jeu de tennis. Les artistes et les hommes politiques, pour la plupart piètres joueurs, aimaient pratiquer ce sport avec de belles femmes. Double mixte, éclairs de jambes sous les jupes blanches.

Mais vint un temps où Jeralyn dut songer à son avenir. Elle n'était pas mariée, et à quarante ans, elle devait faire pression sur des parlementaires peu appétissants de soixante et soixante-dix ans.

Martin Mutford voulut la propulser dans les hautes sphères de la banque, mais après l'excitation de la vie de Washington, le monde de la banque lui sembla bien terne. Combien plus fascinants lui apparaissaient les faiseurs de lois américains, avec leur ahurissante propension au mensonge dans les affaires publiques, leur séduisante innocence dans les relations sexuelles. Ce fut Mutford qui trouva la solution. Lui non plus ne tenait pas à perdre Jeralyn dans un labyrinthe de listings informatiques. À Washington, l'appartement de Jeralyn, magnifiquement meublé, était pour lui un refuge où il venait se reposer de ses lourdes responsabilités. Ce fut donc Mutford qui lui suggéra l'idée d'ouvrir un restaurant à l'usage de la classe politique.

L'argent fut avancé par l'American Sterling Trustees, un groupe de pression défendant les intérêts de la banque, sous la forme d'un prêt de cinq millions de dollars. Jeralyn conçut elle-même la disposition du restaurant. Elle voulait en faire un club très fermé, un refuge quasi familial pour les hommes politiques. De nombreux parlementaires étaient séparés de leur famille pendant les sessions du Congrès, et au Jera, ils pouvaient passer leurs nuits solitaires. Outre les trois salles de restaurant et le bar, il y avait une salle de télévision et une salle de lecture où l'on trouvait la plupart des grands magazines anglais et américains. Il y avait aussi une pièce où l'on pouvait jouer aux cartes, aux dames ou aux échecs. Mais ce qui constituait l'attraction principale, c'était la partie résidentielle au-dessus du restaurant. Les vingt appartements répartis sur trois étages étaient loués par les groupes de pression, qui les prêtaient à des parlementaires ou à des hauts fonctionnaires pour abriter leurs amours clandestines. Dans ce genre d'affaires, on savait pouvoir compter sur la discrétion de Jeralyn, qui gardait les clés des appartements du «Jera».

Jeralyn était toujours aussi surprise de voir le temps que ces gens si occupés consacraient à leurs aventures féminines. Ils étaient infatigables. Et les plus actifs étaient les plus âgés, ceux qui avaient une famille bien établie et parfois des petits-enfants. Jeralyn adorait revoir ces mêmes députés et sénateurs à la télévision, dignes, pontifiants, assenant des leçons de morale, condamnant l'usage des drogues et la dissolution des mœurs, et prêchant le respect des valeurs établies. Elle ne les trouvait pas véritablement hypocrites. Après tout, des hommes qui avaient consacré tant de temps et d'énergie à leur pays méritaient bien une considération particulière.

Elle n'aimait pas l'arrogance et la suffisance obséquieuse des jeunes parlementaires, mais elle adorait les anciens, comme ce sénateur au visage sévère, voire renfrogné, qui jamais ne souriait en public mais s'envoyait en l'air, au moins deux fois par semaine, cul nu, avec de jeunes «mannequins»; ou bien le vieux Jintz, dont le corps ressemblait à un zeppelin couvert de cicatrices, et qui avait un visage si laid que tout le pays le croyait honnête. Une fois dépouillés de leurs vêtements, ils étaient tous absolument horribles, mais elle succombait à leur charme.

Les femmes députés ou sénateurs venaient rarement à son restaurant et n'utilisaient jamais les appartements. Le féminisme n'était pas encore arrivé jusque-là. Pour y remédier, Jeralyn donnait dans son restaurant des déjeuners à l'intention de certaines de ses amies artistes, actrices, chanteuses et danseuses.

Ensuite, ce n'était pas son affaire si ces jeunes et jolies femmes nouaient des amitiés avec les représentants haut placés du peuple américain. Mais elle fut surprise le jour où Eugene Dazzy, le puissant chef du cabinet particulier du président des États-Unis, s'enticha d'une jeune danseuse pleine d'avenir et s'arrangea pour que Jeralyn lui confie les clés d'un des appartements. Elle fut encore plus étonnée lorsque cette passade prit les allures d'une véritable liaison. Cela dit, Dazzy ne disposait pas de beaucoup de temps: il passait tout au plus quelques heures dans l'appartement, après le déjeuner. D'un autre côté, Jeralyn ne se faisait pas d'illusions sur ce que pouvait en attendre le représentant du groupe de pression qui payait le loyer. Dazzy ne se laisserait pas influencer dans ses décisions, tout au plus lui ferait-il la faveur, en de rares occasions, d'inviter ses clients à la Maison-Blanche pour que ceux-ci fussent impressionnés par les hautes relations de celui chargé de défendre leurs intérêts.

Toutes ces informations, Jeralyn les rapportait à Mutford lors de leurs nombreuses conversations. Il était entendu entre eux que ces informations ne devaient pas être utilisées, et certainement pas pour un chantage. Cela pouvait être désastreux et compromettre définitivement l'existence même du restaurant, dont la principale fonction consistait à créer une atmosphère cordiale et à faire mieux passer les demandes des groupes de pression qui réglaient l'addition. Sans compter que ce restaurant était la principale source de revenus de Jeralyn, et qu'elle n'entendait pas la voir menacer.

Jeralyn fut donc extrêmement surprise lorsqu'elle vit arriver Christian Klee en plein après-midi, à une heure où le restaurant était presque vide. Elle le reçut dans son bureau. Elle aimait bien Klee, bien qu'il ne fît que de rares apparitions au Jera et n'eût jamais utilisé les appartements du dessus. Mais elle n'avait pas peur ; elle savait qu'elle n'avait rien à se reprocher. Si quelque scandale couvait, peu importait ce que pouvaient raconter les journalistes ou certaines de ses jeunes amies : elle était blanche comme neige.

Elle glissa quelques mots sur les moments terribles qu'il devait vivre avec le détournement d'avion et le meurtre de la fille du président, mais elle n'insista guère, pour ne pas avoir l'air de lui soutirer des informations confidentielles. Klee la remercia.

– Jeralyn, dit-il ensuite, nous nous connaissons depuis longtemps, et je tiens à vous prévenir, pour votre propre sécurité. Je sais que ce que je vais vous dire va vous choquer, comme cela m'a choqué moi-même.

Ça y est, se dit Jeralyn, il y a quelqu'un qui m'a attiré des ennuis.

– Un membre d'un lobby bancaire, un bon ami d'Eugene Dazzy, a cherché à lui coller une connerie sur le dos. Il voulait lui faire signer un papier qui aurait causé un tort immense au président. Il a menacé Dazzy de rendre publique la façon dont il utilisait l'un de vos appartements, ce qui aurait ruiné sa carrière et détruit son mariage. (Klee se mit à rire.) Bon sang, qui aurait cru Eugene capable d'une chose pareille. Enfin… nous avons tous nos faiblesses.

Jeralyn ne fut pas dupe de la bonne humeur de Klee. Prudence. Sa vie pouvait s'écrouler. Klee était ministre de la Justice, et il s'était fait la réputation d'un homme dangereux. Il pouvait lui causer de très sérieux ennuis, même si son atout à elle se nommait Martin Mutford.

– Je n'ai rien à voir avec tout ça, dit-elle. C'est vrai que j'ai donné à Dazzy la clé d'un des appartements du haut. Mais enfin, ça n'était qu'un cadeau de la maison. Il n'y a aucune trace. Personne ne peut rien reprocher ni à moi ni à Dazzy.

– C'est vrai, je le sais, dit Klee. Mais vous ne voyez pas que ce type du lobby n'aurait jamais osé tenter tout seul une chose pareille ? Il y a derrière lui quelqu'un plus haut placé, qui lui a ordonné d'agir.

– Je vous jure que je n'ai jamais parlé à personne, dit Jeralyn, mal à l'aise. Je ne tiens pas à mettre mon restaurant en danger. Je ne suis pas aussi stupide.

– Je sais, je sais, dit Klee d'un ton rassurant. Mais Martin et vous êtes amis depuis longtemps. Vous avez pu lui parler, comme ça, en passant.

Jeralyn était à présent horrifiée. Elle se trouvait brusquement placée entre deux hommes puissants sur le point de se battre. Sortir de l'arène. Tout de suite. Mais la dernière chose à faire, elle le savait, c'était de mentir.

– Martin n'essayerait jamais de faire quelque chose d'aussi bête, dit-elle. C'est un chantage ridicule.

En s'exprimant ainsi, elle admettait avoir parlé à Mutford, mais pouvait en même temps nier lui avoir fourni tous les détails.

Klee se montra à nouveau rassurant. Il voyait bien qu'elle n'avait pas deviné le motif véritable de sa visite.

– Eugene Dazzy a dit au type du lobby d'aller se faire foutre. Il m'a ensuite raconté l'histoire et je lui ai dit que je m'en occuperais. Bien sûr, je sais qu'ils ne peuvent rien contre Dazzy. D'abord, c'est contre vous que je me retournerais et je vous frapperais si fort que vous auriez l'impression d'être écrasée par un char d'assaut. Vous auriez à dénoncer tous les membres du Congrès qui ont utilisé ces appartements. Cela ferait un scandale inimaginable. Votre ami cherchait seulement à faire perdre son sang-froid à Dazzy. Mais Eugene s'en est rendu compte.

Jeralyn était toujours incrédule.

– Martin n'aurait jamais été à l'origine d'une chose aussi dangereuse. C'est un banquier.

Elle adressa un sourire à Klee qui soupira et se dit qu'il était temps de se montrer plus dur.

– Écoutez, Jeralyn, faut-il vous rappeler que votre cher Martin n'est pas un brave banquier irréprochable ? Il y a un certain nombre de moments troubles dans sa vie. Et il n'a pas gagné ses milliards de dollars en jouant les enfants de chœur. Il a dû couper quelques virages. (Il s'interrompt un moment.) Et maintenant, il se mêle d'une histoire qui peut se révéler très dangereuse pour lui et pour vous.

Jeralyn eut un geste méprisant de la main.

– Vous avez dit vous-même que je n'avais rien à voir avec ce qu'il est en train de faire.

– C'est vrai, dit Klee. Je le sais. Mais à présent Martin est un homme que je dois surveiller. Et je veux que vous m'aidiez à le faire.

– Il n'en est pas question ! s'exclama Jeralyn. Martin a toujours été correct avec moi. C'est un véritable ami.

– Je ne vous demande pas de l'espionner. Je ne vous demande aucune information sur ses affaires ni sur sa vie privée. Je vous demande simplement de me prévenir s'il s'apprête à tenter quelque chose contre le président.

– Allez vous faire voir ! s'écria Jeralyn. Et sortez d'ici. Je dois me préparer pour le dîner.

– Entendu, dit Klee avec courtoisie. Je pars. Mais n'oubliez pas que je suis le ministre de la Justice. Les temps sont durs et il ne serait pas mauvais pour vous de m'avoir pour ami. Alors quand le moment sera venu, faites preuve de bon sens. Si vous me glissez une petite information, personne n'en saura jamais rien.

Il partit. Mission accomplie. Jeralyn raconterait leur entrevue à Martin Mutford, ce qui le rendrait plus prudent. Ou alors elle ne lui en parlerait pas, et elle lui donnerait des tuyaux en temps voulu. Dans les deux cas, il était gagnant.

Le chauffeur coupa la sirène, et ils passèrent en silence les grilles de la propriété de l'Oracle. Klee remarqua les trois limousines garées non loin de l'entrée. Curieusement, les chauffeurs étaient assis au volant et n'étaient pas sortis fumer une cigarette. À côté de chaque voiture, se tenait un homme de haute taille, bien habillé. Des gardes du corps. L'Oracle recevait donc des gens importants. Voilà pourquoi le vieil homme lui avait demandé de venir aussitôt.

L'Oracle gagna l'extrémité de la table dans son fauteuil à moteur.

– Il faudra m'excuser, Christian, pour cette petite tromperie. J'ai jugé qu'en raison des circonstances il était important que tu rencontres mes amis. Ils ont vraiment besoin de te parler.

L'Oracle appuya sur le bouton situé sous la table, et des serviteurs apportèrent café, sandwiches et boissons. Les cinq membres du club Socrate avaient déjà pris un verre. Martin Mutford avait allumé un gros cigare, défait sa cravate et déboutonné son col de chemise. Il avait l'air un peu sombre, mais Klee savait que cet air sérieux lui servait surtout à dissimuler sa peur.

– Eugene Dazzy m'a dit qu'un de vos lobbyistes lui avait donné de bien mauvais conseils aujourd'hui, dit Klee à Mutford. J'espère que vous n'avez rien à voir là-dedans.

– Dazzy sait certainement séparer de bon grain de l'ivraie, répondit Mutford. Sans cela il ne serait pas chef du cabinet particulier du président.

– C'est certain, répondit Klee. Il n'a pas besoin de moi pour savoir ce qu'il doit faire. Mais je peux lui donner un coup de main.

Klee voyait bien que ni l'Oracle ni George Greenwell ne comprenaient de quoi il s'agissait. Mais un léger sourire était apparu sur les lèvres de Lawrence Salentine et Louis Inch.

– Ça n'a aucune importance, dit alors Inch d'un ton impatient. Ça n'a rien à voir avec notre entrevue de ce soir.

– Quel en est donc le sujet ? demanda Klee.

Ce fut Salentine qui répondit, d'un ton apaisant, car il était habitué aux situations les plus conflictuelles.

– Nous vivons des moments très difficiles, dit-il. Voire même dangereux. Tous les gens responsables doivent travailler ensemble à trouver une solution. Toutes les personnes ici présentes sont d'avis que le président Kennedy doit être suspendu pour une période de trente jours. Le Congrès se prononcera là-dessus demain soir, en séance extraordinaire. En refusant de signer la demande, la vice-présidente a rendu la chose plus compliquée, mais pas impossible. Il serait très important que vous, en votre qualité de membre du cabinet particulier du président, vous signiez cette déclaration. Voilà ce que nous sommes venus demander.

Christian Klee était tellement stupéfait qu'il fut incapable de répondre. Ce fut l'Oracle qui rompit le silence.

– Je suis d'accord. Il sera mieux pour Kennedy de ne pas s'occuper de cette affaire. Les mesures qu'il a adoptées sont totalement irrationnelles et procèdent d'un désir de vengeance. Cela pourrait conduire à une véritable catastrophe. Christian, je te supplie d'écouter ces messieurs.

– Il n'en est même pas question ! répondit sèchement Klee. Et toi, comment peux-tu te joindre à pareille entreprise ! Comment peux-tu, toi, t'attaquer à moi ?

L'Oracle secoua la tête.

– Je ne m'attaque pas à toi.

– Il est impossible que le président détruise cinquante milliards de dollars simplement à cause de sa tragédie personnelle, dit Salentine. Ça n'est pas ça, la démocratie.

Klee avait retrouvé son aplomb.

– Ce n'est pas vrai, dit-il avec calme. Francis Kennedy a longuement pesé le pour et le contre. Il ne veut pas que les ravisseurs fassent traîner les choses pendant des semaines, qu'ils occupent en permanence vos chaînes de télévision, monsieur Salentine, et que les États-Unis sombrent dans le ridicule. Enfin, ils ont assassiné le pape, ils ont assassiné la fille du président des États-Unis ! Vous voulez négocier avec eux, maintenant ? Vous voulez qu'on libère l'assassin du pape ? Et vous vous dites patriotes ? Vous prétendez vous soucier de l'intérêt du pays ? Vous n'êtes qu'une bande d'hypocrites !

Pour la première fois, George Greenwell prit la parole.

– Et les autres otages ? Vous comptez les sacrifier ?

– Oui, lança Klee sans réfléchir.

Puis, après un instant de silence :

– Je crois que le président a pris la seule mesure capable de les sauver.

– Bert Audick se trouve à présent au Sherhaben, dit Greenwell. Il nous a assuré qu'il pouvait persuader les ravisseurs et le sultan de relâcher les otages.

– Je l'ai entendu assurer au président qu'aucun mal ne serait fait à Theresa Kennedy, rétorqua Klee d'un ton méprisant. Et maintenant elle est morte.

– Monsieur Klee, dit alors Salentine, nous pourrions discuter de tous ces détails jusqu'à demain matin. Mais nous n'en avons pas le temps. Nous espérions que vous rendriez les choses plus faciles en vous joignant à nous. Ce qui doit être fait sera fait, que vous le vouliez ou non. Je peux vous le certifier. Mais pourquoi rendre cette lutte plus féroce encore ? Pourquoi ne pas servir le président en travaillant avec nous ?

Klee le toisa.

– Cessez de me raconter des conneries ! Je vais vous dire une chose : je sais que vous représentez un poids énorme dans ce pays, un poids d'ailleurs inconstitutionnel. Dès que cette crise sera terminée, je peux vous assurer que mes services se pencheront très sérieusement sur vos affaires.

Greenwell soupira. Les explosions de colère irrationnelle des gens plus jeunes fatiguaient cet homme âgé et plein d'expérience.

– Monsieur Klee, dit-il, nous vous remercions d'être venu. Et j'espère qu'il ne naîtra pas entre nous d'animosité personnelle. Nous ne cherchons qu'à aider notre pays.

– Vous cherchez surtout à sauver les cinquante milliards de dollards de Bert Audick ! rétorqua Klee.

Il eut alors un éclair de lucidité. Ces gens n'espéraient nullement le gagner à leur cause. Il s'agissait simplement d'une manœuvre d'intimidation dans l'espoir de le voir demeurer neutre. En fait, ils avaient peur de lui. Il était puissant et il avait la volonté de se servir de cette puissance. Et le seul qui avait pu les en convaincre, était l'Oracle.

Un silence pesant s'installa dans la pièce, que finit par rompre l'Oracle.

– Tu peux partir, je sais que tu dois rentrer. Appelle-moi pour me dire ce qui se passe. Tiens-moi au courant.

– Tu aurais pu me prévenir, dit Klee, blessé par la trahison de son parrain.

L'Oracle secoua la tête.

– Tu ne serais pas venu. Et je n'arrivais pas à convaincre mes amis que tu ne signerais pas. Il fallait que je les laisse tenter leur chance. Sortons, je veux te parler seul à seul.

Le vieil homme quitta la pièce sur son fauteuil roulant, suivi de Christian Klee.

Sur le seuil, Klee se retourna vers les membres du club Socrate.

– Messieurs, je vous le demande : ne laissez pas le Congrès faire une chose pareille.

Le ton était si lourd de menaces que personne ne répondit.

Lorsqu'ils se retrouvèrent en haut des marches menant au vestibule, l'Oracle leva vers Klee son visage constellé de taches brunes.

– Tu es mon filleul et tu es mon héritier. Tout cela ne change en rien mon affection pour toi. Mais fais attention. J'aime mon pays, et je sens que ton Francis Kennedy représente un grand danger.

Pour la première fois de sa vie, Christian Klee éprouva de l'amertume à l'égard de cet homme qu'il avait toujours aimé.

– Toi et ton club Socrate vous tenez Francis à la gorge. C'est vous qui êtes dangereux.

L'Oracle l'étudiait avec attention.

– Mais en même temps tu n'as pas l'air trop inquiet. Je t'en supplie, Christian, n'agis pas de façon irréfléchie. Ne commets rien d'irréparable. Je sais que tu disposes d'un pouvoir immense, et surtout que tu es très habile. Tu es intelligent, je le sais. Mais n'essaye pas de changer le cours de l'Histoire.

– Je ne vois pas ce que tu veux dire, dit Klee.

Il était pressé. Il avait encore une tâche à accomplir avant de rejoindre la Maison-Blanche.

L'Oracle soupira.

– Souviens-toi que quoi qu'il puisse arriver, tu auras toujours mon affection. Tu es le seul être que j'aime. Et si je le peux, je ferai en sorte qu'il ne t'arrive rien. Appelle-moi, tiens-moi au courant.

En dépit de sa colère, Klee sentit monter en lui une vague d'affection pour l'Oracle.

– Il ne s'agit que d'un différend politique, dit-il en lui serrant l'épaule. Et après tout, qu'est-ce qu'un différend politique ? On en a eu d'autres auparavant. Ne t'inquiète pas… Je t'appellerai.

L'Oracle le gratifia d'un sourire contraint.

– Et n'oublie pas ma fête d'anniversaire. Quand tout sera fini… si nous sommes encore en vie tous les deux.

Et à sa grande stupéfaction, Klee vit des larmes rouler sur les joues ridées du vieillard. Il se pencha pour déposer un baiser sur ce visage parcheminé, froid comme le verre.

Christian Klee revint à la Maison-Blanche. Avant

cela, il était allé interroger secrètement Gresse et Tibbot.

Il se rendit directement au bureau d'Oddblood Gray, mais la secrétaire lui dit que Gray était en conférence avec Jintz et Lambertino. La secrétaire avait l'air effrayé. Le bruit courait que le Congrès allait suspendre Kennedy.

– Appelez à son bip, dit Klee, dites-lui que c'est important, et laissez-moi utiliser votre bureau et votre téléphone. Pendant ce temps-là, allez donc faire un tour aux toilettes.

Gray répondit au téléphone en pensant avoir sa secrétaire au bout du fil.

– J'espère que c'est vraiment important, dit-il d'emblée.

– Otto, c'est Christian. Écoute, je viens de voir des gars du club Socrate qui m'ont demandé de signer la demande de suspension. On a également demandé à Dazzy de signer en essayant de le faire chanter avec cette histoire de danseuse. Wix, lui, est en route pour le Sherhaben, alors je sais qu'il ne signera pas. Et toi, tu signes ?

– C'est drôle, dit Oddblood Gray d'une voix douce, j'ai devant moi deux messieurs qui viennent de me demander de signer ce document. Je leur ai déjà répondu que je ne signerai pas. Et je leur ai dit qu'aucun membre du cabinet particulier du président ne signerait ce document. À toi, je n'ai pas à le demander.

Le ton était sarcastique.

– Je savais que tu ne signerais pas, Otto, répondit Klee d'un ton agacé, mais il fallait que je te le demande. Mais, écoute, balance quelques pétards. Dis-leur qu'en ma qualité de ministre de la Justice, j'ouvre une enquête sur la tentative de chantage à l'encontre de Dazzy. Et aussi que j'ai dans mes tiroirs un certain nombre d'affaires contre certains députés et sénateurs, et que je vais livrer ça aux journaux ; ils vont être ravis. Je pense surtout à leurs liens d'affaires avec des membres du club Socrate. Le temps de tes délicatesses diplomatiques est terminé.

– Merci pour le conseil, mon vieux, répondit Gray avec douceur. Mais tu ne veux pas t'occuper de tes affaires et me laisser m'occuper des miennes ? Et ne demande pas aux autres de brandir tes menaces : fais-le toi-même.

Il y avait toujours eu un subtil antagonisme entre Oddblood Gray et Christian Klee. Sur le plan personnel ils s'aimaient bien et s'estimaient. Tous deux étaient forts physiquement. Gray s'était fait tout seul, à la force du poignet. Christian Klee, lui, issu d'une famille riche, avait refusé de mener l'existence douillette qui semblait toute tracée. Officier, il avait fait preuve d'un grand courage physique, et en sa qualité de chef de la direction opérationnelle de la CIA, il avait participé à des opérations clandestines. Tous deux forçaient le respect de leur entourage. Tous deux étaient dévoués à Francis Kennedy. Tous deux étaient d'habiles juristes.

Et pourtant ils se méfiaient un peu l'un de l'autre. Gray croyait aux progrès de la société à travers la loi, ce qui en faisait pour le président l'homme indispensable pour assurer la liaison avec le Congrès. Et il s'était toujours méfié du pouvoir grandissant que Klee avait rassemblé entre ses mains. Dans un pays comme les États-Unis, il n'était pas bon qu'un seul homme fût à la fois directeur du FBI, chef des services secrets et ministre de la Justice. Francis Kennedy lui avait pourtant donné les raisons d'une telle accumulation de pouvoirs : c'était pour mieux le protéger contre toute tentative d'assassinat, mais Gray n'en démordait pas : une telle situation ne lui plaisait pas.

Klee, de son côté, avait toujours été un peu agacé par le respect scrupuleux de la légalité que manifestait Gray. Gray pouvait se permettre ce légalisme sourcilleux : il n'avait affaire qu'à des hommes politiques. Klee, lui, se colletait avec la vie de tous les jours. L'élection de Francis Kennedy avait fait remonter à la surface toute la vermine de la société américaine. Seul Klee connaissait les milliers de menaces d'assassinat que recevait le président. Seul Klee pouvait écraser la vermine. Et pour y parvenir, il ne pouvait pas toujours respecter la légalité à la lettre. C'est du moins ce qu'il croyait.

Ce jour-là, le problème se posait dans les mêmes termes. Klee voulait utiliser la main de fer, et Gray le gant de velours.

– D'accord, dit Klee, je ferai ce que j'ai à faire.

– Parfait, dit Gray. Maintenant il faut qu'on aille tous les deux chez le président. Il nous a donné rendez-vous dans la salle du Conseil dès que j'en aurai fini ici.

C'est à dessein que Gray s'était montré indiscret en parlant au téléphone avec Klee. Il se tourna en souriant vers Jintz et Lambertino.

– Je regrette que vous ayez dû entendre cela, dit-il. Christian Klee n'aime pas du tout cette affaire de suspension du président, mais lorsqu'il s'agit de l'intérêt du pays, il en fait une affaire personnelle.

– J'étais d'avis de ne rien demander à Klee, dit le sénateur Lambertino, mais je pensais que nous avions une chance avec vous, Otto. Lorsque le président vous a nommé aux relations avec le Congrès, j'ai trouvé que c'était une folie, avec tous ces collègues du Sud qui ont encore tellement de préjugés. Mais je dois dire qu'au cours de ces trois années, vous avez su vaincre leurs réticences. Si le président vous avait écouté, nombre de ses projets de loi n'auraient pas été repoussés au Congrès.

Gray demeura impassible.

– Je vous sais gré d'être venus me voir, répondit Gray de sa voix douce. Mais je crois que le Congrès commet une grosse erreur avec cette procédure de suspension. La vice-présidente n'a pas signé la demande. C'est vrai que vous avez avec vous presque tous les membres du gouvernement, mais aucun membre du cabinet particulier. Le Congrès va donc devoir se désigner lui-même comme organe compétent en la matière. C'est une démarche d'importance. Cela veut dire que le Congrès peut passer outre le vote du peuple.

Gray se leva et se mit à arpenter la pièce de long en large. D'habitude, il évitait d'agir ainsi quand il était en négociation, car il savait sa carrure impressionnante. On aurait pu y voir une volonté de domination. Il mesurait près de deux mètres de haut et il avait le corps d'un athlète olympique. Il portait des complets admirablement bien coupés et avait une pointe d'accent anglais. Il avait tout à fait l'allure de ces cadres dynamiques des publicités télévisées, mais sa peau était couleur café. Ce jour-là, pourtant, il avait décidé de jouer l'intimidation.

– Je vous ai tous deux admirés pour votre travail au Congrès, dit-il. Et je crois que nous nous sommes toujours compris. Vous savez que j'ai conseillé à Kennedy de ne pas se lancer dans son vaste programme social avant d'avoir affermi ses arrières. Tous les trois ici, nous sommes bien d'accord sur une chose : rien n'ouvre plus la voie à la tragédie qu'un exercice irréfléchi du pouvoir. C'est là une des fautes les plus communes en matière de politique. Mais c'est exactement ce que le Congrès va faire en suspendant le président. Si vous réussissez, vous créez un dangereux précédent qui peut avoir des répercussions dramatiques si dans l'avenir un président rassemble trop de pouvoir entre ses mains. La première chose qu'il cherchera probablement à faire, c'est d'émasculer le Congrès. De toute façon, vous ne gagnerez que dans le court terme. Vous empêchez la destruction de Dak et des cinquante milliards d'investissement de Bert Audick. Et le peuple vous méprisera, car ne vous faites pas d'illusions : le peuple soutient l'action de Kennedy.

Peut-être pour de mauvaises raisons ; nous savons tous que l'électorat peut se laisser emporter par l'émotion, une émotion que nous, hommes d'État, avons pour tâche de maîtriser et de canaliser. À l'heure qu'il est, Kennedy peut parfaitement ordonner de lâcher une bombe atomique sur le Sherhaben, et le peuple approuvera. C'est insensé, c'est vrai, mais c'est comme ça que les masses réagissent. Vous le savez aussi bien que moi. Le mieux pour le Congrès serait d'appuyer le président, de voir si l'action entreprise permet la libération des otages et la capture des ravisseurs. Tout le monde sera gagnant. Si cette action échoue, si les pirates de l'air massacrent les otages, alors vous pourrez suspendre le président et vous en retirerez tout le bénéfice.

Gray avait utilisé toutes les ressources de son éloquence, mais il savait que c'était inutile. Leur décision était prise : ces gens-là ne reculeraient plus. Il le savait d'expérience.

Ce fut Jintz, le député, qui lui répondit.

— Votre argumentation va contre la volonté du Congrès, Otto.

— Vous savez, Otto, renchérit le sénateur Lambertino, vous défendez une cause perdue. Je connais votre loyauté envers le président. Je sais que si tout s'était bien passé, le président vous aurait confié un ministère. Et laissez-moi vous dire que le Sénat aurait approuvé votre nomination. Cela peut encore arriver, mais pas sous la présidence de Kennedy.

— Je vous remercie, sénateur, dit Gray avec un mouvement de tête. Mais je ne peux accéder à votre demande. J'estime que le président a pris les bonnes décisions. Je crois que son action sera couronnée de succès. Je crois que les otages seront libérés et les criminels capturés.

— Nous n'en sommes déjà plus là ! lança sèchement Jintz. Nous ne pouvons pas le laisser détruire Dak.

– Il ne s'agit pas seulement d'argent, dit doucement Lambertino. Une telle sauvagerie nuirait considérablement à nos relations avec le monde entier. Vous le voyez bien, Otto.

– Laissez-moi vous dire quelque chose, répondit Gray. Si le Congrès n'annule pas sa séance extraordinaire de demain, s'il ne retire pas sa motion de suspension, le président en appellera directement au peuple à la télévision. Je vous demande d'en faire part à vos pairs. (Il résista à l'envie d'ajouter : « Et au club Socrate. »)

Ils se séparèrent sur ces protestations d'amitié et de bonne volonté qui font partie du savoir-vivre politique depuis longtemps avant le meurtre de Jules César. Gray alla ensuite chercher Klee, et tous les deux se rendirent chez le président.

Mais cette dernière entrevue avait secoué Alfred Jintz. Au cours de ses longues années passées à la Chambre des représentants, il avait accumulé des richesses considérables. Dans son État, sa femme possédait des actions dans des sociétés de télévision par câble ; le cabinet juridique de son fils était l'un des plus importants du sud des États-Unis. Il n'avait aucun souci matériel. Mais il adorait sa vie de député ; elle lui apportait des satisfactions que l'argent seul n'apporte pas. Un homme politique qui réussit peut être aussi heureux dans son grand âge qu'il l'a été dans sa jeunesse. Même gâteux, on vous respecte, on vous écoute, on vous lèche les bottes. Il y a les commissions et les sous-commissions du Congrès, on peut manger à tous les râteliers. On participe encore à la direction du plus grand pays du monde. On est vieux et faible, mais de jeunes hommes virils tremblent devant vous. Parfois, Jintz se disait que son goût pour les femmes, l'alcool et la bonne chère finirait par disparaître, mais que tant qu'il y aurait une cellule vivante dans son cerveau, il jouirait du pouvoir. Car enfin, comment craindre l'approche de la mort quand vos semblables continuent de vous obéir ?

Aussi, Jintz était-il inquiet. Se pouvait-il que par l'effet de quelque catastrophe il perdît son siège à la Chambre ? Impossible de reculer. Son existence même dépendait de la suspension de Francis Kennedy.

– Nous ne pouvons pas laisser le président parler demain à la télévision, dit-il au sénateur Lambertino.

13

David Jatney passa un mois entier à lire des scénarios qu'il jugeait parfaitement dépourvus d'intérêt. Sur moins d'une page il rédigeait un résumé, puis donnait son opinion. Cette dernière partie devait en principe se réduire à quelques phrases, mais elle occupait en fait tout le reste de la page.

À la fin du mois, le chef du service vint le voir.

– David, on n'a pas besoin de savoir à quel point vous êtes intelligent. Votre opinion en deux phrases nous suffit. Et puis ne soyez pas aussi méprisant envers ces gens : ils n'ont pas pissé sur votre bureau, que je sache ; ils essayent seulement d'écrire des scénarios de films.

– Mais ils sont effroyables ! s'écria Jatney.

– Bien sûr. Vous croyez qu'on vous confierait les bons scénarios ? Nous avons pour cela des gens qui ont plus d'expérience que vous. En outre, tous ces scénarios que vous trouvez effroyables nous ont été proposés par un agent. Un agent qui espère gagner de l'argent dessus. Ils ont déjà subi une sélection sévère. Nous n'acceptons pas de scénarios qui nous arrivent par la bande, pour ne pas risquer de poursuites judiciaires. Nous ne sommes pas éditeurs. Alors même s'ils sont mauvais, lorsqu'un agent nous les propose, nous devons les lire. Si nous ne lisons pas les mauvais scénarios que nous envoient les agents, ils ne nous enverront pas les bons.

– Moi, je pourrais écrire de meilleurs scénarios, déclara David.

– C'est le cas de tout le monde ici, répondit le chef en riant. (Il demeura un instant silencieux.) Lorsque vous en aurez écrit un, montrez-le-moi.

Un mois plus tard, David Jatney présenta un scénario à son chef. Ce dernier le lut dans son bureau. Il se montra fort gentil.

– David, ça ne fonctionne pas. Ça ne veut pas dire que vous ne savez pas écrire. Mais vous ne savez pas encore comment marche le cinéma. Ça se voit dans vos résumés et dans vos critiques, mais ça se voit aussi dans votre scénario. Écoutez, j'ai envie de vous aider. Je parle sérieusement. Alors à partir de la semaine prochaine, vous lirez les romans qui viennent de sortir et qui pourraient être adaptés pour le cinéma.

David Jatney remercia poliment, mais intérieurement il bouillait de rage. Comme d'habitude. C'était à nouveau la voix des aînés, des soi-disant plus sages, de ceux qui avaient le pouvoir.

Quelques jours plus tard, la secrétaire de Dean Hocken l'appela au téléphone pour lui demander s'il était libre ce soir-là : son patron l'invitait à dîner. Il était tellement surpris qu'il mit un moment à accepter. Le rendez-vous était fixé à huit heures au restaurant Michael's à Santa Monica. Elle s'apprêtait à lui expliquer comment gagner le restaurant, mais il l'interrompit en lui disant qu'il vivait à Santa Monica et savait où il se trouvait, ce qui bien entendu était faux.

Cependant, il avait entendu parler de ce restaurant. David Jatney lisait les journaux et les magazines, et il écoutait les ragots qui circulaient dans les bureaux. Le Michael's était fréquenté par les musiciens et les gens du cinéma vivant à Malibu. En raccrochant, il demanda à son chef où se trouvait exactement le Michael's, signalant au passage qu'il y était invité le soir même. Son chef sembla impressionné. Il se dit alors qu'il aurait dû présenter son scénario après ce dîner ; il aurait été accueilli différemment.

Ce soir-là, David Jatney découvrit avec surprise que seule la première moitié du restaurant était abritée par un toit ; le reste des tables était disposé dans un jardin fleuri protégé de la pluie par de vastes parasols blancs. Il y avait des lumières partout, les fleurs embaumaient et une lune dorée inondait la scène de sa clarté magique. Quelle différence avec l'hiver en Utah ! C'est à cet instant que David Jatney décida de ne jamais retourner chez lui.

Il donna son nom au réceptionniste et eut la surprise d'être conduit directement à l'une des tables du jardin. Il avait fait en sorte d'arriver, croyait-il, avant Hocken ; il connaissait son rôle et entendait le jouer bien. Il se montrerait parfaitement respectueux, et en attendant au restaurant l'arrivée de Hocken, il ferait acte d'allégeance. Pourtant, il s'interrogeait encore à propos de cet homme. Était-il réellement bienveillant, ou n'était-il que condescendant face au fils d'une femme qui l'avait autrefois rejeté, et qui, bien sûr, devait à présent le regretter ?

Hocken était installé à la table vers laquelle on le conduisait, en compagnie d'un homme et d'une femme. Ainsi, Hocken l'avait délibérément fait venir plus tard de façon à ne pas le faire attendre ; cette délicatesse extraordinaire lui fit venir les larmes aux yeux. Car dans sa paranoïa, David Jatney ne se contentait pas de supposer des raisons mystérieuses et malveillantes à la conduite des gens, il leur prêtait également des motifs altruistes.

Hocken se leva de table pour le serrer dans ses bras

avec effusion, puis le présenta aux deux autres personnes. Jatney reconnut aussitôt l'homme. Il s'agissait de Gibson Grange, l'un des plus célèbres acteurs de Hollywood. La femme se nommait Rosemary Belair, un nom que David fut surpris de ne pas connaître, parce qu'elle était suffisamment belle pour être une vedette de cinéma. Ses cheveux longs étaient d'un noir luisant, et il fut frappé par la symétrie de son visage. Elle était maquillée à la perfection et portait une robe du soir et une sorte de petite veste.

Ils buvaient du vin; la bouteille se trouvait dans un seau en argent. Hocken lui en versa un verre.

La cuisine était délicieuse, l'air parfumé, le jardin apaisant: les vicissitudes du monde ne pouvaient pénétrer en ce lieu. Aux autres tables, les convives semblaient très sûrs d'eux; c'était eux qui dirigeaient ce monde. Un jour, il serait comme eux.

Tout au long du dîner il parla peu, se contentant d'écouter et d'étudier ses compagnons de table. Dean Hocken, décidément, était un homme aussi agréable qu'il le paraissait au premier abord. Ce qui ne voulait pas dire que c'était quelqu'un de bien. Rapidement, en dépit du ton mondain de la conversation, il se rendit compte que Rosemary et Hock cherchaient à convaincre Gibson Grange de tourner un film avec eux.

Rosemary Belair semblait être également productrice; et même, en tant que femme, la plus importante d'Hollywood.

David écoutait et observait. Il ne prenait pas part à la conversation, et lorsqu'il demeurait immobile, son visage était aussi beau que sur ses photographies. Les autres convives s'en rendaient compte, mais ne s'intéressaient pas à lui, et David le sentait bien.

Mais pour l'instant cette situation lui convenait. Invisible, il pouvait étudier ce monde qu'il entendait conquérir. Il voyait bien que Hocken avait arrangé ce dîner pour que son amie Rosemary parvienne à convaincre Gibson Grange de tourner dans son film. Mais pourquoi ? Hocken et Rosemary étaient tellement à l'aise l'un avec l'autre que ceci ne pouvait venir que d'une ancienne relation amoureuse. Il le voyait bien à la façon dont Hocken calmait Rosemary lorsqu'elle se montrait trop vive avec Gibson Grange. À un moment, elle dit à l'acteur :

– C'est beaucoup plus drôle de faire un film avec moi qu'avec Hock.

– Pourtant on a passé de bons moments ensemble, hein, Gib ? dit en riant Dean Hocken.

– Bah, c'était une relation d'affaires, répondit Grange sans sourire.

À Hollywood, Gibson Grange était considéré comme un acteur «coffre-fort». C'est-à-dire que s'il acceptait de tourner dans un film, celui-ci était immédiatement financé par n'importe quelle société de production. Voilà pourquoi Rosemary le poursuivait avec autant d'assiduité. Lui, de son côté, avait parfaitement la tête de l'emploi. Il n'était pas sans évoquer Gary Cooper, dégingandé, le visage ouvert, une allure à la Lincoln si ce dernier avait été bel homme. Le sourire chaleureux, il écoutait toujours avec attention lorsqu'on lui parlait, et savait raconter des anecdotes savoureuses. Il s'habillait de façon décontractée, pantalons informes, chandail usé mais visiblement coûteux, une vieille veste et une simple chemise en laine. Et pourtant il attirait tous les regards dans le jardin. Était-ce parce que des millions de gens avaient vu son visage sur les écrans ? Ses traits étaient-ils demeurés imprimés sur de mystérieuses couches d'ozone ? Fallait-il y voir quelque manifestation physique non encore élucidée par la science ? L'homme était intelligent, David s'en rendait bien compte. Tandis qu'il écoutait Rosemary, son regard semblait malicieux sans être jamais condescendant, et bien qu'il parût toujours d'accord avec ce qu'elle disait, il ne s'engageait à rien. David rêvait de lui ressembler.

Ils savourèrent longuement leur bouteille de vin, puis Hocken commanda les desserts : des pâtisseries françaises (David n'avait jamais rien mangé d'aussi bon). Gibson Grange et Rosemary Belair refusèrent de toucher au dessert ; Rosemary avec un mouvement d'horreur et Gibson Grange avec un léger sourire. Mais David ne put s'empêcher de se dire que Rosemary succomberait un jour alors que Gibson Grange, visiblement, n'y toucherait plus jamais de sa vie.

Encouragé par Hocken, David Jatney avala les desserts de ses compagnons, puis ils se remirent à bavarder. Hocken commanda une nouvelle bouteille de vin, mais seule Rosemary et lui en burent ; David remarqua alors un courant nouveau qui passait dans la conversation. Rosemary faisait du gringue à Gibson Grange.

Tout au long de la soirée, Rosemary avait à peine adressé la parole à David, mais à présent elle l'ignorait à un point tel qu'il fut obligé de discuter avec Hocken du bon vieux temps dans l'Utah. Mais tous deux finirent par être tellement captivés par la scène qui se déroulait devant eux qu'ils demeurèrent silencieux.

Rosemary jouait le grand jeu, déployait tous les artifices de la séduction. D'abord des mouvements de tête et de tout le corps. Puis, inexplicablement, la robe qui glisse un peu, révélant plus largement ses seins. Elle croisait et décroisait sans cesse les jambes, dévoilant de plus en plus haut ses cuisses. Ses mains virevoltaient devant elle, effleurant le visage de Gibson lorsqu'elle se laissait emporter par son éloquence. Elle déploya toutes les ressources de son esprit, raconta des histoires drôles, fit montre de sa sensibilité. Son visage s'animait en évoquant l'affection qu'elle éprouvait pour les gens avec qui elle travaillait, pour sa famille, ses amis. Elle évoqua l'amitié qui la liait à Hocken, la façon dont il l'avait aidée au cours de sa carrière, ses conseils, son influence. À cet endroit, Hocken l'interrompit pour assurer à quel point elle méritait sa sollicitude en raison du travail énorme qu'elle avait consacré à ses films et de sa loyauté envers lui; Rosemary lui lança un long regard de gratitude. David, subjugué, déclara que cela avait dû être pour tous les deux une expérience inoubliable. Mais Rosemary, pressée de renouer le fil de sa conversation avec Gibson Grange, l'interrompit au milieu de sa phrase.

David fut surpris par sa grossièreté, mais curieusement n'en éprouva nul ressentiment. Elle était si belle, si visiblement désireuse d'obtenir ce qu'elle cherchait ! Car il devenait de plus en plus évident que ce qu'elle voulait, c'était avoir Gibson Grange dans son lit cette nuit-là. Son désir avait la pureté et la franchise d'un désir d'enfant, ce qui faisait presque pardonner sa grossièreté.

Mais ce que David admirait le plus, c'était le comportement de Gibson Grange. L'acteur se rendait parfaitement compte de ce qui se passait. Il remarqua l'affront qui avait été fait à David et tenta de le faire oublier en lui disant : « Un jour, David, tu sauras te faire entendre », comme s'il cherchait à faire pardonner l'égocentrisme des grands de ce monde. Mais Rosemary le coupa lui aussi. Et Gibson, poliment, l'écouta. Décidément, c'était un homme charmant. Il regardait Rosemary avec un intérêt soutenu, ne laissant jamais son regard quitter le sien. Lorsque les doigts de son interlocutrice venaient caresser son visage, il lui étreignait l'épaule. Il ne faisait pas mystère de ses sentiments : elle lui plaisait.

Mais visiblement, cela ne suffisait pas à Rosemary. Elle continua de boire et finit par abattre sa dernière carte en révélant ses pensées les plus intimes.

Elle s'adressa directement à Gibson, ignorant délibérément les deux autres, et se rapprocha de lui, l'isolant ainsi de David Jatney et Hocken.

Impossible de mettre en doute sa sincérité. Elle en avait même les larmes aux yeux.

– Je veux être quelqu'un d'authentique, disait-elle. Je voudrais laisser tomber tout ce faux-semblant, tout ce monde du cinéma. Il ne me satisfait pas. Je veux contribuer à changer les choses sur cette planète. Comme Mère Teresa ou Martin Luther King. Je ne fais rien pour changer, pour améliorer la société. Je pourrais être infirmière ou médecin, je pourrais travailler dans le domaine social. Je déteste la vie que je mène, ces réceptions, ces incessants voyages en avion pour aller voir des gens importants. J'en ai marre de m'occuper de films qui n'aideront en rien l'humanité. Je veux faire quelque chose d'authentique.

Et elle serra entre les siennes la main de Gibson Grange.

Avec ravissement, David comprit comment Grange avait conquis la position qui était la sienne dans le milieu du cinéma, comment il maîtrisait de bout en bout les films dans lesquels il jouait. Car tout en laissant sa main dans celles de Rosemary, Grange avait réussi à éloigner sa chaise de la sienne et à retrouver sa place centrale dans le tableau. Rosemary le regardait toujours avec intensité, attendant sa réaction. Il lui adressa un sourire chaleureux, puis inclina la tête de côté pour parler à David et à Hocken.

– Elle a du bagout, dit-il d'un air à la fois affectueux et approbateur.

Dean Hocken éclata de rire et David Jatney ne put réprimer un sourire. L'espace d'un instant Rosemary sembla interdite, mais elle retrouva une contenance.

– Ah, Gib, vous ne prenez jamais rien au sérieux à part vos satanés films.

Et pour montrer qu'elle n'était pas vexée, elle lui tendit une main que Gibson Grange baisa galamment.

David Jatney était éperdu d'admiration. Ils étaient si raffinés, si subtils. Surtout Gibson Grange.

Rosemary l'avait ignoré toute la soirée, mais il lui reconnaissait ce droit. C'était la femme la plus puissante dans le milieu le plus sophistiqué du pays. Elle fréquentait des hommes infiniment plus importants que lui. Elle avait le droit de se montrer dédaigneuse, d'autant qu'elle ne le faisait pas méchamment. Pour elle, tout simplement, il n'existait pas.

Ils découvrirent alors avec stupéfaction qu'il était près de minuit ; ils étaient les derniers dans le restaurant. Hocken se leva et Gibson Grange aida Rosemary à enfiler la veste qu'elle avait ôtée dans le feu de la discussion. En se levant, Rosemary vacilla légèrement : elle était un peu soûle.

– Oh, je ne vais pas pouvoir conduire, dit-elle. La police est tellement sévère, je risque un contrôle. Gib, vous voulez bien me raccompagner à mon hôtel ?

– Mais c'est à Beverly Hills dit Gibson en souriant. Hock et moi nous allons chez moi, à Malibu. David va vous raccompagner ; n'est-ce pas, David ?

– Mais bien sûr, renchérit Dean Hocken. Vous êtes d'accord, n'est-ce pas, David ?

– Bien sûr, répondit David.

Mais les pensées les plus folles se bousculaient dans son esprit. Que se passait-il ? Hock avait l'air très embarrassé. Visiblement, Gibson Grange avait menti : il voulait avant tout se débarrasser de Rosemary. Et si Hocken avait l'air embarrassé, c'est qu'il devait soutenir le mensonge, sous peine de se mettre à dos une grande vedette, ce qu'aucun producteur à Hollywood ne peut se permettre de faire. Gibson regarda alors David en souriant, et le jeune homme eut l'impression de lire dans son esprit.

Quel grand acteur ! Le public pouvait lire ses pensées rien qu'en le voyant froncer les sourcils, incliner la tête, esquisser un sourire. Sans méchanceté, mais avec humour, il lui disait silencieusement : « Cette garce t'a ignoré toute la soirée, elle a été grossière avec toi, mais maintenant je l'ai mise en situation d'être en dette vis-à-vis de toi. » Hocken n'avait plus l'air embarrassé, il souriait. On eût dit que lui aussi avait lu les pensées de l'acteur.

– Je conduirai moi-même, dit alors Rosemary sans même accorder un regard à David.

– Je ne peux pas permettre ça, Rosemary, dit Hocken avec douceur. Tu es mon invitée et c'est moi qui t'ai fait boire plus que de raison. Si tu n'as pas envie que David te raccompagne, alors, bien sûr, c'est moi qui te ramènerai à ton hôtel. Je demanderai ensuite qu'on me raccompagne à Malibu.

David jugea la manœuvre magistrale. Pour la première fois de la soirée, il lui sembla que le ton de Hocken manquait de sincérité. Car Rosemary ne pouvait bien entendu pas accepter l'offre de Hocken sans offenser gravement son jeune ami. Elle mettrait Hocken et Gibson dans une situation impossible. Et de toute façon elle ne réussirait pas plus à attirer Gibson chez elle. Elle était prise au piège.

Ce fut Gibson Grange qui administra l'estocade.

– Je vous accompagnerai, Hock. Je ferai un petit somme sur le siège arrière pour vous tenir compagnie jusqu'à Malibu.

Rosemary se tourna alors vers David avec un large sourire.

– J'espère que ça ne vous ennuie pas trop.

– Mais non, pas du tout, répondit David.

Hocken lui administra une tape sur l'épaule et Gibson Grange le gratifia d'un sourire éclatant assorti d'un clin d'œil. C'était un nouveau message. Ces deux hommes établissaient avec lui une complicité de mâles. Une femme puissante avait humilié un homme en leur présence, et ils la punissaient. Il est vrai qu'elle en avait trop fait vis-à-vis de Gibson, ce n'est pas ainsi qu'on traite un homme aussi puissant. Ils l'avaient remise à sa place, et de belle manière ! Et tout cela avec humour et courtoisie ! Mais ce n'était pas tout : ces hommes se souvenaient de leur jeunesse, de l'époque où ils n'étaient encore rien ; ils l'avaient invité à dîner pour lui prouver que la réussite ne les avait pas rendus ingrats envers les jeunes gens, ce qui était, en outre, un moyen ancestral de s'assurer contre une vengeance ultérieure toujours possible. Rosemary, elle, n'avait pas honoré cette coutume, elle avait oublié sa jeunesse démunie, et ce soir, ils la lui avaient rappelée. Et pourtant, David se sentait du côté de Rosemary ; elle était trop belle pour qu'on la blessât.

Ils gagnèrent ensemble le parking, puis lorsque les deux hommes eurent disparu à bord de la Porsche de Hocken, David conduisit Rosemary vers sa vieille Toyota.

– Ah non ! s'exclama Rosemary, je ne peux pas descendre d'une voiture comme ça devant l'hôtel Beverly Hills. (Elle lança des regards autour d'elle.) Il faut que je retrouve ma voiture. Écoutez, David, ça vous ennuierait de me ramener dans ma Mercedes, elle doit être par ici, ensuite je vous ferai reconduire dans une voiture de l'hôtel. Comme ça je n'aurai pas à venir rechercher ma voiture demain matin. Vous êtes d'accord ?

Elle lui adressa un doux sourire, puis fouilla dans son sac à la recherche de ses lunettes. Ensuite, elle montra du doigt l'une des rares voitures demeurées sur le parking.

– C'est celle-là.

David, qui avait remarqué la voiture dès leur arrivée, était stupéfait. Il comprit alors qu'elle devait être extrêmement myope. Peut-être était-ce pour cette raison qu'elle l'avait ignoré tout au long du repas.

Elle lui donna les clés de la Mercedes et il ouvrit la porte du côté passager ; tandis qu'elle prenait place il fut enveloppé d'un nuage de parfum et de vin mélangés, et il se sentit brûlé par la chaleur de son corps.

Mais il n'eut pas besoin d'ouvrir la portière du côté conducteur : Rosemary l'avait fait à sa place. Il en fut surpris.

Il lui fallut quelques minutes avant de comprendre le fonctionnement de la Mercedes. Mais il goûtait le contact des sièges, l'odeur du cuir rouge (était-ce une odeur naturelle ou parfumait-elle la voiture avec un produit aux senteurs de cuir ?). Après le démarrage, il savoura également le plaisir de la conduite et comprit la jouissance qu'éprouvaient certaines personnes au volant.

La Mercedes semblait flotter dans les rues sombres. Il prit tellement de plaisir à conduire que la demi-heure passée jusqu'à l'hôtel Beverly Hills lui fit l'effet d'un bref instant. Pendant tout ce temps, Rosemary ne lui adressa pas la parole. Elle ôta ses lunettes, les remit dans son sac et demeura silencieuse. Une fois elle coula un regard dans sa direction, comme pour le jauger. David, lui, ne se tourna pas une seule fois vers elle ni ne lui parla. Il savourait le plaisir de conduire une jolie femme dans une voiture magnifique et au milieu d'une des villes les plus romantiques du monde.

Après s'être arrêté devant l'entrée de l'hôtel, surmonté d'une marquise, il lui tendit les clés de la voiture. Puis il sortit et alla lui ouvrir la portière. Au même moment, l'un des portiers de l'hôtel s'avança et elle lui tendit les clés ; David comprit trop tard qu'il aurait dû les laisser sur le tableau de bord.

Rosemary se dirigea alors vers la porte d'entrée de l'hôtel en foulant le tapis rouge, et David se dit qu'elle l'avait complètement oublié. Il était trop fier pour lui rappeler sa proposition de le faire raccompagner par une limousine de l'hôtel. Il l'observa. Sous le dais vert, dans les lumières dorées, elle avait l'air d'une princesse perdue. Elle s'immobilisa alors brusquement et se tourna vers lui ; elle était si belle que David eut l'impression que son cœur s'arrêtait de battre.

Elle avait dû se souvenir de lui, elle attendait qu'il la suive. Mais elle se tourna à nouveau et voulut grimper les quelques marches menant à la porte d'entrée. À la première marche elle trébucha et laissa tomber son sac dont le contenu se répandit sur le sol. David se précipita pour l'aider.

Le sac lui fit l'effet d'un coffre magique recelant tous les trésors de l'univers. Il y avait des tubes de rouge à lèvres, une trousse de maquillage qui s'était elle aussi ouverte en laissant échapper ses mystères, un porte-clés qui libéra une vingtaine de clés sur le tapis. Il y avait un tube d'aspirine et différents flacons de médicaments. Et puis une grande brosse à dents rose. Il y avait un briquet mais pas de cigarettes, un tube de Binaca et un petit sac en plastique contenant des culottes bleues et une sorte d'appareil à l'allure sinistre. Il y avait un nombre incalculable de pièces de monnaie, quelques billets de banque et un mouchoir blanc qui avait beaucoup servi. Il y avait des lunettes cerclées d'or, qui semblaient incongrues maintenant qu'elles n'ornaient plus le visage sculptural de Rosemary.

Cette dernière contempla la scène avec horreur, puis éclata en sanglots. Agenouillé sur le tapis rouge, David fourra rapidement le tout dans le sac à main. Rosemary ne l'aida pas. Lorsque enfin l'un des porteurs de l'hôtel apparut, David lui tendit le sac ouvert et finit de le remplir.

– En tendant le sac à Rosemary, il fut frappé par son humiliation.

– Montez boire un verre en attendant la limousine,

dit-elle en séchant ses larmes. Je n'ai pas eu l'occasion de vous parler de toute la soirée.

David sourit. Il revoyait Gibson Grange disant: « Elle a du bagout. » Mais il était curieux de voir l'intérieur du célèbre hôtel Beverly Hills, et il avait envie de rester avec Rosemary.

Il trouva curieux, et même minables pour un grand hôtel, les murs peints en vert. Mais lorsqu'ils pénétrèrent dans la grande suite, il ne put dissimuler son admiration. La décoration était magnifique, et il y avait une grande terrasse. Rosemary lui demanda ce qu'il voulait boire et prépara deux verres. Il avait demandé un whisky; il buvait rarement et se sentait un peu nerveux. Elle ouvrit alors les portes-fenêtres coulissantes et le conduisit sur la terrasse. Il y avait une table à plateau de verre et quatre chaises blanches.

– Asseyez-vous ici pendant que je vais à la salle de bains, lui dit-elle. Ensuite nous bavarderons un peu.

David s'installa sur l'une des chaises et se mit à siroter son whisky. En bas, s'étendaient les jardins de l'hôtel Beverly Hills, avec la piscine, les courts de tennis et les allées menant aux bungalows. Il y avait des arbres et de petites pelouses individuelles dont le vert était rendu plus intense par la lueur de la lune, et cette lueur, en se reflétant sur les murs roses de l'hôtel donnait à la scène une allure surréaliste.

Moins de dix minutes plus tard, Rosemary réapparut et s'installa sur l'une des chaises. Elle portait un pantalon blanc et un chandail en cachemire dont elle avait relevé les manches au-dessus du coude. Elle lui adressa un sourire éblouissant. Elle avait ôté son maquillage, et il la préférait comme ça. Ses lèvres étaient moins voluptueuses, son regard moins dominateur. Elle semblait plus jeune et plus vulnérable. Sa voix aussi semblait couler avec plus d'aisance, le ton était moins comminatoire.

– Hock m'a dit que vous étiez scénariste, dit-elle. Avez-vous quelque chose que vous aimeriez me montrer ? Vous n'avez qu'à l'envoyer à mon bureau.

– Non, pas vraiment, répondit-il en souriant.

En aucun cas il ne voulait courir le risque d'un refus venant d'elle.

– Mais Hock m'a dit que vous en aviez terminé un. Je suis toujours à la recherche de nouveaux écrivains. Il est tellement difficile de trouver quelqu'un d'intéressant.

– Non, dit Jatney, j'en ai écrit quatre ou cinq, mais ils étaient tellement mauvais que je les ai mis au panier.

Ils demeurèrent silencieux pendant un moment ; il était plus facile à David de garder le silence que de devoir parler. Ce fut Rosemary qui reprit l'initiative.

– Quel âge avez-vous, David ?

– Vingt-six ans, mentit-il.

Rosemary lui sourit.

– Ah, comme j'aimerais être aussi jeune ! Vous savez, quand je suis arrivée ici j'avais dix-huit ans et je rêvais d'être actrice ; ce que j'étais, d'ailleurs, mais une actrice minable. Je prononçais une ou deux phrases dans les séries de télévision, j'étais la vendeuse à qui l'héroïne achète quelque chose dans un magasin. Ensuite j'ai rencontré Hock, je suis devenue sa première assistante et il m'a appris tout ce que je sais. Il m'a aidée à monter mon premier film, et depuis cette époque il n'a pas cessé de m'aider. J'aime Hock, et je l'aimerai toujours. Mais il est très dur, comme il l'a montré ce soir. Il s'est mis du côté de Gibson contre moi. J'ai toujours voulu être aussi dure que Hock, ajouta-t-elle en hochant la tête. J'ai pris modèle sur lui.

– Je crois que c'est un type très gentil, dit David.

– Il vous aime beaucoup, dit Rosemary. C'est vrai, il me l'a dit. Il m'a dit que vous ressembliez beaucoup à votre mère et que vous vous comportiez comme elle. Il m'a dit que vous étiez quelqu'un de vraiment sincère, pas un arriviste. D'ailleurs je m'en rends compte aussi. Vous ne pouvez pas savoir à quel point je me sentais humiliée quand le contenu de mon sac s'est répandu par terre. Alors je vous ai vu tout ramasser sans même me regarder. Vous avez été très délicat.

Elle se pencha et l'embrassa sur la joue. Un parfum plus doux émanait de son corps, à présent.

Brusquement, elle se leva et retourna dans la chambre ; il la suivit. Elle referma la porte-fenêtre et lui dit :

– Je vais demander qu'on vous raccompagne.

Elle décrocha le combiné du téléphone, mais au lieu de composer le numéro elle se mit à regarder David d'un air songeur. Il se tenait à quelque distance d'elle, comme pour ne pas empiéter sur son espace.

– David, je vais vous demander quelque chose qui va vous sembler bizarre. Voulez-vous rester avec moi ce soir ? Je me sens seule et j'ai besoin de compagnie, mais je veux que vous me promettiez que vous ne ferez rien. Pouvons-nous seulement dormir ensemble comme deux amis ?

David était stupéfait. Jamais il n'aurait pensé qu'une femme aussi belle pût désirer quelqu'un comme lui. Mais la voix coupante de Rosemary le ramena à la réalité.

– Je suis sérieuse, j'aimerais bien avoir à mes côtés quelqu'un de gentil comme vous. Mais il faut me promettre que vous ne ferez rien. Si jamais vous essayez, je serai très fâchée.

Tout cela lui semblait tellement étrange qu'il sourit, comme s'il ne comprenait pas.

– Je resterai assis sur la terrasse, ou bien je dormirai sur le divan, là.

– Non, dit Rosemary, je veux dormir avec quelqu'un qui me serre dans ses bras. Je ne veux pas dormir seule. Vous pouvez me le promettre ?

– Mais je n'ai rien à me mettre... enfin pour dormir.

– Prenez une douche et dormez nu, ça ne me dérange pas, coupa sèchement Rosemary.

Rosemary indiqua à David la deuxième salle de bains : c'était là qu'il devait prendre sa douche. Elle ne voulait pas qu'il utilise la sienne. Après s'être douché et s'être lavé les dents, il enfila une robe de chambre accrochée à la porte, portant en élégantes lettres bleues l'inscription «Beverly Hills Hotel». En regagnant la chambre, il s'aperçut que Rosemary était encore dans la salle de bains. Il demeura planté là, gauchement, n'osant pas se glisser dans le lit que la femme de chambre avait déjà ouvert. Finalement, Rosemary fit son apparition, vêtue d'une chemise de nuit si élégante qu'elle avait l'air d'une poupée dans un magasin de jouets.

– Allez-y, rentrez dans le lit, dit-elle. Vous voulez un Valium, ou un somnifère ?

Il comprit qu'elle venait de prendre un comprimé. Elle se coucha, suivie de David qui garda sa robe de chambre. Ils étaient étendus côte à côte lorsqu'elle éteignit la lampe de chevet sur sa table de nuit. Ils se retrouvèrent dans le noir.

– Serre-moi contre toi, dit-elle.

Il la serra longuement entre ses bras, puis elle se tourna de son côté et lui dit sèchement :

– Fais de beaux rêves.

Étendu sur le dos, David contemplait le plafond. Il n'osait pas ôter sa robe de chambre. Devait-il en parler à Hock, la prochaine fois qu'ils se verraient ? Mais il se rendit compte qu'il serait un objet de risée pour avoir dormi avec une aussi jolie femme sans qu'il se passe rien. Et Hock le soupçonnerait peut-être de mensonge. Il regretta de ne pas avoir accepté le somnifère que Rosemary lui avait proposé. Elle dormait déjà et ronflait très doucement.

Au bout d'un moment, David décida d'aller dans le salon et sortit doucement du lit. Rosemary se réveilla et lui dit d'une voix ensommeillée :

– Pourrais-tu m'apporter un verre d'eau d'Évian ?

Dans le salon, David prépara deux verres d'eau d'Évian avec de la glace. Il but son verre et le remplit à nouveau. Puis il retourna dans la chambre. Dans la faible lumière venue du vestibule, il aperçut Rosemary qui s'asseyait dans le lit, les draps rejetés à côté d'elle. Elle tendit un bras nu pour prendre le verre qu'il lui offrait. Avant de trouver sa main, David toucha l'épaule de Rosemary et se rendit compte qu'elle était nue. Tandis qu'elle buvait son eau, il se glissa dans le lit, mais cette fois il laissa sa robe de chambre tomber à terre.

Lorsqu'elle eut reposé son verre il se mit à caresser doucement la peau nue de son dos, puis de ses fesses. Elle roula contre lui et pressa ses seins contre sa poitrine. Ils eurent rapidement si chaud qu'ils se débarrassèrent des draps à coups de pied. Ils s'embrassèrent longuement, puis il se retrouva sur elle, et la main de Rosemary, douce comme du satin, le guida à l'intérieur d'elle. Ils firent l'amour presque en silence, comme s'ils avaient été épiés, et atteignirent l'orgasme en même temps. Ils demeurèrent étendus côte à côte.

– Et maintenant, dors, chuchota-t-elle en l'embrassant doucement au coin des lèvres.

– Je veux te voir, dit-il.

– Non.

David se pencha par-dessus elle et alluma la lampe de chevet. Rosemary ferma les yeux. Elle était toujours aussi belle, même une fois son désir satisfait, même débarrassée des artifices de la coquetterie. Mais c'était d'une beauté différente.

Il avait fait l'amour mû par un désir animal, excité par la proximité de ce corps de femme. Elle, elle avait fait l'amour parce que le désir était dans son cœur, ou parce qu'il torturait son esprit. À présent, dans la lumière de la lampe de chevet, son corps n'était plus aussi extraordinaire. Ses seins étaient petits, avec de fines rides, ses jambes n'étaient plus aussi longues, ses hanches plus aussi larges, ses cuisses étaient un peu maigres. Elle ouvrit les yeux, le regarda, et il lui dit : « Tu es si belle. » Il embrassa ses seins, puis éteignit la lampe de chevet. Ils firent à nouveau l'amour avant de s'endormir.

Lorsque David se réveilla, elle n'était plus dans le lit. Il s'habilla rapidement et mit sa montre à son poignet. Il était sept heures du matin. Il la trouva sur la terrasse ; elle était vêtue d'un jogging rouge qui faisait ressortir le noir de sa chevelure. Sur la table roulante se trouvaient un pot en argent avec du café, un pot à lait et une série de plats en métal recouverts d'une cloche.

– J'ai commandé le petit déjeuner pour toi, dit Rosemary en souriant. J'étais sur le point de te réveiller. Je dois aller courir avant de me mettre au travail.

Il s'installa à table ; elle lui versa une tasse de café et découvrit l'un des plats contenant des œufs et des fruits coupés en tranches. Elle-même avala un verre de jus d'orange et se leva.

– Prends ton temps, dit-elle. Et merci d'être resté cette nuit.

David avait envie de prendre le petit déjeuner avec elle, de recevoir une preuve d'amour, il voulait lui parler, lui raconter sa vie, lui dire des choses qui l'auraient fait s'intéresser à lui. Mais elle serrait un bandeau blanc autour de ses cheveux et se mit en devoir de lacer ses chaussures de jogging.

– Quand vais-je te revoir ? dit David sans se rendre compte que sa voix tremblait d'émotion.

Mais dès qu'il eut prononcé ces mots il comprit qu'il avait commis une terrible erreur.

Rosemary, qui s'apprêtait à sortir, s'immobilisa brusquement.

– Je vais être extrêmement occupée dans les semaines qui viennent, dit-elle. Je dois aller à New York. À mon retour, je t'appellerai.

Elle ne lui demanda pas son numéro de téléphone.

Puis une pensée sembla soudain la frapper. Elle prit le téléphone et demanda qu'on raccompagne David en voiture à Santa Monica.

– Ça sera mis sur ma note, dit-elle. Euh… as-tu besoin de liquide pour donner un pourboire au chauffeur ?

Il la regarda sans rien dire pendant un long moment.

– Combien te faut-il pour le pourboire ? demanda-t-elle en ouvrant son sac.

David ne put se retenir. Il ne savait pas que son visage était tordu par une haine qui le rendait effrayant.

– Tu dois savoir ça mieux que moi ! lança-t-il d'une voix insultante.

Rosemary referma son sac avec un bruit sec et quitta la chambre.

Il n'eut plus jamais de ses nouvelles. Deux mois plus tard, sur le parking de la société de production, il la vit sortir du bureau de Dean Hocken en compagnie de ce dernier et de Gibson Grange. Il attendit près de la voiture de Hocken de façon à ce qu'ils ne puissent pas l'éviter. Hocken lui donna une tape dans le dos, lui dit qu'ils devaient dîner ensemble un soir et lui demanda comment marchait le travail. Gibson Grange lui serra la main en le gratifiant d'un petit sourire amical. Rosemary, elle, le regarda sans sourire. Et ce qui lui fit vraiment mal, c'est que l'espace d'un instant, il lui sembla qu'elle l'avait réellement oublié.

14

Jeudi (Washington)

Matthew Gladyce, porte-parole de la présidence, savait qu'au cours des prochaines vingt-quatre heures, il allait devoir prendre la décision la plus importante de sa vie professionnelle. Son travail consistait à éviter les dérapages des médias face aux tragiques événements des trois jours précédents. Il devait également informer le peuple américain des décisions prises par le président pour faire face à la crise, et justifier ces décisions. Gladyce devait faire preuve de la plus extrême prudence.

En cette matinée du jeudi après Pâques, au beau milieu de la crise, Matthew Gladyce rompit tout contact personnel avec les médias. Ses assistants se chargeaient de rencontrer les journalistes dans la salle de presse de la Maison-Blanche, mais ils avaient reçu pour consigne de s'en tenir à des communiqués aux termes soigneusement pesés et d'éluder les questions embarrassantes.

Gladyce décida de ne pas répondre aux coups de téléphone qui lui parvenaient sans cesse; ses secrétaires filtraient les appels et faisaient barrage aux journalistes célèbres qui tentaient de faire valoir quelque service particulier qu'il leur devait. Sa première tâche était de protéger le président des États-Unis.

Longtemps journaliste lui-même, Matthew Gladyce savait qu'aucun rituel n'est plus révéré aux États-Unis que l'insolence traditionnelle des journaux et des télévisions envers les personnalités. Des présentateurs vedettes de la télévision éreintaient avec arrogance d'affables ministres, ergotaient de façon malveillante avec le président lui-même, persécutaient des candidats à de hautes fonctions avec la férocité de procureurs. Au nom de la liberté de la presse, les journaux publiaient des articles diffamatoires. Autrefois, il avait été partie prenante de tout ce système, et il l'avait même admiré. Il avait joui de la haine que tout homme d'État porte aux représentants de la presse. Mais ces trois années passées au service de presse de la présidence l'avaient fait changer d'avis. Comme les autres membres du gouvernement (y compris par le passé) il en était venu à ne plus faire confiance et à mépriser cette grande institution de la démocratie qu'on appelle la liberté d'expression. Comme tous les gens de pouvoir il avait fini par ne plus y voir que coups et blessures. Les médias étaient des criminels protégés qui s'attaquaient à la réputation des institutions et des personnes privées. Et tout cela pour vendre leurs journaux et leurs publicités à trois cents millions de consommateurs.

Aujourd'hui, il était bien décidé à ne pas céder un pouce de terrain à ces charognards.

Il songea à ces quatre derniers jours et au torrent de questions auxquelles il avait dû répondre. Le président avait refusé toute communication personnelle, et c'était lui qui avait hérité de la tâche. Lundi : «Pourquoi les ravisseurs n'ont-ils présenté aucune revendication ? L'enlèvement de la fille du président est-il lié à l'assassinat du pape ? » Grâce à Dieu, ces questions avaient fini par trouver elles-mêmes leurs réponses. À présent, les choses étaient claires. Les deux événements étaient liés, et les ravisseurs avaient présenté leurs exigences.

Gladyce avait rédigé les communiqués de presse sous le contrôle direct du président. Ces événements constituaient une attaque concertée contre le prestige et l'autorité des États-Unis. Puis ce fut l'assassinat de Theresa Kennedy, et les questions imbéciles : « Quelle a été la réaction du président lorsqu'il a appris l'assassinat de sa fille ? » À ce moment-là, Gladyce avait perdu son sang-froid. « Que croyez-vous qu'il ait ressenti, espèce de crétin ? » Puis une autre question du même tonneau : « Cela ne rappelle-t-il pas au président l'assassinat de ses oncles ? » À ce moment-là, Matthew Gladyce avait décidé de laisser les conférences de presse à ses subordonnés.

Mais à présent il lui fallait remonter sur scène, et défendre l'ultimatum lancé au sultan du Sherhaben. Il laisserait de côté la menace de détruire le pays tout entier. Il déclarerait seulement que si les otages étaient libérés et Yabril livré vivant, Dak ne serait pas détruite, de façon à lui laisser une porte de sortie après le bombardement de la ville. Mais la nouvelle la plus importante était que le président s'adresserait directement à la nation à la télévision au cours de l'après-midi.

Il jeta un coup d'œil par la fenêtre de son bureau. La Maison-Blanche était entourée par des camions de télévision et des journalistes venus du monde entier. Qu'ils aillent tous se faire foutre, songea Gladyce. Ils n'apprendraient que ce qu'on voudrait bien leur dire.

Jeudi (Sherhaben)

Les représentants américains arrivèrent au Sherhaben. Leur avion se posa sur une piste parallèle et éloignée de celle où se trouvait encore l'avion détourné par Yabril et encerclé par les soldats. Derrière les soldats on apercevait une multitude de camions de télévision, une horde de journalistes et une foule immense de curieux pour la plupart venus de Dak.

L'ambassadeur du Sherhaben aux États-Unis, Charif Waleeb, avait pris des somnifères et avait réussi à dormir presque tout au long du voyage. Bert Audick et Arthur Wix, eux, n'avaient cessé de discuter, Audick cherchant à persuader Wix de faire revenir le président sur sa décision et d'obtenir la libération des otages sans avoir recours à des moyens aussi extrêmes.

– Je n'ai aucune marge de manœuvre pour négocier, avait fini par lui dire Wix. Le président m'a donné des instructions très strictes : ils se sont bien amusés, eh bien, maintenant ils vont payer !

– Mais enfin vous êtes conseiller en matière de sécurité nationale, avait dit sombrement Audick, alors faites votre travail : conseillez.

– Il n'y a aucun conseil à donner. Le président a pris sa décision.

À leur arrivée au palais, Wix et Audick furent escortés jusqu'à leurs appartements par des gardes armés. Le palais tout entier semblait sous surveillance militaire. Puis l'ambassadeur fut introduit auprès du sultan à qui il remit les documents relatifs à l'ultimatum.

Le sultan refusa de croire à la menace, estimant que n'importe qui était capable de terroriser son petit ambassadeur.

– Quelle tête faisait Kennedy, lorsqu'il vous a dit ça ? demanda le sultan. Est-ce le genre d'homme à agiter de telles menaces simplement pour effrayer ? Son gouvernement appuierait-il une telle action ? Il jouerait sa carrière politique sur un simple coup de dés. Ne pensez-vous pas qu'il cherche simplement à peser sur les négociations ?

Waleeb quitta le fauteuil à brocart d'or sur lequel il avait pris place. Son visage poupin devint grave, et le sultan remarqua que sa voix était ferme.

– Votre excellence, Kennedy savait exactement ce que vous alliez dire, mot pour mot. Si vingt-quatre heures après la destruction de Dak vous n'avez pas accédé à ses exigences, le Sherhaben entier sera détruit. Voilà pourquoi on ne peut plus sauver Dak. C'est la seule façon pour lui de vous convaincre de sa détermination. Il a dit aussi que vous ne céderez à ses exigences qu'après la destruction de Dak et pas avant. Il était calme, il souriait. Ce n'est plus l'homme qu'il était. Maintenant, c'est Azazel.

Un peu plus tard, on conduisit les deux représentants du président américain dans une salle de réception flanquée d'une piscine et de terrasses munies de l'air conditionné. Des serviteurs en gandouras leur servirent des mets délicieux et des boissons sans alcool. Entouré de conseillers et de gardes du corps, le sultan les accueillit.

L'ambassadeur du Sherhaben fit les présentations. Le sultan connaissait déjà Bert Audick : ils avaient souvent traité ensemble des contrats pétroliers. Audick avait également accueilli plusieurs fois le sultan, fort discrètement, lorsqu'il s'était rendu en visite aux États-Unis. Le souverain le salua avec chaleur.

Mais en apercevant le deuxième homme, le sultan eut peur, l'espace d'un instant, que la menace de Kennedy ne fût bien réelle, car il avait reconnu Arthur Wix, conseiller du président en matière de sécurité nationale, et qui plus est juif. Il avait la réputation d'être, au sein de l'appareil militaire, l'homme le plus puissant des États-Unis, et d'être le plus farouche ennemi des États arabes dans leur lutte contre Israël. Le sultan remarqua que Wix ne lui tendait pas la main et se contentait d'un signe de tête froidement poli.

Le sultan se demanda alors, si sa menace était bien réelle, pourquoi le président américain avait envoyé une personnalité de si haut niveau, au risque de la voir prise en otage et périr dans l'attaque contre le Sherhaben. Bert Audick lui-même aurait-il pris un tel risque ? Il connaissait bien l'homme et la réponse ne faisait aucun doute : certainement pas. Ce qui voulait dire qu'il existait une marge de négociation et que la menace de Kennedy n'était qu'un bluff. Ou bien alors le président américain était devenu fou et se moquait de ce qui pourrait arriver à ses émissaires. Le sultan laissa errer son regard sur la salle de réceptions : elle était infiniment plus luxueuse que n'importe quel salon de la Maison-Blanche. Les murs étaient recouverts d'or, les marbres délicatement ciselés, les tapis somptueux. Comment imaginer que tout ceci pût être détruit ?

– Mon ambassadeur m'a transmis le message de votre président, dit le sultan avec la plus parfaite dignité. J'ai beaucoup de mal à croire que le plus grand dirigeant du monde libre ose proférer une telle menace et plus encore à imaginer qu'il puisse la mettre à exécution. Car en réalité je suis totalement impuissant. Quelle influence puis-je avoir sur ce Yabril, ce criminel ? Votre président serait-il un nouvel Attila ? Croit-il présider aux destinées de la Rome antique et non diriger les États-Unis d'Amérique ?

– Sultan Maurobi, répondit Bert Audick, je suis venu ici en ma qualité d'ami pour vous aider, vous et votre pays. Le président est bien décidé à mettre sa menace à exécution. Je crois que vous n'avez pas le choix : vous devez livrer ce Yabril.

Le sultan demeura songeur un long moment avant de se tourner vers Arthur Wix.

– Et vous, que faites-vous ici ? demanda-t-il ironiquement. L'Amérique est-elle prête à sacrifier un homme de votre importance au cas où je refuserais de céder à vos exigences ?

– L'éventualité que nous soyons retenus en otage si vous rejetiez nos exigences a été soigneusement examinée, dit Arthur Wix sans se départir de son impassibilité et en dissimulant soigneusement la colère et la haine qu'il éprouvait envers le sultan.

«En tant que chef d'un État indépendant, votre colère et vos menaces sont parfaitement compréhensibles. Mais la raison de ma présence ici est de vous convaincre que les ordres ont bien été donnés à nos troupes. En sa qualité de chef des armées, le président des États-Unis a le pouvoir de décider une telle action. Bientôt, la ville de Dak aura cessé d'exister. Vingt-quatre heures plus tard, si vous ne cédez toujours pas, ce sera l'État entier du Sherhaben qui sera détruit. Tout ceci (d'un geste il embrassa toute l'étendue de la pièce) n'existera plus et vous vivrez de la charité des pays voisins. Vous serez encore sultan, mais vous ne régnerez plus sur rien.

Le sultan ne laissa pas paraître sa fureur. Il se tourna vers l'autre Américain.

– Avez-vous quelque chose à ajouter ?

– Il n'y a aucun doute que Kennedy entend mettre sa menace à exécution, dit Bert Audick presque sournoisement. Mais au sein de l'appareil d'État, beaucoup de gens ne sont pas d'accord avec lui. Cette entreprise risque de lui coûter la présidence.

Puis, se tournant vers Arthur Wix, il ajouta, presque en s'excusant :

– Je crois qu'il faut dire les choses clairement.

Wix le fusilla du regard. Il se doutait bien que Bert Audick tenterait quelque chose de son côté. Cette crapule allait chercher à saboter toute l'affaire, simplement pour sauver ses cinquante milliards de dollars.

Après avoir jeté un regard venimeux à Audick, Wix se tourna vers le sultan.

– Aucune négociation n'est possible.

– Je crois, dit alors Audick, qu'il y a tout de même un espoir. Et j'estime qu'il est de mon devoir de vous le dire ici, en présence de mon compatriote, plutôt qu'au cours d'une audience privée que vous m'auriez certainement accordée. Le Congrès des États-Unis va se réunir en session extraordinaire pour décider de la suspension du président Kennedy. Si nous pouvons annoncer que vous relâchez les otages, je vous assure que Dak ne sera pas détruite.

– Et je ne serais pas obligé de livrer Yabril? demanda le sultan.

– Non. Mais il ne faudra pas demander la libération de l'assassin du pape.

En dépit de sa courtoisie, le sultan ne put dissimuler un accent de triomphe lorsqu'il s'adressa de nouveau à Arthur Wix.

– Monsieur Wix, ne pensez-vous pas que c'est là une solution plus raisonnable?

– Le président serait suspendu parce qu'un terroriste a tué sa fille? Et ensuite l'assassin serait libre de partir où bon lui semble? Non, ça ne me paraît pas une solution plus raisonnable.

– Nous pourrons toujours capturer ce type plus tard, dit Audick.

Wix lui jeta un regard chargé de tant de haine et de mépris qu'Audick comprit qu'il venait de se faire un ennemi pour la vie.

– Dans deux heures, dit alors le sultan, nous nous retrouverons tous avec mon ami Yabril. Nous dînerons ensemble et nous parviendrons à un accord. J'arriverai à le persuader, soit par la douceur, soit par la force. Mais dès que nous serons sûrs que la ville de Dak sera épargnée, les otages seront relâchés. Messieurs, vous avez ma parole de musulman et de sultan du Sherhaben.

Le sultan donna ensuite des instructions pour qu'on le prévienne dès que serait connu le vote du Congrès. Puis les émissaires américains furent escortés jusqu'à leurs chambres où ils purent prendre un bain et se changer.

Sur l'ordre du sultan, Yabril fut conduit au palais. On le fit attendre dans la grande salle de réception, pleine de gardes armés en uniforme. En arrivant, il avait également remarqué que les abords du palais étaient sévèrement gardés. Yabril se sentit immédiatement en danger, mais il n'y avait rien à faire.

Ensuite, conduit dans un grand salon, il fut soulagé lorsque le sultan lui donna l'accolade. Puis le sultan le mit au courant de ce qui s'était passé avec les émissaires américains.

– Je leur ai promis que tu libérerais les otages sans discussion. À présent, il ne reste plus qu'à attendre la décision du Congrès américain.

– Mais cela veut dire que j'abandonne mon ami Romeo. Ma réputation va en souffrir.

– Quand il sera jugé pour le meurtre du pape, répondit le sultan en souriant, cela fera une grande publicité à votre cause. Mais la gloire, c'est quand même de rester en liberté après ce coup-là et l'assassinat de la fille du président des États-Unis. Mais aussi, quelle vilaine surprise tu m'as réservée. Tuer ainsi une jeune fille de sang-froid ! Cela m'a profondément déplu, et en plus ça n'était pas très intelligent.

– J'avais mes raisons, dit Yabril. Je n'ai jamais eu l'intention de la laisser quitter l'avion vivante.

– Tu dois être satisfait, maintenant. Tu as réussi à faire suspendre le président des États-Unis. J'imagine que tu n'en rêvais pas tant.

Le sultan se tourna alors vers l'un des gardes.

— Allez chercher cet Américain, M. Audick, et amenez-le ici.

Une fois en présence de Yabril, Audick ne lui tendit pas la main et n'eut pas le moindre geste de cordialité. Yabril, lui, inclina la tête de côté en souriant. Il avait l'habitude de ces gens-là, de ces vampires qui sucent le sang du peuple arabe, qui passent des contrats avec les émirs et les rois du pétrole pour enrichir l'Amérique et les autres pays étrangers.

— Monsieur Audick, dit alors le sultan, voulez-vous expliquer à mon ami la façon dont votre Congrès va suspendre le président.

Yabril jugea les explications convaincantes, mais n'en demanda pas moins :

— Et si quelque chose tourne mal et que vous n'obteniez pas la majorité des deux tiers ?

— Dans ce cas, vous, le sultan et moi serons sacrément dans la panade.

Le président Francis Xavier Kennedy jeta un coup d'œil aux papiers que lui tendait Matthew Gladyce avant d'y apposer son paraphe. En voyant l'air satisfait qu'arborait son collaborateur, il comprit ce qu'il éprouvait : tous deux étaient en train de rouler le peuple américain dans la farine. En d'autres circonstances il aurait rabattu le caquet au prétentieux, mais il se ravisa : il vivait le moment le plus dangereux de toute sa carrière politique, et il devait conserver en main tous ses atouts.

Ce soir-là, le Congrès essayerait de le suspendre en jouant sur le caractère ambigu du vingt-cinquième amendement à la Constitution. Peut-être pourrait-il, à long terme, gagner la bataille contre le Congrès, mais alors il serait trop tard. Bert Audick aurait obtenu la libération des otages contre la promesse de laisser filer Yabril.

La mort de sa fille ne serait pas vengée ; l'assassin du pape serait remis en liberté. Mais Kennedy comptait sur son appel au peuple lancé à la télévision pour que le Congrès se trouve submergé par une vague de télégrammes de protestations et qu'il finisse par céder. Il savait que le peuple, horrifié par le double meurtre du pape et de sa fille, le soutiendrait. Il se sentait en communion avec le peuple. C'était là que se trouvaient ses alliés contre le Congrès corrompu et les hommes d'affaires cyniques et sans scrupules comme Bert Audick.

Toute sa vie il s'était senti proche des malheureux, de la masse du peuple en lutte pour une vie meilleure. Dès le début de sa carrière il s'était juré que jamais il ne se laisserait corrompre par cet amour de l'argent qui semblait inséparable de la réussite. Il méprisait le pouvoir des riches, l'arme de l'argent. À présent, il se rendait compte qu'il s'était toujours considéré comme un héros invulnérable, très au-dessus des désirs de ses contemporains. Jusque-là, il n'avait pas compris la haine qui devait animer les opprimés. Cette haine, désormais, il la partageait. Maintenant que les riches et les puissants voulaient l'abattre, c'était pour sa survie qu'il se battait.

Mais en même temps il refusait de se laisser égarer par la haine. Face à la crise qui s'annonçait, il importait avant tout de demeurer lucide. Même s'il était suspendu, il devait faire en sorte de revenir au pouvoir. Les riches et le Congrès pouvaient bien gagner une bataille, ils étaient sûrs de perdre la guerre. Il y aurait des élections en novembre, et le peuple américain n'aurait pas subi l'humiliation de gaieté de cœur. Même s'il perdait dans un premier temps, la crise pouvait en fin de compte lui être favorable ; sa tragédie personnelle serait l'une de ses armes. Mais il fallait prendre garde à ne pas dévoiler ses plans à long terme, même à son cabinet particulier.

Kennedy comprenait bien qu'il se préparait à assumer

la totalité du pouvoir. Il n'y avait pas d'autre issue. Sinon, il fallait accepter la défaite et toute l'angoisse qui l'accompagne ; il n'aurait pu y survivre.

Jeudi après-midi, neuf heures avant la session extraordinaire du Congrès, le président Francis Kennedy se réunit avec ses conseillers, son cabinet particulier et la vice-présidente Helen Du Pray.

C'était leur dernière réunion avant le vote du Congrès, et ils savaient tous que leurs ennemis avaient réussi à rassembler la majorité des deux tiers. Kennedy vit immédiatement que dans la salle, l'ambiance était à la défaite.

Il leur adressa à tous un sourire chaleureux, et ouvrit la réunion en remerciant le chef de la CIA, Theodore Tappey, de ne pas avoir signé la demande de suspension. Puis il se tourna vers la vice-présidente et se mit à rire de bon cœur.

— Ma chère Helen, pour tout l'or du monde je n'aimerais pas être à votre place. Vous rendez-vous compte du nombre d'ennemis que vous vous êtes faits en refusant de signer la demande de suspension ? Vous auriez pu être la première femme présidente des États-Unis. Le Congrès vous déteste parce que vous lui avez compliqué la tâche. Les hommes vont vous détester pour votre indulgence. Les féministes vont vous considérer comme une traîtresse. Comment quelqu'un aussi rompu que vous aux arcanes de la politique a-t-il pu se mettre dans un pareil pétrin ? Au fait… je tenais à vous remercier pour votre loyauté.

— Ces gens ont tort de s'acharner, dit Helen Du Pray. Dites-moi, monsieur le président, y a-t-il encore une chance de négocier avec le Congrès ?

— Je ne peux pas négocier, répondit Kennedy. Et de toute façon ils ne le veulent pas. (Il se tourna vers Dazzy.) Mes ordres ont-ils été exécutés… l'aéronavale est-elle en route pour Dak ?

– Oui, monsieur le président, répondit Dazzy en se tortillant sur sa chaise d'un air gêné. Mais les chefs d'état-major n'ont pas encore donné l'ordre de bombardement. Ils attendent le vote de ce soir. Si la suspension est votée, ils rappelleront les avions… Ils ne vous ont pas désobéi. Ils ont suivi vos ordres. Ils se sont seulement laissé la possibilité d'annuler tout si vous perdez ce soir.

Le visage grave, Kennedy se tourna vers Helen Du Pray.

– Si la suspension est votée, vous serez présidente des États-Unis. Vous pouvez ordonner à l'état-major de bombarder Dak. Donnerez-vous cet ordre ?

– Non.

Un long silence pesa sur la pièce. Le visage impassible, la vice-présidente s'adressa directement à Kennedy.

– J'ai soutenu votre déclaration à propos de Dak, comme il était de mon devoir de le faire en tant que vice-présidente. J'ai refusé de signer la demande de suspension. Mais si je deviens présidente, et je souhaite de tout mon cœur que cela n'arrive pas, alors je devrai agir suivant ma conscience.

Kennedy acquiesça, puis lui adressa un sourire aimable qui lui brisa le cœur.

– Vous avez parfaitement raison, dit-il. Je ne demandais cela qu'à titre d'information, je ne cherchais pas à vous convaincre. (Il se tourna alors vers les autres assistants.) Le plus important, maintenant, est de préparer un discours sans faille pour la télévision. Eugene, avez-vous réservé une plage horaire ? Mon discours a-t-il été annoncé ?

– Lawrence Salentine est venu vous en parler en personne, dit Dazzy avec une certaine prudence dans la voix. Je crois qu'il y a un coup fourré. Il est dans mon bureau ; voulez-vous que je le fasse venir ?

– Ils n'oseront pas, dit doucement Kennedy. Ils n'oseront pas faire étalage de leur force aussi ouvertement. (Il réfléchit un long moment.) Faites-le venir.

En attendant Salentine, ils discutèrent du temps que devait durer le discours.

– Pas plus d'une demi-heure, dit Kennedy. En moins de temps que cela j'aurai obtenu ce que je veux.

Tout le monde avait compris ce qu'il voulait dire. À la télévision, Kennedy était capable de subjuguer n'importe quel auditoire. Il y avait sa voix magique, la musique des grands poètes irlandais, et pourtant son propos était toujours logique et d'une limpidité parfaite.

Dès que Lawrence Salentine fut entré dans la pièce, Kennedy s'adressa à lui sans même le saluer.

– J'espère que vous n'allez pas me dire ce que j'imagine.

– Je n'ai aucun moyen de savoir ce que vous imaginez, répondit froidement Salentine. Sachez seulement que j'ai été désigné par l'ensemble des patrons de chaînes pour vous faire part de notre décision de ne pas vous accorder de temps de parole ce soir. Ce serait, sans cela, une façon d'interférer dans la procédure de suspension.

– Monsieur Salentine, dit alors Kennedy en souriant, la suspension, même si elle est votée, ne durera que trente jours. Qu'arrivera-t-il ensuite ?

Francis Kennedy n'avait pas pour habitude de se montrer menaçant. Salentine se dit alors qu'ils s'étaient embarqués dans une partie redoutablement dangereuse. En termes strictement légaux, c'était le gouvernement fédéral qui délivrait les autorisations d'émettre aux stations de télévision, mais cette pratique était tombée en désuétude. Pourtant, un président fort pouvait fort bien s'en prévaloir à nouveau, et Salentine savait qu'il fallait se montrer extrêmement prudent.

– Monsieur le président, c'est parce que notre responsabilité est immense que nous sommes contraints de vous refuser ce temps de parole. À mon grand regret, et au regret de l'ensemble du peuple américain, une procédure de suspension a été ouverte contre vous. C'est une terrible tragédie et je partage vos sentiments. Mais les chaînes de télévision sont unanimes à estimer que vous laisser un temps de parole serait contraire aux intérêts de notre pays et de la démocratie. (Il demeura un instant silencieux.) Mais après le vote du Congrès, quelle qu'en soit l'issue, nous vous donnerons ce temps de parole.

– Vous pouvez vous retirer, dit Kennedy avec un rire mauvais.

Lawrence Salentine fut escorté jusqu'à la sortie par un agent des services secrets.

– Messieurs, dit alors Kennedy aux personnes présentes, croyez-moi, ils sont allés trop loin.

Il ne souriait plus, ses yeux bleus avaient pris la couleur de l'acier.

– Ils ont violé l'esprit de la Constitution.

À des kilomètres à la ronde autour de la Maison-Blanche, la circulation était devenue impossible, et la police avait le plus grand mal à ménager d'étroits passages pour les voitures officielles. Tout le quartier était encombré par les camions de télévision. Les parlementaires qui se rendaient sur la colline du Capitole étaient agrippés sans cérémonie par les journalistes. Finalement, les télévisions annoncèrent que le Congrès se réunirait à onze heures du soir pour voter la suspension du président Kennedy.

À la Maison-Blanche, Kennedy et son cabinet particulier avaient fait tout ce qu'il était possible de faire pour contrer l'attaque du Congrès. Oddblood Gray avait multiplié les coups de téléphone aux députés et sénateurs pour plaider sa cause. Eugene Dazzy avait pris contact avec plusieurs membres du club Socrate pour tenter d'obtenir le soutien de certains secteurs de l'économie.

Christian Klee, lui, avait envoyé aux présidents des deux Chambres une note soulignant que sans la signature de la vice-présidente, la suspension était entachée de nullité.

Un peu avant onze heures, Kennedy et les membres de son cabinet se retrouvèrent dans le salon jaune devant un poste de télévision à grand écran. La session extraordinaire du Congrès ne devait pas être retransmise en direct sur les chaînes commerciales, mais elle était cependant filmée, et les images parvenaient à la Maison-Blanche grâce à un câble spécial.

Jintz et Lambertino avaient bien travaillé. Tout s'était déroulé à la perfection. Sal Troyca et Elizabeth Stone avaient veillé au moindre détail administratif. Tous les documents nécessaires étaient prêts pour le changement de gouvernement.

Dans le salon jaune, Kennedy et ses collaborateurs suivaient les débats. Il faudrait un certain temps pour que fussent respectées les formalités relatives aux prises de parole et au vote. Mais ils connaissaient d'avance le résultat. Pour l'occasion, le Congrès et le club Socrate avaient monté une invincible machine de guerre. «Otto, vous avez fait de votre mieux», dit Kennedy à Oddblood Gray.

À ce moment-là, l'un des employés de permanence à la Maison-Blanche pénétra dans la pièce et tendit une note à Eugene Dazzy qui en prit connaissance avec stupéfaction. Il tendit la feuille à Kennedy.

Sur l'écran de la télévision, à une majorité bien supérieure à celle des deux tiers, le Congrès venait de décider la suspension pour trente jours du président Francis Xavier Kennedy.

Sherhaben, vendredi, six heures du matin.

Il était vingt-trois heures à Washington, ce jeudi,

mais déjà vendredi matin, six heures, au Sherhaben. Le sultan fit venir tous ses hôtes dans la grande salle de réception pour un petit déjeuner des plus matinaux. Les Américains, Bert Audick et Arthur Wix, précédèrent de peu Yabril, amené par le sultan. Sur une longue table étaient disposés une grande variété de fruits et de boissons, chaudes et froides.

Le sultan Maurobi arborait un large sourire, mais entre Yabril et les Américains il n'y eut pas la moindre phrase de politesse.

– Je suis heureux d'annoncer, déclara le sultan, et heureux est un mot bien faible, mon cœur déborde de joie, que mon ami Yabril a accepté de relâcher les otages. Il ne présentera aucune autre exigence, et j'espère que votre pays s'en tiendra là également.

Le visage ruisselant de sueur, Arthur Wix répondit :

– Je ne peux ni négocier ni modifier les exigences du président Kennedy. Vous devez nous livrer cet assassin.

– Il n'est plus président, dit le sultan en souriant. Le Congrès américain a voté sa suspension. On m'a informé que l'ordre de bombarder Dak avait été rapporté. Les otages seront libérés : vous avez gagné. Vous ne pouvez rien demander d'autre.

Un véritable sentiment de triomphe s'empara de Yabril : il avait fait suspendre le président des États-Unis. Il plongea les yeux dans ceux de Wix et y lut de la haine. Il avait en face de lui l'homme le plus puissant de la plus puissante armée du monde, et il l'avait terrassé. L'espace d'un instant, il se revit appuyant le canon de son arme contre la chevelure soyeuse de Theresa Kennedy. Il se rappela son sentiment de détresse, de regret, lorsqu'il avait appuyé sur la détente, l'angoisse qui s'était emparée de lui en voyant le corps projeté dans l'air brûlant du désert. Il inclina la tête en direction de Wix et des autres personnes présentes dans la salle.

Sur un signe du sultan Maurobi, les serviteurs apportèrent fruits et boissons sur des plateaux.

– Êtes-vous sûr de votre information ? demanda Arthur Wix en reposant son verre.

– Je vais faire en sorte que vous puissiez vous entretenir directement avec vos services à Washington, dit le sultan. Mais d'abord, il me faut remplir mes devoirs d'hôte.

Le sultan expliqua qu'ils devaient prendre un dernier repas en commun, et que les détails concernant la libération des otages seraient mis au point au cours de ce repas. Yabril prit donc place à la droite du sultan, et Arthur Wix à sa gauche.

Ils venaient de s'installer sur les divans, devant la table basse, lorsque le Premier ministre du Sherhaben fit irruption dans la pièce et demanda au sultan de l'accompagner quelques instants dans une pièce voisine. Le sultan montra quelque irritation à cette idée, mais le Premier ministre lui chuchota quelques mots à l'oreille. La surprise se peignit sur le visage du sultan qui se tourna ensuite vers ses hôtes.

– Il vient de se produire un événement imprévu. Toutes les communications avec les États-Unis ont été coupées, et pas seulement avec notre pays, mais avec le monde entier. Je vous en prie, poursuivez votre petit déjeuner pendant que je m'entretiens avec les membres de mon gouvernement.

Mais après le départ du sultan, le silence s'installa autour de la table. Seul Yabril se mit à manger.

Les Américains quittèrent rapidement le divan pour gagner la terrasse, où les serviteurs leur apportèrent des boissons fraîches. Yabril, lui, continuait son repas.

– J'espère que Kennedy n'a pas commis quelque folie, dit Bert Audick. J'espère qu'il n'a pas cherché à passer par-dessus la Constitution.

– Il a d'abord perdu sa fille et maintenant son pays, dit Arthur Wix. Et tout ça à cause de ce salopard là-bas qui bâfre comme un mendiant.

– Tout cela est terrible, dit Audick avant de regagner la grande salle.

– Goinfre-toi, dit-il alors à Yabril, et j'espère que tu as un endroit sûr où te cacher dans les années à venir. Tu vas avoir beaucoup de monde à tes trousses.

Yabril se mit à rire. Il avait fini de manger et allumait une cigarette.

– Oh oui, dit-il. Je serai mendiant à Jérusalem.

À cet instant, le sultan Maurobi rentra dans la pièce. Il était accompagné par au moins cinquante hommes en armes qui se postèrent aux quatre coins de la pièce. Quatre d'entre eux vinrent se placer derrière Yabril et quatre autres derrière les Américains, sur la terrasse. Le sultan semblait bouleversé.

– Messieurs, dit-il d'une voix blanche, il se passe des événements à peine croyables. Le Congrès américain a annulé son vote de suspension du président Kennedy et a proclamé la loi martiale. (Il s'interrompit et posa une main sur l'épaule de Yabril.) En outre, messieurs, en ce moment, des avions de la VIe flotte américaine bombardent la ville de Dak.

– Dak est bombardée ? s'exclama Wix, d'un ton presque triomphant.

– Oui, dit le sultan. C'est une action barbare mais convaincante.

Tous les regards se tournèrent vers Yabril, étroitement encadré par les quatre hommes armés.

– Finalement, dit Yabril d'un ton songeur, je vais connaître les États-Unis. Ça a toujours été mon rêve.

Puis, sans cesser de fixer les Américains, mais à l'adresse du sultan, il ajouta :

– Je crois que j'aurais fait un tabac, là-bas.

– Sans aucun doute, dit le sultan. Les Américains me demandent de te livrer vivant. Je vais devoir donner les ordres nécessaires pour que tu ne puisses attenter à tes jours.

– Les États-Unis sont un pays civilisé, dit Yabril. Je serai jugé, et le procès durera longtemps parce que j'aurai les meilleurs avocats. Pourquoi est-ce que je chercherais à me suicider ? Ce sera une nouvelle expérience, et puis qui sait ce qui peut se passer ? Les choses changent. Les États-Unis sont un pays trop civilisé pour pratiquer la torture, et en plus j'ai déjà été torturé par les Israéliens, rien ne peut plus m'étonner.

Il sourit à Wix.

– Comme vous l'avez dit vous-même, dit Wix, les choses changent. Vous avez échoué. Vous ne pourrez pas jouer les héros.

Yabril partit d'un grand rire joyeux et leva les bras de façon exubérante.

– J'ai réussi ! s'écria-t-il. Votre monde a basculé sur son axe. Croyez-vous qu'on croira encore à votre idéalisme mielleux après que vos avions ont détruit Dak ? Croyez-vous que le monde oubliera mon nom après ça ? Et croyez-vous que je vais quitter la scène maintenant, alors que le meilleur est encore à venir ?

Le sultan frappa dans ses mains et aboya un ordre à ses soldats. On se saisit de Yabril, on lui passa des menottes aux poignets et une corde autour du cou.

– Doucement, doucement, dit le sultan.

Lorsque Yabril fut immobilisé, il lui posa doucement la main sur le front.

– Je te prie de me pardonner, je n'ai pas le choix. Je dois vendre mon pétrole et reconstruire une ville entière. J'espère que ça se passera bien pour toi. Je te souhaite bonne chance en Amérique, mon ami.

Réuni en session extraordinaire, le Congrès s'apprêtait à suspendre le président Francis Xavier Kennedy, le monde entier attendait l'issue de la prise d'otages par les terroristes, mais à New York, des centaines de milliers de personnes se fichaient éperdument de ce qui se passait. Ils avaient bien assez de leurs propres problèmes, de leur propre vie. En cette douce nuit de printemps, des milliers de gens semblables se trouvaient réunis dans le quartier de Times Square, à New York, un quartier qui avait été autrefois le cœur de la plus grande ville du monde, où, venue de Central Park, aboutissait la célèbre avenue, Broadway.

Les intérêts de ces gens étaient des plus divers. Venus de leurs banlieues, de petits cadres en rut hantaient les librairies porno. Des cinéphiles visionnaient inlassablement des kilomètres de pellicule où des hommes et des femmes nus se livraient aux actes sexuels les plus extravagants avec différents animaux. Des bandes de jeunes armés de tournevis mortels mais autorisés chargeaient avec le courage des chevaliers de l'ancien temps les dragons de riches, et se livraient au meurtre avec l'irrépressible bonne humeur coutumière de cet âge. Maquereaux, prostituées, voleurs et meurtriers de tout poil dressaient leur étalage à la tombée de la nuit, profitant sans bourse délier des néons de ce qui fut autrefois la «Great White Way». Les touristes se pressaient pour voir Times Square. Sur la plupart des bâtiments du quartier, et dans les rues malfamées des alentours, étaient collées des affiches où l'on voyait un gros cœur rouge portant l'inscription I LOVE NEW YORK. Un cadeau de Louis Inch.

En ce jeudi, un peu avant minuit, Blade Booker traînait

entre le Times Square Bar et le Cinéma Club à la recherche d'un client. Booker était un jeune Noir connu pour sa débrouillardise. Il pouvait trouver de la coke, du hasch, toutes sortes de pilules. Il pouvait également trouver des armes, mais rien de très important : petits pistolets, revolvers, calibres 22 ; mais après s'être lui-même équipé, il avait plus ou moins laissé tomber le négoce. Ce n'était pas un maquereau, mais il savait y faire avec les dames. Il savait trouver le baratin qui plaisait, et il savait écouter. Combien de nuits n'avait-il pas passées à écouter leurs rêves ! Même la pute la plus bas de gamme, celle qui fait des trucs à couper le sifflet, même celle-là a des rêves à raconter. Booker écoutait, il se sentait bien quand les dames lui racontaient leurs rêves. Leurs conneries, ça lui plaisait. C'est sûr, elles allaient décrocher le gros lot, leur thème astrologique montrait que dans l'année qui venait un homme allait tomber amoureux d'elles, elles auraient un bébé, ou bien leurs gosses deviendraient médecins, avocats, professeurs d'université, on les verrait à la télé ; leurs gosses sauraient chanter, danser, jouer la comédie aussi bien que Richard Pryor, et deviendraient même peut-être de nouveaux Eddie Murphy.

Blade Booker attendait la fin de la séance au Swedish Cinema Palace, qui passait des films classés X. Certains de ces cinéphiles n'allaient pas manquer d'aller prendre un hamburger en rêvant de voir une jolie petite chatte. Ils arrivaient seuls, mais tous avaient le même regard vague, comme s'ils étaient plongés dans quelque insoluble problème scientifique. La plupart avaient aussi un air bien mélancolique. Des solitaires.

Il y avait des putains un peu partout, mais Booker avait la sienne dans un endroit stratégique. Les hommes accoudés au comptoir pouvaient la voir assise devant la petite table presque entièrement recouverte par son gros sac à main rouge. C'était une blonde de Duluth, dans le

Minnesota, fortement charpentée, les yeux bleu glacé d'héroïne. Booker l'avait sauvée d'un sort pire que la mort : une vie entière dans une ferme, à se geler les miches. Mais il se montrait toujours prudent avec elle. Elle avait sa réputation, et il était le seul à pouvoir travailler avec elle.

Elle s'appelait Kimberly Ansley, et six ans auparavant, elle avait découpé son maquereau à la hache pendant son sommeil. Faut faire gaffe aux filles qui s'appellent Kimberly et Tiffany, professait Booker. Elle avait été arrêtée, jugée et reconnue coupable seulement d'homicide, la défense ayant réussi à prouver qu'elle portait de nombreuses ecchymoses et était «irresponsable» en raison de sa dépendance à l'héroïne. Elle avait purgé sa peine dans un centre de correction, s'était désintoxiquée, avait été déclarée guérie et relâchée dans les rues de New York. Là, elle s'était installée dans un taudis proche de Greenwich Village, qu'on lui avait attribué dans le cadre de ces programmes de logements municipaux que même les pauvres fuyaient.

Blade Booker et Kimberly étaient associés. Il était moitié maquereau et moitié dépouilleur ; il était fier de cette distinction. Kimberly raccolait un cinéphile au Times Square Bar, puis le conduisait dans l'entrée d'un taudis près de la IXe Avenue pour une passe rapide. Blade surgissait alors de l'ombre et assommait l'homme d'un coup de matraque de la police new-yorkaise. Ils partageaient l'argent liquide contenu dans le portefeuille, mais Blade gardait les cartes de crédit et les bijoux. Ce n'était pas par cupidité, mais parce qu'il ne croyait pas Kimberly capable de beaucoup de discernement.

La beauté de la chose, c'était que l'homme était en général un mari esseulé peu désireux d'aller se plaindre à la police et de raconter ce qu'il faisait dans une sombre entrée d'immeuble de la IXe Avenue, alors que sa femme l'attendait à Merrick, à Long Island, ou à Trenton, dans le New Jersey. Par mesure de sécurité, Blade et Kimberly évitaient le Times Square Cinema Bar pendant une semaine. Ainsi que la IXe Avenue. Ils transportaient leurs pénates sur la IIe Avenue. Dans une ville comme New York, c'était comme disparaître dans le trou noir d'une autre galaxie. Voilà pourquoi Blade Booker adorait New York. Il était invisible, aussi insaisissable que l'Ombre, ou l'Homme aux mille visages. Il ressemblait à ces insectes et à ces oiseaux qu'il voyait dans les publicités à la télévision, et qui changent de couleur pour se confondre avec le terrain où ils se trouvent, qui peuvent s'enfouir dans la terre pour échapper à leurs prédateurs. En bref, à la différence de la plupart de ses concitoyens, Blade Booker se sentait en sécurité à New York.

Ce jeudi soir, les caves étaient peu nombreux. Mais dans la lumière des néons, Kimberly était magnifique : ses blonds cheveux formaient comme un halo, ses seins poudrés de blanc, tels des croissants de lune, émergeaient sans pudeur excessive de sa minirobe verte. Un monsieur bien mis, plaisant, les yeux point trop exorbités, amena son verre à sa table et lui demanda poliment s'il pouvait s'asseoir. Blade observait la scène, savourant l'ironie de la situation. Il y avait là un homme bien habillé, visiblement quelqu'un d'important, du genre avocat ou professeur, ou qui sait, un quelconque politicien du bas de l'échelle, comme un conseiller municipal ou un sénateur d'État, assis à côté d'une fille qui avait découpé son julot à la hache, et qui en guise de dessert allait se voir offrir un bon coup sur le cigare. Et tout ça pour avoir voulu fourrer sa queue quelque part. C'était ça le problème. Dans la vie, à cause de sa queue, un homme ne dispose que de la moitié de sa cervelle. Vraiment dommage. Peut-être qu'avant de sonner le bonhomme il le laisserait fourrer Kimberly et prendre un peu son pied.

L'avait plutôt l'air d'un brave type, il se conduisait comme un mec distingué, il allumait la cigarette de Kimberly, il lui commandait un autre verre, il la pressait pas, alors que visiblement il en crevait d'envie.

Lorsque Kim lui donna le signal, Blade termina son verre. Elle fourrageait dans son sac rouge, à la recherche de Dieu sait quoi. Blade quitta le bar et se retrouva dans la rue. La nuit était claire et l'odeur des hot dogs, des hamburgers et des oignons qui grillaient sur les étals en plein air réveilla sa faim. Il pouvait cependant attendre que le travail fût accompli. Il remonta la 42ᵉ Rue. Bien qu'il fût minuit, il y avait encore beaucoup de monde dans la rue, et les visages étaient colorés par les innombrables néons des cinémas, des restaurants en plein air, des enseignes géantes, des projecteurs d'hôtels. Il aimait bien ce trajet entre la VIIᵉ et la IXᵉ Avenue. Il pénétra dans l'immeuble et se dissimula dans la cage d'escalier. Il n'aurait plus qu'un pas à faire lorsque Kim étreindrait son client. Il alluma une cigarette et sortit sa matraque de son étui, sous sa veste.

Il les entendit entrer dans l'immeuble ; la porte se referma derrière eux, Kimberly ouvrit son sac à main. Et puis la voix de Kim qui prononçait la phrase-code : « Il n'y a qu'un étage. » Il attendit quelques minutes avant de sortir de l'ombre, et hésita devant le charmant spectacle qui s'offrait à lui. Kim se trouvait sur la première marche, les jambes écartées, ses belles et longues cuisses découvertes, et l'homme si bien habillé, la bite sortie, et qui la fourrait entre ses jambes. Kim, alors, sembla s'élever dans les airs, et Blade, avec horreur, vit qu'elle continuait de s'élever, et les escaliers se soulevaient avec elle, et il vit alors le ciel clair, comme si le toit de l'immeuble s'était ouvert en deux. Il leva sa matraque comme pour supplier, pour prier que la vie ne lui fût pas ôtée. Tout ceci se déroula en une fraction de seconde.

Cecil Clarkson et Isabel Domaine étaient allés voir une délicieuse comédie musicale dans un théâtre de Broadway, et ils se dirigeaient à présent vers la 42ᵉ Rue et Times Square. Ils étaient tous deux Noirs, comme la plupart des gens dans la rue, d'ailleurs, mais ne ressemblaient en rien à Blade Booker. Cecil Clarkson avait dix-neuf ans et prenait des cours d'écriture à la New School of Social Research. Isabel, de son côté, avait dix-huit ans, et ne manquait aucun spectacle de Broadway ou off-Broadway: elle adorait le théâtre et voulait devenir comédienne. Ils étaient amoureux comme on peut l'être seulement à cet âge-là, absolument convaincus d'être les seuls au monde. Entre la VIIᵉ et la VIIIᵉ Avenue, la lumière aveuglante des néons formait autour d'eux comme un halo protecteur, les isolant des ivrognes, des drogués, des pick-pockets, des prostituées et des agresseurs. Et Cecil était solidement bâti, on le sentait tout à fait capable de tuer quiconque aurait eu un geste déplacé envers Isabel.

Ils s'arrêtèrent à un grill en plein air et commandèrent un hot dog et un hamburger, avec une bière pour Cecil et un Pepsi pour Isabel. Ils préférèrent ne pas pénétrer à l'intérieur, là où le sol était crasseux et parsemé de serviettes en papier et d'assiettes en carton. Appuyés au comptoir extérieur, ils observaient la foule qui encombrait les trottoirs, en dépit de l'heure tardive. Ils considérèrent avec le plus parfait détachement le flot de déchets humains, l'écume de la ville qui se répandait autour d'eux, et pas un seul instant ils ne se sentirent en danger. Ils éprouvaient plutôt une certaine pitié pour tous ces gens qui n'avaient pas leur avenir à eux, qui ne vivaient pas leur bonheur intense. Lorsque le flot se fut un peu tari, ils reprirent leur chemin en direction de la VIIIᵉ Avenue. Isabel enfouit son visage contre l'épaule de Cecil, une main contre sa poitrine et une autre lui caressant la nuque. Cecil se sentait submergé de tendresse. Ils étaient tous deux suprêmement heureux, jeunes et amoureux comme des milliards et des milliards d'êtres humains l'avaient été avant eux. Soudain, au grand étonnement de Cecil, les lumières vertes et rouges s'éteignirent, ne laissant plus apparaître que la voûte des cieux. Alors, tous deux, dans leur bonheur parfait, s'évanouirent dans le néant.

Un groupe de huit touristes, venus visiter New York à l'occasion des vacances de Pâques, tourna le coin de la 42e Rue et se dirigea vers la forêt de néons. En atteignant Times Square, ils furent déçus. C'était donc ça, cette fameuse place qu'ils voyaient à la télévision, lorsque des centaines de milliers de gens s'y rassemblaient à la veille du Nouvel An ?

Elle était sale, des monceaux d'immondices recouvraient les rues. La foule leur parut menaçante, composée surtout d'ivrognes et de drogués, rendue folle d'être ainsi enfermée entre ces gigantesques tours d'acier. Les femmes étaient habillées de façon provocante, comme celles qu'on voyait attendre devant les cinémas porno. Les huit touristes avaient l'impression de parcourir les différents cercles de l'enfer, sous un ciel sans étoiles, baignés par la lumière jaunâtre des lampadaires.

Ces quatre couples mariés, originaires d'une petite ville de l'Ohio, avaient décidé, une fois leurs enfants élevés, de s'offrir ensemble un voyage à New York. Ils avaient accompli un certain nombre de choses dans leurs vies, obéi aux injonctions du destin. Ils s'étaient mariés, avaient eu des enfants, avaient relativement réussi dans leurs métiers. À présent, s'offrait à eux un nouveau commencement, le départ d'une nouvelle vie. Ils avaient déjà remporté la plus grande bataille.

Les cinémas porno ne les intéressaient pas, il y en avait

plein en Ohio. Ce qui les attirait et les effrayait à la fois dans Times Square, c'était sa laideur, c'était l'aspect des gens qui se pressaient dans les rues. Les touristes portaient tous un gros badge rouge «I Love New York», acheté le premier jour. L'une des femmes arracha son badge et le jeta dans le caniveau.

– Allons-nous-en d'ici, dit-elle.

Le groupe fit demi-tour et se dirigea vers la VIᵉ Avenue, laissant derrière lui le grand couloir de néons. Ils avaient presque tourné le coin lorsqu'ils entendirent le bruit étouffé d'une explosion, suivi d'un souffle de vent, puis, le long des longues avenues menant de la IXᵉ à la VIᵉ, une tornade s'abattit, charriant avec elle boîtes de soda, poubelles, et quelques voitures qui semblaient voler. Poussé par une sorte d'instinct animal, le groupe tourna le coin de la VIᵉ Avenue pour échapper à la tornade, mais ils furent soulevés dans les airs par la force du vent. Au loin, on entendait le fracas d'immeubles qui s'écroulaient, des milliers de cris d'horreur. Accroupis, entassés les uns sur les autres à l'abri du coin, les huit touristes n'avaient aucune idée de ce qui se passait.

Ils avaient échappé de peu aux radiations mortelles causées par l'explosion de la bombe atomique. Ils étaient huit survivants de la plus grande calamité à s'être abattue sur les États-Unis en temps de paix.

L'un des hommes se remit sur ses pieds en titubant, puis aida les autres à se relever.

– Saloperie de ville ! s'exclama-t-il. J'espère que tous les chauffeurs de taxi ont été tués !

La voiture de patrouille roulait doucement au milieu de la circulation entre la VIIᵉ et la VIIIᵉ Avenue ; à l'intérieur, deux policiers, l'un Noir, l'autre d'origine italienne. Peu leur importait d'être bloqués dans les embouteillages : c'était encore l'endroit le plus sûr. Ils savaient parfaitement que dans les petites rues sombres, ils auraient pu arrêter des voleurs d'autoradio, de petits maquereaux et de minables joueurs de couteau prêts à agresser les paisibles passants de New York, mais ils n'avaient aucune envie d'être mêlés à des histoires pareilles. En outre, la police de la ville laissait délibérément la bride sur le cou à la petite délinquance. Les déshérités bénéficiaient d'une sorte d'autorisation implicite de rançonner les citoyens aisés et respectueux de la loi. Après tout, était-il juste que des gens puissent s'offrir des voitures à cinquante mille dollars, avec des autoradios à mille dollars, alors que des milliers de sans-abri n'avaient même pas de quoi se payer un repas ou une seringue stérile ? Était-il juste que ces richards, ces gras du cerveau, ces citoyens placides qui avaient l'effronterie de se balader sans pistolet ni même un tournevis en poche, puissent jouir du spectacle de la plus grande ville du monde sans en payer le prix ? Heureusement, le vieil esprit révolutionnaire américain n'était pas complètement mort, l'étincelle n'était pas éteinte. Et les tribunaux, la haute hiérarchie policière et les éditorialistes des journaux les plus respectables soutenaient sournoisement l'esprit républicain présidant aux vols, aux viols, aux agressions et même aux meurtres qui se déroulaient dans les rues de New York. Les pauvres n'avaient pas le choix ; ils étaient écrasés par leur pauvreté, par une vie de famille saccagée, par l'architecture même de la ville. Un journaliste affirmait même que le responsable de tous ces crimes était Louis Inch, le seigneur de l'immobilier qui redessinait les rues de New York avec ses tours immenses de verre et d'acier dérobant le soleil à la vue.

Les deux policiers aperçurent Blade Booker qui quittait le restaurant du Times Square Cinema. Ils le connaissaient bien.

– On le suit ? demanda l'un.

– On perd son temps, répondit l'autre. Même si on l'agrafe en flagrant délit il sortira aussitôt.

Ils virent aussi la grande blonde et son micheton qui prenaient le même chemin, en direction de la IXᵉ Avenue.

– Pauvre gars, dit l'un des flics. Y croit qu'y va baiser, mais c'est lui qui va se faire baiser.

– Il va se retrouver avec un œuf sur le crâne aussi gros qu'une bite qui bande !

Ils éclatèrent de rire.

Ils roulaient toujours au pas et observaient le spectacle de la rue. Il était minuit, leur ronde devait bientôt prendre fin, et ils n'avaient aucune envie de se mêler à une affaire qui risquait de les retarder. Autour d'eux, les innombrables prostituées barrant le chemin aux passants, les vendeurs de drogue noirs vantant leur marchandise aussi ouvertement que des présentateurs de télévision, les braqueurs et les pickpockets repérant leurs futures victimes et tentant d'engager la conversation avec les touristes.

Les deux flics étaient pourtant constamment sur le qui-vive, craignant que quelque cinglé ne décharge son pistolet à travers la vitre de leur voiture. Ils aperçurent alors deux vendeurs de drogue qui emboîtaient le pas à un homme bien habillé. Celui-ci voulut se dégager, mais quatre mains s'abattirent sur lui. Le chauffeur de la voiture de patrouille appuya sur l'accélérateur et arriva à leur hauteur. Subitement débarrassé des quatre mains qui l'emprisonnaient, l'homme bien habillé sourit. Au même instant, les deux côtés de la chaussée s'ouvrirent et engloutirent la 42ᵉ Rue, de la IXᵉ jusqu'à la VIIᵉ Avenue.

Tous les néons de la fabuleuse Broadway disparurent d'un seul coup, mais l'obscurité fut trouée par la lueur des incendies. Les bâtiments brûlaient, les corps brûlaient. Les voitures en flammes avançaient comme des torches au milieu de la nuit. Puis ce fut la clameur des sirènes de camions de pompiers, d'ambulances et de voitures de police.

La bombe atomique que Gresse et Tibbot avaient placée dans la capitainerie du port, au coin de la IXe Avenue et de la 42e Rue, fit dix mille morts et vingt mille blessés.

L'explosion provoqua des dégâts avec une précision mathématique. La zone comprise entre d'une part la VIIe Avenue et l'Hudson River, et d'autre part la 42e et la 45e Rue, fut complètement détruite. En dehors de ce périmètre, les dégâts furent relativement minimes. Grâce au génie de Gresse et Tibbot, les radiations mortelles ne dépassèrent pas cette zone.

Dans tout Manhattan des vitres volèrent en éclats, et des voitures dans la rue furent écrasées par des débris. Une heure après l'explosion, les ponts de Manhattan étaient bloqués par les voitures tentant de fuir en direction du New Jersey et de Long Island.

Plus de 70 % des morts étaient Noirs ou hispaniques ; les 30 % restant se répartissaient entre New-Yorkais blancs et touristes étrangers. Sur les IXe et Xe Avenues, devenues de véritables campings pour sans-abri, et dans la gare routière elle-même, où de nombreux clochards venaient passer la nuit, les corps étaient réduits à l'état de braises calcinées.

15

Le centre de communications de la Maison-Blanche reçut la nouvelle de l'explosion de la bombe atomique à New York, à minuit et six minutes exactement. Le fonctionnaire de permanence en avertit immédiatement le président. Vingt minutes plus tard, le président Francis Kennedy s'adressait au Congrès. Il était entouré par la vice-présidente Helen Du Pray, Oddblood Gray et Christian Klee.

Kennedy arborait un air grave. Officiellement, il n'était plus président des États-Unis, mais il parla avec l'autorité d'un chef d'État.

– C'est sans rancune que je m'adresse à vous ce soir, dit-il. Cette tragédie, cette attaque lancée contre notre pays doit nous voir unis. Vous devez vous rendre compte à présent que j'avais pris les mesures nécessaires. Nous venons d'assister au dernier acte terroriste de Yabril, celui qui d'après lui devrait faire plier les États-Unis, les forcer à accepter ses exigences. Nous devons en conclure qu'il existe un véritable complot visant les États-Unis. Nous sommes obligés de nous rassembler et d'agir ensemble. Je suis sûr qu'à présent nous sommes d'accord.

« Je vous demande donc d'annuler votre vote de suspension à mon encontre. Mais je voudrais être franc : si vous refusiez, je serais néanmoins dans l'obligation de sauver notre pays. Je rejetterais votre décision de suspension, je la déclarerais inconstitutionnelle et je déclarerais la loi martiale pour empêcher de nouveaux actes de terrorisme. Je vous annonce que le Congrès, cette assemblée glorieuse qui a depuis toujours veillé sur la liberté de l'Amérique, est à présent placé sous la protection de six brigades des services secrets et un régiment de Forces spéciales. Lorsque cette crise sera terminée, vous pourrez à nouveau voter ma suspension, mais pas avant. Nous nous trouvons confrontés au plus grand danger qu'ait jamais couru notre pays, et je ne peux faire autrement que d'y faire face. Je vous supplie de ne pas laisser la division s'installer entre nous en raison de divergences politiques. Ne permettons pas qu'éclate une guerre civile provoquée par nos ennemis. Unissons-nous contre eux. Annulez votre vote de suspension.

Un immense brouhaha parcourut l'assemblée. Les parlementaires comprenaient que Kennedy ne leur avait pas seulement dit qu'ils étaient à l'abri, mais aussi qu'ils étaient à sa merci.

Le sénateur Lambertino fut le premier à prendre la parole après Kennedy. Il proposa d'annuler le vote et d'apporter le soutien des deux chambres au président des États-Unis, Francis Xavier Kennedy.

Le député Alfred Jintz déclara approuver la motion. Selon lui, les événements avaient prouvé que le président Kennedy avait eu raison, et qu'il n'y avait eu entre eux qu'une divergence d'analyse politique. Il ajouta que le Congrès et le président agiraient main dans la main pour défendre le pays. Il s'en portait garant.

On passa au vote. La décision de suspendre le président fut annulée.

À l'unanimité.

Christian Klee admira le comportement magnifique de Francis Kennedy. Sa sincérité était éclatante. Mais pour la première fois, Klee avait pris Kennedy en flagrant délit de mensonge. Il avait déclaré devant le Congrès que Yabril était impliqué dans l'affaire de la bombe atomique. Mais Klee savait qu'il n'existait aucune preuve à ce sujet. Et Kennedy savait que ce n'était pas vrai.

Ainsi, se dit Klee, il avait eu raison : il avait deviné ce que Francis Kennedy attendait de lui.

LIVRE QUATRE

16

Confirmé dans sa fonction, son pouvoir solidement rétabli, ses ennemis défaits, le président Francis Kennedy songea à son destin. Il y avait une dernière étape à franchir, une dernière décision à prendre. Il avait perdu sa femme et sa fille, sa vie personnelle n'avait plus aucun sens. Ne s'offrait plus à lui qu'une vie vouée tout entière au peuple américain. Jusqu'où devait aller son engagement ?

Il annonça son intention de se représenter en novembre, et organisa dès lors sa campagne électorale. Christian Klee fut chargé de faire pression sur les milieux d'affaires, notamment sur les médias, pour les empêcher de se mêler des élections. La vice-présidente Helen Du Pray mobilisa les femmes du pays. Arthur Wix, qui avait une grande influence dans les milieux de gauche de la côte Est, et Eugene Dazzy, qui possédait le même genre d'influence au sein du patronat éclairé, furent chargés de récolter de l'argent. Mais Francis Kennedy savait qu'en dernière analyse tout cela était secondaire. Tout reposait sur lui, sur la confiance que lui accorderait le peuple américain.

Cette fois-ci, il devait faire élire un Congrès qui lui apportât un soutien sans faille.

Il lui fallait prendre la mesure exacte de ce que désirait le peuple. Il découvrit un pays en état de choc.

Sur les conseils d'Oddblood Gray, ils se rendirent ensemble à New York. Ils descendirent la Ve Avenue à la tête d'un cortège jusqu'au grand cratère creusé par l'explosion de la bombe atomique. Ils entendaient ainsi montrer au pays que tout danger de contamination nucléaire était désormais écarté. Kennedy prit part à la cérémonie du souvenir, et annonça qu'à cet emplacement serait aménagé un parc commémoratif. Dans son discours, il souligna les dangers de libertés individuelles sans limites à une époque technocratique. La liberté individuelle, à son avis, devait être subordonnée à un contrat social plus affirmé, l'individu devait abandonner certaines de ses prérogatives pour améliorer l'existence de l'ensemble de la société. Il prononça ces paroles en passant, mais les médias s'en firent largement l'écho.

En entendant l'ovation de la foule, Oddblood Gray ne put s'empêcher de faire la grimace. Comment cette tragédie avait-elle pu à ce point profiter au président ?

Dans les petites villes et les régions rurales, le choc et l'horreur des premiers moments firent rapidement place à une sorte de sombre satisfaction. New York avait reçu ce qu'elle méritait. Dommage que la bombe n'ait pas été plus puissante et n'ait pas détruit la ville entière, avec ses riches jouisseurs et leurs complices sémites, sans parler des criminels noirs. Il existait bien un Dieu juste. Il avait choisi le lieu exemplaire pour infliger sa punition. Mais le pays éprouvait tout de même une peur : que la vie de ses citoyens, que leur mode de vie, leur prospérité ne soient menacés par quelques insensés. Tout ceci, Kennedy le comprit.

Tous les vendredis soir, Francis Kennedy s'adressait

au peuple à la télévision. Il s'agissait de discours électoraux à peine déguisés, mais à présent il n'avait plus de mal à obtenir de temps de parole.

Il utilisa quelques slogans qui allèrent droit au cœur de ses auditeurs.

– Nous déclarerons la guerre aux tragédies quotidiennes de l'existence humaine, dit-il. Pas aux autres nations.

Il répéta également la question si souvent posée lors de sa première campagne :

– Comment se fait-il qu'après chaque grande guerre, alors que des milliards de dollars ont été consacrés à la mort, le monde connaisse une période de prospérité ? Et si ces milliards de dollars avaient été dépensés pour améliorer le sort de l'humanité ?

Il déclara en plaisantant que pour le prix d'un sous-marin nucléaire, l'État pouvait financer un millier de logements pour les pauvres. Pour le prix d'une flotte de bombardiers Stealth, il pouvait financer un million de logements. « Nous ferons croire qu'ils ont été perdus en manœuvres » , déclara-t-il. « C'est déjà arrivé auparavant, et les pertes en vies humaines ont été importantes. » Lorsqu'on lui fit remarquer que cela affecterait le potentiel de défense des États-Unis, il rétorqua que les statistiques du ministère de la Défense étaient confidentielles, et que personne ne saurait que ce budget avait été amputé.

Il annonça que lors de son second mandat il serait plus ferme encore vis-à-vis du crime. Il continuerait de se battre pour que chaque Américain puisse acheter un nouveau logement, faire face à ses dépenses de santé et donner à ses enfants une meilleure éducation. Il souligna que ce n'était nullement du socialisme. Ces mesures seraient financées par de légères ponctions sur les bénéfices des sociétés les plus riches. Il n'était pas partisan du socialisme, il voulait seulement protéger le peuple américain contre la puissance « régalienne » des riches. Ces thèmes, il les répéta de façon inlassable.

Pour le Congrès et les membres du club Socrate, une chose était claire : le président des États-Unis leur avait déclaré la guerre.

Le club Socrate décida de réunir un séminaire en Californie pour étudier le meilleur moyen de battre Kennedy aux élections de novembre. Lawrence Salentine était fort inquiet. Il savait que le ministre de la Justice préparait une série d'inculpations contre Bert Audick et faisait procéder à des enquêtes approfondies sur les activités financières de Martin Mutford. Greenwell avait les mains propres : Salentine ne s'inquiétait pas pour lui. Mais il savait que son propre empire médiatique était des plus vulnérables. Il ne craignait rien pour sa maison d'édition et ses magazines. Personne ne pouvait s'en prendre à l'écrit ; les garanties offertes par la Constitution étaient trop solides. Sauf qu'un homme retors comme Klee pouvait fort bien augmenter les tarifs postaux.

C'était pour son empire télévisuel que Salentine s'inquiétait. Les fréquences, après tout, appartenaient à l'État, et c'était lui qui octroyait des concessions d'exploitation. Salentine s'était d'ailleurs étonné, et cela depuis longtemps, que l'État ne perçût guère de taxes sur les bénéfices fabuleux de ces entreprises privées. Un ministre des communications placé directement sous l'autorité de Kennedy : cette seule idée représentait pour lui un véritable cauchemar. C'était la fin des sociétés de télévision et de câble, au moins sous leur forme actuelle.

Louis Inch, toujours patriote, ne cachait pas une certaine admiration, déloyale, pour le président Kennedy. Unanimement désigné comme l'homme le plus haï de

New York, il s'offrit à restaurer la zone ravagée par l'explosion nucléaire. Les huit pâtés de maisons devaient être décontaminés, et un grand parc aménagé avec des monuments en marbre. Il devait réaliser ces travaux en six mois, à prix coûtant, sans prendre le moindre bénéfice. Grâce à Dieu, les retombées avaient été minimes.

Tout le monde savait qu'Inch pouvait faire les choses infiniment mieux que n'importe quel ministère. Lui, de son côté, savait qu'il gagnerait énormément d'argent grâce à ses entreprises de maçonnerie, ses commissions d'urbanisme et ses sociétés de conseil. Et les retombées publicitaires seraient incalculables.

Inch était l'un des hommes les plus riches des États-Unis. Son père avait été un grand propriétaire immobilier dans le sens habituel du terme : refusant d'installer le chauffage dans les immeubles, rognant sur les services, expulsant les locataires pour pouvoir construire des appartements plus chers. C'est aux côtés de son père que Louis Inch avait appris l'art de corrompre les inspecteurs du logement. Plus tard, armé de ses diplômes en droit et en gestion, il avait corrompu les conseillers municipaux, les maires adjoints et même les maires.

Qui s'opposa aux lois sur le contrôle des loyers à New York ? Louis Inch. Qui mit sur pied les sociétés immobilières qui élevèrent des gratte-ciel autour de Central Park ? Louis Inch, encore. Désormais, autour de ce parc, dans ces monstrueuses tours d'acier, ne vivaient plus que des hommes d'affaires de Wall Street, des professeurs d'université, des écrivains célèbres, des artistes branchés et des cuisiniers de grands restaurants.

Les groupes militants accusaient Inch d'être responsable des taudis de l'Upper West Side, du Bronx, de Harlem et de Coney Island, simplement parce qu'il avait détruit un nombre faramineux de logements à prix décents au cours de ses opérations de reconstruction de New

York. On l'accusait également de s'opposer à la réhabilitation du quartier de Times Square, tandis que secrètement, il en rachetait des immeubles et des pâtés de maisons entiers. A tout ceci, Inch rétorquait que ces gens-là étaient du genre à vous extorquer la moitié de votre sac-poubelle.

Autre stratégie de Louis Inch : soutenir les arrêtés municipaux faisant obligation aux propriétaires de louer leurs locaux à quiconque, sans préjudice de la race, de la couleur ni de la religion. Il avait publiquement défendu ces mesures, parce qu'elles contribuaient à l'éviction des petits propriétaires du marché. Un propriétaire qui ne pouvait louer que le rez-de-chaussée ou l'étage supérieur de sa maison, devait accepter ivrognes, cinglés, vendeurs de drogue, violeurs et braqueurs de tout poil. Au bout d'un certain temps, ces petits propriétaires, découragés, vendaient leurs maisons et partaient dans les banlieues.

Mais désormais, Inch était bien au-delà de tout ça. Pour lui, les millionnaires n'étaient que des gagne-petit ; Louis Inch faisait partie de la petite centaine de milliardaires américains. Il possédait des compagnies d'autocars, des hôtels, une compagnie aérienne, l'un des plus grands hôtels-casinos d'Atlantic City, et des immeubles à Santa Monica, en Californie. C'étaient ses immeubles de Santa Monica qui lui causaient le plus d'ennuis.

Louis Inch avait rejoint le club Socrate parce qu'il pensait que ses puissants camarades pourraient l'aider à résoudre ses problèmes immobiliers à Santa Monica. Le golf était le sport idéal pour monter des conspirations. Les plaisanteries, l'exercice au grand air, et finalement on parvenait à un accord. Et quoi de plus innocent ? Le membre le plus méfiant d'une commission d'enquête du Congrès, ou le journaliste le plus fouineur ne pouvaient pas accuser un golfeur d'activités criminelles.

Mais l'appartenance au club Socrate se révéla plus

rentable encore que ne l'avait imaginé Inch. Il devint ami avec les quelques dizaines d'hommes qui maîtrisaient en fait l'appareil économique du pays et avaient la haute main sur la machine politique. C'est au club Socrate que Inch entra dans cette guilde de l'argent qui pouvait se permettre d'acheter en une seule fois toute la représentation parlementaire d'un des États de l'Union. Évidemment, on ne pouvait pas les acheter corps et âme, il ne s'agissait pas là d'abstractions comme le Bien et le Mal, le péché et la vertu. Là, on discutait politique. On discutait du possible. Parfois, pour gagner une élection, un député ou un sénateur devait s'opposer aux membres du club Socrate. Il est vrai que 98 % des membres du Congrès étaient systématiquement réélus, mais il y en avait toujours 2 % qui devaient prêter l'oreille à leurs électeurs.

Louis Inch caressait un rêve impossible. Non pas de devenir président des États-Unis, il savait que son passé de requin de l'immobilier lui interdisait une telle prétention. Sa destruction de New York était un véritable meurtre architectural. A New York et surtout à Santa Monica, il y avait un million de gens vivant dans des taudis qui seraient prêts à descendre dans la rue dans l'espoir de promener sa tête au bout d'une pique. Non… Il rêvait d'être le premier « trilliardaire » du monde moderne. Un plébéien « trilliardaire » aux mains calleuses qui n'aurait dû sa fortune qu'à son travail.

Inch vivait pour le jour où il pourrait dire à Bert Audick : « J'ai un millier d'unités. » La façon dont les Texans du pétrole parlaient d'« unités » (cent millions de dollars, dans le jargon texan) l'avait toujours prodigieusement agacé. C'est ainsi qu'en évoquant la destruction de Dak, Audick s'était écrié : « Hé, j'ai cinq cents unités, là-bas ! » Inch rêvait donc de lancer un jour à Audick : « Hé, j'ai un millier d'unités en immobilier ! » Audick, alors, aurait eu un sifflement d'admiration :

«Cent milliards de dollars!» Mais Inch aurait rectifié:
«Non, un trilliard de dollars. Là-bas, à New York, une
unité c'est un milliard de dollars.» Ça aurait cloué le bec
à ce con de Texan une bonne fois pour toutes.

Pour réaliser ce rêve, Louis Inch capitalisait le concept
d'espace aérien. C'est-à-dire que dans les grandes villes,
il comptait acheter l'espace au-dessus des bâtiments
existants et bâtir à partir des toits. On pouvait acheter
de l'air pour des cacahuètes; c'était ce qui s'était passé
pour les marécages lorsque son grand-père en avait
acheté de vastes superficies, en sachant que la technique
résoudrait le problème du drainage et que ces marécages
se transformeraient rapidement en terrains à bâtir. Le
problème était d'empêcher les gens et les législateurs de
lui barrer la route. Cela prendrait du temps et nécessi-
terait d'énormes investissements, mais au bout du compte
il était sûr de réussir. Il est vrai que des villes comme
Chicago, New York, Dallas et Miami se transformeraient
en gigantesques prisons d'acier et de béton, mais les gens
n'avaient pas besoin de vivre là, ces endroits devaient
être réservés à une élite qui fréquentait les cinémas, les
musées, les théâtres et les salles de concert. Il y aurait
en outre, bien sûr, quelques petits magasins de quartier
pour les artistes.

Et lorsque Louis Inch réussirait, il n'y aurait plus de
taudis à New York. Il n'y aurait tout simplement plus
de loyers abordables pour les classes dangereuses et labo-
rieuses. Ces gens-là viendraient des banlieues, par trains
et bus spéciaux, et seraient repartis à la nuit tombée. Les
locataires et les acheteurs des appartements de Louis Inch
pourraient se rendre au théâtre et au restaurant sans
craindre les rues sombres. Ils pourraient flâner sur les
avenues et dans les parcs et même s'aventurer dans les
petites rues en relative sécurité. Que ne paierait-on pas
pour un tel paradis! Des fortunes!

Avant de se rendre au séminaire du club Socrate, Louis Inch effectua un périple à travers tous les États-Unis. Dans la plupart des grandes villes, il obtint la promesse que les géants de l'immobilier verseraient leur quote-part pour assurer la défaite de Kennedy. Puis, avant de gagner Los Angeles, il fit un détour par Santa Monica.

Santa Monica est l'une des plus belles villes des États-Unis. Cela est dû en partie à la résistance de ses habitants, qui ont réussi à empêcher les promoteurs immobiliers de construire des gratte-ciel, et sont parvenus à imposer des lois sur la maîtrise des loyers. Un bel appartement sur Ocean Avenue, avec vue sur le Pacifique, ne coûte qu'un sixième du revenu moyen des habitants de l'agglomération. Cela faisait vingt ans que cette situation rendait Louis Inch complètement fou.

Pour Louis Inch, Santa Monica constituait un outrage, une insulte à l'esprit américain de libre entreprise ; ces appartements auraient pu être loués dix fois plus cher. Il avait acheté de nombreux immeubles dans cette ville, de charmantes constructions de style espagnol, qui représentaient un véritable gâchis d'espace avec leurs cours intérieures, leurs jardins et leur hauteur scandaleuse de deux étages. Et dans ce paradis, la loi lui interdisait d'augmenter les loyers. Alors qu'à Santa Monica l'espace aérien valait des milliards de dollars, et la vue sur le Pacifique plus encore ! Parfois, Inch caressait le rêve insensé de bâtir à la verticale sur l'océan lui-même. Il en avait le vertige.

Il n'essaya pas de corrompre directement les trois conseillers municipaux qu'il invita chez Michael's, mais il leur fit part de ses projets, leur expliqua comment tout le monde pourrait devenir multimillionnaire, simplement en changeant les lois. Il fut stupéfait de constater leur peu d'intérêt pour sa vision des choses. Mais le pire était encore à venir. Lorsque Inch s'installa dans sa limousine, il entendit une forte explosion, la lunette arrière vola en éclats et une toile d'araignée se forma instantanément sur le pare-brise.

Les policiers arrivés rapidement sur les lieux lui expliquèrent qu'il s'agissait d'une balle de fusil. Lorsqu'ils lui demandèrent s'il se connaissait des ennemis, c'est avec la plus grande sincérité qu'il répondit non.

Le séminaire du club Socrate sur «Démagogie en démocratie» s'ouvrit le lendemain.

Se trouvaient présents Bert Audick, inculpé d'intelligence avec une puissance étrangère sous le coup de la RICO; George Greenwell, qui semblait aussi vieux que le blé qu'il stockait dans ses immenses silos du Midwest; Louis Inch, encore bouleversé par la tentative d'assassinat de la veille; Martin Mutford, dont le complet de chez Armani ne parvenait pas à masquer l'embonpoint; et enfin Lawrence Salentine.

Bert Audick prit le premier la parole.

– Quelqu'un pourrait-il m'expliquer en quoi Kennedy n'est pas communiste? Il veut socialiser la médecine et le logement. Avec sa RICO il m'a fait inculper de trahison, moi qui ne suis même pas Italien. (Comme personne ne riait, il poursuivit.) Il n'y a pas à tortiller: il représente un danger pour tout ce à quoi nous croyons. Il faut prendre des mesures radicales.

– Il peut vous faire inculper, mais il ne réussira pas à vous faire condamner, dit calmement George Greenwell. Il y a encore une justice dans ce pays. Bon, je sais qu'ils se sont acharnés sur vous, mais je vous préviens, si j'entends des choses inadmissibles, je m'en vais. Je ne veux pas entendre de propos séditieux.

– J'aime mon pays plus que quiconque ici, rétorqua vertement Audick. C'est ça qui me fout hors de moi. Je suis inculpé d'intelligence avec une puissance étrangère ! Moi ! Alors que mes ancêtres se trouvaient déjà dans ce pays quand ceux de Kennedy bouffaient encore des patates en Irlande. J'étais riche quand ils étaient encore bootleggers à Boston. C'est vrai que la DCA a tiré sur les avions américains qui bombardaient Dak, mais ce n'est pas moi qui en ai donné l'ordre. C'est vrai aussi que j'ai proposé un marché au sultan du Sherhaben, mais je servais l'intérêt des États-Unis.

– Nous savons que Kennedy représente un problème, lança sèchement Salentine. Nous sommes ici pour trouver une solution. C'est à la fois notre droit et notre devoir.

– Kennedy abreuve le peuple de conneries, dit Mutford. Où va-t-il trouver l'argent pour financer tous ses programmes ? Il ne propose qu'une forme de communisme un peu modifiée. Si nous parvenons à imposer cette idée à travers les médias, le peuple se détournera de lui. Dans ce pays, chacun croit qu'il va devenir un jour millionnaire, et les gens s'inquiètent déjà des augmentations d'impôts.

– Alors comment se fait-il que d'après tous les sondages, Kennedy va remporter les élections en novembre ? demanda Salentine d'un ton irrité.

Comme souvent, il était stupéfait par l'aveuglement des puissants. Ces gens ne semblaient pas se rendre compte de l'immense charme personnel de Kennedy, de la fascination qu'il exerçait sur le peuple, tout simplement parce qu'eux-mêmes étaient insensibles à ce charme.

Un instant de silence. Puis Mutford reprit la parole.

– J'ai un peu regardé les lois qui se préparent sur la régularisation du marché des valeurs et de l'activité bancaire. Si Kennedy y arrive, il y en aura peu qui passeront entre les mailles. Les prisons seront remplies de gens très riches.

– Je les attends, dit Audick en souriant. (Son inculpation ne lui avait pas fait perdre sa bonne humeur.) Moi je serai en liberté sous caution, et je ferai porter des fleurs dans votre cellule.

– Mais vous aussi vous serez en prison, lança Inch avec agacement. Mais ça sera une prison quatre étoiles, et vous pourrez faire joujou avec vos ordinateurs pour savoir exactement où se trouvent vos navires de pétrole brut.

Audick n'avait jamais aimé Louis Inch. Il méprisait ce type qui entassait les gens dans ses gratte-ciel et vendait un million de dollars des appartements pas plus grands que des placards à balais.

– Je suis sûr que ma cellule sera plus grande qu'un de vos appartements de luxe, riposta Audick. Et une fois que je serai bouclé, ne comptez pas trop avoir du mazout pour chauffer vos gratte-ciel. Autre chose encore : j'ai plus de chance de gagner de l'argent au jeu en prison que dans un de vos casinos d'Atlantic City.

Greenwell, le doyen de la petite assemblée et le plus rompu aux négociations avec l'État, crut devoir reprendre le débat en main.

– J'estime que nous devons financer très largement la campagne de l'adversaire de Kennedy aux prochaines élections. Martin, je crois que vous devriez diriger cette campagne.

– D'abord, décidons du montant de l'investissement et de la façon de l'assurer.

– Que diriez-vous d'une somme de cinq cents millions de dollars ? proposa Greenwell.

– Hé, du calme ! s'exclama Audick. Je viens de perdre cinquante milliards de dollars et vous me demandez de verser une nouvelle unité ?

– Ça ne fait jamais qu'une unité, dit malicieusement Inch. L'industrie pétrolière va mégoter avec nous ? Les Texans ne peuvent donc pas verser cent petits millions de dollars ?

– Le temps d'antenne à la télévision coûte très cher,

dit Salentine. Si nous voulons mettre le paquet jusqu'en novembre, ça fait cinq mois. Ça sera très cher.

– Et vos réseaux de télé vont en empocher la plus grosse partie, dit Inch agressivement. Ce qui est fabuleux avec vous autres, les gens de la télévision, c'est que ce qui sort d'une poche réapparaît aussitôt dans l'autre, comme par magie. Au moment de discuter la part de chacun, il faudra en tenir compte.

– Mais enfin, tout ça c'est des bricoles ! s'exclama Mutford, à la grande indignation des autres.

Martin Mutford était célèbre pour la façon cavalière dont il utilisait l'argent. Pour lui, il ne s'agissait que d'un télex transportant une substance spirituelle d'un corps éthéré à un autre. L'argent n'avait pour lui aucune réalité. À une petite amie de passage il offrait une Mercedes flambant neuve, excentricité qu'il avait apprise des Texans. S'il avait une maîtresse depuis un an, il lui offrait un appartement pour assurer ses vieux jours. Une de ses maîtresses possédait une maison à Malibu, une autre un château en Italie et un appartement à Rome. À un fils naturel il avait offert des parts dans un casino en Angleterre. Cela ne lui avait coûté qu'une signature au bas de quelques papiers. Et il avait toujours un endroit où demeurer lorsqu'il voyageait. De la même façon, Jeralyn Albanese était propriétaire du célèbre restaurant et de l'immeuble tout entier. Pour Martin Mutford, l'argent ne représentait rien.

– J'ai payé ma part avec Dak, dit Audick d'un ton agressif.

– Calmez-vous, Audick, rétorqua Mutford, vous n'êtes pas en train de témoigner devant une commission d'enquête du Congrès pour obtenir des indemnités.

– Vous n'avez pas le choix, renchérit Inch. Si Kennedy remporte les élections et obtient un Congrès à sa botte, vous irez en prison.

George Greenwell, lui, se demandait encore s'il ne devait pas se dissocier de ces gens-là. Après tout, il était trop vieux pour ce genre d'aventures. Son empire céréalier était moins menacé que les leurs. Le chantage qu'exerçait l'industrie pétrolière sur le gouvernement, pour augmenter ses profits, était trop évident. Le commerce des céréales gardait un profil bas ; les gens ignoraient généralement que cinq ou six sociétés privées décidaient de la ration de pain de l'humanité entière. Greenwell craignait qu'un type aussi belliqueux qu'Audick ne leur attire à tous de très sérieux ennuis. Et pourtant, il aimait bien le club Socrate, les séminaires du week-end au cours desquels on discutait de façon passionnante des affaires du monde, les parties de backgammon, les tournois de bridge.

– Allez, Audick, reprit Inch, qu'est-ce qu'une malheureuse petite unité pour l'industrie pétrolière ? Ça fait cent ans que vous asséchez les finances publiques avec vos subventions pour la baisse du prix du pétrole.

– Arrêtez de déconner, dit Martin Mutford en riant. Nous sommes tous dans la même galère. Et nous serons tous pendus par les pieds si Kennedy gagne les élections. Oublions un peu ces histoires d'argent et mettons-nous au travail. Voyons comment attaquer Kennedy au cours de cette campagne. Pourquoi ne pas mettre en avant son incapacité à empêcher l'explosion de la bombe atomique alors qu'ils avaient reçu des menaces ? On pourrait aussi l'attaquer sur le fait qu'il n'a plus jamais eu de femme dans sa vie après la mort de son épouse. Et si on racontait qu'il baise peut-être les nanas dans les bureaux de la Maison-Blanche, comme le faisait son oncle John ? Il y aurait des millions de choses à balancer ! Et son cabinet particulier ? Il y a du pain sur la planche.

– C'est vrai qu'il n'a pas de femme, dit Audick d'un ton pensif. J'avais déjà remarqué ça. Il est peut-être pédé.

– Et alors ? dit Salentine.

Certaines des plus grandes vedettes de ses chaînes de télévision étaient homosexuelles, et il se montrait très sensible dès que l'on abordait le sujet. Les propos de Bert Audick l'avaient choqué.

Mais de façon inattendue, Louis Inch prit le parti d'Audick.

– Allez, dit-il à Salentine, le public se moque de savoir si l'un de vos histrions est homo, mais le président des États-Unis !

– Le temps viendra, dit Salentine.

– On ne peut pas attendre, dit Mutford. Et en plus, le président n'est pas homo. Il est dans une sorte d'hibernation sexuelle. Non, je crois que le mieux c'est de l'attaquer à travers son cabinet particulier. (Il demeura un moment songeur.) J'ai, par exemple, fait procéder à une enquête sur Christian Klee, le ministre de la Justice. Il a beau être un personnage public, il a quelque chose de mystérieux. Il est très riche, beaucoup plus riche qu'on ne le croit d'habitude ; j'ai fait procéder à un examen discret de ses comptes bancaires. Il ne dépense pas beaucoup, il n'entretient pas de femme, ne se drogue pas, ça se serait vu dans ses mouvements bancaires. C'est un brillant juriste qui en prend un peu trop à son aise avec la loi. Ça n'est pas bon, ça. Nous savons qu'il est dévoué corps et âme à Kennedy, et la protection qu'il lui donne est une merveille d'efficacité. Mais cette efficacité même va gêner Kennedy pour sa campagne, parce que Klee ne le laissera pas aller au contact de la foule. Moi, je crois qu'on devrait concentrer le tir sur Klee.

– Klee a occupé un poste important dans les services opérationnels de la CIA, dit Audick. J'ai entendu raconter des histoires étranges sur lui.

– On pourrait peut-être se servir de ces histoires, dit Mutford.

– Mais ce ne sont que des histoires, répondit Audick. Et on ne pourra rien sortir des dossiers de la CIA, en tout cas pas tant que Tappey sera en poste.

– J'ai entendu dire que le chef de cabinet de Kennedy, le dénommé Dazzy, avait une vie personnelle plutôt agitée, dit alors Greenwell d'un ton détaché. Sa femme et lui sont en mauvais termes, et il a une maîtresse.

Merde, songea Mutford. Il va falloir les tenir à l'écart de ça. (Jeralyn Albanese lui avait rapporté les menaces de Christian Klee.)

– C'est une histoire mineure, dit-il. Qu'est-ce que ça nous rapporterait, même si on coinçait Dazzy ? L'opinion publique ne se retournera pas contre le président parce que son chef de cabinet baise une jeune fille, à moins que ça ne soit du viol ou du harcèlement sexuel.

– Il n'y a qu'à offrir un million de dollars à la fille pour qu'elle hurle au viol.

– Oui, rétorqua Mutford, mais il faudra expliquer pourquoi elle se fait baiser depuis trois ans sans hurler au viol et pourquoi toutes ses factures sont réglées rubis sur l'ongle. Non, ça ne marchera pas.

Il revint à George Greenwell de présenter la contribution la plus intéressante.

– Nous devrions mettre le paquet sur la bombe atomique de New York. Jintz et Lambertino devraient créer des commissions d'enquête à la Chambre et au Sénat, et interroger tous les hauts fonctionnaires et les ministres liés à cette affaire. Même s'il n'en sort rien de concret, les médias auront de quoi se mettre quelque chose sous la dent. (Puis, se tournant vers Salentine :) C'est là qu'il faudra faire jouer votre influence. C'est notre plus grand espoir. Et maintenant, je propose que nous nous mettions au travail. Montez vos comités de soutien, dit-il à Mutford. Je vous assure que vous recevrez ma contribution de cent millions de dollars. C'est un investissement dicté par la prudence.

Lorsque la réunion prit fin, Bert Audick était le seul à envisager des mesures plus radicales.

Aussitôt après cette réunion, Lawrence Salentine fut convoqué par le président Francis Kennedy. Dans le bureau ovale, lorsqu'il aperçut le ministre de la Justice aux côtés du président, Salentine comprit que la partie allait être rude. Aucune politesse ne fut échangée ; le Kennedy charmeur avait disparu et Salentine se trouvait face à un homme qui cherchait à se venger.

– Monsieur Salentine, dit le président, je n'irai pas par quatre chemins. Je serai franc. Le ministre de la Justice, monsieur Klee, s'est opposé à ce que l'on ouvre une information judiciaire contre votre chaîne de télévision et vos autres réseaux d'information pour atteinte à la sûreté de l'État. Il a réussi à me convaincre que la sanction serait trop dure. Pour être clair, vous et les autres géants de l'information vous avez comploté pour me faire quitter la présidence. Vous avez soutenu le Congrès dans leur tentative de suspension.

– C'était notre rôle, en tant que société chargée d'une mission d'information, de rendre compte d'un événement politique.

– Arrêtez vos conneries, coupa sèchement Klee. Vous vous êtes ligués contre nous, voilà tout.

– C'est de l'histoire ancienne, dit alors Kennedy. Voyons maintenant l'avenir. Ça fait des dizaines d'années que vos sociétés multi-médias font leur beurre. Je ne vais pas permettre qu'un seul réseau maîtrise totalement le système d'information du pays. Les propriétaires de chaînes de télévision devront se cantonner à la télévision. Ils ne pourront plus posséder de maisons d'édition. Ils ne pourront plus posséder de magazines. Ni de quotidiens.

Ni de sociétés de production de cinéma. Ni de sociétés de télévision par câble. C'est trop de pouvoir. Vous concentrez trop de publicité. Des limites seront instaurées. Je veux que vous transmettiez le message à vos amis. Lors du processus de suspension, vous avez illégalement interdit au président des États-Unis de s'exprimer à la télévision et à la radio. Cela ne se produira plus jamais.

Salentine déclara alors que jamais le Congrès ne l'autoriserait à faire ce qu'il projetait.

– Non, pas ce Congrès-ci, répondit Kennedy en souriant, mais il y aura des élections en novembre. Et je me représente. Et je ferai campagne pour les candidats au Congrès qui soutiendront ma politique.

Lawrence Salentine rapporta les mauvaises nouvelles à ses confrères propriétaires de chaînes de télévision.

– Deux solutions s'offrent à nous, expliqua-t-il. Nous pouvons soutenir le président, ou nous pouvons choisir de demeurer indépendants et nous opposer à lui lorsque nous le jugeons nécessaire. Une époque dangereuse s'ouvre pour nous. Il ne s'agit pas seulement de perte de revenus, ni de règlements plus contraignants, mais si Kennedy va jusqu'au bout, nous pouvons fort bien perdre nos autorisations d'émettre.

C'en était trop. Il était inconcevable qu'on pût leur retirer leurs autorisations d'émettre. Les gens comme Salentine avaient toujours bénéficié des autorisations d'émettre, ils avaient toujours eu libre accès aux canaux de diffusion. Pour eux, il s'agissait d'un droit naturel. C'est ainsi que les directeurs de chaînes de télévision prirent la décision de ne pas soutenir le président des États-Unis, de demeurer libres et indépendants. Ils dénonceraient Kennedy comme une menace dangereuse pour le capitalisme démocratique américain. Salentine ferait part de cette décision aux membres les plus influents du club Socrate.

Salentine réfléchit pendant des jours à la meilleure

façon de lancer une campagne contre le président sur sa chaîne de télévision, sans que par ailleurs la volonté de nuire fût trop évidente. Car l'opinion publique américaine croyait au traitement équitable de l'information ; une campagne de dénigrement systématique lui serait insupportable. Le peuple américain croyait aux vertus d'un procès équitable, bien qu'il constituât la populace la plus criminelle qui fût au monde.

Il agit avec prudence. D'abord, mettre dans sa poche Cassandra Chutt, la présentatrice qui faisait les scores d'audience les plus importants au niveau national. Bien sûr, il ne pouvait s'imposer à elle trop directement ; ces présentateurs vedettes tiennent jalousement à leur indépendance. Mais enfin ils n'étaient pas arrivés à de tels sommets sans avoir intrigué auprès des directeurs de chaînes. Et Cassandra Chutt connaissait à merveille l'art de l'intrigue.

Cela faisait vingt ans que Lawrence Salentine veillait sur sa carrière. Il la connaissait déjà à l'époque où elle s'occupait des programmes du matin, avant qu'elle n'assure la présentation du journal du soir. Elle avait toujours fait preuve d'une ambition effrénée. Elle avait réussi à forcer la porte d'un ministre des Affaires étrangères, et avait éclaté en sanglots en lui disant qu'elle perdrait son travail si elle n'obtenait pas une interview de deux minutes. À force de cajoleries et de chantage, elle avait fait venir sur son plateau les personnalités les plus célèbres, et les avait ensuite enfoncées avec les questions les plus personnelles et les plus vulgaires. Pour Salentine, Cassandra Chutt était la personne la plus grossière qu'il eût jamais rencontrée dans les milieux de la télévision.

Il l'invita à dîner chez lui. Il adorait la compagnie des gens grossiers.

Lorsque Cassandra arriva le lendemain soir, Salentine était occupé à monter une cassette vidéo. Il la conduisit dans sa salle de travail, équipée du matériel informatique le plus moderne.

Cassandra Chutt prit place sur un tabouret.

– Oh, merde, Lawrence, vous n'allez pas me faire voir encore votre version remontée d'*Autant en emporte le vent*?

En guise de réponse, il lui amena un verre.

Salentine avait un violon d'Ingres. Remonter à sa convenance, «améliorer», la bande vidéo d'un des cent films qu'il possédait (les plus beaux films du monde, disait-il). Même dans ses films préférés, il y avait une scène ou un dialogue qu'il jugeait mauvais ou inutile, et il les supprimait grâce à son banc de montage informatisé. Dans la bibliothèque de son salon, se trouvaient à présent une centaine de cassettes vidéo des meilleurs films de l'histoire du cinéma, un peu raccourcis peut-être, mais parfaits. Il avait même supprimé quelques fins qu'il ne trouvait pas satisfaisantes.

Au cours du repas, servi par un majordome, ils évoquèrent les projets de Cassandra Chutt. Cela la mettait toujours d'excellente humeur. Elle fit part à Salentine de son projet de se rendre dans les pays arabes et de rassembler en duplex les dirigeants arabes et israéliens. Ensuite, elle envisageait une discussion à bâtons rompus avec trois Premiers ministres européens. Puis avec enthousiasme, elle lui fit part de son intention d'aller interviewer l'empereur du Japon. Salentine écoutait patiemment. Cassandra Chutt avait des rêves de grandeur, mais il lui arrivait parfois de réaliser un coup stupéfiant.

Finalement il l'interrompit et lui dit en plaisantant:

– Pourquoi n'interviewez-vous pas le président Kennedy?

Cassandra Chutt perdit instantanément sa bonne humeur.

– Après ce qu'on lui a fait, il ne m'accordera jamais une minute d'entretien.

– C'est vrai que ça ne s'est pas très bien passé, concéda Salentine. Mais dans ce cas, pourquoi ne pas aller voir de l'autre côté de la barricade ? Pourquoi ne pas demander à Jintz et Lambertino de donner leur version de l'affaire ?

– Vous êtes un malin, vous, répondit Cassandra en souriant. Mais parce qu'ils ont perdu ! Kennedy va les massacrer lors des prochaines élections. Pourquoi faire venir des ratés à mon émission ? Les gens n'ont pas envie de voir des ratés à la télévision.

– Jintz m'a fait savoir qu'ils possèdent des informations de première importance sur la bombe atomique de New York, que peut-être le gouvernement a traîné les pieds dans cette affaire. Ils n'ont pas utilisé comme il le fallait les équipes de détection nucléaire qui auraient pu trouver la bombe avant qu'elle n'explose. Ils seraient disposés à le révéler au cours de votre émission. Vous feriez les gros titres de la presse dans le monde entier.

Cassandra Chutt était stupéfaite. Puis elle se mit à rire.

– Ce que vous me dites là est terrible, mais aussitôt, j'ai pensé à la question que je poserais à ces deux ratés ? « Pensez-vous sincèrement que le président des États-Unis est responsable des dix mille morts de New York ? »

– C'est une excellente question, dit Salentine.

Au cours du mois de juin, Bert Audick se rendit au Sherhaben à bord de son avion privé pour discuter avec le sultan de la reconstruction de Dak. Le sultan le reçut de façon princière. Outre les danseuses et la cuisine la plus fine, le sultan lui ménagea une série d'entretiens avec les dirigeants d'un consortium financier international désireux d'investir dans la nouvelle ville de Dak. Audick passa une semaine de dur labeur, extorquant ici une « unité » de cent millions de dollars, et une autre « unité » là, mais en fin de compte il apparut que l'argent sonnant et trébuchant devait être avancé par sa propre compagnie pétrolière et le sultan du Sherhaben.

Pour sa dernière soirée au Sherhaben, le sultan et lui se retrouvèrent seuls au palais. À la fin du repas, le sultan renvoya les serviteurs et les gardes du corps.

– Je crois que le moment est venu de parler de notre affaire, dit le sultan en souriant. Avez-vous amené ce que je vous ai demandé ?

– Avant tout, je veux que vous sachiez bien une chose. Je n'agis pas contre mon pays. Je cherche seulement à me débarrasser de ce salaud de Kennedy, sans ça je terminerai en prison. Et il va fouiller le moindre de nos accords au cours des dix dernières années. Alors ce que je fais est aussi dans votre intérêt.

– Je comprends, dit doucement le sultan. Mais nous ne pouvons pas être impliqués dans les événements qui vont se produire. Êtes-vous sûr que grâce à ces documents on ne peut pas remonter jusqu'à vous ?

– Bien sûr, répondit Bert Audick.

Il tendit au sultan une mallette en cuir. Le sultan en sortit des plans et des photos.

Il s'agissait de photos de l'intérieur de la Maison-Blanche, et sur les plans étaient indiqués les différents postes de contrôle disséminés dans le bâtiment.

– Ces renseignements sont-ils récents ? demanda le sultan.

– Non, dit Audick. Il y a trois ans, après la prise de fonctions de Kennedy, Christian Klee a tout changé ; vous savez qu'il dirige le FBI et les services secrets. Il a fait ajouter un étage supplémentaire à la Maison-Blanche, qui sert d'appartements privés au président. Je sais que ce quatrième étage est un véritable coffre-fort. Personne n'en connaît la disposition. Rien n'a été publié sur le sujet, bien sûr. Seuls les conseillers et les amis les plus proches du président doivent être au courant.

– Cela peut quand même être utile, dit le sultan.

Audick haussa les épaules.

– Je peux fournir de l'argent. Il faut agir vite, de préférence avant qu'il soit réélu.

– Les Cent sont toujours d'accord pour recevoir de l'argent, dit le sultan. Je ferai en sorte qu'il leur parvienne. Mais vous devez comprendre que ces gens-là agissent par conviction. Ce ne sont pas des tueurs à gages. Il faut qu'ils croient que l'argent vient de moi, dirigeant d'un petit pays opprimé. (Il sourit.) Après la destruction de Dak, je crois que le Sherhaben a toutes les qualités requises.

– Je voudrais que nous discutions également de cela, dit Bert Audick. Ma société a perdu cinquante milliards de dollars dans la destruction de Dak. J'estime que nous devrions revoir notre accord sur l'extraction du pétrole. La dernière fois, vous vous êtes montré particulièrement exigeant.

Le sultan se mit à rire, mais d'un rire amical.

– Monsieur Audick, cela fait cinquante ans que les sociétés pétrolières britanniques et américaines volent le pétrole des pays arabes. Vous avez versé des clopinettes à des cheikhs nomades et ignorants, pendant que vous, vous empochiez des milliards de dollars. Quelle honte ! Et maintenant vos compatriotes s'indignent quand nous voulons vendre le pétrole à sa valeur. Comme si nous avions le moindre mot à dire sur le prix de vos équipements lourds et de votre savoir-faire technique que vous vendez si cher. Mais maintenant c'est à votre tour de payer le juste prix, à votre tour d'être exploités, si vous tenez à employer ce terme-là. N'y voyez aucune offense, mais je pensais au contraire vous demander de revoir notre contrat… à la hausse.

Les deux hommes échangèrent un sourire amical. Ils appartenaient à la même race d'hommes, ceux qui ne manquent jamais l'occasion de mener une négociation.

– Je crois que le consommateur américain devra payer la note que lui vaut l'élection de ce cinglé à la présidence, dit Audick. C'est quelque chose que je n'envisage pas de gaieté de cœur.

– Mais vous le ferez, dit le sultan. Après tout, vous êtes un homme d'affaires, pas un homme politique.

– Et bientôt un prisonnier, ajouta Audick en riant. Sauf si j'ai de la chance et si Kennedy disparaît de la scène. Je ne veux pas que vous vous mépreniez sur mon compte. Je ferais n'importe quoi pour mon pays, mais d'un autre côté, je ne vais pas laisser les politiciens me marcher sur les pieds.

Le sultan sourit.

– Il en va de même pour mon parlement.

Il claqua dans ses mains pour appeler les serviteurs, puis se tourna à nouveau vers Audick.

– Le moment est venu de prendre du bon temps. Laissons de côté ces sordides histoires de pouvoir. Jouissons de la vie tant qu'elle nous est donnée.

Bientôt, un repas délicat leur fut servi. Audick appréciait beaucoup la cuisine arabe. Il n'avait pas ce côté facilement dégoûté des Américains.

Annee, qui se cachait dans sa famille en Sicile, fut surprise de se voir un jour convoquée à une réunion avec certains de ses camarades des Cent.

Elle retrouva à Palerme deux jeunes gens qu'elle avait connus à l'université, à Rome. Le plus âgé devait avoir à présent une trentaine d'années, et elle l'avait toujours beaucoup apprécié. Il était grand, voûté, et portait des lunettes cerclées d'or. Brillant universitaire, il aurait pu devenir une sommité dans le domaine des études étrusques. Dans les relations personnelles c'était un homme doux et attentionné, mais violent en matière de politique, tant il vouait de haine à la cruelle irrationalité du capitalisme. Il se nommait Giancarlo.

Le second, Sallu, avait été un agitateur de talent à l'université. Un fort en gueule, mais aussi un excellent orateur, capable de pousser les foules à la violence, alors que lui-même était assez peu doué pour l'action. Arrêté par la police antiterroriste et sévèrement passé à tabac, son caractère avait changé. Après un mois d'hôpital, Sallu parlait moins et agissait plus. Il finit pas être admis au sein des Christ de la violence, les célèbres Cent.

Giancarlo et Sallu étaient passés dans la clandestinité, et avaient arrangé avec soin leur rencontre. Annee avait reçu pour consigne de jouer la touriste dans Palerme jusqu'à ce qu'on la contacte. Le deuxième jour, une femme nommée Livia l'aborda dans une boutique et la conduisit dans un petit restaurant où elles étaient les deux seules clientes. Le restaurant était fermé au public ; visiblement, le propriétaire et l'unique serveur faisaient partie de l'organisation. C'est alors que Giancarlo et Sallu étaient sortis de la cuisine. Giancarlo portait une toque de chef, et son regard pétillait de malice. Il apportait un grand plat de spaghettis noircis par une sauce à l'encre de seiche. Derrière lui, Sallu amenait un panier plein d'un pain doré parsemé de graines de sésame, et une bouteille de vin.

Giancarlo, Sallu, Livia et Annee s'installèrent autour d'une table pour déjeuner. Tandis que Giancarlo servait les spaghettis, le serveur leur apporta de la salade, un plat de jambon cru et du gorgonzola.

– Ça n'est pas parce qu'on se bat pour un monde meilleur qu'il faut se laisser mourir de faim, dit Giancarlo en souriant.

– Ni se laisser mourir de soif, ajouta Sallu en versant le vin.

Mais à la différence de son compagnon, très détendu, Sallu semblait nerveux.

Ce fut Giancarlo qui ouvrit la réunion.

– Vous avez été très malignes, toutes les deux. Il semble que vous n'ayez pas été soupçonnées pour l'opération de Pâques. Vous pourrez donc être utilisées pour notre nouvelle action. Vous avez toutes les deux l'expérience nécessaire, mais surtout, vous avez la détermination. Mais je dois vous prévenir. Cette opération est plus dangereuse que celle de Pâques.

– Faut-il se porter volontaires avant de savoir de quoi il en retourne ? demanda Livia.

– Oui, répondit sèchement Sallu.

– Vous nous posez toujours la question rituelle : « Êtes-vous volontaire ? » lança Annee d'un ton agacé. Vous croyez qu'on vient ici pour les spaghettis ? Si on vient, c'est qu'on est volontaires. Alors on vous écoute.

Giancarlo acquiesça ; il la trouvait amusante.

– Bien sûr, bien sûr, dit-il.

Giancarlo prit son temps.

– Ces spaghettis ne sont pas mauvais du tout, dit-il d'un air songeur. (Ils rirent.) L'opération vise le président des États-Unis. Il doit être liquidé. Ce monsieur Kennedy accuse notre organisation d'avoir placé la bombe atomique à New York. Le gouvernement américain a décidé de s'attaquer à nous, de lancer des opérations spéciales. Nous avons tenu une réunion avec les camarades du monde entier, et nous avons décidé de coopérer pour cette action.

– En Amérique c'est impossible pour nous, dit Livia. Où trouver de l'argent, des moyens de communication, des planques, comment recruter des gens ? Et surtout, les renseignements. Nous n'avons aucune base aux États-Unis.

– Il n'y a pas de problème d'argent, dit Sallu. On nous en donne. Il y aura des gens infiltrés mais qui ne connaîtront qu'une petite partie de l'opération.

– Toi, Livia, tu iras en premier, dit Giancarlo. Nous avons des contacts aux États-Unis. Des gens très haut placés. Ils t'aideront à trouver des planques et à établir des moyens de communication. Des fonds seront déposés pour toi dans certaines banques. Toi, Annee, tu iras ensuite, comme chef des opérations. C'est toi qui assumeras la partie la plus dangereuse.

Annee sentit un frisson d'excitation lui parcourir l'échine. Enfin elle allait diriger une opération sur le terrain. Elle devenait l'égale de Yabril et de Romeo.

La voix de Livia la tira de ses rêveries.

– Quelles sont nos chances de succès ?

– Pour toi il n'y a pas de problème, répondit Sallu. S'ils ont vent de l'affaire, ils te laisseront libre pour pouvoir remonter la filière. Quand Annee sera opérationnelle, toi tu seras de retour en Italie.

Giancarlo se tourna alors vers Annee.

– C'est vrai, mais toi, Annee, tu vas courir de grands risques.

– J'imagine, dit Annee.

– Tu crois qu'on peut réussir ? demanda Livia.

– Il y a peu de chances, dit Giancarlo, mais même si on échoue c'est une victoire : on aura démontré notre innocence.

Ils passèrent le reste de l'après-midi à mettre au point les détails pratiques, plans opérationnels, codes à utiliser, etc.

Le soir tombait lorsqu'ils en eurent terminé, et Annee posa la question que l'on n'avait pas encore osé poser.

– Dites-moi, dans le pire des cas, est-ce que ça ne serait pas une mission suicide ?

Sallu baissa la tête. Giancarlo regarda un instant Annee avant de hocher la tête.

– C'est possible. Mais c'est à toi que revient la décision, pas à nous. Romeo et Yabril sont toujours vivants, et nous espérons les libérer. Je te promets la même chose si tu étais capturée.

17

La division spéciale du FBI surveillait de façon étroite les parlementaires membres du club Socrate. Tous les matins, Christian Klee parcourait ses rapports. Il manipulait lui-même l'ordinateur, utilisant son propre code secret pour avoir accès aux dossiers personnels.

Ce matin-là, il consulta les dossiers de David Jatney et Cryder Cole. Klee faisait confiance à son intuition, et son intuition lui soufflait que Jatney pouvait se révéler dangereux. Il n'avait plus de raisons de s'inquiéter pour Cole : devenu un passionné de moto, le jeune homme s'était fracassé le crâne contre un rocher à Provo, dans l'Utah. Il étudia l'image vidéo qui se forma sur son écran, la sensibilité qui se lisait sur le visage, les yeux sombres, enfoncés dans leurs orbites. Comme ce visage changeait avec les émotions, comme on y devinait la peur. Jatney faisait l'objet d'une surveillance assez lâche, il ne s'agissait encore que d'une intuition. Mais lorsque Klee lut la note qui apparaissait sur l'écran, il éprouva un véritable sentiment de satisfaction. L'insecte terrible qui avait pour nom David Jatney brisait à présent sa coquille pour apparaître en pleine lumière.

David Jatney avait tiré sur Louis Inch à cause d'une jeune femme nommée Irene Fletcher. Irene se montra ravie d'apprendre qu'on avait tenté d'assassiner Inch, mais elle ne sut jamais que c'était son amant qui avait tiré. Tous les jours, pourtant, elle le poussait à lui faire part de ses pensées les plus secrètes.

Ils s'étaient rencontrés à la célèbre boulangerie Fioma, sur Montana Avenue, celle qui vendait le meilleur pain des États-Unis. Elle y était vendeuse, et David venait régulièrement y acheter biscuits et gâteaux. Un jour, elle s'enhardit :

– Ça vous dirait de sortir avec moi, ce soir ? On pourrait aller au restaurant et payer chacun sa part.

David lui sourit. Elle n'avait rien de la typique Californienne blonde. Un joli visage rond, un air décidé, des formes généreuses, un petit peu trop âgée pour lui, peut-être : elle devait avoir vingt-cinq ans. Mais une flamme dansait dans ses yeux gris, et elle était intelligente, alors il accepta. Il faut dire aussi qu'il se sentait très seul.

Ainsi débuta une liaison amoureuse sans grandes complications ; Irene Fletcher n'avait pas de temps pour une aventure plus sérieuse, et semble-t-il, guère de goût non plus. Elle avait un petit garçon de cinq ans et vivait chez sa mère. Elle était très engagée dans des actions politiques au niveau local et passionnée par les religions d'Extrême-Orient, ce qui chez une jeune Californienne n'avait rien d'étonnant. Pour Jatney, c'était une expérience rafraîchissante. Irene amenait souvent son petit garçon, Jason Campbell, à des réunions politiques ou religieuses qui se terminaient parfois tard dans la nuit. Elle enveloppait alors l'enfant dans une couverture indienne, le posait sur le sol, et continuait de défendre son point de vue avec passion. Parfois, David s'endormait lui aussi par terre, aux côtés de l'enfant.

David et Irene n'avaient rien en commun. Il détestait la religion et méprisait la politique. Irene n'aimait pas le cinéma et ne lisait que des livres sur les religions orientales et des essais politiques d'extrême gauche. Mais ils se tenaient mutuellement compagnie, et venaient chacun combler un manque dans la vie de l'autre. Ils faisaient l'amour sans grande passion, de façon plutôt amicale. Parfois, dans ces moments-là, Irene succombait à des accès de tendresse qu'elle s'empressait ensuite de minimiser.

Ils se complétaient aussi en ce qu'Irene aimait parler et David garder le silence. Quand ils étaient au lit, Irene pouvait parler pendant des heures, et David l'écoutait. Parfois elle était intéressante, et parfois non. Il écoutait volontiers le récit de la lutte entre les habitants de Santa Monica, locataires et petits propriétaires, et les promoteurs immobiliers. Jatney se sentait du côté des habitants. Il aimait Santa Monica, la ligne basse des maisons à un étage et des magasins en rez-de-chaussée, les villas de style espagnol, l'ambiance sereine qui régnait en ville, l'absence totale de sinistres édifices religieux, comme les tabernacles mormons de son État natal, l'Utah. Il aimait la vaste étendue du Pacifique que nul gratte-ciel de verre et de béton ne venait dérober au regard. Pour lui, Irene faisait figure d'héroïne en se battant pour préserver tout cela de la voracité des ogres de l'immobilier.

Elle lui parlait aussi de ses gourous indiens, et passait sur son magnétophone leurs mantras et leurs cours. Ces gourous étaient infiniment plus agréables à écouter et ils avaient infiniment plus d'humour que les sévères aînés de l'Église mormone de son enfance ; leurs croyances lui semblaient plus poétiques, leurs miracles plus purs, plus spirituels, plus éthérés que les célèbres tablettes d'or des Mormons et leur ange Moroni. Mais au bout du compte, ils se révélaient tout aussi ennuyeux avec leur rejet des plaisirs de ce monde et des fruits de la réussite terrestre, toutes choses que David Jatney désirait ardemment.

Irene parlait sans cesse, atteignant à une manière d'extase lorsqu'elle évoquait les choses les plus simples de la vie. À la différence de David, elle jugeait sa vie, tout ordinaire qu'elle fût, riche de sens et de promesses.

Parfois, lorsqu'elle se laissait emporter et analysait ses émotions pendant plus d'une heure sans reprendre haleine, il la voyait comme une étoile dans le ciel, de plus en plus grosse et de plus en plus brillante, tandis que lui-même s'enfonçait dans un trou noir sans fond qui était l'univers ; il s'enfonçait irrémédiablement mais elle ne le remarquait pas.

Il appréciait également sa générosité dans les affaires matérielles et sa retenue dans le domaine des émotions. Elle semblait n'éprouver jamais de profond chagrin, ne jamais s'enfoncer dans les ténèbres universelles. Son étoile brillait sans jamais perdre de son éclat. Il lui en était reconnaissant. Il n'aurait pas aimé qu'elle l'accompagnât dans les ténèbres.

Une nuit, ils allèrent se promener sur la plage, à côté de Malibu. David jugea curieuse cette proximité immédiate de l'océan, des maisons et des montagnes. Il ne lui semblait pas normal que les montagnes fussent à ce point proches du rivage. Ils s'assirent dans le sable, et le petit garçon s'endormit, enveloppé dans une couverture.

David et Irene se laissèrent envahir par la beauté de la nuit. Pendant ce court instant ils se sentirent amoureux l'un de l'autre. Ils observèrent l'océan, d'un bleu-noir sous la lueur de la lune, et les petits oiseaux volant au ras des vagues.

– David, tu ne m'as jamais vraiment parlé de toi. J'ai envie de t'aimer, mais je n'arrive pas à te connaître mieux.

David était touché. Il eut un petit rire nerveux.

– La première chose que tu dois savoir à mon sujet, c'est que je suis un mormon-de-vingt-kilomètres.

– Je ne savais même pas que tu étais mormon. Mais qu'est-ce que c'est que cette histoire de vingt kilomètres ?

– Dès l'enfance, un mormon apprend qu'il ne doit ni picoler, ni fumer, ni commettre l'adultère. Alors quand on fait ce genre de choses, il faut s'assurer qu'on se trouve au moins à vingt kilomètres de l'endroit où on est connu.

Il évoqua ensuite son enfance, et la haine qu'il vouait à l'Église mormone.

– On t'apprend qu'on a le droit de mentir si ça peut servir l'Église. Alors ces salauds te bourrent le crâne avec leur histoire d'ange Moroni et de bible en or. Et ils portent aussi des robes d'ange ; je dois dire que mon père et ma mère n'en ont jamais mis, mais ils en mettaient à sécher sur les cordes à linge. C'est un truc absolument ridicule.

– Qu'est-ce que c'est, des robes d'ange ? demanda Irene en lui serrant la main entre les siennes, pour l'encourager à parler.

– Une sorte de robe qu'on se met pour ne pas prendre de plaisir en baisant. Ils sont tellement ignorants qu'ils ne savent pas qu'au XVIe siècle, les catholiques portaient le même genre de vêtement, une robe qui recouvre tout le corps, sauf un petit trou qui permet de baiser sans, paraît-il, y prendre de plaisir. Quand j'étais gosse, je voyais des robes d'ange accrochées sur les fils à linge. Je dois reconnaître que mes parents ne marchaient pas dans la combine, mais comme mon père était un ancien dans l'Église, il fallait qu'il montre à tout le monde qu'ils utilisaient des robes d'ange. Quelle religion ! ajouta David en riant.

– C'est fascinant, mais en même temps ça a un côté tellement primitif, dit Irene.

Et tous ces gourous qui te parlent de vaches sacrées, songea David, est-ce que c'est tellement plus civilisé ? Et ces histoires de réincarnation, de vie qui n'a aucune valeur, de karma et tout ce bataclan ? Mais Irene sentit qu'il se crispait et l'encouragea à poursuivre son récit. Elle glissa la main sous sa chemise et sentit son cœur qui battait la chamade.

– Tu les détestes ? demanda-t-elle.

– Je n'ai jamais détesté mes parents. Ils ont toujours été bons avec moi.

– Non, je voulais dire l'Église mormone.

– Je crois que j'ai détesté cette Église depuis que j'étais tout petit. Je détestais les anciens, avec leurs gueules de raie, je détestais la façon dont mes parents étaient obligés de leur lécher le cul. Je détestais leur hypocrisie. Si on n'est pas d'accord avec les décisions de l'Église, on risque d'être assassiné. C'est une religion d'affaires, ils se tiennent tous les coudes. C'est comme ça que mon père a fait fortune. Mais je vais te dire ce qui me dégoûtait le plus. Ils ont des bénédictions spéciales, et les anciens les plus haut placés reçoivent une bénédiction secrète de façon à entrer au paradis avant les autres. C'est comme quand t'as des gens qui te passent devant quand tu fais la queue pour un taxi ou pour une table dans un restaurant.

– La plupart des religions sont comme ça, sauf les religions indiennes, dit Irene. Il faut simplement faire attention au karma. C'est pour ça que j'essaye de me préserver de la cupidité, pourquoi je ne peux pas entrer en lutte avec d'autres êtres humains pour la possession de biens matériels. Je dois garder mon esprit pur. On va faire de nouvelles réunions, tu sais, il y a une crise terrible à Santa Monica en ce moment. Si on n'est pas vigilants, les promoteurs immobiliers vont détruire tout ce pour quoi on s'est battus, et cette ville va se couvrir de gratte-ciel. Les loyers vont augmenter, et toi et moi on sera expulsés de nos appartements.

Elle continua de parler, et David Jatney sentit son âme s'apaiser. Il aurait pu rester sur cette plage jusqu'à la fin des temps, abîmé dans la beauté pure, hors du temps, subjugué par l'innocence de cette fille si peu effrayée par ce que pouvait lui réserver la vie. Elle lui parla d'un homme nommé Louis Inch, qui cherchait à corrompre des conseillers municipaux pour qu'ils changent les arrêtés relatifs aux loyers et aux permis de construire. Elle semblait connaître plein de choses au sujet de ce Louis Inch. Cet homme aurait pu être un ancien dans l'Église mormone. Finalement, Irene déclara :

– Si ça n'était pas si mauvais pour mon karma, je tuerais volontiers ce salaud.

– Moi, une fois, j'ai tué le président, répondit David en riant.

Et il lui raconta le jeu de l'assassinat, la chasse, et la façon dont il avait été le héros d'un jour à la Brigham Young University.

– Mais les anciens de l'Église mormone, qui dirigent l'université, m'ont exclu.

Mais Irene n'écoutait déjà plus, occupée à consoler son fils qui venait de se réveiller en pleurant à la suite d'un cauchemar.

– Ce type, Inch, dit-elle en berçant l'enfant dans ses bras, doit dîner demain soir avec deux conseillers municipaux. Il les emmène chez Michael's, et tu sais ce que ça veut dire. Il va essayer de les acheter. Il faudrait le descendre, ce salaud.

– Moi je ne suis pas inquiet pour mon karma, dit David. Je pourrais le descendre à ta place.

Ils rirent de bon cœur.

Le lendemain soir, après avoir nettoyé le fusil de chasse qu'il avait amené d'Utah, David tira sur la limousine de

Louis Inch. Il n'avait pas visé avec beaucoup de précision et fut même surpris de voir que la balle l'avait manqué de si peu. Il était simplement curieux de voir s'il était capable de faire une chose pareille.

18

Ce fut Sal Troyca qui décida d'épingler Christian Klee. En lisant les témoignages adressés aux commissions d'enquête du Congrès sur l'explosion de la bombe atomique à New York, il fut frappé par la déclaration de Klee qui racontait avoir été accaparé par la crise des otages. Mais il y avait des trous dans l'emploi du temps de Klee. Il ne se trouvait pas toujours à la Maison-Blanche. Où était-il allé ?

Klee lui-même ne fournirait aucune indication, c'était certain. Mais si Klee avait disparu en un moment aussi important que cette crise des otages, ce ne pouvait être que pour une raison extrêmement grave. Et s'il était allé interroger en personne Gresse et Tibbot ?

Troyca n'en parla pas à son patron, Alfred Jintz ; il appela Elizabeth Stone, l'assistante parlementaire du sénateur Lambertino, et la convia à dîner dans un obscur petit restaurant. Depuis l'explosion de la bombe atomique, Sal Troyca et Elizabeth Stone ne faisaient pas seulement équipe ensemble au niveau politique, mais aussi dans leur vie privée.

Dès leur premier rendez-vous, à la demande de

Troyca, ils s'étaient compris à merveille. Sous son air froid et sa beauté impersonnelle, Elizabeth Stone cachait un tempérament de feu. Son esprit, pourtant, demeurait des plus lucides. Dès les premiers instants, elle déclara :

– Nos patrons vont être au chômage en novembre. Nous devrions songer à l'avenir.

Sal Troyca était stupéfait. Elizabeth Stone était réputée pour sa loyauté envers le sénateur Lambertino.

– La bataille n'est pas perdue, dit-il.

– Bien sûr que si ! Nos deux patrons ont cherché à faire suspendre le président. À présent, Kennedy passe pour le plus grand héros des États-Unis depuis Washington. Il va les écrabouiller.

Moins par sens de l'honneur que par combativité, Troyca refusait de se voir du côté des vaincus.

– Oh, on peut prolonger les choses, reprit Elizabeth. Il ne faut pas qu'on ait l'air de quitter le navire au moment où il coule. Il faudra sauver les apparences. Mais je peux nous trouver à tous les deux un bon boulot.

Elle eut un sourire malicieux dont Sal Troyca tomba immédiatement amoureux. Il lui rendit son sourire.

Sal Troyca, de son propre aveu, possédait dans ses traits un peu porcins un certain charme qui n'agissait que sur certaines femmes, et qui faisait la surprise des hommes, à commencer souvent par lui. Les hommes respectaient Troyca pour son astuce, son énergie, ses capacités à exécuter ce qu'on attendait de lui. Mais la façon mystérieuse dont il séduisait les femmes attirait leur admiration.

– Si nous devenons partenaires, demanda Troyca, cela veut-il dire que nous ferons l'amour ensemble ?

– Seulement si vous vous engagez, répondit Elizabeth.

Il y avait deux mots que Troyca détestait particulièrement. L'un était « relation », et l'autre « engagement ».

– Vous voulez dire que nous devrons avoir une vraie

relation, un engagement l'un envers l'autre, quelque chose comme de l'amour ?

– Ce réflexe macho est un peu pénible, dit-elle en soupirant. Bon... Je peux obtenir un arrangement pour nous deux. J'ai beaucoup aidé la vice-présidente dans sa carrière politique. Elle a une dette envers moi. À présent il faut être réaliste : Jintz et Lambertino vont prendre une veste aux élections de novembre. Helen Du Pray, elle, réorganise son cabinet, et je vais devenir l'une de ses principales conseillères. J'ai un poste pour vous comme assistant, à mes côtés.

– Pour moi c'est une rétrogradation, dit Sal Troyca en souriant. Mais si vous êtes aussi bonne au lit que je le crois, alors je vais réfléchir.

– Ça ne sera pas une rétrogradation, dit Elizabeth avec impatience, puisque vous serez au chômage. Mais je grimperai rapidement dans la hiérarchie, et vous aussi. Vous finirez par diriger votre propre service auprès de la vice-présidente. Écoutez... dès que nous nous sommes vus, il s'est passé quelque chose entre nous ; ce n'était peut-être pas le coup de foudre, mais en tout cas une véritable attirance. Et j'ai entendu dire que vous baisiez vos secrétaires. Mais je le comprends parfaitement. Tous les deux nous travaillons beaucoup, nous n'avons pas le temps d'avoir une vie mondaine, ni une vie amoureuse. Et moi j'en ai marre de m'envoyer des mecs comme ça deux fois par mois, simplement parce que je me sens seule. J'ai besoin d'une véritable relation.

– Vous allez trop vite, dit Troyca. Évidemment, si c'était au cabinet du président lui-même...

Il sourit pour bien montrer qu'il plaisantait.

Elizabeth lui rendit son sourire, de façon un peu dure, peut-être, mais qui plut à Troyca.

– Les Kennedy ont toujours eu de la malchance,

dit-elle. La vice-présidente pourrait fort bien devenir présidente. Mais soyons sérieux. Pourquoi ne pas devenir associés, si vous préférez ce mot-là ? Ni vous ni moi ne voulons nous marier. Nous pourrions vivre à moitié ensemble, on garderait chacun notre maison, bien sûr, mais on vivrait quand même ensemble. Nous pourrions faire l'amour ensemble et travailler ensemble. Si ça marchait, ça pourrait être fabuleux. Si ça ne marche pas, eh bien, on se sépare gentiment. Nous avons jusqu'au mois de novembre.

Ils firent l'amour ce soir-là, et pour Sal Troyca, Elizabeth fut une révélation. Comme beaucoup de gens réservés et timides, hommes ou femmes, elle faisait l'amour avec tendresse et passion. Ils se retrouvèrent dans la maison d'Elizabeth et Sal fut surpris de voir à quel point elle était riche. En véritable fille de la bonne société, elle avait dissimulé cette aisance, alors que lui-même en aurait fait étalage. Il se dit aussitôt qu'il serait infiniment plus agréable de vivre dans cette maison que dans son appartement, tout juste convenable. Il pouvait même y installer un bureau avec Elizabeth. Grâce aux trois serviteurs qui y travaillaient, il économiserait un temps précieux autrement consacré à la lessive ou aux courses.

Quant à Elizabeth, ses idées féministes ne l'empêchaient pas de se comporter en ardente courtisane, esclave des plaisirs de son amant. Troyca ne put s'empêcher de se dire que les femmes étaient comme ça la première fois. Comme lors de leur première entrevue pour obtenir un poste : ensuite, elles ne sont plus jamais aussi jolies. Mais au cours du mois qui suivit, Elizabeth Stone s'employa à le détromper.

Ils bâtirent une relation presque parfaite. Quel plaisir, pour tous les deux, de se retrouver après leur longue journée de travail avec Jintz et Lambertino, de dîner ensemble et de faire l'amour. Le matin, ils partaient au travail ensemble. Pour la première fois de sa vie, Sal Troyca songeait au mariage, mais il savait au fond de lui qu'Elizabeth n'en avait aucune envie.

Mais la partie la plus jouissive de leur relation se déployait dans le domaine politique, où ils s'employaient à peser sur les affaires du monde. Tous deux étaient d'avis que Kennedy serait réélu en novembre. Elizabeth était sûre que la campagne menée par le Congrès et le club Socrate était vouée à l'échec, alors que Troyca n'en était pas persuadé. À son avis, il y avait encore des cartes à jouer.

Elizabeth détestait Kennedy. Nulle haine personnelle dans ce sentiment, mais l'opposition inébranlable face à un homme qu'elle considérait comme un tyran.

– Le plus important, dit-elle un jour, c'est que Kennedy ne puisse avoir un Congrès à sa dévotion lors des prochaines élections. C'est là qu'il faut se battre. Le programme électoral de Kennedy est clair : il veut changer la structure de la démocratie américaine. La situation deviendrait explosive.

– Si tu es tellement opposée à Kennedy, comment envisages-tu d'accepter un poste auprès de la vice-présidente après les élections ?

– Ce n'est pas nous qui déterminons la politique du pays, répondit Elizabeth. Nous ne sommes que des administrateurs. Nous pouvons travailler pour n'importe qui.

Voilà pourquoi, après des mois d'intimité partagée, Elizabeth fut surprise d'entendre Sal lui proposer un rendez-vous dans un petit restaurant, alors qu'ils devaient se retrouver le soir même dans leur confortable maison.

Au restaurant, dès que l'apéritif fut servi, Elizabeth demanda des explications.

– On ne pouvait pas parler à la maison ?

– Tu sais, dit Sal d'un air songeur, ça fait un bout de temps que je suis plongé dans les documents. Notre ministre de la Justice est un homme très dangereux.

– Et alors ?

– Il a pu faire truffer notre maison de micros.

– Tu es parano ! s'exclama Elizabeth en riant.

– Peut-être. Bon, maintenant écoute ça : Christian Klee a fait placer ces deux gars, Gresse et Tibbot, en garde à vue, et ne les a pas fait interroger tout de suite. Il y a un trou dans son emploi du temps. Quant aux deux jeunes, on leur a lui dit de ne pas ouvrir la bouche avant d'avoir vu les avocats engagés par leurs familles. Et Yabril ? Klee l'a fait mettre au secret, personne ne peut le voir ni lui parler. Klee bétonne et Kennedy le soutient. Je crois que Klee est capable de tout.

– Jintz pourrait demander à ce que Klee témoigne devant une commission d'enquête de la Chambre, et je pourrais obtenir de Lambertino qu'il fasse de même.

– Kennedy utilisera son droit de veto et lui interdira de témoigner, dit Sal. On peut se torcher avec ces demandes d'audition.

D'ordinaire, Elizabeth trouvait amusantes les grossièretés de Sal, mais là, elle ne rit pas.

– L'exercice du droit de veto lui causerait un tort considérable, dit-elle. Les journaux et la télévision se déchaîneraient contre lui.

– Bon, on peut essayer. Et si on allait voir Oddblood Gray, tous les deux ? On ne peut pas le forcer à parler, mais il aura peut-être des choses à nous dire. Au fond de lui-même, c'est un idéaliste, et il est peut-être horrifié par la façon dont Klee a négligé cette histoire de bombe atomique. Il est peut-être même au courant de détails concrets.

Gray n'avait guère envie de les recevoir, mais l'amitié que Helen Du Pray portait à Elizabeth finit par emporter sa décision. Oddblood Gray éprouvait un immense respect pour la vice-présidente.

Ce fut Sal Troyca qui ouvrit le feu.

– Est-il vrai que le ministre de la Justice a fait placer ces deux jeunes gens en garde à vue avant que la bombe n'explose, et qu'il n'a rien pu en tirer ?

– Ils se sont retranchés derrière leur droit de ne pas répondre, répondit prudemment Gray.

– Klee a la réputation d'être un dur, rétorqua sèchement Troyca. Deux gamins comme Gresse et Tibbot auraient-ils pu lui résister ?

Gray haussa les épaules.

– Avec Klee on ne sait jamais.

Elizabeth Stone posa alors la question sans détour.

– Monsieur Gray, auriez-vous une raison de croire que le ministre de la Justice a interrogé secrètement ces deux jeunes gens ?

Gray éprouva un sentiment de fureur à l'écoute de la question, mais ce sentiment disparut presque instantanément. Pourquoi protéger Klee ? se dit-il. Après tout, la plupart des gens tués dans l'explosion de la bombe atomique étaient Noirs.

– Je vais vous répondre à titre privé, dit-il après un instant d'hésitation, et si je devais témoigner sous serment je démentirais ces propos. En tout cas, sachez que Klee a procédé à un interrogatoire secret, magnétophone éteint. Il n'y a aucune trace. On peut imaginer le pire. Si c'est votre cas, soyez en tout cas persuadé que le président n'est pour rien dans cette affaire.

19

Avant d'aller retrouver le président, Helen Du Pray éprouva le besoin de s'éclaircir les idées avec une course de dix kilomètres. Le gouvernement et elle-même se trouvaient à une croisée des chemins particulièrement dangereuse.

Pour Kennedy et son cabinet particulier, elle faisait figure d'héroïne pour avoir refusé de signer la demande de suspension (cette conception toute masculine de l'honneur l'agaçait pourtant au plus haut point).

Mais des questions terribles demeuraient sans réponse. Quel avait été le rôle exact joué par Klee ? Aurait-il pu empêcher l'explosion de la bombe atomique ? L'aurait-il sciemment laissée exploser pour sauver le président ? Elle aurait pu le croire de Klee, mais pas de Francis Kennedy. Et pourtant... si Kennedy avait donné son accord ?

Car il flottait désormais autour du personnage de Kennedy comme une aura de danger. Il était évident qu'il visait à faire élire un Congrès docile. Pour faire quoi ? Il était évident également que Kennedy cherchait à faire inculper les membres importants du club Socrate d'intelligence avec une puissance étrangère. Cette façon d'utiliser le pouvoir dont il disposait était lourde de conséquences. Balayerait-il tous les principes éthiques et démocratiques pour imposer sa vision d'une Amérique plus juste ? Kennedy s'efforçait de protéger Klee, ce qui visiblement n'était pas du goût d'Oddblood Gray. Cette dissension ne laissait pas d'effrayer Helen Du Pray. Le cabinet particulier du président devait lui être totalement dévoué. Et le vice-président doit appuyer le président. Ou alors il démissionne. Mais quel coup terrible ce serait pour Kennedy. Ce serait aussi pour elle la fin de sa carrière politique. Elle serait celle qui trahit au dernier moment. Et Francis, que comptait-il faire avec ce Yabril ?

Car elle savait bien que Kennedy pouvait se montrer aussi impitoyable que ses ennemis, le Congrès, le club Socrate, Yabril. Sa tragédie personnelle l'avait fait complètement basculer.

La sueur coulait dans son dos, ses cuisses lui faisaient mal ; elle avait envie de courir interminablement et de ne jamais retourner à la Maison-Blanche.

Le Dr Zed Annaccone redoutait cette entrevue qu'il devait avoir avec le président Kennedy et les membres de son cabinet particulier. Il n'aimait guère mêler science et politique. Il n'aurait jamais accepté de devenir conseiller médical du président si cela n'avait pas été l'unique moyen d'obtenir le financement de son cher Institut national de la recherche sur le cerveau.

Cela allait encore lorsqu'il traitait directement avec Francis Kennedy. Le président était un homme brillant et possédait une tournure d'esprit scientifique, quoique à la différence de ce que racontaient les journaux, il n'eût jamais pu devenir un grand savant. C'était absurde. Mais Kennedy mesurait à sa juste valeur l'importance de la science, et les retombées parfois miraculeuses de la recherche pure dans le domaine des applications pratiques. Le problème ce n'était pas Kennedy, mais plutôt son cabinet, le Congrès et toute la camarilla des bureaucrates. Sans parler de la CIA et du FBI qui surveillaient ses recherches par-dessus son épaule.

Avant de venir à Washington, le Dr Annaccone n'avait encore jamais mesuré l'importance du gouffre qui sépare la science de la société. Il jugeait proprement scandaleux que l'esprit humain eût fait faire tant de progrès aux sciences exactes, alors que la sociologie et la politique demeuraient presque stationnaires.

Il trouvait incroyable que l'humanité fît encore la guerre, à un coût énorme et sans profit aucun. Que les hommes continuassent à se massacrer les uns les autres alors qu'il existait des traitements capables d'éradiquer leurs tendances meurtrières. Il jugeait méprisable l'attitude des médias et de la classe politique, qui hurlaient au sacrilège dès qu'il était question de manipulations génétiques sur les êtres humains. Alors même qu'il était évident que la race humaine, telle qu'elle était génétiquement constituée, était condamnée.

Le Dr Annaccone savait de quoi il allait être question au cours de cette entrevue. On se demandait encore si les deux jeunes professeurs de physique, Gresse et Tibbot, avaient vraiment partie liée avec le dénommé Yabril, le terroriste. On allait lui demander s'il était possible d'utiliser le test TVP pour savoir la vérité.

Tout cela exaspérait le Dr Annaccone. Pourquoi ne pas lui avoir demandé de conduire le protocole de TVP avant que la bombe n'explose ? Christian Klee prétendait qu'à l'époque il était trop accaparé par l'affaire des otages et que la menace lui avait paru peu crédible. Quelle sottise ! En outre, le président Kennedy avait refusé d'accorder à Klee, qui l'avait demandé, de pouvoir utiliser la procédure du TVP, et cela pour des raisons humanitaires. Il est vrai que si ces deux jeunes gens avaient été innocents et que l'interrogatoire se fût soldé par des dommages au cerveau, cela eût été inhumain. Mais Annaccone savait bien que ce n'étaient que des manœuvres de politiciens pour se couvrir en cas de pépin. Il avait expliqué le fonctionnement du TVP à Kennedy, et celui-ci savait que le procédé était pratiquement sans risque et que le sujet disait à coup sûr la vérité. Ils auraient pu savoir où se trouvait la bombe et la désamorcer à temps.

Il était regrettable, pour le moins, qu'il y ait eu tant de morts et de blessés. Mais Annaccone ne pouvait s'empêcher d'éprouver une certaine admiration pour les deux jeunes scientifiques. Il enviait leur cran, car en fin de compte ils avaient mis le doigt sur une véritable folie du système : plus l'homme en général acquérait de connaissances, et plus le risque était grand de voir de simples individus causer une catastrophe nucléaire. Il était vrai que l'avidité d'un homme d'affaires ou la mégalomanie d'un dirigeant politique pouvaient avoir le même résultat. Mais ces deux jeunes gens songeaient visiblement à la nécessité d'une maîtrise sociale et non pas scientifique. La solution, pour eux, consistait à réprimer la science, à freiner sa marche en avant. Alors que la véritable réponse, bien sûr, consistait à modifier la structure génétique de l'homme, de façon à ce que l'acte violent devienne en lui-même impossible. Il faut installer des freins dans les gènes et dans le cerveau comme on en installe dans une locomotive. C'était aussi simple que cela.

Dans la salle du Conseil, où tout le monde attendait l'arrivée du président, le Dr Annaccone s'isola des gens autour de lui en se plongeant dans la lecture de rapports et d'articles de revues scientifiques. Il n'aimait guère les membres du cabinet particulier du président. Christian Klee suivait de près les travaux de son Institut national de la recherche sur le cerveau, et imposait parfois le secret sur certaines découvertes. Cela déplaisait fort à Annaccone, qui utilisait diverses tactiques pour se protéger, mais découvrait souvent avec surprise que Klee l'avait devancé. Les autres membres du cabinet, Eugene Dazzy, Oddblood Gray et Arthur Wix, étaient des gens mal dégrossis, qui ne comprenaient rien à la science et se consacraient corps et âme aux questions relativement subalternes de gestion sociale et de politique.

Il remarqua la présence de la vice-présidente Helen Du Pray, et du chef de la CIA, Theodore Tappey. Il avait toujours été étonné qu'une femme fût vice-présidente des États-Unis. Cela lui semblait contraire aux enseignements de la science. Il avait le sentiment qu'un jour ou l'autre, ses recherches sur le cerveau l'amèneraient à découvrir une différence fondamentale entre l'homme et la femme, et le fait qu'il ne s'était encore rien produit de tel ne laissait pas de l'amuser. Cela l'amusait car si un jour il trouvait une différence, la polémique risquait d'être des plus réjouissantes.

Quant à Theodore Tappey, il l'avait toujours considéré comme un homme du Neandertal. Ce type-là passait sa vie à monter de futiles machinations censées rapporter quelque maigre avantage à son pays. Que tout cela semblait futile dès que l'on prenait un peu de hauteur !

Le Dr Annaccone sortit quelques papiers de sa serviette. Il y avait un article intéressant sur une particule hypothétique baptisée le tachyon. Personne dans cette salle, songea-t-il, n'avait entendu parler du tachyon. Bien que sa spécialité fût la recherche sur le cerveau, le Dr Annaccone possédait de vastes connaissances dans les domaines les plus variés de la science.

Les tachyons existaient-ils vraiment ? Cela faisait vingt ans que les physiciens s'empoignaient à ce sujet. Si leur existence était confirmée, les tachyons venaient bouleverser les théories d'Einstein, car ils se déplaceraient plus vite que la lumière, ce qui d'après Einstein était impossible. Bien sûr, il y avait l'excuse que les tachyons se déplaçaient déjà plus vite que la lumière depuis le début, mais qu'entendait-on par là ? Il y avait également le fait que la masse d'un tachyon est un nombre négatif, ce qui était en principe impossible. Mais ce qui était impossible dans la vie réelle était parfaitement possible dans le monde effrayant des mathématiques. Que pouvait-il en résulter ? Qui s'en souciait ? Certainement personne dans cette salle, où se trouvaient réunis les hommes les plus puissants de cette planète. C'était bien là le comble de l'ironie. Les tachyons pouvaient bouleverser la vie humaine d'une façon dont ces hommes n'avaient pas la moindre idée.

Finalement le président fit son entrée, et tout le monde se leva. Le Dr Annaccone repoussa ses papiers. Cette réunion pouvait l'amuser s'il se forçait à être attentif et à compter les clignements d'yeux. Ne disait-on pas qu'à ses clignements d'yeux on pouvait deviner si une personne mentait ou pas ?

Francis Kennedy était confortablement vêtu d'un pantalon de sport et d'une chemise blanche sur laquelle il avait passé un chandail en cachemire bleu, sans manches ; en dépit des terribles difficultés qu'il traversait, il semblait d'excellente humeur.

– J'ai demandé au Dr Annaccone d'être des nôtres aujourd'hui, déclara le président après les salutations d'usage, pour régler une fois pour toutes le problème de savoir si le terroriste Yabril était lié à cette affaire de bombe atomique à New York. Il nous faut également répondre aux accusations lancées dans la presse et à la télévision, selon lesquelles le gouvernement aurait été en mesure de trouver cette bombe avant qu'elle n'explose.

– Monsieur le président, demanda Helen Du Pray, lors de votre discours au Congrès, vous avez déclaré que Yabril était lié à l'affaire de la bombe atomique. Vous avez été catégorique. Aviez-vous une preuve irréfutable ?

Kennedy s'attendait à cette question, et il y répondit avec calme et précision.

– À l'époque je croyais que c'était vrai, et je le crois encore.

– Mais quelle preuve avez-vous ? insista Oddblood Gray.

L'espace d'un instant, le regard de Kennedy croisa celui de Klee, puis le président se tourna vers le Dr Annaccone avec un sourire amical.

– Voilà pourquoi nous sommes réunis. Pour trouver. Docteur Annaccone, qu'en pensez-vous ? Vous pouvez peut-être nous aider. Et pourrais-je vous demander autre chose ? Cessez donc de décrypter les secrets de l'univers sur votre bloc-notes. Vous avez découvert suffisamment de choses pour nous causer les plus graves ennuis à tous.

Le Dr Annaccone, qui gribouillait des équations mathématiques sur le bloc-notes posé devant lui, comprit qu'il s'agissait d'un reproche déguisé en compliment.

– Je ne comprends toujours pas pourquoi vous n'avez pas signé l'autorisation de pratiquer le TVP avant que la bombe n'explose. Vous aviez déjà arrêté les deux jeunes gens, et aux termes de la loi sur la sécurité nucléaire, vous en aviez le pouvoir.

– N'oubliez pas, répondit rapidement Klee, que nous nous trouvions au beau milieu d'une crise qui nous paraissait infiniment plus importante. Je pensais avoir

381

une journée de plus devant moi. Gresse et Tibbot clamaient leur innocence, et si nous avions eu suffisamment d'indices pour les faire arrêter, il nous manquait des preuves pour les faire inculper. Le père de Tibbot est alors entré en scène, et nous nous sommes retrouvés avec une pléiade de grands avocats qui nous menaçaient des pires ennuis. Nous nous sommes dit, alors, qu'il valait mieux attendre que la crise internationale soit terminée, et qu'alors nous aurions peut-être réuni plus de preuves tangibles.

– Christian, demanda alors la vice-présidente, savez-vous qui a pu mettre le père de Tibbot au courant de l'arrestation de son fils ?

– Nous sommes en train de vérifier les données de la société des téléphones de Boston pour voir d'où provenaient les appels reçus par le père de Tibbot. Malheureusement, ces recherches sont jusqu'à présent infructueuses.

– Avec tous vos équipements ultra-modernes, déclara Theodore Tappey, le chef de la CIA, vous auriez dû arriver à quelque chose.

– Helen, vous les avez égarés sur un point de détail, dit Kennedy. Revenons au sujet principal. Docteur Annaccone, laissez-moi répondre à votre question. Le ministre de la Justice cherche à détourner le feu dirigé contre moi, et après tout c'est aussi à ça que sert le cabinet particulier d'un président. Mais c'est moi, et moi tout seul, qui ai pris la décision de ne pas autoriser l'exploration cérébrale. D'après la description du protocole, il existe un risque de lésion du cerveau, et c'est un risque que je n'ai pas voulu prendre. Ces deux jeunes gens niaient tout, et il n'y avait aucune preuve qu'ils avaient bien placé une bombe, en dehors de leur lettre. Nous avons là une dénonciation calomnieuse colportée par les médias et inspirée par certains membres du Congrès. Je voudrais poser une question précise. En pratiquant le

TVP, sommes-nous sûrs d'apprendre avec certitude s'il y avait collusion entre Yabril et les deux professeurs de physique nucléaire ?

– Oui, répondit le Dr Annaccone d'un ton sec. Mais à présent les circonstances sont différentes. Vous utilisez la loi sur l'interrogatoire médical dans le cadre d'un procès criminel, et non pour savoir où se trouve dissimulé un engin nucléaire. La loi sur la sécurité nucléaire n'autorise pas l'utilisation du TVP en pareil cas.

– En outre, ajouta Dazzy, avec tous les avocats sur le dos, nous n'arriverons à rien avec ces deux garçons.

Le président adressa un sourire glacial à Dazzy avant de se tourner vers le Dr Annaccone.

– Il nous reste Yabril, docteur. Je veux que ce Yabril subisse l'exploration cérébrale. Les questions qui lui seront posées sont les suivantes : « Y avait-il un complot ? Et l'explosion de la bombe atomique faisait-elle partie du plan ? » Si la réponse est oui, les implications sont énormes. Le complot peut se poursuivre. Et ils ne s'arrêteront peut-être pas à New York. D'autres terroristes du groupe des Cent peuvent poser d'autres bombes atomiques. Vous comprenez, à présent ?

– Pensez-vous vraiment que ce soit possible, monsieur le président ? demanda le Dr Annaccone.

– Nous ne pouvons pas nous permettre le moindre doute. Cette exploration cérébrale aura lieu en vertu de la loi sur la sécurité nucléaire, j'en prends la responsabilité.

– Ça va provoquer un tollé général, dit Arthur Wix. On va dire que nous pratiquons une lobotomie.

– Ah bon, parce que ça n'en est pas une ? demanda sèchement Eugene Dazzy.

Le Dr Annaccone laissa éclater sa colère, du moins dans les limites permises par la courtoisie en présence du président des États-Unis.

– Ça n'est pas une lobotomie ! C'est une exploration cérébrale menée au moyen d'une substance chimique. Après l'interrogatoire, le patient est exactement le même.

– Sauf en cas d'incident, dit Dazzy.

Pour la première fois, Matthew Gladyce, le porte-parole de la Maison-Blanche, prit la parole.

– Le résultat du test dictera les termes de notre communiqué. Il faudra être prudent. Si le test apporte la preuve que Yabril, Gresse et Tibbot participaient à la même entreprise, il n'y aura pas de problème. Dans le cas contraire, monsieur le président, vous aurez beaucoup d'explications à fournir.

– Voyons la suite de l'ordre du jour, dit sèchement Kennedy.

Eugene Dazzy lut alors un papier tiré du dossier posé devant lui.

– Le Congrès veut faire comparaître le ministre de la Justice devant ses commissions d'enquête. Le sénateur Lambertino et le député Jintz s'acharnent contre Christian. Ils se répandent dans la presse en affirmant que le ministre de la Justice est à l'origine de tous les coups fourrés dans cette affaire.

– Invoquez le privilège de l'exécutif, dit Kennedy. En ma qualité de président, je lui interdis de témoigner devant n'importe quelle commission d'enquête du Congrès.

Le Dr Annaccone, que ces discussions politiques commençaient à ennuyer, en profita pour lancer une plaisanterie.

– Pourquoi ne pas vous porter volontaire pour notre TVP, monsieur le ministre ? Vous pourrez ainsi établir votre innocence de manière irréfutable. Et témoigner ainsi du caractère moral de cette procédure.

– Je n'ai nullement besoin d'établir mon innocence,

comme vous dites, rétorqua Klee, blême de rage. L'innocence est bien l'une des choses que votre saloperie de science ne sera jamais capable d'établir. Quant au caractère moral ou immoral d'un détecteur de mensonges, je m'en moque. Ici, nous ne parlons ni d'innocence ni de moralité. Nous discutons de l'usage du pouvoir pour permettre à la société de fonctionner. C'est encore un autre domaine dans lequel votre science est inutile. Comme vous me l'avez souvent dit vous-même, ne vous mêlez pas d'un domaine que vous ne connaissez pas. Alors allez vous faire foutre, docteur Annaccone !

De tels emportements étaient rares lors des réunions du cabinet particulier. Quant à la grossièreté elle était encore plus rare en présence de la vice-présidente, bien que celle-ci n'eût rien d'une femme prude. La sortie de Christian Klee fut donc accueillie avec stupéfaction.

Le Dr Annaccone, lui, était sidéré. Il n'avait fait qu'une petite plaisanterie. Comme tout le monde, il aimait bien Christian Klee, qu'il jugeait courtois, affable, et plus intelligent que la plupart des juristes de sa connaissance. En dépit de sa formation scientifique, le Dr Annaccone se flattait de comprendre à peu près tout ce qui existait dans l'univers. À présent, vulnérable comme tout être humain, il éprouvait la même mortification devant l'injure et l'agressivité.

– Vous avez travaillé pour la CIA, répondit-il alors sans réfléchir. Sur l'immeuble de la CIA, est apposée une plaque de marbre sur laquelle est écrit : « Apprends la vérité, et la vérité te rendra libre. »

Christian Klee semblait avoir retrouvé sa bonne humeur.

– Ce n'est pas moi qui ai écrit cette phrase, et je n'y crois guère.

Le Dr Annaccone s'était aussi remis de sa première surprise. Pourquoi un tel emportement, se disait-il, alors que ce n'était qu'une petite plaisanterie ? Le ministre de la Justice aurait-il vraiment quelque chose à cacher ? Il n'aurait pas été fâché de lui faire subir l'épreuve du détecteur de mensonges.

Le président Kennedy avait suivi l'échange d'un air grave, mais une lueur d'amusement brillait pourtant dans son regard.

– Lorsque ce détecteur cérébral de mensonges sera parfaitement au point et qu'il pourra être utilisé sans risque d'effets secondaires, il faudra le faire disparaître. Il n'y a pas un homme politique dans le pays qui pourra vivre tranquillement tant qu'existera un machin pareil.

– Tout ça est absurde, coupa le Dr Annaccone. Ce procédé a été découvert. La science a commencé son exploration du cerveau humain. On ne peut jamais interrompre un processus une fois qu'il a commencé. On l'a vu avec les luddites [1] quand ils ont essayé d'arrêter la révolution industrielle. On ne peut pas bannir l'usage de la poudre à canon, comme l'ont vérifié les Japonais qui ont interdit les armes à feu pendant des siècles, et qui ont été finalement submergés par le monde occidental. Une fois découverte la fission de l'atome, on ne pouvait pas arrêter la bombe. Le détecteur cérébral de mensonges ne disparaîtra pas. Je peux vous l'assurer, à vous tous ici présents.

– Ce procédé viole la Constitution, dit Klee.

– Alors il faudra peut-être changer la Constitution, rétorqua sèchement Kennedy.

– Si les médias avaient vent de cette conversation, s'exclama Matthew Gladyce avec horreur, nous serions chassés du pouvoir en un tournemain !

– Votre travail consiste à faire savoir à l'opinion ce

_____

1. Bande d'ouvriers, qui entre 1811 et 1816 parcouraient l'Angleterre pour détruire les machines.

que nous avons dit, mais en temps voulu et avec les termes appropriés, dit Kennedy. Ne l'oubliez pas. C'est le peuple américain qui décidera, et cela en vertu de la Constitution. Bon, en attendant, je crois que pour trouver une solution à tous nos problèmes, il faut monter une contre-attaque. Christian, faites activer les poursuites contre Bert Audick pour intelligence avec une puissance étrangère. Sa société doit être poursuivie pour complot criminel avec l'État du Sherhaben visant à créer une pénurie artificielle de pétrole de façon à faire monter les prix. Ça c'est une première chose. (Il se tourna alors vers Oddblood Gray.) Faites savoir au Congrès que la nouvelle Commission fédérale des communications refusera le moment venu le renouvellement de leur autorisation d'émettre aux grandes chaînes de télévision. Et que de nouvelles lois permettront bientôt de maîtriser les flux d'argent souterrains à Wall Street et du côté des grandes banques. Ils s'inquiètent ? Eh bien, maintenant ils vont s'inquiéter pour quelque chose !

Bien que tenue d'approuver publiquement la politique présidentielle, Helen Du Pray savait qu'elle avait parfaitement le droit d'exprimer des désaccords au cours des réunions de travail. Pourtant, elle hésita un certain temps avant de dire d'une voix prudente :

– Monsieur le président, ne pensez-vous pas que nous nous faisons trop d'ennemis en même temps ? Ne serait-il pas mieux d'attendre votre réélection ? Si nous parvenons à faire élire un Congrès disposé à soutenir notre politique, pourquoi affronter celui-ci ? Pourquoi se mettre à dos les milieux d'affaires, sans nécessité, alors même que nous ne sommes pas en position de force ?

– Nous ne pouvons pas attendre, répondit Kennedy. De toute façon, quoi qu'on fasse, ils vont nous attaquer. Même si nous nous montrons conciliants, ils vont chercher à empêcher ma réélection et celle d'un Congrès qui nous soit favorable. En les attaquant maintenant, on les fait réfléchir. On ne peut pas les laisser continuer comme s'ils n'avaient personne en face d'eux.

Tout le monde demeura silencieux, puis le président se leva.

– Je compte sur vous pour mettre au point les détails et préparer les dossiers nécessaires.

Arthur Wix souleva alors le problème de la campagne de presse menée sur le thème des sommes considérables affectées à la sécurité personnelle du président.

– Toute cette campagne vise à vous donner l'image d'une sorte de César et à faire des services secrets une sorte de garde prétorienne. Pour l'opinion publique, dix mille hommes et cent millions de dollars pour garder un seul homme, même le président des États-Unis, c'est trop. L'image que cela renvoie est désastreuse.

Un nouveau silence s'installa dans la pièce. Tout le monde songeait bien sûr aux Kennedy assassinés, et l'on savait aussi que le président vivait dans cette hantise. Aussi, quelle ne fut pas leur surprise, lorsque, se tournant vers son ministre de la Justice, Kennedy déclara :

– Je crois que dans ce domaine, les critiques sont justifiées. Christian, je sais que je vous ai accordé un droit de veto sur toutes les questions touchant à ma sécurité personnelle, mais que diriez-vous si nous annoncions une diminution de moitié des effectifs des services secrets affectés à la Maison-Blanche, ainsi qu'une diminution de moitié du budget ? J'aimerais beaucoup que vous n'utilisiez pas votre droit de veto cette fois-ci.

– Je suis peut-être allé un peu loin, monsieur le président, répondit Klee en souriant. Et puis je ne vais pas utiliser un droit de veto que vous pourriez annuler par votre propre veto.

Tout le monde rit.

Mais Gladyce semblait un peu inquiet de cette victoire acquise si facilement.

– Monsieur le ministre, vous ne pouvez pas annoncer ces mesures et ne pas les prendre dans la réalité. Le Congrès va éplucher notre budget de fonctionnement.

– Je le sais, dit Klee. Aussi, dans votre communiqué de presse, faites bien ressortir que ces mesures ont été adoptées malgré mes plus vives réserves, et faites sentir que le président n'a agi que sur pression du Congrès.

– Je vous remercie tous, déclara alors Kennedy. La réunion est maintenant terminée.

Le chef du cabinet militaire de la Maison-Blanche, le colonel Henry Canoo (cadre de réserve), était un homme à la fois joyeux et imperturbable. Il était joyeux parce qu'il estimait avoir le meilleur boulot de toute la fonction publique. Il n'était responsable que devant le président des États-Unis, et il avait la haute main sur les fonds secrets de la présidence (imputés sur le budget du Pentagone) qui n'étaient susceptibles d'aucune vérification en dehors de lui et du président. En outre, il n'avait qu'une fonction administrative ; il ne prenait aucune décision politique et n'avait même pas à donner son avis. C'était lui qui disposait du parc d'avions, d'hélicoptères et de limousines pour le président et son cabinet particulier. C'était lui qui finançait la construction et la maintenance des bâtiments secrets utilisés par la Maison-Blanche. C'était lui qui s'occupait du «football», l'officier de sécurité porteur de la valise contenant les codes d'utilisation de l'arme nucléaire destinés au président. Lorsque le président avait besoin d'argent pour des opérations que ni les médias ni le Congrès ne devaient connaître, c'était lui qui prélevait l'argent sur les fonds secrets, et apposait sur les documents le sceau «hautement confidentiel».

En cette fin du mois de mai, le ministre de la Justice

alla rendre visite à Henry Canoo, qui l'accueillit chaleureusement. Ils avaient souvent eu affaire ensemble, et peu de temps après sa prise de fonction, le président Kennedy avait fait savoir à Canoo que le ministre de la Justice pouvait disposer à sa guise des fonds secrets. Au début, Canoo en avait référé au président, mais il en avait rapidement perdu l'habitude.

– Vous êtes venu chercher des renseignements ou de l'argent ? demanda Canoo.

– Les deux, répondit Klee. D'abord l'argent. Nous allons promettre publiquement de diminuer de moitié les effectifs de la division spéciale des services secrets, ainsi que le budget affecté à la sécurité de la Maison-Blanche. Mais rien ne changera, ce ne sera qu'un mouvement d'écritures comptables. Cela dit, je ne veux pas que le Congrès mette son nez dans ces affaires. Votre service va donc devoir puiser dans les fonds du Pentagone. Classez-moi ça « hautement confidentiel ».

– Ouah ! s'exclama Canoo. Ça fait beaucoup d'argent. Je peux me débrouiller, mais pas trop longtemps.

– Il faut que ça tienne jusqu'aux élections de novembre. Ensuite, soit on sera éjectés, soit on sera trop forts pour que le Congrès vienne nous chercher des poux dans la tête. En attendant, il faut faire bonne figure.

– Entendu.

– Et maintenant les renseignements, dit Klee. Est-ce que des commissions d'enquête du Congrès ne seraient pas venues fouiner par ici, dernièrement ?

– Oh si, et plus fréquemment que d'habitude. Ils essayent de savoir de combien d'hélicoptères dispose le président, de combien de gros avions, de combien de voitures, des trucs comme ça. Ils essayent de savoir ce que fabrique le gouvernement. S'ils savaient exactement de quoi on dispose, ils deviendraient fous.

– Quel est le parlementaire le plus fouineur ?

– Jintz, dit Canoo. Par l'intermédiaire de son chef de cabinet, Sal Troyca, un petit malin celui-là. Il m'a demandé combien d'hélicoptères nous avions, et je lui ai répondu trois. «Ah bon, j'ai entendu dire que vous en aviez quinze.» Alors je lui ai dit: «Que voulez-vous que la Maison-Blanche fasse avec quinze hélicoptères?» Mais il n'était pas loin de la réalité: nous en avons seize.

Klee ne cacha pas sa surprise.

– Mais qu'est-ce qu'on fait avec seize hélicoptères?

– Les hélicos ça tombe toujours en panne, dit Canoo. Si le président m'en demande un brusquement, je ne vais quand même pas lui répondre qu'il est à l'atelier. En plus, il y a toujours un membre du cabinet particulier qui me demande un hélicoptère. Vous ça va, Christian, mais Tappey et Wix n'arrêtent pas de se déplacer en hélico. Et Dazzy aussi, mais pour quelle raison, ça je l'ignore.

– Il vaut mieux continuer à l'ignorer. Bon, je voudrais que vous m'informiez chaque fois que le Congrès essayera de se renseigner sur la logistique présidentielle. Ça tient à la sécurité du président. Ces rapports doivent être confidentiels.

– Entendu, dit Canoo d'un ton jovial. Et si vous avez besoin de faire faire des travaux dans votre résidence personnelle, vous savez qu'on peut aussi puiser dans les fonds secrets.

– Merci, dit Klee, mais j'ai mon argent à moi.

Ce soir-là, dans le bureau ovale, le président Kennedy songeait aux événements de la journée en savourant un fin Havane. Tout s'était déroulé exactement comme il l'avait prévu, et il s'était montré suffisamment énergique pour obtenir le soutien de son cabinet.

Klee avait réagi comme d'habitude, comme s'il lisait dans l'esprit du président. Canoo lui avait rapporté leur conversation. Annaccone, lui, était malléable. Quant à Helen Du Pray, il fallait faire attention, mais il avait besoin de son intelligence politique et du soutien des organisations de femmes qui lui étaient acquises.

Francis Kennedy se surprenait un peu lui-même : sa dépression semblait envolée et il ne s'était jamais senti autant d'énergie depuis la mort de sa femme. Était-ce parce qu'il avait enfin réussi à maîtriser l'immense et complexe machine politique américaine ?

20

Le président Kennedy avait convié Christian Klee à partager son petit déjeuner dans ses appartements privés de la Maison-Blanche.

Jefferson, le majordome, servit le plateau et se retira discrètement, prêt à revenir au premier appel.

– Saviez-vous que Jefferson a été un étudiant brillant et un grand athlète ? demanda Kennedy d'un ton détaché. Dites-moi… comment est-il devenu majordome ?

Klee sentait qu'il ne pouvait pas ne pas dire la vérité.

– C'est aussi le meilleur agent des services secrets. Je l'ai recruté moi-même pour ce poste.

– La question demeure : pourquoi avoir choisi les services secrets, et pourquoi un emploi de majordome ?

– Il occupe un rang très élevé dans les services secrets, répondit Klee.

– D'accord, mais je ne comprends toujours pas.

– J'ai mis en place une sélection très sévère pour ces emplois. Jefferson s'est montré le meilleur, et en réalité c'est lui qui dirige tout le personnel de service de la Maison-Blanche.

– Je ne vois toujours pas.

– Je lui ai promis qu'avant que vous quittiez la Maison-Blanche, je lui trouverais un poste au ministère de la Santé, de l'Éducation et des Affaires sociales. Un poste de responsabilité.

– Ah, c'est bien, ça, mais comment obtenir un poste de responsabilité dans un ministère alors qu'on a été jusque-là majordome ? demanda Kennedy.

– Sur son curriculum vitae il sera mon assistant direct, répondit Klee.

Kennedy prit la cafetière en porcelaine ornée de l'aigle américaine.

– Ne prenez pas ça mal, mais j'ai remarqué que tous mes serviteurs à la Maison-Blanche accomplissent leur travail à la perfection. Font-ils tous partie des services secrets ? Ce serait incroyable.

– Ils ont suivi les cours d'une école spéciale, et une formation particulière qui a mis l'accent sur leur fierté professionnelle.

Kennedy partit d'un grand rire.

– Même les cuisiniers ?

– Surtout les cuisiniers, dit Klee en souriant. Tous les chefs cuisiniers sont fous.

Christian Klee lançait ainsi souvent une plaisanterie pour se donner le temps de réfléchir. Il connaissait la méthode de Kennedy pour aborder les sujets délicats : commencer par faire preuve de bonne humeur et montrer qu'il était au courant de détails qu'il était censé ignorer.

Tout au long du petit déjeuner, Kennedy joua ce qu'il appelait « la mère » , passant les plats et servant le café. En dehors de la cafetière personnelle de Kennedy, la porcelaine était magnifique, de couleur bleue, frappée des insignes présidentiels, et semblait fragile comme de la coquille d'œuf. D'un ton détaché, Kennedy finit par en venir au fait.

– J'aimerais passer une heure avec Yabril, et j'aimerais que ce soit vous qui arrangiez cela personnellement.

Remarquant l'expression de peur sur le visage de Klee, il ajouta :

– Une heure seulement, et une seule fois.

– Qu'en attendez-vous, Francis ? Cela risque d'être trop douloureux pour vous.

Sur le visage de Kennedy des rides étaient apparues que Klee n'avait jamais vues auparavant.

– Oh, je supporterai le choc, dit Kennedy.

– Si on l'apprend, ça va faire du bruit.

– Alors faites en sorte qu'il n'y ait pas de fuites. Il n'y aura pas de procès-verbal écrit de cette entrevue, qui par ailleurs ne figurera pas sur les registres de la Maison-Blanche. Bon, quand est-ce possible ?

– Il va me falloir quelques jours pour tout organiser, dit Klee. Et Jefferson doit être mis au courant.

– Qui d'autre ?

– Peut-être cinq ou six hommes de ma division spéciale. Ils devront savoir que Yabril se trouve à la Maison-Blanche, mais pas forcément qu'il a une entrevue avec vous. Ils s'en douteront, mais on ne leur dira pas.

– Si nécessaire, je peux me rendre là où il est détenu.

– Il n'en est pas question. La Maison-Blanche est encore le lieu le plus approprié. Le mieux ce serait après minuit. Disons… une heure du matin.

– Une heure du matin après-demain. C'est entendu.

– Il faudra me signer quelques papiers, dit Klee. Quelque chose de vague, mais qui puisse me couvrir en cas de pépin.

Kennedy soupira, puis dit d'un ton sec :

– Ça n'est pas un surhomme. Ne vous inquiétez pas. Je veux pouvoir lui parler librement, et je veux qu'il me réponde lucidement, de son propre gré. Je ne veux pas qu'il soit drogué ni forcé d'une quelconque façon. Je veux arriver à comprendre comment il fonctionne, et peut-être alors arriverai-je à moins le haïr. Je veux savoir ce qu'éprouvent vraiment des gens comme lui.

– Je devrai être physiquement présent lors de cette entrevue, dit Klee un peu gauchement. Je suis responsable.

– Pourquoi ne pas attendre derrière la porte avec Jefferson ? demanda Kennedy.

Paniqué, Klee reposa violemment sa fragile tasse à café.

– Je vous en prie, Francis, je ne peux pas faire ça. Évidemment, il sera entravé, mais j'ai besoin de me trouver entre vous deux. Pour cette fois, je me vois obligé d'utiliser le droit de veto que vous m'avez accordé.

Visiblement, il redoutait que Francis Kennedy ne se livrât à un acte inconsidéré.

Ils échangèrent un sourire. Lorsque Christian Klee avait pris en main la sécurité personnelle du président, ils avaient convenu qu'en sa qualité de chef des services secrets, il pourrait s'opposer à toute apparition publique de Kennedy.

– Je n'ai jamais abusé de ce pouvoir, dit Klee.

– Mais vous en avez largement usé, rétorqua Kennedy avec une grimace. Bon, d'accord, restez dans la pièce, mais tâchez de vous fondre dans les boiseries coloniales. Et Jefferson restera derrière la porte.

– C'est entendu, je vais tout préparer. Mais vous savez, Francis, cela ne vous apportera rien.

Christian Klee entendait préparer Yabril à son entrevue avec le président Kennedy. Au cours des interrogatoires précédents, Yabril avait refusé, avec le sourire, de répondre à la moindre question. Détendu, confiant, il acceptait volontiers de discuter de questions générales, la théorie marxiste, le problème palestinien (qu'il appelait le problème israélien), mais refusait d'évoquer son passé ou ses opérations terroristes. Il refusait également de parler de son camarade Romeo, de Theresa Kennedy ou de ses relations avec le sultan du Sherhaben.

Yabril était détenu dans un petit hôpital de dix lits appartenant au FBI, et destiné aux prisonniers dangereux et aux informateurs importants. À présent, l'équipe médicale appartenait aux services secrets et le bâtiment était gardé par des hommes de la division spéciale de Klee. Il existait cinq centres de détention hospitaliers de ce type aux États-Unis : à Washington, Chicago, Los Angeles, dans le Nevada et à Long Island.

Dans ces hôpitaux on procédait parfois à des expériences médicales secrètes sur des détenus volontaires. Mais Klee avait fait vider l'hôpital de Washington pour pouvoir tenir Yabril au secret. Quant aux deux jeunes physiciens qui avaient placé la bombe atomique, ils étaient détenus, eux aussi au secret, dans l'hôpital de Long Island.

À Washington, l'hôpital était spécialement équipé pour empêcher toute tentative de suicide. Yabril était physiquement entravé, et les médecins disposaient d'un matériel de nutrition intraveineuse.

Les moindres centimètres carrés de son corps, y compris les dents, avaient été passés aux rayons X, et il portait en permanence une sorte de camisole de force assez lâche qui ne lui permettait qu'un usage réduit des jambes. Il pouvait lire et écrire, et marcher à petits pas, mais tout mouvement violent lui était impossible. Vingt-quatre heures sur vingt-quatre, il était également surveillé par des agents de la division spéciale grâce à des miroirs sans tain.

Accompagné de deux hommes des services secrets, Christian Klee pénétra dans l'appartement de Yabril. Il s'installa dans l'un des confortables canapés et fit chercher Yabril dans sa chambre. On poussa Yabril dans un fauteuil et on vérifia qu'il était bien entravé.

– Vous êtes prudent, malgré votre pouvoir, dit Yabril d'un ton méprisant.

– Je préfère prendre mes précautions, répondit gravement Klee. Je fais comme ces ingénieurs qui bâtissent des ponts et des immeubles prêts à supporter des contraintes cent fois supérieures à ce qu'elles seront dans la réalité. C'est comme ça que je conçois mon travail.

– Ça n'est pas la même chose, dit Yabril. Vous ne pouvez pas échapper aux contraintes du destin.

– Je sais, dit Klee, mais ça calme mes angoisses et finalement ça ne réussit pas si mal. Venons-en maintenant au but de ma visite ; je suis venu vous demander une faveur.

Yabril éclata de rire.

Klee le regarda en souriant.

– Non, sérieusement, c'est une faveur que vous pouvez fort bien accepter ou refuser. Maintenant écoutez-moi bien. Vous avez été bien traité... j'y suis pour quelque chose et ce sont aussi les lois de notre pays. Je sais que cela ne servirait à rien de vous menacer. Je sais que vous avez votre fierté, mais je ne vous demande qu'un petit service, quelque chose qui ne vous compromettra pas. En retour, je promets de faire tout ce qui est en mon pouvoir pour qu'il ne vous arrive rien de fâcheux. Je sais que vous n'avez pas perdu espoir. Vous croyez que vos camarades des célèbres Cent vont trouver un moyen de vous faire libérer.

Yabril perdit son air joyeux.

– Plusieurs fois nous avons essayé de monter des opérations contre votre président Kennedy, des opérations complexes et bien préparées. Chaque fois, ces opérations ont mystérieusement échoué avant même que nos camarades aient atteint les États-Unis. J'ai personnellement mené une enquête sur ces échecs et sur la liquidation de nos camarades. Et chaque fois la piste menait à vous. Je sais à présent que nous travaillons avec les mêmes méthodes. Je sais que vous n'êtes pas l'un de ces politiciens trop prudents. Alors dites-moi simplement ce que vous attendez de moi. Et croyez que je serai suffisamment intelligent pour y réfléchir sérieusement.

Klee s'enfonça dans le canapé. Il se dit que puisque Yabril avait découvert sa trace dans ces affaires, il était trop dangereux pour qu'on pût jamais songer à le libérer. Il avait été fou de lâcher une telle information. Mais il fallait en venir à l'objet de sa visite.

– Le président Kennedy est un homme très compliqué, dit le ministre, il cherche toujours à comprendre les hommes et les événements. Voilà pourquoi il veut vous parler en tête à tête, engager un dialogue. Il veut comprendre ce qui vous a poussé à tuer sa fille; peut-être veut-il aussi se débarrasser de son sentiment de culpabilité. Bon, tout ce que je vous demande c'est de lui parler, de répondre à ses questions. Je vous demande de ne pas le rejeter complètement. Acceptez-vous ?

Yabril tenta de lever le bras pour signifier son refus. Cet homme ne connaissait pas la peur, et pourtant l'idée de se retrouver face à face avec le père de la fille qu'il avait tuée lui était insupportable. Après tout, cela avait été un acte politique, et un président des États-Unis était capable de comprendre ça mieux que personne. Pourtant, il était tentant de pouvoir regarder dans les yeux l'homme le plus puissant du monde et de lui dire : «J'ai tué votre fille. Je vous ai fait plus de mal que vous ne pourrez jamais m'en faire, vous avec vos milliers de bateaux de guerre et vos milliers de bombardiers. »

– D'accord, dit Yabril, je vous rendrai ce petit service. Mais il est possible qu'après vous ne me remerciiez pas.

Klee se leva et posa sur l'épaule de Yabril une main dont celui-ci se débarrassa d'un mouvement de dégoût.

– Peu importe, dit Klee. Et je saurai me montrer reconnaissant.

Le surlendemain, à une heure du matin, le président Kennedy pénétra dans le salon ovale ; Yabril était déjà installé dans un fauteuil, près de la cheminée. Christian Klee se tenait derrière lui.

Sur une petite table ovale ornée d'un écusson portant la bannière étoilée, étaient posés un plateau d'argent avec de petits sandwiches, une cafetière en argent, des tasses et des soucoupes avec un filet d'or. Jefferson versa le café dans les trois tasses puis se retira jusqu'à la porte devant laquelle il s'adossa. Yabril, qui avait salué le président d'un signe de tête, était immobilisé dans son fauteuil.

– Vous ne l'avez pas drogué ? demanda Kennedy d'un ton sec.

– Non, monsieur le président, répondit Klee. Il porte une camisole et des jambières de contention.

– Pouvez-vous le mettre plus à son aise ?

– Non, c'est impossible.

Kennedy s'adressa alors directement à Yabril.

– Je regrette, mais dans cette affaire ce n'est pas moi qui ai le dernier mot. Je ne vous retiendrai pas trop longtemps. Je voudrais seulement vous poser quelques questions.

Yabril acquiesça. Gêné par sa camisole, c'est avec quelque difficulté qu'il prit un de ces délicieux sandwiches. Il éprouvait aussi une certaine fierté à prouver à son ennemi qu'il n'était pas complètement réduit à merci. En étudiant le visage de Kennedy il se dit, avec une certaine surprise, qu'en d'autres circonstances il aurait instinctivement respecté cet homme et lui aurait fait confiance, au moins jusqu'à un certain point. On

400

devinait la souffrance sur ce visage, mais aussi une étonnante capacité à dominer cette souffrance. Le président semblait également s'inquiéter avec sincérité des entraves mises à ses mouvements; nulle condescendance ni fausse compassion dans cette inquiétude.

– Monsieur Kennedy, dit alors Yabril avec plus de douceur et peut-être plus d'humilité qu'il ne l'aurait voulu, avant de commencer j'aimerais que vous répondiez à une question. Croyez-vous vraiment que je sois responsable de l'attentat de New York, à la bombe atomique ?

– Non, répondit simplement Kennedy, au grand soulagement de Klee, qui craignait que le président ne divulguât d'autres informations.

– Merci, dit Yabril. Comment a-t-on pu me croire aussi stupide ? Et je n'aimerais pas que vous vous serviez de cette accusation contre moi. À présent, vous pouvez me demander ce que vous voulez.

Kennedy fit signe à Jefferson de quitter la pièce, et attendit qu'il se fût exécuté avant de s'adresser à Yabril. Christian Klee, lui, baissa la tête, comme pour ne pas entendre la conversation. D'ailleurs, il n'en avait aucune envie.

– Nous savons que c'est vous qui avez orchestré cette série d'actions, dit doucement Kennedy. Le meurtre du pape, la capture de votre complice, et le meurtre de ma fille, décidé dès le début. À présent nous en sommes certains, mais j'aimerais entendre confirmation de votre bouche. Cela dit, je comprends bien la logique de tout cela.

Yabril plongea son regard dans celui de Kennedy.

– Oui, tout cela est vrai. Mais je suis stupéfait que vous ayez fait les recoupements aussi rapidement. Tout était minutieusement préparé.

– Vous savez, je ne crois pas avoir beaucoup de raisons d'en être fier. Au fond, cela veut dire que je raisonne comme vous. Ou alors qu'en matière de ruse, l'esprit humain fonctionne toujours un peu de la même manière.

– Peut-être tout cela était-il trop complexe, dit Yabril. Vous avez violé les règles du jeu. Cela dit, on n'était pas aux échecs : les règles n'étaient pas aussi strictes. Vous étiez censé n'être qu'un pion, avec les seuls mouvements du pion.

Kennedy s'assit et but avec politesse une gorgée de café. Mais le président était tendu à l'extrême, ce qui n'échappa nullement à Yabril. Que voulait donc cet homme ? se demanda-t-il. Visiblement, il n'était animé d'aucune mauvaise intention ; il ne cherchait pas à utiliser son pouvoir pour lui nuire ou pour l'effrayer.

– Je le savais depuis le début, dit Kennedy. Dès que j'ai appris le détournement de l'avion, j'ai su que vous tueriez ma fille. Lorsque votre complice a été arrêté, j'ai compris que cela faisait aussi partie de votre plan. Rien ne m'a surpris. Mes conseillers ne l'ont compris que fort tard. Ce qui m'inquiète donc, c'est que mon esprit doit ressembler au vôtre. Et pourtant, je ne m'imagine pas monter une opération semblable. Je veux pouvoir éviter de franchir l'étape suivante, et c'est pour cela que j'ai tenu à vous parler. Je veux apprendre, prévoir, me protéger contre moi-même.

Visiblement, Yabril était impressionné par la courtoisie de Kennedy, par le calme qu'il affichait et son apparent désir de vérité.

– Que recherchiez-vous donc ? reprit Kennedy. Le pape sera remplacé, la mort de ma fille ne bouleversera pas les équilibres internationaux. Quel bénéfice pensiez-vous retirer de tout cela ?

C'est la vieille question du capitalisme, songea Yabril, on en vient toujours à ça. Pendant un instant, les mains de Klee pesèrent légèrement sur ses épaules.

– Les États-Unis sont le colosse auquel l'État d'Israël

doit son existence, dit Yabril après un instant d'hésitation. Et c'est lui qui opprime mon peuple. Et votre système capitaliste opprime la terre entière, y compris votre propre peuple. Il faut briser la peur que vous inspirez. Le pape a sa place dans ce système de pouvoir, l'Église catholique a terrorisé les pauvres pendant des siècles avec son enfer et son paradis. Ça dure même depuis deux mille ans. Arriver à tuer le pape, c'était plus qu'une satisfaction politique.

Klee s'était éloigné du fauteuil de Yabril, mais il demeurait sur le qui-vive, prêt à s'interposer entre les deux hommes. Il alla ouvrir la porte du salon ovale et chuchota quelques mots à l'oreille de Jefferson. Yabril suivit des yeux son manège, puis reprit :

– Mais toutes mes actions contre vous ont échoué. Demandez un jour les détails à M. Klee, vous serez surpris. Ministre de la Justice... quel titre trompeur : je dois dire que je m'y suis laissé prendre. Il a écrasé dans l'œuf toutes mes opérations, et avec une brutalité que je n'ai pas pu m'empêcher d'admirer. Mais il faut dire qu'il dispose de tellement d'hommes et d'un tel matériel ! Je ne pouvais rien faire. Mais c'est votre propre invulnérabilité qui a conduit à la mort de votre fille, et je sais que cela doit vous tourmenter. Je vous parle avec franchise, puisque c'est ce que vous souhaitez.

Klee revint se placer derrière le fauteuil de Yabril, et détourna les yeux pour ne pas rencontrer le regard de Kennedy. Yabril, lui, éprouvait un étrange sentiment de peur, mais il poursuivit.

– Songez-y, dit-il en tentant de lever les bras pour donner plus de poids à ses paroles, si je détourne un avion, je suis un monstre. Mais si les Israéliens bombardent une ville arabe sans défense et tuent des centaines de gens, ils se battent pour la liberté ; en outre, ils vengent le célèbre holocauste avec lequel les Arabes n'ont rien à voir. Quel choix nous reste-t-il ? Nous n'avons pas de force militaire, nous n'avons pas la technologie. Qui est le plus héroïque ? Dans les deux cas, des innocents meurent. Et la justice ? L'État d'Israël a été mis en place par les puissances étrangères, mon peuple a été chassé dans le désert. Nous sommes les nouveaux sans patrie, les nouveaux Juifs : quelle ironie ! Le monde s'attend-il à ce que nous ne luttions pas ? Que pouvons-nous utiliser, à part la terreur ? Qu'ont donc fait les Juifs quand ils se sont battus contre les Britanniques pour créer leur État ? Ce que nous savons de l'usage de la terreur, nous l'avons appris des Juifs de cette époque-là. Et ces terroristes, ces assassins d'innocents sont maintenant considérés comme des héros. L'un d'entre eux est même devenu Premier ministre d'Israël, et les autres chefs d'État l'ont accueilli comme s'ils ne sentaient pas sur ses mains l'odeur du sang. En quoi suis-je plus terrible que lui ?

Yabril s'interrompit et voulut se lever, mais Christian Klee le força à se rasseoir. Kennedy lui fit signe de continuer.

– Vous me demandez ce que j'ai réussi à obtenir, reprit Yabril. D'une certaine façon j'ai échoué, et la preuve c'est que je suis ici, prisonnier. Mais quel coup j'ai porté à votre image dans le monde. Finalement, les États-Unis ne paraissent plus si grands. Pour moi ça aurait pu mieux se terminer, mais l'échec est loin d'être total. J'ai montré au monde entier ce que votre démocratie soi-disant si humaine peut avoir d'impitoyable. Vous avez détruit une grande ville, vous avez brutalement imposé votre volonté à un pays étranger. Je vous ai forcé à faire étalage de votre force pour effrayer le monde entier, et vous vous êtes aliéné une grande partie de ce monde. L'Amérique n'est pas si aimée que ça, vous savez. Et dans votre propre pays vous avez braqué contre vous la classe politique. Votre image personnelle a changé, derrière l'angélique Dr. Jekyll, c'est le terrible Mr. Hyde qui est apparu.

Yabril s'interrompit un instant pour tenter de maîtriser le flot d'émotions qui le submergeait. Il devint plus respectueux, plus grave.

– J'en viens maintenant à ce que vous voulez entendre et qu'il est douloureux pour moi d'évoquer. La mort de votre fille était nécessaire. Elle était un symbole de l'Amérique parce qu'elle était la fille de l'homme le plus puissant du monde. Savez-vous quel effet cela peut produire sur les gens qui craignent l'autorité ? Cela leur donne de l'espoir, et peu importe que certains vous considèrent comme leur ami ou leur bienfaiteur. À la longue, les gens finissent par haïr leurs bienfaiteurs. Ils se rendent compte que vous n'êtes pas plus puissant qu'eux, ils n'ont plus de raisons de vous craindre. Évidemment, ça aurait été plus efficace si j'avais pu m'en sortir libre. Le pape mort, votre fille tuée, et vous obligé de me laisser la liberté : qu'est-ce que vous auriez eu l'air impuissants, vous et votre Amérique, à la face du monde !

Yabril s'enfonça dans son fauteuil pour alléger un peu la pression de la camisole, et sourit à Kennedy.

– Je n'ai commis qu'une seule erreur. Je vous ai complètement sous-estimé. Rien dans votre histoire ne laissait prévoir une telle réaction. Vous, le grand homme de gauche, dont l'action s'inspire d'une véritable éthique. Je pensais que vous relâcheriez mon ami. Je ne vous croyais pas capable de réunir aussi rapidement les pièces du puzzle, et je n'aurais jamais imaginé que vous puissiez commettre un tel crime.

– Il y a eu très peu de pertes en vies humaines lors du bombardement de Dak : quelques heures auparavant nous avions fait procéder à un lâcher de tracts.

– Je comprends, dit Yabril. C'était une réponse terroriste parfaitement montée. J'aurais moi-même agi ainsi. En revanche, je n'aurais jamais fait ce que vous avez fait pour vous sauver. Placer une bombe atomique dans l'une de vos propres villes !

– Vous vous trompez, dit Kennedy.

Une fois encore, Klee fut soulagé que Kennedy ne s'engageât pas plus loin dans les explications. Soulagé aussi que Kennedy ne réagît pas plus mal à l'accusation. Le président aborda d'ailleurs aussitôt un autre sujet.

– Dites-moi, dit Kennedy, comment pouvez-vous justifier face à vous-même les choses que vous avez faites, la façon dont vous avez trahi la confiance des hommes ? J'ai étudié votre dossier. Comment un être humain peut-il se dire : je vais changer le monde en tuant les innocents, hommes, femmes et enfants, je tirerai l'humanité de son désespoir en trahissant mon meilleur ami… et tout ceci sans l'autorité donnée par Dieu ni par les hommes ? Comment osez-vous assumer un tel pouvoir ?

Yabril attendit courtoisement, comme s'il attendait une autre question. Comme le président demeurait silencieux, il lui répondit.

– Les actes que j'ai commis ne sont pas aussi insensés que le proclament la presse et les moralistes. Que dire alors de vos pilotes qui sèment des bombes comme si les gens en dessous n'étaient que des fourmis ? Eux, ce sont de bons garçons, parés de toutes les vertus humaines. Mais on leur a appris à faire leur devoir. Je crois que je ne suis pas différent d'eux. Seulement moi, je n'ai pas la possibilité de donner la mort à des milliers de mètres de hauteur. Et je n'ai pas de canons de marine capables de tirer à quarante kilomètres de distance. Je dois me salir les mains. Je dois me salir les mains. Je dois avoir la force morale, la pureté mentale de faire moi-même couler le sang pour la cause à laquelle je crois. Tout cela est d'une évidence terrible, c'est un argument mille fois avancé, et il semble presque lâche de ma part de l'avancer à nouveau. Mais vous me demandez d'où me vient le courage d'assumer une telle autorité sans qu'elle m'ait été conférée par une autorité supérieure. C'est plus compliqué que ça. Laissez-moi croire que la souffrance que j'ai vue dans ma vie m'a donné cette autorité. Laissez-moi dire que les livres que j'ai lus, la musique que j'ai écoutée, l'exemple d'hommes infiniment plus grands que moi, que tout cela m'a donné la force d'agir selon mes principes. Cela est plus difficile pour moi que pour vous, car vous, vous bénéficiez du soutien de centaines de millions d'hommes, et vos actes de terreur apparaissent comme l'instrument de leur volonté, comme une obligation que vous avez envers eux.

Yabril s'interrompit une nouvelle fois pour boire une gorgée de café, avant de poursuivre, avec une dignité calme.

– J'ai consacré ma vie à la révolution, une révolution destinée à en finir avec cet ordre établi et ce pouvoir que je méprise. Je mourrai persuadé de la justesse de mes actes. Et puis comme vous le savez, aucune loi morale n'est éternelle.

Épuisé, Yabril s'enfonça dans son fauteuil ; visiblement, sa camisole lui faisait mal aux bras. Kennedy l'avait écouté sans manifester le moindre signe de désapprobation, sans tenter de le contredire. Il y eut un long silence que Kennedy finit par rompre.

– Je ne peux pas vous opposer d'arguments moraux… au fond, j'ai fait la même chose que vous. Et comme vous le dites, c'est plus facile à faire quand on ne se couvre pas soi-même les mains de sang. Mais comme vous le dites aussi, mon action est légitimée par une autorité sociale, et non par une haine personnelle.

Yabril l'interrompit.

– Ça n'est pas vrai. Le Congrès n'approuvait pas ces

mesures ; pas plus que votre gouvernement. Vous avez agi comme moi, en vous autorisant de votre autorité personnelle. Vous êtes mon camarade en terrorisme.

– Mais le peuple de mon pays, l'électorat, approuve mon action.

– Bah, la foule ! dit Yabril. Les gens approuvent toujours. Ils refusent de voir les dangers de telles actions. Ce que vous avez fait était une faute, aussi bien morale que politique. Vous étiez animé d'un désir de vengeance personnelle. (Yabril sourit.) Moi, je vous croyais au-dessus d'une telle réaction. Tant pis pour la morale !

Kennedy demeura un long moment silencieux, comme s'il pesait soigneusement les termes de sa réponse.

– J'espère que vous vous trompez ; l'avenir le dira. Je voudrais vous remercier de m'avoir parlé avec autant de franchise, d'autant que je sais que vous avez refusé de répondre aux interrogatoires. Vous savez, je pense que le sultan du Sherhaben a engagé pour vous assister les meilleurs avocats américains. Très rapidement, ils recevront l'autorisation de venir vous voir pour préparer votre défense.

Kennedy se leva en souriant et se dirigea vers la porte. Elle s'ouvrait devant lui lorsque retentit la voix de Yabril. En dépit de ses entraves et de sa camisole, il avait réussi à se lever, et en titubant cherchait à conserver son équilibre.

– Monsieur le président !

Kennedy se retourna.

Yabril leva lentement les bras, gêné par sa camisole en nylon.

– Monsieur le président, répéta-t-il, je ne vous crois pas. Je sais que je ne verrai jamais mes avocats.

Klee s'était interposé entre les deux hommes, et Jefferson se trouvait déjà aux côtés du président.

Kennedy adressa un sourire glacial à Yabril.

– Je vous garantis personnellement que vous pourrez voir vos avocats et vous entretenir avec eux.

Au moment où le président quitta la pièce, Klee éprouva un sentiment d'angoisse proche de la nausée. Il avait toujours cru bien connaître Francis Kennedy, mais il comprenait à présent que c'était faux. Car l'espace d'un instant, il avait vu passer dans les yeux de Kennedy un éclair de haine pure, totalement étrangère à ce qu'il connaissait de lui.

LIVRE CINQ

21

Lorsqu'il était enfant, en Sicile, Franco Sebbediccio avait choisi le côté de l'ordre, non seulement parce que la force lui semblait être de ce côté-là, mais encore parce qu'il appréciait la douceur rassurante que procure le fait de vivre sous la règle stricte de l'autorité. La Mafia trop subjective, le commerce trop risqué : c'est tout naturellement qu'il était entré dans la police. Trente ans plus tard, il dirigeait la brigade nationale antiterroriste.

Il avait à présent entre ses mains l'assassin du pape, un jeune Italien de bonne famille du nom d'Armando Giangi, alias Romeo. Ce nom de code exaspérait particulièrement Sebbediccio. Romeo avait été enfermé dans la cellule la plus sombre de sa prison de Rome.

Rita Fallicia, nom de code Annee, était, elle, sous surveillance. Elle avait été facile à repérer en raison de ses antécédents : agitatrice à l'université, toujours à la tête des manifestations, et mêlée à l'affaire de l'enlèvement d'un banquier de Milan.

Les éléments de preuves s'étaient accumulés. Les terroristes avaient passé leurs caches au peigne fin, mais ces imbéciles ne se doutaient pas qu'un service de police comme le leur disposait d'immenses ressources scientifiques. Les traces de sperme relevées sur une serviette avaient permis d'identifier Romeo. Sévèrement passé à tabac, l'un des hommes arrêtés avait donné des noms. Mais Sebbediccio n'avait pas arrêté Annee. Il tenait à la laisser libre de ses mouvements.

Mais Franco Sebbediccio craignait que le procès de ces terroristes ne servît à glorifier l'assassinat du pape, et que devenus des héros, ils ne purgeassent leurs peines dans des conditions somme toute assez confortables. L'Italie ayant aboli la peine de mort, ils ne pouvaient être condamnés qu'à la prison à perpétuité, ce qui était une vaste blague. Avec les réductions de peine pour bonne conduite et les différentes amnisties, ils se retrouveraient libres relativement jeunes.

Les choses auraient été bien différentes si Sebbediccio avait pu mener les interrogatoires à sa façon. Mais parce que cette crapule avait tué le pape, la défense de ses droits était devenue une véritable cause en Occident. Des groupes de défense des droits de l'homme en Scandinavie et en Angleterre proclamaient que cet homme devait être traité humainement, ne devait être ni torturé ni maltraité d'aucune façon. Un avocat américain du nom de Whitney Cheever lui avait même adressé une lettre véhémente sur ce thème. Des ordres étaient venus d'en haut : ne commettre aucun acte susceptible de déshonorer la Justice italienne et d'entraîner l'indignation des partis de gauche. Le gant de velours.

Mais lui, Franco Sebbediccio, était bien décidé à en finir avec toutes ces âneries, et à envoyer son propre message aux terroristes. Franco Sebbediccio avait décidé que ce Romeo, cet Armando Giangi, se suiciderait.

Au cours des mois passés en prison, Romeo avait nourri un rêve. Seul dans sa cellule, il avait décidé de tomber amoureux de l'Américaine qu'il avait rencontrée avant son arrestation, Dorothea. Il la revoyait qui l'attendait à l'aéroport, sa tendre petite cicatrice au menton. Dans ses rêveries elle semblait si belle, si douce. Il essayait de se rappeler leur conversation, au cours de la dernière nuit qu'ils avaient passée ensemble, aux Hamptons. À présent, dans ses souvenirs, il lui semblait qu'elle l'avait aimé. Ses moindres gestes lui avaient signifié son désir. Il se rappelait la façon qu'elle avait de s'asseoir, avec tant de grâce, comme une invite. Comme elle le fixait de ses grands yeux d'un bleu profond, tandis que ses joues pâles se coloraient de pourpre. Il maudissait sa timidité. Jamais il n'avait caressé cette peau. Se rappelant ses longues jambes, il les imaginait autour de son cou. Il imaginait les baisers dont il couvrirait ses cheveux, ses yeux, son corps tout entier.

Ensuite, Romeo la revoyait dans le soleil du matin, chargée de chaînes, jetant sur lui un regard où se lisaient à la fois le reproche et le désespoir. Elle ne resterait pas longtemps en prison. Elle l'attendrait. Et lui serait libéré. Par l'effet d'une loi d'amnistie, ou grâce à un échange d'otages, peut-être même par pure charité chrétienne. Alors il la retrouverait.

Certaines nuits, désespéré, il songeait à la trahison de Yabril. Le meurtre de Theresa Kennedy n'avait jamais fait partie du plan, et il était persuadé que jamais il n'y aurait consenti. Il éprouvait un sentiment de dégoût pour Yabril, pour ses propres convictions, pour sa vie tout entière. Parfois, il pleurait doucement dans le noir. Alors, pour se consoler, il songeait à Dorothea. Tout cela était faux, il le savait. C'était une faiblesse, mais il ne pouvait s'en empêcher.

Dans sa cellule, Romeo reçut Franco Sebbediccio avec un sourire sardonique. Il lisait la haine dans ce regard de paysan, il sentait cet homme sidéré qu'un fils de bonne famille, voué à une existence luxueuse, ait pu devenir un révolutionnaire. Il se rendait compte également que seule la pression internationale empêchait Sebbediccio de le traiter avec la brutalité qu'il aurait souhaitée, et que le policier en concevait une immense frustration.

Sebbediccio se fit enfermer avec le prisonnier ; derrière la porte se trouvaient deux gardiens et un adjoint du directeur de la prison, qui pouvaient les surveiller par l'œilleton mais ne pouvaient entendre leur conversation. On eût dit que le vieil homme invitait le prisonnier à se ruer sur lui. Mais Romeo savait que le policier avait tout simplement confiance dans l'autorité que lui donnait sa position. Romeo méprisait ce genre d'hommes, pétri de respect pour la loi et l'ordre, ligoté par ses croyances et ses préjugés bourgeois. Aussi fut-il extrêmement surpris lorsque Sebbediccio lui dit à voix basse :

– Giangi, tu vas simplifier la vie de tout le monde. Tu vas te suicider.

Romeo éclata de rire.

– Mais non, pas du tout, je serai sorti de prison avant que soyez mort d'hypertension et d'un ulcère à l'estomac. Je me promènerai dans les rues de Rome quand vous vous reposerez dans votre caveau de famille. Je viendrai chanter un cantique sur votre tombe, et je quitterai le cimetière en sifflotant.

– Je voulais seulement te faire savoir que toi et les membres de ton groupe vous allez vous suicider, dit patiemment Sebbediccio. Tes amis ont tué deux de mes hommes pour m'intimider, moi et mon équipe. Vos suicides seront ma réponse.

– Désolé de ne pouvoir vous rendre ce service. J'aime trop la vie pour ça. Et comme le monde entier a les yeux fixés sur vous, vous n'oserez même pas me foutre un coup de pied au cul.

Sebbediccio lui adressa un sourire mielleux. Il gardait un as dans sa manche.

Le père de Romeo, qui de toute sa vie n'avait rien fait pour le genre humain, avait fait quelque chose pour son fils : il s'était tiré une balle dans la tête. Ce chevalier de Malte, cet homme qui n'avait vécu toute sa vie que pour son plaisir égoïste, n'avait pas supporté d'être le père de l'assassin du pape, et en avait assumé la culpabilité.

Après la mort de son mari, la mère de Romeo demanda à aller voir son fils en prison. L'autorisation lui fut refusée. La presse prit fait et cause pour elle. L'avocat de Romeo, interrogé à la télévision, fit une grosse impression : « Mais enfin, il veut seulement voir sa mère ! » L'opinion publique, en Italie mais aussi dans tout le monde occidental, s'indigna. La phrase de l'avocat fut souvent reprise en gros titres dans les journaux : « Mais enfin, il veut seulement voir sa mère ! »

Ce qui n'était pas tout à fait exact : c'était sa mère qui voulait le voir ; lui n'en avait aucune envie.

Cédant à la pression, le gouvernement autorisa Mme Giangi à rendre visite à son fils, ce qui rendit Sebbediccio fou de rage : il tenait absolument à garder Romeo au secret. Dans quelle société vivait-on pour se montrer aussi prévenant avec l'assassin du pape ! Mais le directeur de la prison passa outre.

Le directeur convoqua Sebbediccio dans son somptueux bureau.

– Cher commissaire, j'ai reçu mes instructions : la visite est accordée. Et pas dans sa cellule, où leur conversation risquerait d'être enregistrée, mais ici même, dans mon bureau. Personne ne doit se trouver à portée de voix, mais les cinq dernières minutes de la visite, qui doit durer une heure, seront filmées… après tout, il faut bien que les médias y gagnent aussi quelque chose.

– Et pour quelle raison a-t-on autorisé cette visite ? demanda Sebbediccio.

Le directeur lui adressa le sourire qu'il réservait d'ordinaire aux prisonniers, et à son personnel, devenu lui aussi prisonnier.

– Qu'un fils puisse voir sa mère après la mort de son père ! Qu'y a-t-il de plus sacré ?

– Pour un homme qui a tué le pape ? lança-t-il d'un ton acerbe. Pourquoi n'a-t-il pas parlé à sa mère avant de commettre son assassinat ?

Le directeur haussa les épaules.

– On en a décidé ainsi en haut lieu. Allez, soyez beau joueur. L'avocat a également fait savoir qu'il ne voulait pas que le bureau soit truffé de micros, alors ne croyez pas que vous allez pouvoir installer ici votre matériel électronique.

– Ah, vraiment ! s'exclama Sebbediccio. Et comment cet avocat compte-t-il vérifier qu'il n'y aura pas de micros ?

– Il fera venir des spécialistes en électronique. Ils feront leur travail en présence de l'avocat, immédiatement avant la visite.

– Il est absolument essentiel que nous entendions ce qui se dira au cours de cette conversation, dit le commissaire.

– C'est absurde. Sa mère est la matrone romaine typique. Elle ne sait rien et lui ne lui dira rien d'important. Ça sera une scène de mélodrame, et puis c'est tout. Ne prenez pas ça au sérieux.

Mais Sebbediccio prenait au contraire l'affaire très au sérieux. Pour lui, c'était un nouvel affront fait à la Justice, un nouvel exemple de mépris de l'autorité. Et il espérait que Romeo laisserait échapper quelque chose lors de son entretien avec sa mère.

En sa qualité de chef de brigade antiterroriste, Franco

Sebbediccio disposait d'un pouvoir étendu. L'avocat de Romeo, connu pour ses activités gauchistes, était placé sous surveillance. Son téléphone était mis sur table d'écoute, et son courrier décacheté. Il ne fut pas difficile à la police de découvrir le nom de l'entreprise d'électronique qui devait faire la chasse aux micros dans le bureau du directeur de la prison. Avec l'aide d'un ami, Sebbediccio organisa une rencontre «fortuite» dans un restaurant avec le directeur de la société.

Même sans le recours à la force, Sebbediccio savait se montrer persuasif. L'entreprise choisie par l'avocat de Romeo était une petite société d'électronique qui vivotait tant bien que mal. Sebbediccio fit valoir que la brigade antiterroriste avait un grand besoin de matériel de détection électronique, et qu'il avait une voix prépondérante dans le choix des fournisseurs. En d'autres termes, il pouvait faire la fortune de la société.

Mais l'arrangement devait profiter aux deux parties. Dans le cas présent, qu'importait au directeur l'assassin du pape ? Pourquoi refuser d'enregistrer quelque chose d'aussi insignifiant qu'une conversation entre une mère et un fils, et compromettre ainsi la prospérité de son entreprise ? Ses techniciens pourraient fort bien placer des micros alors qu'ils étaient censés les chercher. Sebbediccio lui-même se chargeait de les enlever par la suite.

Tout cela était dit de façon très amicale, mais au cours du déjeuner, le commissaire laissa clairement entendre qu'en cas de refus, la société risquait d'avoir de sérieux ennuis dans les années à venir. Lui-même n'éprouvait aucune animosité personnelle contre le directeur, mais comment la police pourrait-elle faire confiance à des gens qui avaient protégé l'assassin du pape ?

L'arrangement fut donc conclu, et Sebbediccio laissa la direction régler l'addition du restaurant. Il n'allait tout de même pas payer cela de sa poche, et il ne tenait pas non plus à faire porter cette addition sur sa note de frais par peur de laisser une trace écrite de cette entrevue. En outre, il allait faire de ce directeur de société un homme riche.

La conversation entre Armando Giangi et sa mère fut donc entièrement enregistrée. Sebbediccio fut le seul à écouter la bande, et ce qu'il entendit le remplit d'aise. Puis il laissa les micros encore quelque temps pour surprendre les conversations de cet imbécile de directeur de prison, mais il en fut pour ses frais.

Sebbediccio prit la précaution d'écouter la bande chez lui, pendant que sa femme dormait. Aucun de ses collègues ne devait être au courant. Le commissaire n'était pas un méchant homme, et il eut du mal à retenir ses larmes en entendant la mère sangloter auprès de son fils, l'implorant de lui dire la vérité, de lui dire que ce n'était pas lui qui avait tué le pape, qu'il protégeait l'un de ses mauvais camarades. Il entendait la mère couvrir de baisers le visage de son meurtrier de fils. Puis les baisers et les lamentations s'interrompirent, et la conversation commença de devenir intéressante.

Il entendit la voix de Romeo qui tentait de calmer sa mère.

– Je ne comprends pas pourquoi ton mari s'est tué, disait Romeo. (Il éprouvait un tel mépris pour cet homme qu'il n'avait jamais pu le reconnaître comme son père.) Il se fichait éperdument de son pays, du monde entier, et, excuse-moi, il n'aimait même pas sa famille. Il a vécu une vie complètement égoïste et égocentrique. Pourquoi a-t-il éprouvé la nécessité de se suicider ?

– Par vanité, répondit la mère. Toute sa vie, ton père a été un homme vaniteux. Tous les jours chez le coiffeur, une fois par semaine chez le tailleur. À quarante ans il prenait des leçons de chant. Pour chanter où, grands dieux ? Il a dépensé des fortunes pour devenir chevalier de Malte, mais il n'a jamais été religieux. Pour Pâques il portait un costume blanc avec la croix de Malte directement brodée dans le tissu. Oh, c'était une grande figure de la société romaine. Les réceptions, les bals, son appartenance à diverses sociétés culturelles dont il ne s'occupait jamais. Et père d'un brillant universitaire ; il était fier de toi, tu sais. Il fallait le voir se pavaner dans les rues de Rome ! Je n'ai jamais vu un homme aussi heureux et aussi creux. (Un silence sur la bande.) Après ce que tu avais fait, ton père ne pouvait plus reprendre sa place dans la bonne société romaine. Sa vie mondaine était terminée, et c'est pour ça qu'il s'est tué. Mais il repose en paix : il était magnifique dans son cercueil, avec son nouveau costume de Pâques.

S'éleva alors la voix de Romeo, et ses propos remplirent de joie Sebbediccio.

– Mon père ne m'a jamais rien donné dans sa vie, et en se suicidant, il m'a volé mon choix. La mort était ma seule fuite possible.

Sur le reste de la bande, la mère de Romeo tentait de le persuader d'accepter la visite d'un prêtre ; puis lorsque les journalistes firent irruption dans le bureau avec leurs caméras, Sebbediccio éteignit le magnétophone. Il avait vu la scène à la télévision. En attendant, il avait ce qu'il voulait.

Lorsqu'il alla rendre visite à Romeo, Sebbediccio était si joyeux qu'il pénétra dans la cellule en exécutant un petit pas de danse.

– Giangi, lui dit-il d'un air jovial, tu deviens de plus en plus célèbre. On raconte que lorsque le nouveau pape sera élu, il demandera ta grâce. Montre-toi reconnaissant, donne-moi les renseignements dont j'ai besoin.

– Espèce de macaque ! lança Romeo.

– C'est ton dernier mot ? demanda Sebbediccio.

Parfait. De toute façon, il avait un enregistrement prouvant que Romeo songeait à se suicider.

Une semaine plus tard, le monde apprit que l'assassin du pape, Armando Giangi, dit Romeo, s'était pendu dans sa cellule.

À New York, Annee préparait sa mission, fière d'être la première femme à diriger une opération pour le compte des Cent.

Dans deux appartements de l'East Side, elle avait entassé des armes, des vivres et tout le matériel nécessaire. Les équipes d'assaut devaient arriver à New York une semaine avant l'opération, et elle leur donnerait l'ordre de ne pas bouger des appartements jusqu'au dernier jour. Les survivants, s'il y en avait, devaient fuir au Canada et au Mexique. Elle, avait prévu de demeurer quelques mois aux États-Unis, dans une autre planque.

En dépit de tout ce qu'elle avait à faire, Annee avait beaucoup de temps libre, qu'elle passait à flâner dans les rues. Elle fut stupéfaite de découvrir autant de taudis, notamment à Harlem ; elle n'avait jamais vu une ville aussi sale, aussi mal entretenue, avec des quartiers entiers qui semblaient avoir été pilonnés par l'artillerie. Elle était dégoûtée par le nombre immense des sans-abri, par la grossièreté des employés dans les magasins, la froide hostilité des fonctionnaires.

Et puis il y avait le danger, toujours présent. Cette ville était un champ de bataille, plus dangereux que la Sicile, car en Sicile la violence avait ses codes, inspirés par l'intérêt, logiquement conçus, alors qu'à New York la violence apparaissait comme la maladie infectieuse de quelque horde animale.

C'est ainsi qu'après une journée particulièrement riche en événements désagréables, elle décida de demeurer le plus souvent possible dans son appartement. En fin d'après-midi, elle était allée voir un film américain, qui l'avait exaspérée par son machisme imbécile. Elle aurait bien aimé rencontrer le héros musclé au coin d'une rue pour le seul plaisir de lui prouver qu'il n'était pas bien difficile de lui écraser les bijoux de famille.

Après la représentation, elle était allée donner quelques coups de téléphone dans les cabines publiques de Lexington Avenue. Elle se rendit ensuite dans un restaurant célèbre, et dut subir la grossièreté des serveurs et la médiocrité d'une soi-disant cuisine romaine. Comment osaient-ils ! En France, le propriétaire du restaurant aurait été lynché en place publique. En Italie, la Mafia aurait incendié le restaurant, et tout le monde aurait été content.

En fin de soirée, elle fut victime d'une tentative de vol et d'une tentative de viol. Elle en fut presque soulagée, car elle put ainsi donner libre cours à son agressivité.

Le premier incident eut lieu un peu avant le crépuscule sur la Ve Avenue, alors qu'elle regardait la vitrine de chez Tiffany. Un homme et une femme, très jeunes, à peine vingt ans, se plantèrent de part et d'autre d'elle. Le jeune homme avait un visage hagard de drogué. Il était extrêmement laid, et il déplut immédiatement à Annee, qui plus que tout admirait la beauté physique. La jeune fille, elle, était jolie, mais avait cet air arrogant des adolescents gâtés qu'Annee avait déjà remarqué dans les rues.

Le jeune homme se pressa contre elle et elle sentit contre son flanc un objet en métal qu'il dissimulait sous sa veste. Elle n'eut pas peur.

– J'ai un flingue, murmura le jeune homme. Donne ton sac à ma copine. Gentiment, sans faire d'histoires. Si tu déconnes pas y t'arrivera rien.

– Vous votez ? demanda Annee.

– Hein ? dit l'homme, surpris.

La fille, à cet instant, tendit la main pour prendre le sac. Annee saisit la main de la fille, la fit pivoter pour s'en servir de bouclier, et la frappa violemment au visage de son autre main, ornée d'une bague. Un flot de sang éclaboussa la vitrine de Tiffany, et les passants s'immobilisèrent, stupéfaits.

– Puisque tu as un flingue, tire, dit froidement Annee au jeune homme.

Celui-ci s'était éloigné d'un pas, pointant toujours son arme dans sa poche, comme il l'avait vu faire dans les films policiers. Loin de se pétrifier sur place comme elle aurait dû le faire, Annee saisit l'autre main de l'homme et d'une violente torsion lui déboîta l'épaule. Le jeune homme hurla de douleur et laissa tomber sur le sol un tournevis. Crétin d'adolescent ! songea Annee en s'éloignant.

Il aurait été prudent, à ce moment-là, de rentrer chez elle, mais poussée par quelque démon, elle poursuivit sa promenade au hasard des rues. Arrivée à hauteur de Central Park South, et des hôtels de luxe gardés par des portiers en uniforme, devant lesquels s'alignaient des limousines avec chauffeurs, elle fut brusquement entourée par quatre jeunes Noirs.

C'étaient de beaux garçons au regard pétillant, qui lui plurent aussitôt. Ils ressemblaient à s'y méprendre aux jeunes voyous de Rome qui se croient obligés d'accoster toutes les jolies femmes dans la rue.

– Hé, baby, lança l'un des jeunes en plaisantant, tu viens te balader avec nous dans le parc ? Tu le regretteras pas, tu sais.

Ils lui barraient le chemin, elle ne pouvait plus faire un pas. Elle les trouvait plutôt amusants, et nul doute qu'elle eût passé un bon moment avec eux. Ce n'étaient pas eux qui la mettaient en rogne, mais les portiers des hôtels et les chauffeurs qui faisaient semblant de ne pas voir ce qui se passait.

– Allez-vous-en, dit-elle, ou je crie, et ces portiers vont appeler la police.

Mais, évidemment, elle ne pouvait pas crier.

– Vas-y, princesse, crie, dit l'un des jeunes en souriant.

Mais elle les sentait prêts à s'égailler comme une volée de moineaux.

Pourtant, elle ne cria pas, et l'un des jeunes comprit qu'elle ne le ferait pas.

– Hé, elle va pas crier ! Vous avez entendu son accent ? J'parie qu'elle a plein de came. Allez, princesse, file-nous-en.

Ils éclatèrent tous de rire, et l'un d'eux ajouta :

– Sans ça on appelle la police.

Ils rirent à nouveau.

Avant de quitter l'Italie, Annee avait été prévenue des dangers de New York, mais elle faisait toute confiance à l'entraînement qu'elle avait reçu. Elle avait ainsi refusé d'être armée, de peur d'un contrôle inopiné dans la rue. Mais elle portait une bague ornée d'un zircon, d'une fabrication spéciale, très dangereuse, et dans son sac emportait une paire de ciseaux plus meurtrière qu'une dague vénitienne. Elle n'avait pas peur, et redoutait seulement une intervention de la police.

C'est alors qu'un des jeunes garçons tendit la main pour caresser ses cheveux.

– Fous le camp, espèce de petit salaud noir, siffla Annee, sans ça je te tue.

Les quatre jeunes gens se pétrifièrent sur place. Leurs visages se durcirent, et Annee éprouva un vague sentiment de culpabilité. Elle comprit qu'elle venait de commettre une erreur. Ce n'était pas par racisme qu'elle l'avait traité de salaud noir ; ce n'était qu'une insulte sicilienne fort répandue. Mais comment auraient-ils pu le savoir ? Elle faillit s'excuser, mais il était trop tard.

– Je vais foutre mon poing sur la gueule de cette salope de Blanche ! lança l'un des jeunes.

Annee perdit alors toute maîtrise d'elle-même. Sa main baguée vola vers le visage du garçon. Une fente hideuse apparut : on eût dit que la paupière s'était détachée. Pendant que les trois autres considéraient leur ami avec horreur, Annee tourna les talons et s'éloigna calmement. Arrivée au coin de la rue, elle se mit à courir.

C'en était assez, même pour Annee. De retour à son appartement, elle se reprocha sa cruauté et frémit en songeant qu'elle aurait pu faire échouer sa mission.

Assez de risques ; elle ne devait plus quitter l'appartement que pour accomplir les tâches nécessaires à la préparation de l'action. Il fallait cesser, aussi, de ranimer à tout instant le souvenir de Romeo, il fallait maîtriser la rage suscitée par son assassinat. Mais surtout, il fallait prendre une décision. Si le plan échouait tel qu'il avait été conçu, oserait-elle se transformer en bombe vivante ?

Christian Klee se rendit à Rome pour dîner avec Sebbediccio. En dépit de ses vingt gardes du corps, le commissaire italien semblait avoir conservé un féroce appétit.

Sebbediccio était d'excellente humeur.

– L'assassin du pape a fini par se suicider : n'est-ce pas une bonne idée ? dit-il à Klee. Quel cirque aurait été son procès, avec tous ces gauchistes en train de manifester pour le soutenir. Dommage que votre Yabril ne vous rende pas le même service.

Klee se mit à rire.

– La Justice ne fonctionne pas de la même manière chez nous. Dites-moi… je vois que vous êtes bien protégé.

Sebbediccio haussa les épaules.

– Je crois qu'ils chassent un plus gros gibier. J'ai des informations pour vous. Cette fille, Annee, que nous avons laissée filer… eh bien, nous avons perdu sa trace, mais nous avons toutes les raisons de croire qu'elle se trouve à présent aux États-Unis.

Un frisson d'excitation parcourut l'échine de Klee.

– Savez-vous par où elle est entrée ? Le nom qu'elle utilise ?

– Non, nous n'en savons rien. Mais nous croyons qu'à présent elle est opérationnelle.

– Pourquoi ne l'avez-vous pas arrêtée ? demanda Klee.

– Parce que j'ai beaucoup misé sur elle. Elle est très déterminée, et elle ira loin au sein des groupes terroristes. Le jour où je déciderai de la capturer, il me faudra un grand filet. Mais en attendant, monsieur, c'est vous qui avez un gros problème. Nous avons appris qu'une opération se préparait aux États-Unis. Elle ne peut viser que le président Kennedy. Annee, aussi courageuse soit-elle, ne peut la mener toute seule. Il doit y avoir d'autres gens impliqués. Connaissant la protection dont vous entourez le président, ils vont avoir besoin de beaucoup de monde, avec des planques et du matériel. Là-dessus, je n'ai aucun renseignement. À vous de vous mettre au travail.

Klee n'avait pas besoin de demander pourquoi le commissaire italien n'avait pas choisi de faire parvenir ces informations par les canaux habituels. Il savait que Sebbediccio ne voulait pas que la surveillance qu'il exerçait sur Annee fût consignée par écrit dans des dossiers aux États-Unis ; l'Italien se méfiait de la loi américaine sur la liberté de l'information. Et il tenait aussi à ce que Klee fût personnellement en dette vis-à-vis de lui.

427

Au Sherhaben, le sultan Maurobi reçut Christian Klee avec les plus profondes marques d'amitié, comme si la crise des mois précédents n'avait jamais existé. Le sultan était affable mais semblait sur ses gardes, et un peu surpris.

– J'espère que vous m'apportez des bonnes nouvelles, dit-il à Klee. Après ces événements regrettables, je suis très désireux de renouer des relations cordiales avec les États-Unis, et aussi, bien entendu, avec le président Kennedy. J'ose même espérer que c'est bien là l'objet de votre visite.

– C'est exactement pour cela que je suis venu, répondit Klee en souriant. Vous êtes, je crois, en position de nous rendre un service qui permettrait de dissiper les malentendus.

– Ah, comme je suis heureux de vous entendre, dit le sultan. Vous savez, bien sûr, que je n'étais nullement au courant des intentions de Yabril. Je ne savais absolument pas qu'il comptait assassiner la fille du président. J'ai déjà fait cette déclaration officiellement, mais voudriez-vous dire personnellement au président que depuis plusieurs mois je prends part à sa douleur. J'étais totalement incapable d'empêcher cette tragédie.

Klee le croyait. Et il songea que des gens tout-puissants comme le sultan Maurobi et Francis Kennedy étaient désarmés face à des événements sur lesquels ils n'avaient aucune prise, face à la volonté d'autres hommes.

– Le fait que vous ayez livré Yabril a rassuré le président sur ce point, dit Klee.

Tous deux savaient qu'il ne s'agissait là que de simples politesses.

– Je suis venu vous demander un service personnel, reprit Klee. Vous savez que je suis responsable de la sécurité du président. J'ai appris qu'on cherchait à l'assassiner. Ces terroristes se sont déjà infiltrés aux États-Unis, et j'aimerais beaucoup avoir des informations sur leurs plans, leurs identités et les lieux où ils se cachent. J'ai pensé que vous aviez pu recueillir certains indices grâce à vos contacts ou à vos services de renseignements, et que vous pourriez nous en faire profiter. Je m'empresse d'ajouter que cela resterait strictement entre nous. Il n'y aurait aucun rapport officiel.

Le sultan semblait sidéré, et une expression de stupéfaction amusée ne tarda pas à se peindre sur ses traits.

– Comment pouvez-vous penser une chose pareille ? dit-il. Après toutes ces destructions, après les tragédies que nous avons vécues, comment imaginez-vous que je puisse être mêlé à de pareilles activités ? Je règne sur un pays riche mais petit, incapable de demeurer indépendant sans l'amitié des grandes puissances. Je ne peux rien faire ni pour vous ni contre vous.

Klee acquiesça.

– Bien sûr, c'est vrai. Mais Bert Audick est venu vous voir, bien que je sache que vous avez traité d'affaires pétrolières. Mais laissez-moi vous dire que M. Audick a en ce moment de très sérieux ennuis aux États-Unis. Dans les années à venir, il risque de devenir pour vous un allié très encombrant.

– Et vous, vous seriez un bon allié ? demanda le sultan en souriant.

– Oui, répondit Klee. Je suis l'allié qui pourrait vous sauver. Si vous acceptez de coopérer avec moi aujourd'hui.

– Expliquez-moi tout, dit le sultan, visiblement mécontent de la menace implicite brandie par le ministre américain.

Klee choisit ses mots avec précaution.

– Bert Audick a été inculpé de conspiration contre les États-Unis parce que ses mercenaires ou ceux de sa société ont tiré sur les avions qui bombardaient Dak. Et il y a d'autres chefs d'inculpation. Certaines de nos lois permettraient de démanteler son empire pétrolier. En ce moment, il n'a rien d'un allié très sûr.

– Il est inculpé mais pas condamné, dit le sultan d'un air rusé. J'ai cru comprendre que ce serait plus difficile.

– C'est vrai, reconnut Klee. Mais dans quelques mois, Francis Kennedy sera réélu, et sa popularité est telle que le Congrès qui sera élu avec lui sera tout disposé à ratifier son programme politique. Il deviendra le président le plus puissant de toute l'histoire des États-Unis. Audick sera écrasé, je puis vous l'assurer. Et la structure de pouvoir à laquelle il participe sera également écrasée.

– Je ne vois toujours pas comment je peux vous aider, dit le sultan. (Puis, de façon plus hautaine:) Ou comment vous pouvez m'aider. J'ai cru comprendre que vous-même vous trouviez dans une situation difficile dans votre pays.

– Ce sera peut-être vrai, on verra, répondit Klee. Quant à ma position, qui est délicate, comme vous dites, elle sera plus ferme lorsque le président Kennedy sera réélu. Je suis son ami le plus proche, son conseiller, et Kennedy est réputé pour sa loyauté. En ce qui concerne l'aide que nous pouvons vous apporter, m'autorisez-vous à être franc, sans bien entendu manquer le moins du monde à la courtoisie ?

Impressionné et peut-être même amusé, le sultan acquiesça.

– Je vous en prie.

– D'abord, et c'est le plus important, dit Klee, voici la façon dont je peux vous être utile. Je peux être votre allié. J'ai l'oreille du président des États-Unis et j'ai sa confiance. Nous vivons des moments difficiles.

– J'ai moi-même toujours vécu des moments difficiles, l'interrompit le sultan en souriant.

– Alors vous pouvez apprécier ce que je dis mieux que quiconque, répondit sèchement Klee.

– Et si votre président Kennedy n'atteint pas ses objectifs ? Un accident peut toujours arriver, le destin est parfois impitoyable.

Christian Klee avait retrouvé tout son sang-froid.

– Vous voulez dire : que se passera-t-il si l'on parvient à tuer Kennedy ? Je suis venu vous dire que ce complot est voué à l'échec. Peu importent l'intelligence et l'audace des assassins. Et si après leur échec nous découvrons la moindre piste qui mène jusqu'à vous, je puis vous assurer que nous vous écraserons. Mais nul besoin d'en arriver là. Je suis un homme raisonnable et je comprends votre position. Ce que je propose, c'est un échange d'informations entre vous et moi, sur une base strictement personnelle. Je ne sais pas ce qu'Audick a pu vous proposer, mais je vous assure qu'il vaut mieux parier sur moi. Si Audick et sa bande remportent la partie, vous êtes de toute façon vainqueur puisqu'il ne saura rien de notre arrangement. Si Kennedy gagne, vous m'avez comme allié. Je suis votre assurance.

Le sultan acquiesça, puis le convia à un somptueux dîner. Au cours du repas, le sultan posa à Klee d'innombrables questions sur Kennedy. Finalement, presque avec hésitation, il demanda des nouvelles de Yabril.

Klee le regarda droit dans les yeux.

– Yabril ne pourra en aucune façon échapper à son sort. Si ses camarades pensent le faire libérer en prenant des otages, même les personnalités les plus importantes, vous pouvez leur faire savoir qu'ils perdent leur temps. Kennedy ne le relâchera jamais.

Le sultan laissa échapper un soupir.

– Votre Kennedy a bien changé. On dirait un fou furieux.

Klee ne releva pas.

– Je crois que vous m'avez convaincu, reprit le sultan avec lenteur. Je pense que vous et moi avons tout intérêt à devenir alliés.

Dès son retour aux États-Unis, Christian Klee se rendit chez l'Oracle. Le vieil homme le reçut dans ses appartements privés, assis dans son fauteuil roulant; devant lui, une table basse avec un service à thé, et un fauteuil confortable pour Christian.

D'un petit signe de la main, l'Oracle lui fit signe de s'asseoir. Christian lui versa une tasse de thé, lui servit une tranche de gâteau et un petit sandwich, et se servit lui-même. L'Oracle avala une gorgée de thé et mâchonna un morceau de gâteau. Ils demeurèrent silencieux pendant un long moment.

L'Oracle s'efforça ensuite de sourire, parvenant à peine à bouger ses vieilles lèvres.

– Tu t'es foutu dans un sacré merdier pour ton ami Kennedy, dit-il.

La grossièreté des propos, qui semblaient sortis tout droit de la bouche innocente d'un enfant, fit sourire Klee. Fallait-il y voir un signe de sénilité? Car l'Oracle, qui s'était toujours exprimé avec la plus grande distinction, utilisait à présent volontiers les mots les plus crus. Il attendit pour répondre d'avoir avalé une gorgée de thé et mangé un sandwich.

– Quel merdier? demanda-t-il. J'ai tellement d'ennuis en ce moment.

– Je parle de cette histoire de bombe atomique, dit l'Oracle. Le reste, je m'en fous. Mais on t'accuse d'être responsable de la mort de milliers de gens. Ils ont rassemblé pas mal d'indices contre toi, semble-t-il, mais je refuse de croire que tu aies été aussi stupide. Inhumain, oui… après tout tu es un homme politique. Dis-moi, tu as vraiment fait ça?

432

Le vieil homme semblait plus curieux qu'indigné.

À qui d'autre avouer? Qui d'autre aurait compris?

– Ce qui me sidère, dit Klee, c'est la rapidité avec laquelle ils sont remontés jusqu'à moi.

– L'esprit humain comprend instantanément le mal, dit l'Oracle. Tu es surpris parce qu'il y a une certaine innocence chez celui qui commet une mauvaise action. Il croit que ce qu'il a fait est si terrible qu'aucun autre être humain ne pourra le deviner. Mais c'est la première chose à laquelle les gens pensent. Ce n'est pas le mal qui est mystérieux, c'est l'amour.

Il voulut ajouter quelque chose mais se ravisa et s'enfonça dans son fauteuil, les yeux mi-clos.

– Il faut que tu comprennes, dit Klee, qu'il est plus facile de laisser quelque chose se produire que de le faire effectivement. Il y avait la crise, Francis allait être suspendu par le Congrès. Alors, en une fraction de seconde, comme ça, je me suis dit que si cette bombe explosait ça pourrait tout changer. C'est à ce moment-là que j'ai dit à Peter Cloot de ne pas interroger Gresse et Tibbot. J'avais le temps de le faire moi-même. Toute cette histoire s'est échafaudée comme ça, en une seconde.

– Sers-moi encore une tasse de thé et donne-moi un autre morceau de gâteau, dit l'Oracle.

Il enfourna le morceau de gâteau dans sa bouche, laissant des miettes sur ses lèvres minces.

– Oui ou non, as-tu interrogé Gresse et Tibbot avant que la bombe n'explose? reprit l'Oracle. T'ont-ils donné les renseignements nécessaires et n'as-tu rien fait?

Klee soupira.

– Ce n'étaient que des gamins. En cinq minutes je leur ai fait cracher le morceau. C'est pour ça que je ne voulais pas que Cloot assiste à l'interrogatoire. Mais je ne voulais pas que cette bombe explose. Ça s'est passé si vite...

L'Oracle se mit à rire. C'était un rire curieux, même chez un homme si vieux, une série de grognements sourds.

– Tu racontes des conneries, dit l'Oracle. Tu avais déjà décidé de laisser exploser cette bombe. Avant de dire à Cloot de ne pas les interroger. Ça ne s'est pas passé en une seconde, tu avais tout préparé.

Klee demeura interdit. Ce que disait l'Oracle était vrai.

– Et tout ça pour sauver ton héros, Francis Kennedy, reprit l'Oracle. L'homme qui ne peut pas faire le mal, sauf quand il met le feu à la planète.

L'Oracle avait posé une boîte de fins Havane sur la table basse ; Klee en prit un et l'alluma.

– Tu as eu de la chance, dit l'Oracle. Les gens qui ont été tués ne valaient pas grand-chose. Des ivrognes, des sans-abri, des assassins. Et finalement, dans l'histoire de l'humanité ça n'est pas un si grand crime que ça.

– Francis m'a donné le feu vert, dit Klee.

En entendant ces mots, l'Oracle appuya sur un bouton de son fauteuil, et le dossier se redressa.

– Ah bon, le président ? Ce saint homme ? Il est beaucoup trop victime de sa propre hypocrisie, comme tous les Kennedy. Il n'aurait jamais pu tremper dans une telle affaire.

– Peut-être que je cherche seulement à me donner des excuses, dit Klee. Il n'a rien dit explicitement. Mais je connais Francis de façon intime, nous sommes presque comme des frères. Je lui ai demandé de signer l'ordre d'exploration cérébrale de ces deux types. Ça aurait réglé immédiatement ce problème de bombe atomique. Mais Francis a refusé de signer cet ordre. Oh, bien sûr, il avait d'excellentes raisons pour ça : des raisons humanitaires, les libertés individuelles. Ça, ça cadrait bien avec sa personnalité. Du moins avec celle qui était la sienne avant l'assassinat de sa fille. Pas après. Et ça, ça s'est passé après. Souviens-toi qu'à l'époque il avait déjà donné l'ordre de détruire Dak. Il avait menacé de raser un pays entier si les otages n'étaient pas libérés. Sa personnalité avait donc changé. L'homme nouveau qu'il était devenu aurait dû signer cet ordre d'interrogatoire médical. Et quand il a refusé de signer, il m'a lancé un regard, je ne peux pas te le décrire, mais c'était comme s'il me disait de laisser faire.

L'Oracle semblait à présent en pleine possession de ses moyens.

– Tout ça n'a aucune importance, dit-il sèchement. Ce qui importe c'est que tu arrives à t'en tirer. Si Kennedy n'est pas réélu, tu risques de passer des années en prison. Et même si Kennedy est réélu, tout danger n'est pas écarté.

– Kennedy gagnera les élections, dit Klee. Et après ça, moi je serai tranquille… Je le connais.

– Tu connais l'ancien Kennedy, rétorqua l'Oracle.

Puis, comme si le sujet avait cessé de l'intéresser, il ajouta :

– Et ma fête d'anniversaire ? J'ai cent ans et tout le monde s'en fout.

Christian Klee se mit à rire.

– Moi je ne m'en fous pas. Ne t'inquiète pas. Après les élections tu auras droit à ta réception dans le jardin des roses de la Maison-Blanche. Ce sera l'anniversaire d'un roi.

L'Oracle sourit de plaisir, puis dit d'un air sournois :

– Mais le roi ça sera ton Kennedy. Tu sais, n'est-ce pas, que s'il est réélu et qu'il réussisse à faire élire ses candidats au Congrès, il deviendra de fait un dictateur ?

– C'est parfaitement invraisemblable, dit Klee. Il n'y a jamais eu de dictateur dans ce pays. Nous avons des garde-fous… je me dis même parfois qu'il y en a trop.

– Ce pays est encore neuf, dit l'Oracle. Nous avons le temps. Et le diable prend parfois des aspects bien séduisants.

Ils demeurèrent silencieux un long moment, puis Klee se leva, prêt à partir. Au moment de se quitter, ils s'effleurèrent les mains ; l'Oracle était trop fragile pour une véritable poignée de main.

– Sois prudent, dit l'Oracle. Quand un homme parvient au pouvoir absolu, il se débarrasse en général des gens les plus proches de lui, ceux qui connaissent ses secrets.

22

Henry Tibbot et Adam Gresse furent remis en liberté par un juge fédéral.

Le gouvernement ne contesta pas le caractère illégal de leur arrestation. Le gouvernement ne contesta pas l'absence de mandat d'arrêt. Les avocats de Gresse et Tibbot avaient exploité toutes les failles juridiques.

Aux États-Unis, les gens étaient fous de rage. On blâmait le gouvernement Kennedy, on maudissait le système judiciaire. Dans les rues, des manifestants réclamaient en hurlant la mort de Gresse et Tibbot. Des milices privées se constituèrent pour appliquer la justice populaire.

Gresse et Tibbot se réfugièrent en Amérique du Sud, dans une retraite dorée offerte par leurs riches parents.

Deux mois avant la date fatidique, les sondages montraient que si Kennedy avait toutes les chances de remporter les élections, il ne pouvait en revanche espérer faire élire tous ses candidats au Congrès.

D'autres problèmes avaient surgi : un scandale mettant en cause la maîtresse de Dazzy ; la rumeur insistante selon laquelle le ministre de la Justice avait délibérément laissé exploser la bombe atomique ; le scandale provoqué par Canoo et Klee qui avaient utilisé les fonds du conseiller militaire pour financer les services secrets.

Et peut-être Francis Kennedy lui-même était-il allé trop loin. Les États-Unis n'étaient pas prêts pour ce socialisme à sa manière. Les Américains ne voulaient pas être égaux, ils voulaient être riches. Presque tous les États organisaient des loteries dotées de prix allant jusqu'à plusieurs millions de dollars. Les acheteurs de billets de loterie étaient plus nombreux que les électeurs qui se déplaçaient pour les élections nationales.

Le pouvoir des députés et des sénateurs en place semblait inébranlable. L'État fédéral payait les membres de leur cabinet. Les grandes entreprises leur allouaient des sommes énormes, dont ils se servaient pour inonder les télévisions de spots publicitaires magnifiquement réalisés. En leur qualité d'élus de la nation, ils passaient à la télévision et s'exprimaient dans les journaux, se faisant ainsi connaître d'un public de plus en plus vaste.

En organisant cette campagne de presse avec l'habileté diabolique d'un empoisonneur de la Renaissance, Lawrence Salentine était devenu de fait la figure dirigeante du club Socrate.

Kennedy étudia avec attention le rapport de son cabinet particulier expliquant comment ses propres candidats au Congrès ne seraient probablement pas élus. L'idée qu'il allait à nouveau se retrouver dans la position du chef impuissant eut sur lui un effet directement physique. Il en était malade. Et surtout, une rage incontrôlée s'empara de lui. Honteux de s'être laissé ainsi submerger par ses émotions, il tenta de retrouver la maîtrise de lui-même et se plongea dans les plans secrets que lui soumettait Christian Klee.

Il remarqua tout d'abord que Christian lui avait

transmis ce rapport directement, sans passer par son cabinet. Il avait eu raison. Les informations que lui transmettait Klee étaient effrayantes, mais le plus extraordinaire, c'était la façon dont il entendait régler le problème.

Cela impliquait de sacrifier un principe moral. Alors, en toute lucidité, parfaitement conscient du prix à payer, Kennedy griffonna son accord sur le dossier.

Le 3 septembre, Christian Klee se présenta au bureau de la vice-présidente sans avoir été annoncé. Par précaution, avant d'annoncer à la secrétaire particulière de Helen Du Pray qu'il venait pour une affaire extrêmement urgente, il avait donné des instructions spéciales au chef du service de sécurité de la vice-présidente.

Helen Du Pray fut stupéfaite de le voir ; faire irruption ainsi dans son bureau sans autorisation et sans même l'en avoir avertie était contraire à toutes les règles du protocole. Elle était pourtant trop intelligente pour s'en offusquer ouvertement. Christian Klee n'avait pu manquer à ce point au protocole que pour une raison extrêmement grave.

Klee ressentit immédiatement son inquiétude.

– Ne vous inquiétez pas, dit-il, mais le président court en ce moment un très grand danger. Nous avons dû interdire l'accès à vos bureaux. Il vaudrait mieux que vous ne répondiez pas au téléphone et que vous traitiez directement avec les membres de votre cabinet. Je resterai à vos côtés toute la journée.

Helen Du Pray comprit aussitôt que quels que fussent les événements, elle n'assumerait pas les fonctions présidentielles, et que c'était là la véritable raison de la présence de Christian Klee.

– Si le président est menacé, dit-elle, pourquoi rester avec moi ? (Mais sans attendre la réponse, elle ajouta :)

Il faut que je discute de cela avec le président. Personnellement.

– Il assiste à un banquet politique à New York, dit Klee.

– Je le sais.

Klee consulta sa montre.

– Le président doit vous appeler dans une demi-heure environ.

Lorsque la vice-présidente reçut l'appel, une demi-heure plus tard, Klee étudia son visage. Elle ne sembla manifester aucune surprise et ne posa que deux questions. Klee se sentit rassuré : elle n'allait leur causer aucun problème. Elle fit alors quelque chose qu'il ne put s'empêcher d'admirer, d'autant que les vice-présidents sont d'ordinaire d'un tempérament effacé. Elle demanda à Kennedy si elle pouvait parler à Eugene Dazzy. Lorsqu'elle eut Dazzy au bout du fil, elle lui posa quelques questions sur leur emploi du temps pour la semaine à venir. Puis elle raccrocha. Elle avait ainsi vérifié si la personne avec qui elle s'entretenait était véritablement Kennedy, bien qu'elle eût reconnu sa voix. Aux questions qu'elle avait posées à Dazzy, seul ce dernier aurait pu répondre. Personne n'avait contrefait la voix du président.

– Le président m'a avertie que vous alliez vous servir de mon bureau comme poste de commandement, dit Helen Du Pray d'une voix glaciale, et que je devais me conformer à vos instructions. Je trouve cela absolument stupéfiant. Peut-être pourriez-vous me fournir quelques explications.

– D'abord, je voudrais que vous m'excusiez pour tout cela, dit Klee. Ensuite, si vous pouviez me faire apporter du café, je vous expliquerais tout. Vous en saurez autant que le président sur cette affaire.

Ce n'était pas faux, mais un peu insuffisant. Elle n'en saurait pas autant que Klee lui-même.

Helen Du Pray se mit à étudier avec attention le visage de Christian Klee. Elle ne lui faisait pas confiance, il le savait. Mais les femmes ne comprennent rien au pouvoir, elles ne comprennent pas la redoutable efficacité de la violence. Il rassembla toute son énergie pour tenter de la convaincre de sa sincérité. Lorsqu'il eut terminé, une heure plus tard il semblait avoir remporté la partie. Klee se dit que décidément, c'était une femme à la fois magnifiquement belle et intelligente. Dommage qu'elle ne puisse jamais devenir présidente des États-Unis.

Le président Francis Kennedy devait prononcer un discours lors d'un banquet politique dans la salle des congrès de l'hôtel Sheraton ; ensuite il devait descendre de façon triomphale la Ve Avenue et prononcer un nouveau discours près de l'endroit où avait explosé la bombe atomique. L'événement avait été organisé trois mois auparavant et annoncé à grand renfort de publicité. C'était le genre de situation que Christian Klee détestait : le président était trop exposé. Il y avait les cinglés habituels dans la foule, et même les policiers, auxquels Klee ne faisait pas confiance parce qu'ils portaient une arme, et que l'explosion de la criminalité à New York avait complètement démoralisé la police de cette ville.

Klee avait mis sur pied un système de sécurité spécial pour l'occasion. Seul son cabinet particulier au sein des services secrets connaissait dans les moindres détails les déplacements du président et l'effectif exact des forces déployées pour sa protection.

Des équipes spéciales avaient été dépêchées à l'avance. Vingt-quatre heures sur vingt-quatre, elles arpentaient les lieux où devait passer le président et en fouillaient les moindres recoins. Deux jours avant l'arrivée de Kennedy, Klee envoya sur place un millier d'hommes supplémentaires qui devaient se mêler à la foule sur son passage, et former une sorte de ligne Maginot des deux côtés de la Vᵉ Avenue. Cinq cents autres agents des services secrets, lourdement armés, devaient prendre position sur les toits et surveiller le cortège de voitures et les fenêtres donnant sur l'avenue. En outre, le président disposait d'une équipe personnelle de gardes du corps, forte d'une centaine d'hommes. Et puis, bien sûr, il y avait les agents des services secrets régulièrement accrédités comme journalistes, et qui se pressaient sur le passage du cortège avec leurs appareils photo et leurs caméras de télévision.

Et Christian Klee avait d'autres atouts dans sa manche. En près de quatre années de présidence, il y avait eu cinq tentatives d'assassinat. Aucune n'avait connu ne serait-ce qu'un début de réalisation. Ces apprentis assassins étaient des fous, bien sûr, et se trouvaient à présent derrière les barreaux, dans les prisons fédérales les plus dures. Et Klee avait fait en sorte qu'ils y retournent aussitôt si par malheur ils arrivaient à sortir. Il était impossible de jeter en prison tous les fous qui aux États-Unis menaçaient de tuer le président – par lettre, par téléphone, secrètement, en le hurlant dans les rues – mais Christian Klee s'était débrouillé pour leur rendre la vie impossible, en sorte qu'ils avaient trop à faire pour songer à leur grandiose projet. Il fit surveiller leur courrier et leur téléphone, il les fit suivre et fit éplucher leurs déclarations fiscales. S'ils crachaient sur le trottoir, ils étaient sûrs d'avoir des ennuis.

Lorsque le 3 septembre le président Francis Xavier Kennedy prononça son allocution au centre des congrès du Sheraton de New York, des centaines d'hommes des services secrets étaient disséminés parmi l'audience, et les portes furent fermées après son entrée.

Ce même 3 septembre, Annee alla faire des courses

sur la Ve Avenue. Au cours de ces trois semaines aux États-Unis, elle avait réussi à tout organiser. Elle avait donné tous les coups de téléphone nécessaires, et avait rencontré les deux équipes de tueurs qui avaient gagné les États-Unis comme marins à bord des pétroliers de Bert Audick. Ces hommes étaient installés dans deux appartements où se trouvaient également entreposées les armes acheminées par une équipe logistique qui n'était pas au courant de l'action.

Annee ne pouvait pas savoir que le FBI interceptait toutes ses conversations téléphoniques, et que le moindre de ses mouvements était surveillé. Et que Christian Klee avait lu personnellement la transcription de ses communications téléphoniques.

Mais ce qu'elle n'avait confié à personne, c'était sa décision de transformer cette mission en opération-suicide.

Comme il est étrange, se disait Annee, d'aller faire des emplettes quatre heures seulement avant la fin de sa vie.

Sal Troyca et Elizabeth Stone travaillaient d'arrache-pied dans leur bureau : ils mettaient la dernière main au rapport apportant la preuve que Christian Klee aurait pu empêcher l'explosion de la bombe atomique de New York.

La maison d'Elizabeth Stone ne se trouvait qu'à dix minutes en voiture de leur bureau, en sorte qu'au moment du déjeuner ils passaient souvent deux bonnes heures au lit.

Ce jour-là, une fois au lit, ils oublièrent les soucis qui les accablaient. Une heure plus tard, Elizabeth se leva et alla prendre une douche, tandis que Sal, encore nu, traînait au salon. D'un geste machinal il ouvrit la télévision, et demeura un instant pétrifié devant le spectacle qui s'offrait à lui. Puis il se rua dans la salle de bains, tira

Elizabeth de sa douche et l'amena, ruisselante, dans le salon.

Quand elle eut compris ce qui se passait, Elizabeth se mit à pleurer. Sal la prit dans ses bras.

– Nos ennuis sont finis, dit-il. Il vaut mieux voir les choses de cette manière.

Les discours du 3 septembre devaient constituer les moments forts de la campagne électorale du président Francis Kennedy.

D'abord, le banquet au centre des congrès de l'hôtel Sheraton, sur la 58e Rue. Là, le président devait s'adresser aux notables de la ville, aux personnalités influentes. Le prix acquitté par les convives devait alimenter le fonds destiné à la reconstruction des huit pâtés de maisons détruits par la bombe atomique. Un architecte avait bénévolement dessiné les plans d'un grand monument qui devait occuper une partie de la zone sinistrée, et le reste devait être transformé en un petit parc avec un lac. La municipalité avait acheté le terrain.

Après le banquet, le cortège officiel, en voiture, devait descendre les VIe et Ve Avenues jusqu'à l'emplacement de Times Square. Là, le président Kennedy poserait la première pierre du monument commémoratif.

En sa qualité de commanditaire du banquet, Louis Inch avait pris place sur l'estrade avec le président Kennedy, et s'attendait à l'accompagner jusqu'à sa voiture, bénéficiant ainsi de la couverture des journaux et de la télévision. Mais à sa grande surprise, il fut bloqué par les gardes du corps des services secrets qui formaient un véritable filet autour du président. Lorsque Kennedy eut disparu par une porte dérobée, Inch s'aperçut que toutes les issues étaient bloquées.

Dehors, dans les rues, la foule était immense. Les hommes des services secrets avaient dégagé les lieux, réussissant à ménager un espace d'une trentaine de mètres autour de la limousine présidentielle. Au-delà du cordon de sécurité, c'était la police qui était chargée de canaliser la foule. Dès que les premiers gardes du corps sortirent de l'hôtel, les journalistes qui se trouvaient à la lisière du périmètre de sécurité se précipitèrent en avant. Curieusement, il y eut alors un quart d'heure d'attente.

Le président finit par apparaître, protégé des caméras de télévision par ses gardes du corps, et se précipita en direction de sa voiture. À cet instant précis, une sanglante chorégraphie explosa sur l'avenue.

Six hommes bousculèrent le cordon de policiers et se ruèrent vers la limousine blindée du président. Une seconde plus tard, un autre groupe de six hommes jaillit de l'autre côté du périmètre de sécurité et ouvrit le feu à l'arme automatique sur les cinquante hommes des services secrets.

Presque au même moment, huit voitures pilèrent au milieu de l'espace dégagé ; des agents des services secrets vêtus de gilets pareballes, armés de fusils d'assaut et de mitraillettes en jaillirent et prirent les attaquants à revers. Ils tirèrent avec précision, par courtes rafales, et quelques instants plus tard, les douze assaillants gisaient sur le sol. La limousine présidentielle démarra en rugissant, suivie par les voitures des services secrets.

Au même moment, Annee se jeta devant la limousine présidentielle, ses deux sacs Bloomingdale à la main. La limousine tenta en vain de l'éviter, et Annee fit exploser les deux puissantes bombes contenues dans ses sacs. La voiture du président fut soulevée à près de trois mètres de hauteur et retomba dans une gerbe de flammes. La puissance de l'explosion fut telle que tous ses occupants furent déchiquetés. Il ne resta rien d'Annee sinon quelques lambeaux de papier de ses sacs aux couleurs gaies.

Le cadreur eut le réflexe de balayer la scène avec sa caméra de télévision. Des milliers de gens s'étaient jetés à terre lorsque la fusillade avait éclaté, et étaient toujours prostrés, comme implorant le pardon d'un Dieu impitoyable. De cette foule allongée coulaient des ruisseaux de sang, car de nombreux spectateurs avaient été fauchés par les rafales d'armes automatiques ou avaient été tués par l'explosion des bombes. Lorsque le premier choc fut passé, les gens se relevèrent au milieu des cris et de la bousculade, et grâce au cadreur de la télévision, le pays tout entier put partager l'horreur de la scène.

Dans le bureau de la vice-présidente, Christian Klee bondit de sa chaise.

– Mais qu'est-ce que c'est que ça, nom de Dieu ?

– Qui est le pauvre type qui a pris la place du président ? demanda Helen Du Pray d'un ton acerbe en contemplant l'écran de télévision.

– L'un de mes agents des services secrets, répondit Klee. Mais ils n'étaient pas censés approcher d'aussi près.

Helen Du Pray considérait Klee d'un air glacial. Puis une colère terrible s'empara d'elle.

– Pourquoi n'avez-vous pas tout empêché à temps ? hurla-t-elle. Pourquoi n'avez-vous pas évité cette tragédie ? Il y a des gens qui sont morts dans les rues, alors qu'ils étaient venus voir leur président ! Et vous avez sacrifié la vie de vos hommes ! Je vous jure que je demanderai des explications sur votre conduite au président et à une commission d'enquête du Congrès.

– Vous ne savez pas de quoi vous parlez, lança Klee. Savez-vous combien de menaces reçoit chaque jour le président ? Si nous devions tenir compte de tout, le président serait prisonnier à la Maison-Blanche.

– Pourquoi avoir utilisé un sosie cette fois-ci, précisément ? demanda-t-elle. C'est une mesure tout à fait inhabituelle. Et si c'était si sérieux que ça, pourquoi avez-vous laissé le président se rendre à New York ?

— Lorsque vous serez présidente, vous aurez le droit de me poser ces questions-là, rétorqua sèchement Klee.

— Où est Francis, à présent ?

Klee l'observa un instant, comme s'il n'avait pas l'intention de lui répondre.

— Il est en route pour Washington, finit-il par dire. Nous ne connaissons pas exactement l'étendue du complot, alors nous avons pensé qu'il valait mieux qu'il soit ici. Il est en sécurité.

— Oh, mais je sais qu'il est en sécurité, dit Helen Du Pray d'un ton sardonique. J'imagine que vous avez averti les membres de son cabinet, mais quand avertirez-vous le peuple ? Quand les gens sauront-ils que le président est en vie ?

— Dazzy a déjà tout arrangé. Le président parlera à la télévision dès qu'il aura mis le pied à la Maison-Blanche.

— Cela fait une longue attente. Pourquoi ne pas avertir la presse tout de suite et rassurer les gens ?

— Parce que nous ne savons pas exactement ce qui se passe là-bas, répondit Klee, apparemment radouci. Et puis ça ne fera peut-être pas de mal au public américain de s'inquiéter un peu pour lui.

Helen Du Pray eut l'impression d'avoir tout compris. Klee aurait pu empêcher dès le début cette tentative d'assassinat. Klee était un personnage méprisable. Elle se rappela alors brusquement l'accusation que l'on avait lancée contre lui à propos de la bombe atomique. Cette accusation ne pouvait être que fondée.

Alors, désespérée, elle comprit que Klee n'aurait jamais pu agir de la sorte sans l'assentiment du président Francis Kennedy.

23

La tentative d'assassinat propulsa Kennedy au sommet des sondages. En novembre, Francis Xavier Kennedy fut réélu président des États-Unis. Ce fut un tel raz de marée électoral, que la plupart de ses candidats furent également élus à la Chambre des représentants et au Sénat. Le président avait enfin un Congrès à sa dévotion.

Avant sa prise de fonctions, qui devait avoir lieu en janvier, le président mit son gouvernement et ses conseillers au travail : il s'agissait de préparer les projets de loi que le nouveau Congrès ne manquerait pas de voter. Les journaux et la télévision lui apportaient un soutien inattendu en répandant l'idée que Gresse et Tibbot étaient liés à Yabril et à la dernière tentative d'assassinat contre le président. Ces suppositions faisaient également les gros titres des magazines.

Lorsque Kennedy soumit à ses conseillers ses projets révolutionnaires de transformation de la société et de l'État, ils furent secrètement horrifiés. Les grandes sociétés devraient être sévèrement limitées dans leurs activités par des organismes gouvernementaux aux pouvoirs étendus. Les sociétés seraient désormais soumises à des poursuites pénales au lieu des simples actions civiles. Le résultat le plus clair c'était qu'elles pourraient être accusées d'atteinte à la sûreté de l'État. Kennedy avait même explicitement cité les noms de Greenwell, Inch, Audick et Salentine.

Kennedy souligna que le meilleur moyen de gagner le soutien de l'opinion publique pour ces mesures était d'éradiquer le crime. À cet effet, la Constitution serait amendée pour que les criminels pussent être punis de façon infiniment plus rigoureuse. Non seulement les règles d'administration de la preuve devraient être modifiées, mais l'épreuve du détecteur cérébral de mensonges serait rendue obligatoire dans les affaires criminelles.

Mais la proposition la plus révolutionnaire était celle prévoyant la création de colonies pénitentiaires en Alaska pour les personnes ayant commis leur troisième infraction pénale. Dans les faits, cela devait se traduire par des peines d'emprisonnement à perpétuité.

— Je veux que vous étudiiez ces propositions, déclara Kennedy aux membres de son cabinet particulier. Si vous n'êtes pas d'accord, et bien que ce soit difficile pour moi, je suis décidé à accepter votre démission. J'entends que vous me répondiez d'ici trois jours.

Avant l'expiration de ce délai, Oddblood Gray demanda une audience privée au président. Ils se retrouvèrent pour le déjeuner dans le salon ovale.

Gray se montra très protocolaire, faisant délibérément abstraction de sa relation passée avec Kennedy.

— Monsieur le président, je tiens à vous dire que je suis opposé aux mesures de lutte contre la criminalité que vous comptez faire adopter par le Congrès.

— Ces mesures sont nécessaires, répondit gravement Kennedy. Nous avons enfin un Congrès qui adoptera les lois indispensables.

– Je ne peux pas approuver ces camps de travail en Alaska.

– Pourquoi pas ? demanda Kennedy. Il n'y aura que des délinquants multirécidivistes. Il y a plusieurs siècles de cela, l'Angleterre a résolu ce problème en envoyant ses criminels en Australie. Ça a très bien marché pour les deux parties.

Kennedy s'était montré hautain, mais Oddblood Gray n'était nullement intimidé.

– Vous savez bien que la plupart de ces criminels seront Noirs, dit-il avec amertume.

– Alors qu'ils arrêtent de commettre des crimes, rétorqua Kennedy. Qu'ils participent à la vie politique de ce pays.

– Alors que vos grandes sociétés arrêtent d'utiliser les Noirs comme esclaves ! riposta Gray.

– Laissez tomber, Otto. Il ne s'agit pas d'un problème de race. Ces dernières années nous avons travaillé ensemble. Je vous ai prouvé de nombreuses fois que je ne suis pas raciste. Cela dit, vous pouvez me faire confiance ou accorder plutôt votre confiance au club Socrate.

– Sur ce sujet, nous ne faisons confiance à personne.

– Je vais vous dire ce qui se passe en réalité, dit Kennedy presque avec colère. La population noire sera expurgée de ses éléments criminels. Où est le mal ? Les Noirs eux-mêmes en sont les premières victimes. Pourquoi les victimes protégeraient-elles leurs prédateurs ? Otto, il faut que je sois franc. Dans ce pays, les Blancs, à tort ou à raison, ont une peur panique des criminels noirs. Quel mal y aurait-il à ce que la majorité de la population noire s'intègre à la classe moyenne ?

– Ce que vous proposez, c'est d'éliminer la plus grande partie d'une génération de jeunes Noirs. C'est ça, le fond du problème. Moi, je dis non ! (Il demeura un instant silencieux avant d'ajouter :) Disons que je vous fasse confiance, Francis, mais que fera le prochain président ? Il peut utiliser ces camps pour les révolutionnaires.

– Ce n'est pas mon intention, dit Kennedy. Et… je peux rester au pouvoir plus longtemps que vous ne le croyez.

Cette dernière phrase, prononcée avec le sourire, glaça d'effroi Oddblood Gray. Kennedy envisageait-il d'amender la Constitution de façon à pouvoir briguer un troisième mandat ?

– Ça n'est pas si simple, dit Gray.

Puis, s'enhardissant, il ajouta :

– Vous pourriez changer.

Et à cet instant précis, il sentit que Kennedy avait déjà changé. Ils étaient devenus ennemis.

– Ou vous êtes avec moi ou vous ne l'êtes pas, dit Kennedy. Vous m'accusez de vouloir éliminer une génération entière de Noirs. Ça n'est pas vrai. Ils iront dans des camps de travail où on leur apprendra à être disciplinés et à respecter le contrat social. Je serai infiniment plus dur avec le club Socrate. Eux n'auront pas cette possibilité. Je vais les écraser.

Visiblement, Kennedy ne doutait pas de réussir. Jamais Gray n'avait vu le président aussi froid et aussi résolu. Lui-même se sentit faiblir.

– Otto, ne m'abandonnez pas maintenant, dit Kennedy en lui posant la main sur l'épaule. Nous allons bâtir une Amérique plus grande encore.

– Je vous donnerai ma réponse après votre prise de fonctions, dit Gray. Mais c'est terrible pour moi, Francis, ne me trahissez pas. Si mon peuple doit aller se geler les fesses en Alaska, je veux qu'il y ait beaucoup de Blancs qui se gèlent les fesses avec lui.

Le président Kennedy retrouva son cabinet particulier dans la salle du Conseil. La vice-présidente et le Dr Annaccone avaient également été invités. Kennedy savait qu'il devait faire preuve de la plus grande prudence : tous ces gens le connaissaient bien, en aucun cas il ne devait les laisser deviner ses intentions réelles.

– Le Dr Annaccone a une communication à vous faire qui va, j'en suis sûr, beaucoup vous étonner, déclara Kennedy en guise d'introduction.

Kennedy écouta distraitement le Dr Annaccone expliquer que le nouveau test TVP (dénommé désormais TEP) avait été perfectionné de façon à ce que les 10 % de risques d'arrêt cardiaque et de perte complète de la mémoire fussent réduits à 0, 1 %. Kennedy sourit faiblement lorsque Helen Du Pray s'indigna qu'un citoyen pût être contraint par la loi de se soumettre à un tel détecteur de mensonges. Il s'attendait à une telle réaction de sa part. Il sourit également lorsque le Dr Annaccone eut l'air blessé ; le docteur était trop savant pour être sensible à ce point.

Mais il goûta moins que Gray, Wix et Dazzy exprimassent leur accord avec la vice-présidente. En revanche, comme il l'avait prédit, Christian Klee demeura silencieux.

Tous les regards se tournèrent vers Kennedy. Il allait devoir les convaincre de la justesse de sa position.

– Je ne méconnais pas toutes ces difficultés, commença-t-il lentement. Mais je suis déterminé à faire rentrer ce test dans notre législation. Je sais qu'il y a encore des dangers, bien que minimes, mais le Dr Annaccone m'a certifié qu'avec les progrès de la recherche, ces dangers disparaîtront totalement. Cela dit, ce test scientifique va révolutionner notre société. Quelles que soient les difficultés, nous les surmonterons.

– Le Congrès n'adoptera pas une telle loi, dit tranquillement Annaccone.

– Nous ferons en sorte qu'il l'adopte, répondit Kennedy d'un air sombre. D'autres pays l'utiliseront. D'autres services de renseignements l'utiliseront. Il faut que nous le fassions aussi.

Et en riant, il ajouta à l'adresse d'Annaccone :

– Il va falloir que je diminue votre budget. Vos découvertes créent beaucoup de difficultés à tout le monde, et vont mettre tous les avocats au chômage. Mais grâce à ce test, aucun innocent ne sera plus jamais condamné injustement.

Il se leva et s'approcha alors des portes-fenêtres donnant sur le jardin des roses.

– Je tiens à montrer à quel point je crois à ce test. Nos ennemis m'accusent d'avoir délibérément laissé exploser cette bombe atomique à New York. Eugene, je veux que vous organisiez les choses avec le Dr Annaccone. Je veux être le premier à subir ce test TEP. Immédiatement. Réunissez les témoins, et réglez toutes les formalités administratives.

Il adressa un sourire à Klee.

– On me posera la question : «Êtes-vous en quoi que ce soit responsable de l'explosion de la bombe atomique à New York ? » Et je répondrai. (Il s'interrompit un instant avant de reprendre.) Je subirai le test, et le ministre de la Justice le subira également. Vous êtes d'accord, Christian ?

– Bien sûr, répondit Klee d'un ton plaisant qui sonnait faux. Mais vous d'abord.

À l'hôpital Walter Reed, la suite réservée pour le président Kennedy possédait une salle de conférences où se retrouvèrent, outre Kennedy lui-même, Arthur Wix, Oddblood Gray, Eugene Dazzy, Helen Du Pray, Alfred Jintz, Thomas Lambertino, et trois médecins chargés de pratiquer l'exploration cérébrale et d'en interpréter les résultats. Le Dr Annaccone expliqua le déroulement de l'opération.

Le Dr Annaccone prépara ses diapositives et alluma le projecteur.

– Ce test, comme certains d'entre vous le savent déjà, permet de détecter le mensonge de façon infaillible en mesurant l'activité de certaines substances chimiques dans le cerveau. Cela a été rendu possible par le perfectionnement de la tomographie des émissions de positrons, d'où le nom de TEP donné à ce procédé. Ce procédé a été utilisé pour la première fois, mais de façon limitée, à la faculté de médecine de Saint Louis. À cette occasion, on a réalisé des diapositives d'un cerveau humain en activité.

Les images se succédèrent sur le grand écran blanc disposé devant eux. Tandis que les patients lisaient, parlaient ou écoutaient, différentes zones du cerveau se paraient de brillantes couleurs. Il en allait de même lorsqu'ils réfléchissaient à la signification d'un mot.

– En résumé, expliqua le Dr Annaccone, avec le TEP, le cerveau parle en différentes couleurs. Lors de la lecture, une zone s'illumine à l'arrière du cerveau. Au milieu du cerveau, se détachant sur le fond bleu sombre, vous pouvez voir apparaître une tache blanche irrégulière avec une petite goutte de rose et un filament bleu. Ça, ça apparaît lorsque le sujet parle. Dans la partie avant du cerveau, une tache similaire s'éclaire lors du processus de pensée. Par-dessus ces images, nous avons imprimé une image de l'anatomie du cerveau en résonance magnétique. Tout le cerveau est désormais transformé en lanterne magique.

Le Dr Annaccone promena le regard autour de lui pour voir si tout le monde le suivait.

– Vous voyez cette tache qui est en train de changer, au milieu du cerveau ? reprit le médecin. Lorsqu'un sujet ment, la quantité de sang qui irrigue le cerveau est plus importante, ce qui induit dès lors une image différente.

Au centre de la tache blanche, on apercevait à présent un cercle rouge au milieu d'une zone jaune plus large, aux contours irréguliers.

– Lorsque nous ferons passer le test au président, dit le Dr Annaccone, c'est cette tache rouge au centre de la zone jaune qu'il faudra surveiller.

Le médecin se tourna alors vers Kennedy.

– Nous allons à présent nous rendre dans la salle d'examen.

Dans la salle aux murs recouverts de plomb, Francis Kennedy s'allongea sur une table froide et dure. Derrière lui, un long cylindre métallique. Lorsque le Dr Annacone lui posa sur le visage un masque en plastique, Kennedy éprouva un sentiment de frayeur. Il détestait avoir le visage recouvert. On lui attacha également les bras le long du corps. Puis le Dr Annaccone fit glisser la table à l'intérieur du cylindre. L'appareil était plus étroit qu'il n'y paraissait, il y faisait noir. Tout était silencieux. Il était à présent entouré par un anneau de cristaux radio-actifs.

Kennedy entendit alors la voix du Dr Annaccone lui enjoignant de regarder la croix blanche qui se trouvait directement devant ses yeux.

– Vous devez garder les yeux fixés sur cette croix, répéta le médecin.

Dans une salle située cinq étages plus bas, au rez-de-chaussée de l'hôpital, on avait préparé un tube pneumatique contenant une seringue.

Lorsque l'ordre parvint de la salle d'examen, le tube fut envoyé, telle une fusée, dans les conduits dissimulés dans les murs.

Le Dr Annaccone ouvrit le tube, prit la seringue et

s'approcha du scanner TEP. Lointaine, comme un écho, Kennedy entendit la voix du médecin: «L'injection.» Puis une aiguille s'enfonça dans son bras.

Depuis la pièce entièrement vitrée, les proches du président n'apercevaient que ses pieds. De retour parmi eux, le Dr Annaccone brancha l'écran de l'ordinateur de façon à ce que chacun pût observer le cerveau de Kennedy en activité. On vit les traceurs circuler dans le circuit veineux, l'émission des positrons, les particules d'antimatière entrer en collision avec les électrons en produisant des explosions de rayons gamma.

Le sang radioactif irriguait le cortex visuel, créant des courants de rayons gamma immédiatement piégés par l'anneau de détecteurs radioactifs. Pendant tout ce temps-là, comme on le lui avait dit, Kennedy gardait les yeux fixés sur la croix blanche.

Puis, grâce au haut-parleur installé directement dans le scanner, Kennedy entendit les questions que lui posa le Dr Annaccone.

– Quel est votre nom?

– Francis Xavier Kennedy.

– Quelle est votre fonction?

– Président des États-Unis.

– Avez-vous de quelque façon fait en sorte que la bombe atomique explose à New York?

– Non.

– Possédiez-vous la moindre information qui vous aurait permis d'empêcher que cette bombe explose?

– Non.

À l'intérieur du cylindre noir, ses mots semblaient retomber comme le vent sur son visage.

Le Dr Annaccone observa l'écran de l'ordinateur au-dessus de lui.

On apercevait les masses bleues du cerveau logées à l'intérieur de la boîte crânienne.

Les membres du cabinet présidentiel observaient l'écran avec appréhension.

Mais aucune tache jaune, aucun cercle rouge n'apparut.

– Le président dit la vérité, dit le Dr Annaccone.

Christian Klee sentit ses genoux se dérober sous lui. Il savait qu'il ne pourrait passer un tel test.

24

– Je ne comprends pas comment il a fait pour le passer, dit Klee.

L'Oracle répondit avec un mépris qui lui était peu coutumier, en raison de son grand âge et de sa faiblesse.

– Ainsi, notre civilisation possède désormais un test infaillible, un test scientifique capable de déterminer si un homme dit ou non la vérité ! Et le premier qui se soumet à ce test ment et s'en sort haut la main ! «Nous pouvons désormais séparer à coup sûr l'innocent du coupable !» Quelle blague ! Les hommes et les femmes n'arrêtent pas de se mentir. J'ai cent ans et je ne sais toujours pas si ma vie a été placée sous le signe du mensonge ou de la vérité.

Klee avait allumé le cigare offert par l'Oracle, et la fumée qui entourait le visage du vieillard le faisait ressembler à un masque de cire dans un musée.

– J'ai laissé exploser cette bombe, déclara Klee. Je suis responsable de ça, et lorsque je passerai le test TEP, je le saurai et le scanner aussi. Mais je croyais avoir compris Kennedy mieux que personne. J'avais toujours su lire en lui. Il ne voulait pas que j'interroge Gresse et

Tibbot. Il voulait que cette bombe explose. Alors comment a-t-il fait pour passer victorieusement le test ?

– Si le cerveau était aussi simple que ça, c'est nous qui serions trop simples pour le comprendre, dit l'Oracle. C'est ça l'habileté de ton docteur Annaccone, et la réponse à ta question est là aussi. Le cerveau de Kennedy a refusé de reconnaître sa culpabilité. Donc, l'ordinateur du scanner en déduit qu'il est innocent. Mais toi et moi on sait la vérité, parce que je crois ce que tu me dis. Cela dit, même dans son propre cœur, il est innocent à jamais.

– Moi, à la différence de Kennedy, je suis coupable à jamais.

– Allez, du courage, dit l'Oracle. Tu n'as tué que dix ou vingt mille personnes. Ton seul espoir c'est de refuser de passer le test.

– J'ai promis à Francis que je le subirais. Et les médias vont se déchaîner contre moi si je refuse.

– Mais alors pourquoi as-tu accepté de le passer ?

– Je pensais que Francis bluffait, dit Klee. Je croyais qu'il n'était pas capable de subir le test victorieusement et qu'il reculerait. Voilà pourquoi j'ai insisté pour qu'il le passe le premier.

L'Oracle montra son agacement en mettant en marche le moteur de sa chaise roulante.

– Grimpe en haut de la statue de la Liberté ! Fais valoir tes droits civils, ta dignité humaine ! Tu t'en sortiras. Personne n'a envie de voir une science aussi diabolique transformée en instrument légal.

– Bien sûr, dit Klee. C'est ça qu'il faut que je fasse. Mais Francis saura que je suis coupable.

– Christian, si au cours du test on te demandait si tu es un criminel, que répondrais-tu, en toute franchise ?

Klee rit de bon cœur.

– Je répondrais que non, que je ne suis pas un criminel. Et je m'en sortirais. C'est ça qui est drôle.

Avec reconnaissance, il étreignit l'épaule de l'Oracle.

– Je n'oublie pas ta fête d'anniversaire.

Ce fut la vice-présidente qui réagit le plus promptement et le plus vigoureusement à la déclaration de Klee.

– Vous rendez-vous compte que si vous refusez de passer ce test vous devrez démissionner, et que cette reculade va faire un tort considérable à tout le gouvernement ?

– Je ne vois pas du tout les choses comme ça, répondit Klee. Dois-je accepter que des types comme Annaccone fouillent dans mon cerveau, simplement pour garder mon ministère ? Ou alors pensez-vous que je suis réellement coupable ?

Il lut la réponse dans les yeux de Helen Du Pray, et se dit que jamais il n'avait eu face à lui de plus beau juge. Sur la défensive, il ajouta :

– La Constitution des États-Unis est clairement rédigée. Je suis libre de refuser de passer un tel test.

– Vous n'êtes pas aussi à cheval sur la Constitution lorsqu'il s'agit des criminels, fit sèchement remarquer Oddblood Gray. Vous êtes prêt à les déporter en Alaska !

– Ah, Otto, vous ne croyez quand même pas que je suis coupable !

Il fut soulagé lorsque Otto répondit :

– Bien sûr que non, mais vous devriez quand même subir le test… ou démissionner.

Klee se tourna vers Wix et Dazzy.

– Et vous deux ? demanda-t-il en souriant.

Ce fut Wix qui répondit le premier.

– Je ne doute pas une seconde que vous soyez innocent, l'accusation lancée contre vous est ridicule. Mais si vous refusez de subir le test de vérité, vous serez coupable aux yeux du public. Et dans ce cas il faudra quitter le gouvernement.

Klee se tourna vers Dazzy.

– Eugene ?

Dazzy avait une dette envers lui, se dit Klee, il n'osait pas le regarder en face.

– Il faut passer ce test, Christian, dit Dazzy. Même si vous démissionnez ça ne sera pas suffisant pour nous protéger. Nous avons déjà annoncé que vous le passeriez, comme vous l'aviez promis. Pourquoi avoir changé d'avis ? Vous n'avez pas peur, quand même ?

– J'ai promis de me montrer loyal envers Francis Kennedy, dit Klee. Maintenant j'ai bien réfléchi et j'estime que le risque est trop grand.

– J'aurais préféré que vous y songiez avant, dit Dazzy en soupirant. Quant à votre démission, j'estime que c'est au président de prendre la décision.

Tous les regards se tournèrent vers Francis Kennedy. Il était pâle comme la mort, et ses yeux d'ordinaire si clairs étaient d'un bleu sombre et intense. Mais curieusement, c'est avec une grande douceur qu'il s'adressa à Klee.

– Christian, puis-je me permettre d'invoquer notre longue amitié pour vous demander de revenir sur votre décision ? J'ai pris le risque de subir ce test parce que je jugeais que c'était important pour le pays et pour notre action politique. Et parce que j'étais innocent. Vous ne m'avez jamais déçu, Christian. Je compte sur vous.

Pendant un instant, Klee éprouva un violent sentiment de haine à l'égard de Francis Kennedy. Comment cet homme pouvait-il se dissimuler à lui-même sa culpabilité ? Et pourquoi sacrifier ainsi son meilleur ami sur l'autel de la vérité ? Mais il parvint à se contenir et répondit avec le plus grand calme.

– Je ne peux pas accepter, Francis.

– Eh bien, c'est entendu. Je ne veux pas que vous démissionniez, je ne veux pas vous voir subir cette indignité. Et maintenant poursuivons notre discussion.

– Faisons-nous une déclaration à la presse ? demanda Dazzy.

– Non, dit Kennedy. En cas de questions, répondez que le ministre de la Justice a la grippe et qu'il subira le test lorsqu'il sera rétabli. Cela nous donne un mois de délai.

– Et dans un mois ? demanda Dazzy.

– À ce moment-là nous en reparlerons.

Le président Kennedy reçut Theodore Tappey, le chef de la CIA, dans le salon jaune et ovale de la Maison-Blanche. L'entrevue eut lieu sans témoins, il n'y eut aucun procès-verbal.

Le président ne perdit pas de temps en civilités.

– Theo, j'ai un gros problème que seuls vous et moi pouvons comprendre. Et vous êtes le seul à pouvoir le résoudre.

– Je ferai de mon mieux, monsieur le président.

Kennedy remarqua la lueur de férocité qui était passée dans ses yeux. Tappey avait senti l'odeur du sang.

– Tout ce qui se dira ici doit demeurer absolument secret ; j'invoque pour cela le privilège de l'exécutif, dit Kennedy. Ceci ne devra être répété à personne, pas même aux membres de mon cabinet particulier.

Tappey comprit alors que l'affaire était de la plus haute importance, car Kennedy mettait son cabinet au courant de la moindre affaire.

– Il s'agit de Yabril, dit-il. Je suis sûr... (Il sourit) je suis certain que vous avez dû y penser vous-même. Yabril passera en procès. Cela réveillera à l'étranger le ressentiment contre les États-Unis. Il sera condamné à la prison à perpétuité. Mais un jour, des terroristes prendront des personnalités en otage, et l'une de leurs exigences sera la libération de Yabril. À ce moment-là je ne serai plus président, et Yabril sera libéré. Alors qu'il sera encore dangereux.

Kennedy crut voir un air de scepticisme passer sur le visage de Tappey, mais il se dit qu'il avait dû se tromper : Tappey avait trop d'expérience pour révéler ainsi ses sentiments. En réalité, le visage de Tappey s'était fermé, avait perdu tout mouvement jusqu'à se rendre impénétrable.

Mais au bout d'un moment il se mit à sourire.

– Vous avez dû lire les rapports que m'a adressés le chef des services de contre-espionnage, dit Tappey. C'est exactement ce qu'il disait.

– Alors comment empêcher tout cela ? demanda Kennedy.

Mais c'était une question de pure forme, et Tappey ne répondit pas.

Kennedy se dit que le moment était venu d'abattre son jeu.

– Je peux persuader Yabril de se soumettre au détecteur cérébral de mensonges, dit Kennedy. Je m'en charge. L'opinion publique a besoin de croire que Yabril était lié à l'affaire de la bombe atomique, et que décidément tout faisait partie du même complot. Nous pourrons laver Christian Klee de tout soupçon et remettre la main sur ces deux gars pour les traduire enfin en justice.

Pour la première fois, Kennedy s'aperçut que Tappey le considérait avec le regard approbateur d'un complice en conspiration. Tappey, il le savait, avait une vue d'ensemble des questions politiques et voyait bien au-delà du moment présent.

– Nous n'avons pas vraiment besoin des réponses de Yabril, n'est-ce pas ? demanda Tappey.

– Non.

– Christian Klee est au courant ?

Ce fut un moment difficile pour Kennedy ; et le plus dur était encore à venir.

– Oubliez Christian Klee.

Tappey acquiesça. Tappey était avec lui. Il comprenait. Tappey considérait à présent Kennedy comme un serviteur regardant un maître sur le point de lui demander un service qui les liera pour la vie.

– J'imagine qu'il ne faut rien mettre par écrit, dit Tappey.

– Non. Je vais vous donner mes instructions dès maintenant, et de vive voix.

– Donnez-moi des instructions précises, dit Tappey. Si... c'est possible, monsieur le président.

Kennedy sourit.

– Le docteur Annaccone n'accepterait jamais de le faire, dit Kennedy. Il y a un an, je n'aurais moi-même jamais songé à faire une chose pareille.

– Je comprends, monsieur le président.

Kennedy savait qu'il ne pouvait hésiter plus longtemps.

– Lorsque Yabril aura accepté de subir le test, il sera pris en charge par la section médicale de la CIA. C'est votre équipe médicale qui fera passer le test.

Il vit le doute se peindre sur le visage de Tappey; le chef de la CIA n'était pas arrêté par des scrupules moraux, mais visiblement il trouvait la chose irréalisable.

– Nous ne parlons pas de meurtre, dit Kennedy avec impatience. Je ne suis ni aussi stupide ni aussi immoral. Et si je voulais faire faire une chose pareille, je m'adresserais à Christian.

Tappey attendait sans mot dire.

– Je vous jure que je vous demande ceci pour le bien du pays, reprit Kennedy. Qu'il soit libre ou en prison, Yabril ne doit plus constituer un danger. Je veux que votre équipe médicale aille jusqu'aux extrêmes limites de l'exploration cérébrale. D'après le Dr Annaccone, c'est à ce moment-là que se produisent les effets secondaires, notamment la perte totale de la mémoire. Un homme sans mémoire, sans croyances et sans convictions est un homme sans danger. Il vivra une existence paisible.

Kennedy reconnut l'éclair qui passa dans les yeux de Tappey : le regard d'un prédateur qui a découvert un de ses semblables qui ne lui cède en rien en férocité.

– Pouvez-vous rassembler une équipe capable de mener à bien une telle opération ?

– Oui, quand je leur aurai expliqué la situation. Ils n'auraient pas été recrutés s'ils n'étaient pas tout dévoués à leur pays.

Quelques heures plus tard, en pleine nuit, Theodore Tappey accompagna Kennedy dans les locaux où Yabril était retenu prisonnier. L'entretien fut court, et là encore le président ne s'encombra pas de civilités. Il alla droit au but.

– Il est très important pour l'Amérique de savoir si oui ou non vous êtes lié à l'affaire de la bombe atomique. Pour dissiper les peurs. Et il est important pour vous de ne pas vous le voir reprocher. Cela dit, il est vrai que vous serez jugé pour vos crimes et que vous serez condamné à la prison à perpétuité. Mais je vous promets que vous serez autorisé à communiquer avec vos amis à l'extérieur. J'imagine qu'ils auront la loyauté d'enlever des otages et d'exiger votre libération. Je serai alors probablement enclin à accepter. Mais je ne pourrai le faire que s'il apparaît que vous n'êtes pour rien dans cette affaire de bombe atomique... Hum... Je vois que vous semblez sceptique.

Yabril haussa les épaules.

– Je trouve votre offre trop généreuse.

Kennedy fit appel à toute son énergie pour faire ce qu'il avait à faire. Il se rappela la façon dont Yabril avait charmé sa fille avant de pointer son arme contre sa nuque. Ce genre de charme ne marcherait pas avec Yabril. Il n'arriverait à le convaincre qu'en le persuadant de sa propre moralité.

– Je fais cela pour que les Américains cessent d'être paralysés par la peur, dit Kennedy. C'est là mon souci principal. Cela dit, croyez-moi, mon plus grand plaisir serait de vous voir finir vos jours en prison. Je ne vous fais cette proposition que par sens du devoir.

– Alors pourquoi faire tant d'efforts pour me convaincre ?

– Il n'est pas dans ma nature d'assumer mes fonctions à la légère, dit Kennedy.

Et il vit que Yabril commençait à le croire, à croire qu'il était animé par une haute idée de sa fonction et de ses responsabilités.

– Vous avez été scandalisé à l'idée qu'on puisse accuser vos camarades d'avoir placé cette bombe. Je vous offre la chance de vous disculper et de disculper vos camarades. Pourquoi ne pas la saisir ? Craignez-vous de ne pas passer le test ? C'est évidemment une possibilité… c'est quelque chose qui me vient à l'esprit à l'instant, mais je n'y crois pas vraiment.

Yabril plongea le regard dans celui de Kennedy.

– Je ne crois pas qu'un homme puisse pardonner ce que je vous ai fait.

Il demeura ensuite silencieux, l'air épuisé. Mais il n'était pas surpris. Faire une telle proposition pour réaliser quelque chose de politiquement immoral, confirmait bien la corruption américaine.

Il ne savait rien de ce qui s'était passé au cours des six derniers mois puisqu'il avait été maintenu totalement au secret. Kennedy poussa son avantage.

– Passer ce test est votre seul espoir de recouvrer un jour la liberté. En admettant que vous en sortiez blanchi, bien entendu.

Kennedy poussa ensuite un profond soupir.

– Je ne vous pardonne pas. Mais je comprends les raisons de votre acte. Je sais que vous avez fait ça pour changer le monde. Comme je le fais maintenant moi-même. Et c'est en mon pouvoir de le faire. Nous sommes différents : je ne peux pas faire ce que vous faites, et vous, n'y voyez aucune marque de mépris, vous n'êtes pas en position de faire ce que je fais en ce moment. Vous laisser partir libre.

Presque avec regret, il vit qu'il avait convaincu Yabril. Il continua d'argumenter, usant de toute son intelligence, de tout son charme, de toute son apparente intégrité morale. Il se montra à Yabril tel qu'il avait été réellement autrefois, tel que Yabril le connaissait. Il sut qu'il avait gagné quand il vit se dessiner sur les lèvres de Yabril un sourire de pitié et de mépris. Il avait gagné sa confiance.

Quatre jours plus tard, après l'exploration cérébrale, Yabril fut à nouveau transféré sous la garde du FBI. Là, il reçut la visite de Francis Kennedy et Theodore Tappey.

Yabril ne portait ni menottes ni camisole. Il était libre de ses mouvements.

Les trois hommes passèrent une heure à deviser devant une tasse de thé et des sandwiches. Kennedy étudia attentivement Yabril. Son visage semblait avoir changé. Il était empreint de beaucoup de sensibilité ; le regard était un peu mélancolique mais plutôt joyeux. Il parla peu mais étudia Kennedy et Tappey comme s'il cherchait à résoudre quelque mystère.

Il semblait satisfait, et paraissait savoir qui il était. Une telle pureté émanait de lui que Kennedy ne put supporter longtemps de le regarder et partit.

La décision touchant Christian Klee fut encore plus pénible à prendre pour Kennedy. Le président convoqua son ministre dans le salon jaune.

– Christian, vous savez qu'en dehors de ma famille, vous avez été la personne la plus proche de moi. Je crois que nous nous connaissons fort bien tous les deux, mieux que quiconque. Vous comprendrez alors que je suis obligé de vous demander votre démission; elle prendra effet après ma prise de fonctions, au moment que je jugerai le plus opportun.

Klee considéra avec effarement le visage souriant devant lui. Comment croire que Kennedy le renvoyait ainsi, sans explications.

– Je sais que j'ai pris quelques libertés çà et là, dit-il calmement. Mais c'était toujours pour vous protéger.

– Vous avez laissé exploser cette bombe atomique, alors que vous auriez pu l'empêcher.

Christian Klee considéra avec froideur la nouvelle situation. Jamais il ne retrouverait sa vieille affection pour Kennedy. Il ne pourrait plus croire en sa propre humanité, ni penser qu'il avait eu raison d'agir comme il l'avait fait. Et brusquement il comprit qu'il ne pourrait jamais supporter ce fardeau. Francis Kennedy devait prendre sa part de responsabilités. Même en privé.

Klee plongea le regard dans ces yeux bleu clair qu'il connaissait si bien, à la recherche d'un peu de pitié.

– Francis, c'est vous qui vouliez que j'agisse ainsi. Nous savions tous les deux que c'était l'unique moyen de vous sauver... et je savais que vous étiez incapable de prendre une telle décision. Vous étiez si affaibli, cela vous aurait détruit. Francis, ne me jugez pas, ne me condamnez pas. Vous auriez été démis de vos fonctions, et vous n'auriez pas pu le supporter. Vous étiez profondément désespéré et j'étais le seul à m'en rendre compte. La mort de votre fille n'aurait pas été vengée. Ils auraient libéré Yabril, les États-Unis auraient été humiliés.

Surpris par l'air impassible de Kennedy, Klee s'interrompit.

– Ainsi vous pensez que je cherchais à me venger, dit Kennedy.

– Pas de Yabril. Peut-être du destin.

– Vous pourrez garder vos fonctions jusqu'à ma prestation de serment. Je vous dois bien ça. Mais vous représentez un danger pour moi, vous serez une cible pour l'opposition. Vous devez quitter le devant de la scène pour que je puisse faire le ménage.

Puis, d'un air pensif, il ajouta :

– Vous avez tort de croire qu'en agissant comme vous l'avez fait vous répondiez à mon désir. Vous avez eu tort de croire que mon action était dictée par un besoin de vengeance.

Christian Klee éprouva brièvement un sentiment de dissociation de la réalité, une angoisse indéfinissable.

– Francis, je vous connais, je vous comprends. Nous avons toujours été comme des frères. J'ai toujours pensé que nous étions réellement des frères. Et je vous ai sauvé comme un frère l'aurait fait. J'ai pris la décision, je porte la culpabilité. La société peut me condamner, mais pas vous… Vous avez besoin de moi, Francis. Et plus encore maintenant avec la nouvelle politique que vous entendez mener. Laissez-moi rester.

Francis Kennedy laissa échapper un long soupir.

– Je ne remets pas en question votre loyauté, Christian. Mais après ma prise de fonctions, il faudra partir. Ma décision est sans appel.

– J'ai fait ça pour vous sauver, dit Klee.

– Mais vous l'avez fait.

Après leur entrevue, Klee songea à cette journée de décembre, quatre ans auparavant, où Kennedy, qui venait d'être élu à la présidence et devait prêter serment au mois de janvier, l'avait attendu à la porte de ce monastère, dans le Vermont. Kennedy avait disparu pendant une semaine. La presse et ses opposants politiques avaient fait courir les bruits les plus divers : un traitement psychiatrique, une dépression nerveuse, une aventure amoureuse. Mais seules deux personnes, l'abbé et Christian Klee, connaissaient la vérité : Kennedy avait fait une retraite pour pleurer la mort de sa femme.

Une semaine après son élection à la présidence, Klee avait conduit Kennedy au monastère catholique qui se trouve après White River Junction, dans le Vermont. Ils furent accueillis par l'abbé, qui était le seul à connaître la véritable identité de Kennedy.

Les moines vivaient complètement retirés du monde, à l'écart de la ville et sans aucun accès aux médias. Ils ne communiquaient qu'avec Dieu et avec la terre qui assurait leur subsistance. Ils avaient fait vœu de silence et ne parlaient qu'à l'occasion des prières.

Seul l'abbé lisait les journaux et possédait un appareil de télévision. Les informations à la télévision représentaient pour lui une source constante d'amusement. L'existence du présentateur vedette aux informations du soir l'amusait particulièrement, et il se disait souvent avec ironie qu'il était lui-même un peu le présentateur vedette de Dieu. Cette idée le ramenait à l'humilité nécessaire à sa condition de moine.

À leur arrivée, l'abbé les attendait devant le portail, flanqué de deux moines en robe de bure, chaussés de sandales. Klee sortit la valise du coffre de la voiture et regarda l'abbé serrer la main du président élu. L'abbé ressemblait plus à un patron d'auberge qu'à un saint homme. Il les accueillit avec un large sourire et dit en plaisantant à Klee : « Pourquoi ne restez-vous pas ? Une semaine de silence ne vous ferait aucun mal. Je vous ai vu à la télévision, vous devez être fatigué de parler. »

Klee se contenta d'un sourire en guise de réponse, puis serra la main de Kennedy. Le visage du président était serein, la poignée de main plutôt sèche : Kennedy n'était pas un homme démonstratif. Il ne semblait pas vraiment affecté par la mort de sa femme. On eût dit plutôt un homme ennuyé de devoir entrer à l'hôpital pour une intervention bénigne.

– J'espère que nous pourrons garder le secret, dit Klee. Les gens n'aiment pas ces retraites religieuses. Ils penseraient que vous êtes devenu fou.

Francis Kennedy esquissa un pâle sourire.

– Je sais que vous saurez me couvrir : personne ne sera au courant. Venez me chercher dans une semaine. Cela devrait être suffisant.

Que va-t-il lui arriver ? s'était demandé Klee, bouleversé. Il prit Kennedy par les épaules, et, les larmes dans les yeux, lui demanda :

– Voulez-vous que je reste avec vous ?

Mais Kennedy avait secoué la tête et avait disparu derrière le portail du monastère.

Le lendemain de Noël, le ciel était limpide, nettoyé par le froid, la terre semblable à de l'acier bruni et l'on avait l'impression que l'univers entier était pétrifié dans le verre. Lorsque Klee arrêta la voiture devant le portail du monastère, Francis Kennedy l'attendait déjà, sans sa valise, les mains levées au-dessus de la tête, tout le corps tendu vers le ciel, comme jouissant de sa liberté nouvelle.

Kennedy serra Klee dans ses bras et l'accueillit avec des mots de joie. Ce séjour au monastère semblait l'avoir rajeuni. Il adressa à Klee l'un de ces sourires qui enchantaient les foules. L'un de ces sourires qui annonçaient à l'humanité que le bonheur était chose possible, que l'homme était bon, que le monde ne cessait de s'améliorer. On ne pouvait qu'aimer un homme dont le sourire proclamait à quel point il était heureux de vous voir. Klee était soulagé. Kennedy allait bien. Il saurait se montrer aussi fort qu'auparavant. Il serait l'espoir du monde, le gardien de son pays et de ses habitants. Une tâche immense les attendait tous les deux.

Alors, toujours en souriant, Kennedy prit Klee par le bras, plongea son regard dans le sien, et, d'un air détaché, comme s'il lui rapportait une information sans importance, lui dit : « Dieu n'a servi à rien. »

Christian Klee comprit alors que quelque chose s'était brisé en Kennedy. Que jamais plus il ne retrouverait l'homme qu'il avait connu. Il serait presque semblable, bien sûr, mais il y avait désormais en lui une parcelle de fausseté qui n'existait pas auparavant. Visiblement, Kennedy lui-même ne s'en était pas rendu compte, et personne autour de lui ne s'en apercevrait non plus. Seul Christian Klee pouvait l'avoir vu, car il s'était trouvé à cet instant précis pour voir ce sourire éclatant et entendre ces mots prononcés d'un ton blagueur : « Dieu n'a servi à rien. »

– Évidemment, vous ne lui avez donné que sept jours ! avait rétorqué Klee.

Kennedy éclata de rire.

– Et c'est quelqu'un de très occupé.

Ils étaient montés en voiture. Quelle journée magnifique ils avaient ensuite passée ! Kennedy n'avait jamais été d'aussi bonne humeur, n'avait jamais montré autant d'esprit. Il avait une multitude de projets, il avait hâte de rassembler son gouvernement et d'accomplir de grandes choses. Il semblait avoir puisé en lui de nouvelles énergies, s'être réconcilié avec lui-même. Christian Klee en avait été pratiquement convaincu...

Klee se mit à préparer son départ du gouvernement. Le plus important était de faire disparaître toute trace de ses pratiques illégales. D'abord, effacer les rapports de surveillance informatique des membres du club Socrate.

Installé derrière son grand bureau de ministre de la Justice, Klee utilisa son ordinateur personnel pour effacer les dossiers compromettants. Vers la fin, il fit apparaître les renseignements concernant David Jatney. Il avait eu raison de le faire surveiller, se dit-il, ce type-là pouvait réserver de mauvaises surprises. Ce beau ténébreux avait tout à fait l'allure d'un déséquilibré. Le regard électrique de Jatney trahissait l'existence d'un violent conflit intérieur. Et aux dernières informations, il se dirigeait vers Washington.

Ce type pouvait se révéler dangereux. C'est alors qu'il se souvint de la prédiction de l'Oracle. Lorsqu'un homme parvient au pouvoir absolu, il se débarrasse en général des gens les plus proches de lui, de ceux qui connaissent ses secrets. Il avait aimé Francis pour ses qualités. Bien avant ces terribles secrets. Il demeura longtemps songeur. «Que le destin décide», finit-il par se dire. Quoi qu'il puisse arriver, on ne saurait faire porter le blâme sur lui.

Il appuya sur la touche «effacement» de son clavier, et David Jatney disparut à jamais de tous les fichiers de police.

25

Deux semaines avant la prestation de serment du président Francis Kennedy, David Jatney avait commencé de donner des signes d'impatience. Il avait besoin d'échapper à l'éternel ciel bleu de la Californie, aux voix chaudes et amicales, aux clairs de lune, aux plages embaumées. Il avait l'impression de s'engluer dans le sirop de la société californienne, et pourtant il n'avait aucune envie de retrouver l'Utah et le paisible bonheur domestique de ses parents.

Irene était venue s'installer chez lui. En économisant le prix d'un loyer, elle comptait s'offrir un voyage en Inde pour y suivre l'enseignement d'un gourou. Un groupe d'amis réunissaient leurs ressources pour affréter un charter, et elle comptait se joindre à eux et emmener son fils, le petit Joseph Campbell.

David fut stupéfait lorsqu'elle lui fit part de ses projets. Elle ne lui demanda pas si elle pouvait venir s'installer chez lui, elle fit seulement valoir son droit d'agir ainsi. Ce droit découlait du fait qu'ils se voyaient à présent trois fois par semaine pour aller au cinéma et faire l'amour. Elle avait agi comme elle le faisait habituellement avec ses petits amis californiens, pour une semaine ou plus. Rien là qui pût faire penser qu'ils allaient se marier : ce n'était qu'une pratique de camaraderie. Il ne lui était même pas venu à l'esprit que la présence d'une femme et d'un petit enfant pouvait bouleverser la vie quotidienne de David.

Ce qui horrifiait le plus le jeune homme, c'était qu'Irene comptait emmener son petit garçon avec elle en Inde. Irene faisait confiance au destin, elle était persuadée que rien ne pouvait lui arriver. David, lui, imaginait le petit garçon passant ses nuits dans les rues de Calcutta, au milieu des miséreux et des malades. Dans un de ses moments de colère, il lui avait un jour demandé comment on pouvait croire à une religion qui produisait la misère la plus effroyable de toute la planète. Elle avait répondu que ce qui se passait dans cette vie n'avait guère d'importance : la vie suivante serait immanquablement meilleure. David ne comprenait pas la logique du propos. Si l'on se réincarnait, comment se faisait-il que l'on ne retrouvât pas la vie misérable que l'on avait quittée ?

Jatney était fasciné par la façon dont Irene se comportait avec son fils. Elle emmenait souvent le petit Joseph dans des réunions politiques, parce que sa mère ne pouvait pas toujours le garder et qu'elle-même était trop fière pour le lui demander systématiquement. Au cours de ces réunions politiques ou religieuses, Campbell dormait dans un panier à ses pieds. Lorsque la garderie était fermée, ce qui arrivait parfois, elle l'emmenait même à son travail.

Incontestablement, elle était toute dévouée à son fils. Mais la façon dont elle s'en occupait le stupéfiait. Elle songeait peu à le protéger et ne semblait pas s'inquiéter des influences psychologiques qui auraient pu lui faire du mal. Elle le traitait comme un petit animal familier, sans guère se soucier de ce qu'il pouvait penser ou éprouver. Dans son esprit, la maternité ne devait jamais être un fardeau, ni une entrave à sa liberté. David la trouvait un petit peu folle.

Mais elle était jolie, et ils faisaient bien l'amour. David aimait bien être avec elle. Dans la vie quotidienne, elle était des plus agréables. C'est ainsi qu'il la laissa s'installer chez lui.

Cet emménagement eut deux conséquences imprévisibles. D'abord il devint impuissant, et ensuite il s'attacha profondément au petit Campbell.

Avant qu'ils ne viennent s'installer, David acheta une grosse malle pour entreposer ses armes, ses munitions et son matériel de nettoyage. Campbell n'avait que quatre ans : il ne fallait pas qu'il puisse mettre la main sur son arsenal. Car David Jatney possédait de quoi faire de lui un super-héros : deux fusils, un pistolet-mitrailleur et une série d'armes de poing. L'un de ces pistolets était particulièrement pratique : un tout petit calibre 22 qu'il portait dans la poche de sa veste, dans un petit étui en cuir semblable à un gant. Toutes les nuits il le mettait sous son lit. Lorsque Irene et Campbell vinrent s'installer, il déposa le 22 dans la malle avec les autres armes.

Le jour de leur arrivée, David acheta quelques jouets à Campbell. Le soir, Irene disposa des oreillers et une couverture sur le canapé, déshabilla Campbell dans la salle de bains et le mit en pyjama. David se rendit compte alors que le petit garçon le regardait. Il y avait dans ce regard une inquiétude, un peu de peur, et même, peut-être, une sorte d'étonnement que Jatney connaissait bien. Enfant, il savait lui aussi que son père et sa mère allaient le laisser seul pour faire l'amour dans leur chambre.

– Écoute, dit-il à Irene, je dormirai sur le canapé, et l'enfant pourra dormir avec toi.

– C'est idiot, dit Irene. Ça ne te gêne pas, hein, Campbell ?

L'enfant secoua la tête. Il parlait rarement.

– C'est un petit garçon courageux, dit-elle fièrement. N'est-ce pas, Campbell ?

L'espace d'un instant, David Jatney éprouva un violent sentiment de haine pour elle. Il parvint pourtant à se maîtriser.

– Je dois écrire et je vais veiller très tard. Je crois que les premières nuits tu devrais dormir avec lui.

– Si tu as du travail, c'est d'accord, dit joyeusement Irene.

Elle tendit la main à Campbell, qui sauta dans les bras de sa mère et enfouit son visage contre ses seins.

– Tu ne dis pas bonsoir à ton oncle David ?

Et elle adressa à David un sourire magnifique. Il comprit alors que c'était sa façon à elle de présenter ses amants au petit Campbell lorsqu'ils venaient vivre à la maison.

L'enfant gardait le visage enfoui dans la poitrine de sa mère, et David lui tapota doucement les fesses.

– Bonne nuit, Campbell.

L'enfant alors releva la tête et sourit à David, puis lui caressa le visage de sa petite main. Irene l'emmena ensuite dans la chambre.

Quelques minutes plus tard, elle revint et déposa un baiser sur la joue de David.

– Merci d'avoir été aussi attentionné, dit-elle. Tu sais, on peut baiser rapidement avant que j'aille le retrouver.

Elle avait prononcé ces mots avec le plus parfait détachement, comme on ferait une proposition amicale.

David songea au petit garçon qui attendait sa maman, derrière la porte de la chambre.

– Non, dit-il.

– D'accord, dit-elle gaiement avant de retourner dans la chambre.

Au cours des semaines suivantes, Irene fut terriblement

occupée. Elle avait accepté un travail supplémentaire mal payé et qui lui prenait de longues heures au cours de la nuit : elle participait à la campagne électorale de Francis Kennedy. Elle était intarissable sur les mesures sociales qu'il préconisait, son combat contre les riches, sa longue bataille pour réformer le système politique. David la croyait amoureuse de Kennedy, de son apparence physique, de sa voix enjôleuse. À son avis, si elle travaillait à sa permanence électorale, c'était moins par conviction politique que par fascination érotique.

Un soir qu'il gardait Campbell à la maison tandis qu'Irene travaillait à la permanence électorale, David s'installa devant la télévision. Kennedy semblait occuper la plupart des chaînes, et il dut bien reconnaître que cet homme possédait un magnétisme extraordinaire à la télévision. Ah, comme il aurait aimé être un héros semblable à Kennedy ! Comme le peuple américain l'aimait ! De quel pouvoir il disposait ! Derrière lui, on apercevait les visages impassibles de ses gardes du corps. Il était riche, aimé, protégé. David rêvait souvent d'être Francis Kennedy. Comme Rosemary l'aimerait alors. Il songea à Hock et à Gibson Grange. Il les inviterait à déjeuner à la Maison-Blanche, et ils lui parleraient ; et Rosemary lui parlerait aussi, tendrement, lui ferait part de ses pensées les plus secrètes.

Il songea alors à Irene et aux sentiments qu'il éprouvait pour elle, et se rendit compte qu'il était plus dérouté que réellement séduit. En dépit de toute l'ouverture d'esprit qu'elle affichait, elle était totalement fermée à lui. Jamais il ne pourrait vraiment l'aimer. Il songea aussi à Campbell, qui devait son nom à l'écrivain Joseph Campbell, célèbre pour ses livres sur les mythes ; l'enfant, lui, était réellement ouvert, candide, et possédait l'élégance que donne la véritable innocence.

Au bout de quelques jours, Campbell commença de

l'appeler oncle Jat et à mettre sa petite main dans la sienne. Jatney accepta. Il appréciait les marques d'affection que lui prodiguait l'enfant et dont Irene était si avare.

Il s'était profondément attaché à Campbell, et sans lui aurait quitté Irene.

C'est alors qu'il perdit son travail à la société de production. Sans Hock, son «oncle» Hock, il se serait retrouvé dans le pétrin. En même temps que sa lettre de licenciement, lui parvint un mot lui demandant de passer voir Hock à son bureau. Il emmena Campbell, en se disant que l'enfant aimerait bien voir des studios de cinéma.

En apercevant Hock, David fut à nouveau submergé par un sentiment d'amour pour cet homme si chaleureux. Hock envoya aussitôt une de ses secrétaires chercher des glaces pour Campbell, et distribua à l'enfant quelques accessoires que l'on devait utiliser dans le prochain film et qui se trouvaient sur son bureau.

Campbell fut enchanté, mais David se rendit compte que Hock cherchait surtout à se débarrasser de l'enfant pour pouvoir discuter tranquillement.

– Je regrette beaucoup que tu aies été renvoyé, dit Hock. Il y a eu une réduction d'effectifs au service des lectures de scénarios, et bien entendu les plus anciens avaient priorité. Mais passe-moi un coup de fil de temps en temps, je te trouverai quelque chose.

– Ça ira, dit David.

Hock l'étudiait avec attention.

– Tu es affreusement maigre, David. Tu devrais rentrer chez tes parents pour te refaire une santé. Au moins pendant un petit bout de temps. Le bon air de l'Utah, la tranquillité de la vie mormone. Cet enfant est celui de ta petite amie ?

– Oui, dit David. Enfin, ça n'est pas vraiment ma petite amie, c'est simplement une amie. Nous partageons le même appartement, mais c'est pour lui permettre d'économiser l'argent du loyer et de pouvoir partir en Inde.

Hock fronça les sourcils. C'était la première fois que David le voyait faire cette mimique.

– Si tu te mets à subventionner toutes les filles de Californie qui veulent aller en Inde, tu seras rapidement fauché.

Et avec gaieté il ajouta :

– En plus, on dirait qu'elles ont toutes des gamins.

Il s'assit alors à son bureau, tira un carnet de chèques d'un tiroir, griffonna quelques chiffres et tendit un chèque à David.

– Ça c'est pour tous les cadeaux d'anniversaire et tous les cadeaux d'examen que je n'ai jamais eu le temps de t'envoyer.

Il sourit à David. David regarda le chèque. Cinq mille dollars.

– Voyons, Hock… je ne peux pas accepter ça.

Il sentait des larmes lui monter aux yeux, des larmes de gratitude, d'humiliation et de haine.

– Mais bien sûr que si, dit Hock. Écoute, je veux que tu te reposes et que tu te payes du bon temps. Tu pourrais peut-être offrir à cette fille son billet d'avion pour l'Inde, et faire ensuite ce qu'il te plaira. Le problème d'être simplement ami avec une fille, c'est qu'on a tous les ennuis d'un amant et aucun des avantages d'un ami. Mais quel mignon petit garçon elle a. Si j'ai un jour le culot de faire un film avec un gosse, j'aurai peut-être un rôle pour lui.

David mit le chèque dans sa poche. Il avait tout compris.

– Oui, dit-il, il est mignon cet enfant.

– Il est plus que ça. Regarde l'élégance de ce visage, on le dirait dessiné pour la tragédie. Quand on le regarde, on a envie de pleurer.

Décidément, son ami Hock était un homme intelligent, car c'est exactement ce qu'il pensait. Un visage élégant… c'était le mot qui convenait. Irene, elle, était une force de la nature… à l'instar de Dieu, elle avait créé une future tragédie.

Hock le serra dans ses bras.

– David, tu me donneras de tes nouvelles. Je ne plaisante pas, hein ! Et puis ne t'en fais pas : quand on est jeune, les choses finissent toujours par s'arranger.

Il donna à Campbell l'un des accessoires avec lesquels il jouait, un magnifique avion miniature.

– Je peux le garder, oncle Jat ?

Et David vit naître un sourire sur les lèvres de Hock.

– Saluez Rosemary de ma part, dit David qui essayait déjà de placer cette phrase depuis un moment.

Hock le regarda d'un air surpris.

– Je n'y manquerai pas. Gibson, Rosemary et moi avons été invités à la prestation de serment de Kennedy, en janvier. Je lui transmettrai tes salutations ce jour-là.

Et soudain David Jatney eut le sentiment qu'il avait été éjecté de ce monde tourbillonnant.

Les premières lueurs de l'aube pointaient à travers les rideaux du salon, et David, allongé sur le canapé, attendait le retour d'Irene en songeant à Rosemary Belair. Il songeait à la façon dont elle s'était tournée vers lui, dans le lit, et s'était abandonnée. Il se rappelait son parfum, la lourdeur de son corps, due peut-être au somnifère qui engourdissait les muscles. Il la revoyait au matin, avec son jogging, et l'arrogance avec laquelle elle l'avait congédié. Et puis elle lui avait proposé de la monnaie pour donner un pourboire au chauffeur, et il avait refusé. Mais pourquoi l'avoir insultée, en lui disant qu'elle devait savoir mieux que lui combien d'argent il fallait, impliquant ainsi qu'elle-même avait dû souvent être renvoyée chez elle de la même façon et dans de semblables circonstances ?

Lentement, il sombra dans le sommeil. Il songeait à ses parents en Utah ; eux avaient dû l'oublier. Ils étaient protégés par leur bonheur domestique ; hypocritement ils devaient laisser sécher leurs robes d'ange sur leurs fils à linge, dehors, tandis qu'ils forniquaient joyeusement peau contre peau. S'il les appelait, ils seraient obligés de se séparer.

David Jatney rêva de Rosemary Belair. Il lui disait qu'il l'aimait. Et avec quels mots ! Écoute, lui disait-il, imagine que tu aies un cancer. J'arracherais ce cancer de ton corps pour le mettre dans le mien. Écoute, disait-il, si une étoile tombait du ciel, j'en couvrirais ton corps. Écoute, si quelqu'un cherchait à te tuer, j'arrêterais la lame avec mon cœur, la balle avec mon corps. Écoute, si je n'avais qu'une seule goutte d'eau de jouvence, je te la donnerais pour que jamais tu ne vieillisses.

Peut-être se rendait-il compte que le souvenir qu'il conservait de Rosemary Belair était tout empreint de la puissance qui émanait d'elle. Peut-être comprenait-il qu'il priait les dieux de faire de lui autre chose qu'un morceau d'argile. Qu'il désirait passionnément pouvoir, richesse et beauté pour que les autres remarquent sa présence sur terre, et qu'il ne disparaisse pas silencieusement dans le vaste océan de l'humanité.

Lorsqu'il montra le chèque de Hock à Irene, c'était pour l'impressionner, pour lui montrer que quelqu'un s'intéressait suffisamment à lui pour lui offrir une telle somme sans y attacher beaucoup d'importance. Mais elle ne fut nullement impressionnée ; dans son milieu, il était normal qu'on partageât ainsi, et elle déclara même qu'un homme aussi riche que Hock aurait pu facilement lui donner beaucoup plus d'argent. Lorsque David offrit de lui en donner la moitié pour qu'elle puisse partir immédiatement en Inde, elle refusa.

– Je travaille pour gagner ma vie, dit-elle. Si j'acceptais ton argent, tu t'imaginerais avoir des droits sur moi. En outre, c'est pour Campbell que tu fais ça, pas pour moi.

Il était stupéfait par son refus et par ce qu'elle venait de dire à propos de Campbell. Il cherchait seulement à se débarrasser d'eux. Il voulait se retrouver seul pour vivre à nouveau avec ses rêves d'avenir.

C'est alors qu'elle lui demanda ce qu'il ferait de sa part à lui si elle acceptait et partait tout de suite en Inde. Il remarqua qu'elle ne lui proposa pas de l'accompagner en Inde. Elle avait aussi dit « ta part de l'argent », ce qui voulait dire qu'elle acceptait.

Il commit alors l'erreur de lui dire ce qu'il ferait avec ses deux mille cinq cents dollars.

– Je veux parcourir les États-Unis et je veux voir la prestation de serment de Kennedy, dit-il. Je me suis dit que ça me changerait, que ça serait amusant. Je prendrais ma voiture et je traverserais tout le pays. J'ai toujours eu envie de voir de la neige, de la glace, et d'avoir vraiment froid.

Irene demeura songeuse pendant un moment. Puis elle se mit à arpenter vivement l'appartement comme si elle faisait l'inventaire de toutes les choses qui lui appartenaient.

– C'est une excellente idée, dit-elle. Moi aussi je veux voir Kennedy. Je veux le voir en personne, sans ça je ne serai jamais capable de connaître son karma. Je vais demander mes vacances : ils me doivent plein de jours. Et ça sera bon pour Campbell de voir autre chose, de voir d'autres États. On prendra mon minibus, comme ça on n'aura pas besoin d'aller à l'hôtel.

Irene possédait en effet un minibus dans lequel elle

avait installé une bibliothèque et un petit lit pour Campbell. Ce minibus lui avait beaucoup servi lorsque Campbell était bébé et qu'elle parcourait la Californie pour assister à des réunions politiques ou à des séminaires sur les religions d'Extrême-Orient.

Dès qu'ils eurent commencé leur périple, David se sentit piégé. Irene conduisait ; elle aimait conduire. Campbell était assis entre eux, la main dans celle de David. David avait déposé deux mille cinq cents dollars sur le compte bancaire d'Irene, et à présent sa part à lui devait servir à leur voyage à tous les trois. La seule chose réconfortante, c'était son pistolet de calibre 22, dans son petit étui en cuir. Dans l'Est il y avait beaucoup de vols et d'agressions, et il devait protéger Irene et Campbell.

Finalement, les quatre premiers jours de voyage furent agréables. Irene et Campbell dormaient dans le minibus, et lui à la belle étoile, jusqu'à ce qu'en Arkansas le froid devienne mordant. Alors, ils se résolurent à quitter leur abri précaire. Dans le Kentucky, ils connurent leurs premiers ennuis, et d'une façon qui ne laissa pas de surprendre David.

Comme il faisait froid, ils décidèrent de passer la nuit dans un motel. Le lendemain matin, ils allèrent prendre le petit déjeuner dans un café.

Le serveur avait à peu près l'âge de David et avait un visage vif et intelligent. À la californienne, c'est-à-dire avec franchise, Irene engagea la conversation avec lui. Elle avait été impressionnée par son efficacité et sa rapidité à les servir. Elle disait souvent que la compétence des gens dans leur travail faisait plaisir à voir, quel que fût par ailleurs ce travail. Pour elle, c'était signe d'un bon karma. David, lui, n'avait jamais très bien compris ce que signifiait le mot « karma ».

Mais le serveur, lui, comprenait. Il était également adepte des religions d'Extrême-Orient, et il s'engagea dans une longue discussion avec Irene. Campbell commençant à donner des signes d'impatience, David régla l'addition et alla attendre dehors avec lui. Irene ne réapparut qu'un quart d'heure plus tard.

– C'est vraiment un type bien, dit Irene. Son vrai nom c'est Christopher, mais il se fait appeler Krish.

David était agacé d'avoir dû attendre aussi longtemps, mais il ne dit rien. Sur le chemin du motel, Irene déclara :

– Je crois qu'on devrait rester une journée ici. Campbell a besoin de repos. Et ça a l'air d'une mignonne petite ville : on pourrait y acheter nos cadeaux de Noël. À Washington on risque de ne pas avoir le temps.

David accepta. Ils passèrent la journée à faire leurs emplettes, mais Irene acheta finalement peu de chose. Ils dînèrent tôt, dans un restaurant chinois. Ils avaient décidé de se coucher de bonne heure de façon à pouvoir rouler le plus longtemps possible, le lendemain, avant la tombée de la nuit.

Ils n'étaient pas au motel depuis une heure, qu'Irene, trop nerveuse pour jouer aux dames avec Campbell, déclara qu'elle allait faire un tour en ville et peut-être grignoter quelque chose. David continua donc de jouer aux dames avec Campbell, qui le battit à plates coutures à chaque partie. Irene lui avait appris à jouer lorsqu'il avait deux ans.

– Oncle Jat, tu n'aimes pas jouer aux dames ? finit par lui demander le petit garçon.

Irene revint vers minuit. Le motel était bâti sur une petite colline, et David et Campbell virent arriver le minibus, suivi d'une autre voiture.

David, surpris, vit Irene sortir du côté passager : d'habitude, elle insistait pour prendre elle-même le volant. Le jeune serveur qui se faisait appeler Krish sortit du côté conducteur et lui tendit les clés. Elle l'embrassa sur la joue. Deux jeunes gens sortirent alors de l'autre voiture, et elle les embrassa également sur les joues. Puis, tandis qu'Irene se dirigeait vers le motel, les trois jeunes gens, bras dessus, bras dessous, se mirent à chanter, « Bonne nuit, Irene, bonne nuit, Irene ». Ils continuaient de chanter lorsque Irene pénétra dans la chambre du motel en adressant son plus beau sourire à David.

– On a eu une discussion tellement passionnante que j'en ai oublié l'heure, dit-elle.

Puis elle se mit à la fenêtre pour leur faire signe.

Il se voyait déjà en train de leur dire d'arrêter, dit David.

Il se voyait déjà en train de leur tirer dessus à coups de pistolet, il imaginait leurs crânes éclatant sous les balles.

– Ces types-là sont beaucoup moins passionnants quand ils chantent, ajouta-t-il.

– Oh, tu n'arriverais pas à les faire taire, dit Irene.

Elle prit Campbell dans ses bras et revint à la fenêtre pour un dernier adieu. Aussitôt, la sérénade s'interrompit. Quelques instants plus tard, on entendit la voiture quitter le parking.

Irene ne buvait jamais, mais parfois elle se droguait. David le devinait tout de suite à son sourire. Elle avait souri de cette façon une nuit qu'elle était rentrée tard, à Santa Monica. L'aube pointait déjà, et il l'avait accusée de sortir du lit d'un autre. Calmement, elle avait répondu : « Il fallait bien que quelqu'un me baise, et toi tu ne le fais pas. » Il n'y avait rien à redire.

La veille de Noël ils étaient encore sur la route, et ils passèrent la nuit dans un autre motel. Ils avaient décidé de ne pas fêter Noël ; pour Irene, cette fête trahissait le véritable esprit de la religion. Quant à David, il n'avait nulle envie de ramener à sa mémoire les souvenirs de sa vie d'autrefois, plus innocente. Cela dit, et malgré les objections d'Irene, il offrit à Campbell une boule de verre avec de la neige qui tombait à l'intérieur. Le matin de Noël, il se leva plus tôt que d'habitude et les regarda dormir. Il portait toujours son pistolet sur lui, à présent, et il caressa doucement le cuir de l'étui. Comme il aurait été facile de les tuer.

Trois jours plus tard, ils se retrouvaient dans la capitale. La prestation de serment du président devait avoir lieu le lendemain. David dressa la liste de tous les monuments qu'ils allaient visiter. Puis il pointa sur une carte l'itinéraire du cortège officiel. Ils iraient tous les trois assister à la prestation de serment du président Kennedy.

LIVRE SIX

26

Ce jour-là, Jefferson réveilla Francis Xavier Kennedy à l'aube. Le ciel était gris car une tempête de neige s'était levée. De larges flocons blancs recouvraient la ville de Washington, et à travers les fenêtres aux vitres blindées de sa chambre, Francis Kennedy avait l'impression d'être prisonnier de ces flocons, comme s'il se trouvait enfermé dans une boule de verre.

– Serez-vous présent dans le cortège ? demanda-t-il à Jefferson.

– Non, monsieur le président, je dois garder le fort, ici, à la Maison-Blanche. (Il ajusta la cravate de Kennedy.) Tout le monde vous attend en bas, dans le salon rouge.

Lorsque Kennedy fut prêt, il serra la main de Jefferson.

– Souhaitez-moi bonne chance, dit-il.

Jefferson l'accompagna jusqu'à l'ascenseur où l'attendaient deux agents des services secrets, qui, eux, l'escortèrent jusqu'au rez-de-chaussée.

Dans le salon rouge, tout le monde l'attendait. Helen Du Pray était resplendissante dans sa robe de satin blanc. Les membres du cabinet particulier, eux, étaient vêtus comme le président, en smoking noir et chemise blanche, tranchant sur le rouge du salon. Arthur Wix, Oddblood Gray, Eugene Dazzy et Christian Klee formaient un petit cercle solennel et tendu ; tout le monde était conscient de l'importance de cette journée. Kennedy leur adressa un sourire. La vice-présidente et ces quatre hommes étaient sa famille.

En sortant de la Maison-Blanche, le président Francis Xavier Kennedy fut surpris par la marée humaine qui submergeait les alentours, noyant les carrefours, les bâtiments, engloutissant les innombrables journalistes et leurs camions de télévision. Il n'avait jamais rien vu de pareil.

– Mon Dieu, combien sont-ils ? demanda-t-il à Eugene Dazzy.

– Beaucoup plus que ce à quoi on s'attendait. Il nous faudrait peut-être un bataillon supplémentaire de *marines* pour canaliser la circulation.

– Non, dit le président.

Il était surpris par le réflexe de Dazzy qui considérait la foule comme un danger. Pour lui, il s'agissait d'un triomphe, il y voyait la justification de tout ce qu'il avait accompli depuis les tragiques événements de Pâques.

Jamais Francis Kennedy ne s'était senti plus sûr de lui. Il avait prévu tout ce qui s'était passé, drames et succès. Il avait pris les décisions qui s'imposaient et avait fini par remporter la victoire. Il avait terrassé ses ennemis. En voyant cette foule immense, il se sentit emporté par un immense sentiment d'amour pour le peuple américain. Il le délivrerait de ses souffrances, il en purifierait la terre elle-même.

Jamais Francis Kennedy ne s'était senti l'esprit si clair, n'avait senti à quel point il était dans le vrai. Il avait surmonté la douleur que lui avaient causée la mort de sa femme, puis l'assassinat de sa fille. Le chagrin qui avait obscurci son esprit s'était à présent dissipé. Il était presque heureux.

Il lui semblait avoir vaincu le destin, et grâce à sa persévérance et à sa clairvoyance avoir rendu possibles le moment présent et l'avenir glorieux qui s'offrait à lui. Il ne lui restait plus qu'à prêter serment et à conduire ensuite le cortège triomphal le long de Pennsylvania Avenue.

Sachant qu'il était impossible de trouver une chambre à Washington, David et Irene s'étaient arrêtés dans un motel à une quarantaine de kilomètres de la capitale. La veille de la prestation de serment de Kennedy, ils se rendirent à Washington pour voir la Maison-Blanche, le Lincoln Memorial et tous les monuments de la ville. David effectua également une reconnaissance le long de l'itinéraire que devait emprunter le cortège officiel, pour choisir le meilleur point de vue.

Au matin du grand jour ils se levèrent à l'aube et prirent leur petit déjeuner dans un café. Puis ils retournèrent au motel pour revêtir leurs plus beaux habits. Irene prit un soin inhabituel à sa coiffure. Elle choisit ensuite son plus beau jean délavé, une chemise rouge et un ample chandail vert qu'il ne lui avait encore jamais vu. L'avait-elle caché jusqu'à ce jour ou l'avait-elle acheté à Washington ? Elle était en effet partie seule quelques heures, laissant Campbell à sa garde.

Il avait neigé toute la nuit et le sol était recouvert d'un manteau blanc. De gros flocons flottaient paresseusement dans l'air. En Californie on n'avait pas besoin de vêtements d'hiver, mais en chemin ils avaient dû s'acheter des anoraks ; un rouge vif pour Campbell (pour qu'on pût aisément le retrouver si l'enfant se perdait), un bleu clair passe-partout pour David, et un blanc crème pour Irene, qui lui allait à ravir. Irene acheta également un bonnet en laine blanche pour elle et un bonnet à pompon pour Campbell. David, lui, préféra rester nu-tête ; il n'aimait aucune sorte de couvre-chef.

Le matin, comme ils étaient en avance, ils construisirent un bonhomme de neige pour Campbell dans le jardin du motel. D'humeur joyeuse, Irene se mit à lancer des boules de neige sur David et Campbell. David s'étonnait de cet accès de joie subit ; était-ce la promesse de voir Kennedy en personne ? Ou bien fallait-il y voir la magie de la neige chez cette jeune Californienne ?

Campbell était rendu fou par la neige. Il la prenait à pleines mains et la regardait fondre au soleil. Puis il se mit à détruire méthodiquement le bonhomme de neige, commençant par y forer de petits trous avant de le décapiter. À quelque distance de là, David et Irene le regardaient faire. Alors, dans un geste de tendresse rare chez elle, elle prit la main de David entre les siennes.

– Il faut que je te dise quelque chose, dit-elle. Je suis allée voir des gens à Washington, des gens dont on m'avait donné l'adresse en Californie. Ces gens vont en Inde, et je pars avec eux, et avec Campbell, bien sûr. Je me suis débrouillée pour vendre le minibus, mais je te donnerai un peu d'argent sur la vente de façon à ce que tu puisses prendre l'avion pour Los Angeles.

David laissa retomber la main d'Irene et mit ses propres mains dans les poches de son anorak. Du bout des doigts il toucha l'étui du pistolet, et l'espace d'un instant il vit Irene allongée sur le sol, colorant la neige de son sang.

Lorsque sa colère disparut, il en fut lui-même surpris. Après tout, il était bien venu à Washington dans l'espoir misérable de voir Rosemary et peut-être Hock et Gibson

Grange. Ces derniers jours il s'était même dit qu'il dînerait peut-être une nouvelle fois avec eux. Il se disait que sa vie allait changer, qu'il allait voir s'ouvrir devant lui les portes du pouvoir et de la gloire. N'était-il donc pas normal qu'Irene, de son côté, cherchât à ouvrir les portes d'un autre univers, celui auquel elle aspirait depuis si longtemps, qu'elle cherchât à échapper à la vie morne qui l'attendait, seule avec un enfant, vouée à de petits boulots minables qui ne la menaient nulle part ? Qu'elle s'en aille, songea-t-il.

— Ne te raconte pas d'histoires, dit alors Irene. Même physiquement je ne te plais plus. S'il n'y avait pas eu Campbell tu m'aurais déjà larguée.

Elle avait dit ces mots d'un ton moqueur, en souriant, mais avec une pointe de tristesse dans la voix.

— C'est vrai, dit David. Tu ne devrais pas emmener cet enfant partout où tu vas. Déjà, ici, tu as à peine le temps de t'en occuper.

— Campbell est mon fils, dit-elle avec colère. Je l'emmène où je veux. Au pôle Nord si ça me chante !

Après un instant de silence, elle ajouta :

— Toi, tu ne sais rien de ces choses-là. Et puis je trouve que tu es un peu bizarre avec Campbell.

À nouveau, comme un éclair, il eut la vision de la neige rougie de son sang. Mais c'est d'une voix parfaitement calme qu'il lui demanda :

— Qu'est-ce que tu veux dire, exactement ?

— Tu es un peu étrange, tu sais. C'est pour ça que je t'aimais bien au début. Mais je ne sais pas vraiment de quoi est faite ta bizarrerie. Parfois j'ai peur de laisser Campbell seul avec toi.

— Et pourtant, tu me l'as souvent laissé.

— Oh, je savais que tu ne lui ferais pas de mal. Mais je me dis que le moment est venu de nous séparer.

— C'est d'accord, dit David.

Ils laissèrent Campbell achever la destruction du bonhomme de neige, puis montèrent tous dans le minibus pour franchir les quarante derniers kilomètres qui les séparaient de Washington. En arrivant sur la grandroute, ils furent surpris de voir la file immense de voitures et d'autocars qui serpentait jusqu'à l'horizon. Ils parvinrent à s'insérer dans la circulation, mais il fallut quatre heures à la monstrueuse chenille d'acier pour atteindre la capitale.

Conduit par les limousines présidentielles, le cortège parcourut les larges avenues de Washington. L'allure était lente, car la foule submergeait les barrages de police et ralentissait la progression des voitures. La muraille des policiers en uniforme commençait à céder sous la pression de millions de poitrines.

Trois voitures pleines d'agents des services secrets précédaient la limousine de Kennedy, avec sa bulle en verre à l'épreuve des balles. Derrière cette bulle, Kennedy, debout, pouvait saluer la foule qui l'acclamait. De temps à autre, des admirateurs intrépides parvenaient jusqu'à la limousine, mais ils étaient promptement refoulés par les hommes des services secrets. Pourtant, peu à peu, les vagues d'adorateurs frénétiques se faisaient plus pressantes. La dernière rangée de gardes du corps finit par être plaquée contre la limousine présidentielle.

Derrière la voiture de Francis Kennedy venait une autre voiture pleine d'agents des services secrets, lourdement armés, et d'autres agents des services secrets couraient le long du cortège. Dans la voiture suivante avaient pris place Christian Klee, Oddblood Gray, Arthur Wix et Eugene Dazzy. Pennsylvania Avenue était à présent noire de monde, et les limousines n'arrivaient plus à avancer. Majestueusement, un manteau de neige descendu du ciel venait recouvrir la foule.

La voiture présidentielle finit par s'immobiliser et Oddblood Gray jeta un coup d'œil par la vitre.

– Merde, le président est sorti, il se met à marcher.

– S'il est sorti il faut qu'on l'accompagne, dit Dazzy.

Oddblood Gray se tourna alors vers Christian Klee.

– Regarde… Helen sort aussi de sa voiture. C'est dangereux. Christian, il faut l'arrêter. Utilisez votre droit de veto.

– Je ne l'ai plus, répondit Klee.

– Vous devriez faire venir un paquet d'agents des services secrets en plus, lança Arthur Wix.

Ils sortirent de leur voiture et formèrent un mur pour défiler derrière le président.

Les gros flocons tourbillonnaient toujours dans l'air, mais pour Francis Kennedy ils semblaient aussi immatériels que l'hostie contre sa langue, lorsqu'il était enfant, à l'heure de la communion. Pour la première fois, il éprouvait le besoin de se mêler à cette foule qui l'aimait. Il se mit alors à serrer les mains de ceux qui avaient réussi à forcer la muraille des policiers en uniforme et de ses gardes du corps. Les hommes des services secrets essayaient de ménager un cercle autour du président, mais poussés par des millions de spectateurs derrière eux, des gens parvenaient souvent à franchir ce cercle. Francis Kennedy continuait de serrer des mains, il sentait ses cheveux mouillés par la neige, mais l'air froid comme l'adulation de la foule lui procuraient une sorte d'ivresse. Son bras droit commençait à s'engourdir, et sa main était gonflée à force de serrer d'autres mains, mais il semblait ne sentir ni la douleur ni la fatigue. Débordés, ses gardes du corps commençaient à repousser avec violence les plus hardis de ses admirateurs. Une jolie jeune femme vêtue d'un anorak blanc avait tenté de retenir sa main dans la sienne, et il avait dû battre en retraite pour se protéger.

Au milieu de la foule, David Jatney réussit à ménager un espace pour qu'Irene et Campbell ne fussent pas écrasés. La multitude allait et venait comme la houle de l'océan.

Ils se trouvaient à trois cents mètres environ du point de vue qu'ils se proposaient de rejoindre lorsqu'ils aperçurent la limousine présidentielle, suivie de plusieurs autres voitures officielles. D'après ses calculs, la distance qui les séparait de la voiture équivalait à la longueur d'un terrain de football. David remarqua alors que la foule avait réussi à envahir l'avenue, forçant la limousine à s'arrêter.

– Il sort de la voiture, hurla Irene. Il se met à marcher. Je veux lui serrer la main !

Elle déposa Campbell dans les bras de David et essaya de passer sous la barrière, mais elle en fut empêchée par le cordon de policiers en uniforme. Elle courut alors dans le virage, parvint à franchir le cordon de policiers mais fut arrêtée par le barrage compact des gardes du corps. En la regardant agir, David se dit que si elle avait été plus maligne, elle aurait gardé Campbell dans ses bras. Les hommes des services secrets se seraient moins méfiés d'elle et elle aurait pu profiter d'un moment de bousculade pour approcher le président. Mais bientôt une nouvelle poussée de spectateurs la projeta en avant et il la vit serrer la main de Kennedy, puis l'embrasser sur la joue avant d'être violemment repoussée par les gardes du corps du président.

David comprit alors qu'Irene ne parviendrait jamais à les rejoindre, Campbell et lui. Elle n'était plus qu'un point minuscule dans la marée qui menaçait d'engloutir l'avenue tout entière. De plus en plus de gens se pressaient contre le cordon de policiers en uniforme ; de plus en plus, aussi, se rapprochaient du dernier cercle de gardes du corps des services secrets. Campbell commençait à pleurer, et David fouilla dans sa poche à la recherche d'un morceau de chocolat.

Alors, David sentit une vague de chaleur envahir tout son corps. Il songea aux quelques jours qu'il venait de passer à Washington, aux édifices imposants chargés de signifier l'autorité de l'État, les colonnes de marbre des tribunaux et des monuments, la splendeur imposante des façades… inaltérable, indestructible. Il songea au magnifique bureau de Hock, gardé par ses secrétaires, à l'Église mormone, dans l'Utah, avec ses temples bénis par les anges. Tout cela avait pour but d'élever certains hommes au-dessus du commun des mortels. De maintenir à leur place les gens ordinaires, les gens comme lui. Et d'attirer à eux tout l'amour de la terre. Présidents, gourous, aînés de l'Église mormone, avaient bâti leurs édifices intimidants pour s'abriter du reste de l'humanité, et, parfaitement conscients de l'envie qu'ils suscitaient, pour se protéger de la haine. David Jatney se rappela alors sa glorieuse victoire lors de la « chasse » à l'université ; ce jour-là, pour la seule fois de sa vie, il était devenu un héros. Il tapota doucement le dos de Campbell pour le consoler. Dans sa poche, sous l'acier froid du pistolet, il trouva une tablette de chocolat qu'il donna à l'enfant. Puis, sans lâcher Campbell, il se glissa sous les barrières.

David était à la fois émerveillé et soulagé. Ce serait facile. La foule avait définitivement rompu le cordon de policiers en uniforme, et de plus en plus nombreux étaient ceux qui parvenaient à bousculer les gardes du corps pour serrer la main du président. Kennedy, désormais, s'avançait entre deux rangées de bras tendus. Une nouvelle vague de spectateurs ayant fait tomber les barrières en bois, David profita de la poussée pour s'approcher plus encore du président. Il se trouvait à présent juste devant les hommes des services secrets qui s'efforçaient de tenir la foule à distance. Mais ils n'étaient plus assez nombreux. Avec une sorte de jubilation, il s'aperçut qu'ils ne l'avaient pas remarqué. Faisant passer Campbell sur son bras gauche, il enfonça la main sous son anorak et sentit l'étui en cuir ; ses doigts se posèrent sur la détente. À ce moment-là, le cercle des gardes du corps se rompit et il se retrouva à trois mètres de Francis Kennedy, qui serrait la main d'un jeune garçon à l'air extatique. Kennedy lui parut très mince, très grand, et plus vieux qu'à la télévision. Tenant toujours Campbell dans ses bras, Jatney s'avança vers Kennedy.

Au même instant, un très beau Noir lui barra le passage, la main tendue. L'espace d'une seconde, David crut que l'homme avait vu le pistolet dans sa poche et lui réclamait l'arme. Puis il se rendit compte qu'il lui proposait seulement une poignée de main. Ils se regardèrent pendant un long moment ; l'homme souriait, et David baissa les yeux sur la main noire. Lorsqu'il releva la tête, David lut le soupçon dans les yeux de l'homme ; la main se retira. D'un mouvement convulsif, David jeta alors Campbell en direction du Noir et sortit le pistolet de sous son anorak.

Lorsque David Jatney releva les yeux sur lui, Oddblood Gray comprit qu'il allait se passer quelque chose de terrible. Il laissa l'enfant tomber sur le sol et se précipita devant Francis Kennedy qui avançait lentement vers eux. Alors il vit le pistolet.

Christian Klee, qui marchait à la droite du président, et un peu en retrait, utilisait à cet instant un petit émetteur portatif pour demander qu'on envoie des renforts d'agents des services secrets. Il aperçut alors l'homme avec l'enfant dans les bras qui s'approchait du groupe de gardes du corps, et pendant une seconde put voir distinctement son visage.

Ce fut comme une image de cauchemar, la réalité ne

parvenait pas à s'imposer à son esprit. Ce visage qu'il avait vu sur l'écran de son ordinateur, cet homme qu'il avait fait surveiller pendant des mois avait soudain surgi de la jungle de la mythologie pour apparaître dans la réalité.

Il n'avait vu jusqu'alors qu'un visage paisible, figé par les photos prises à son insu, et il le voyait maintenant ravagé, tordu par l'exaltation. Il fut frappé par le fait que ce visage si beau était devenu hideux, comme s'il l'avait vu à travers un verre déformé.

Klee se dirigeait déjà vers Jatney, incrédule, s'efforçant de chasser l'image de cauchemar, lorsqu'il vit Gray tendre la main. Christian Klee éprouva alors un immense soulagement. Cet homme ne pouvait pas être Jatney, c'était seulement un type avec un enfant dans les bras qui voulait vivre un moment historique.

Mais l'enfant à l'anorak rouge et au petit bonnet de laine fut projeté dans les airs, et il vit le pistolet. Oddblood Gray s'effondra sur le sol.

Alors, épouvanté par le crime qu'il avait commis, Christian Klee se précipita vers Jatney et reçut la deuxième balle en plein visage. Traversant le palais, la balle fit jaillir un flot de sang qui l'étouffa. Puis il y eut la douleur aveuglante dans l'œil gauche. Impuissance, désespoir. Dans le cerveau dévasté, les derniers neurones faisaient surgir l'image de Francis Kennedy : l'avertir, implorer son pardon. Puis la conscience disparut, et la tête à l'orbite vidée retomba sur un coussin de neige poudreuse.

Au même moment, Francis Kennedy se retourna vers David Jatney et entendit la détonation. Il vit Oddblood tomber. Puis Christian. Alors, tous ses cauchemars, les souvenirs des autres morts, la figure terrifiante du destin implacable se cristallisèrent en une résignation paralysante. Une formidable vibration dans l'air, l'explosion de l'acier dans son cerveau. Il s'écroula.

David Jatney n'arrivait pas à croire à ce qui se passait. Le Noir était allongé à l'endroit même où il était tombé. Le Blanc était à ses côtés. Le président des États-Unis se recroquevillait devant lui, les genoux ployés, les bras battant l'air. Il continua de tirer. Des mains s'abattaient sur lui, lui arrachaient son arme. Il voulut courir, mais la multitude se soulevait et se précipitait sur lui comme une vague gigantesque. Le visage couvert de sang, il sentit qu'on lui arrachait une oreille et il la vit, serrée entre des doigts. Un éclair devant les yeux et il cessa de voir. Enfin une douleur terrible dans tout le corps, et puis plus rien.

Le cadreur de la télévision, sa caméra sur l'épaule, avait tout filmé. En apercevant le pistolet, il avait reculé de quelques pas de façon à ce que tout le monde apparût dans le cadre. Il prit David Jatney levant son arme, le bond prodigieux d'Oddblood Gray devant le président, puis sa chute sur le sol, Christian Klee recevant la balle en plein visage. Il prit le mouvement de Kennedy se retournant vers son assassin, celui-ci qui tirait, la tête du président tordue en arrière, l'air de détermination sur le visage de Jatney, les hommes des services secrets paralysés, comme s'ils avaient brusquement oublié tout ce qu'on leur avait appris. Et puis Jatney tentant de fuir et la foule qui l'engloutit. Mais le cadreur ne réussit pas à prendre (et il le regretta toute sa vie) la scène finale : la foule taillant en pièces le corps de David Jatney.

Alors, des entrailles de la ville, par-dessus les bâtiments en marbre et les monuments du pouvoir, monta la plainte de millions d'adorateurs qui avaient perdu leurs rêves.

27

Trois mois après la mort de Francis Kennedy, le dimanche des Rameaux, la présidente Helen Du Pray donnait une réception à la Maison-Blanche pour les cent ans de l'Oracle. Vêtue trop discrètement pour tant de beauté dans le jardin des roses, elle observait ses hôtes. Il y avait là, au grand complet, les membres rescapés du cabinet particulier de l'ancien président.

Eugene Dazzy, qui bavardait avec Elizabeth Stone et Sal Troyca, avait déjà été prévenu que ses fonctions prendraient fin le mois suivant. Helen Du Pray ne l'avait jamais beaucoup aimé. Et cela n'avait rien à voir avec le fait que Dazzy avait de jeunes maîtresses et qu'il se montrait déjà excessivement séducteur avec Elizabeth Stone.

La présidente Helen Du Pray avait pris Elizabeth Stone dans son cabinet particulier; Sal Troyca faisait partie du lot. Mais Elizabeth était exactement la femme dont elle avait besoin: douée d'une énergie peu commune, brillante administratrice, féministe et très au fait des réalités politiques. Quant à Sal Troyca, il n'était pas inintéressant; possédant peut-être moins d'envergure intellectuelle que la présidente ou Elizabeth Stone, il se révélait néanmoins précieux par la connaissance approfondie qu'il avait de la vie parlementaire et des finasseries du Congrès.

Dès qu'elle eut prêté serment, Helen Du Pray se mit à étudier les projets de loi élaborés par le défunt président et ses conseillers. Elle demanda qu'on lui communiquât tous les rapports secrets, y compris ceux touchant aux camps de travail en Alaska, désormais jugés scélérats.

Après avoir étudié attentivement les dossiers pendant un mois, Helen Du Pray comprit avec horreur qu'animé des intentions les plus pures, Francis Kennedy s'apprêtait à devenir le premier dictateur de l'histoire des États-Unis.

De l'endroit où elle se trouvait dans le jardin des roses, et alors que les arbres n'avaient pas encore toutes leurs feuilles, la présidente apercevait dans le lointain le Lincoln Memorial et le Washington Monument, nobles symboles de la capitale des États-Unis. Autour d'elle se trouvaient réunis tous les représentants du peuple américain. Elle avait fait la paix avec les ennemis du gouvernement Kennedy.

Il y avait là Louis Inch, un homme qu'elle méprisait mais dont l'aide pouvait lui être précieuse. Puis George Greenwell, Martin Mutford, Bert Audick et Lawrence Salentine : l'infâme club Socrate. Il lui faudrait s'entendre avec chacun d'eux, et c'est pourquoi elle les avait invités à la Maison-Blanche à l'occasion de l'anniversaire de l'Oracle. À la différence de Kennedy, elle leur offrirait la possibilité de participer à la construction d'une Amérique nouvelle.

Car Helen Du Pray savait que les États-Unis ne pourraient être reconstruits sans concessions de part et d'autre. Elle savait aussi que dans quelques années, elle aurait affaire à un Congrès plus conservateur. Elle ne pouvait espérer persuader le pays, comme Kennedy, avec son charisme et son aura de romantisme, avait pu le faire.

Elle vit le Dr Zed Annaccone, assis à côté du fauteuil roulant de l'Oracle. Le docteur essayait probablement de convaincre l'Oracle de léguer son cerveau à la science. Ce Dr Annaccone représentait un véritable problème. Son système de détection des mensonges TEP était déjà étudié dans diverses publications scientifiques. L'adoption ou non d'un tel système devait être mûrement réfléchie. Un État capable de découvrir la vérité de façon infaillible pouvait se révéler extrêmement dangereux. Il est vrai qu'un tel test permettrait d'éradiquer le crime et la corruption politique ; il permettrait de bouleverser tout le système judiciaire. Mais il y avait des vérités complexes, des vérités immobiles, et puis, ne pouvait-on dire qu'à certains moments de l'histoire, la vérité pouvait bloquer certaines évolutions ? Et que deviendrait le psychisme d'un peuple qui saurait que ses diverses vérités pourraient être rendues publiques ?

Elle glissa un coup d'œil vers le coin du jardin où Oddblood Gray et Arthur Wix, installés dans des fauteuils en osier, discutaient avec animation. Oddblood Gray, en pleine dépression, voyait un psychiatre tous les jours. Le psychiatre lui avait expliqué qu'après les événements de l'année, il était parfaitement normal qu'il fût déprimé. Dans ce cas, pourquoi diable allait-il consulter un psychiatre ?

Dans le jardin des roses, l'Oracle se trouvait à présent l'objet de l'attention générale. On lui amenait son gâteau d'anniversaire, une pâtisserie gigantesque qui recouvrait entièrement la table de jardin. Au sommet du gâteau, en sucre bleu, blanc et rouge, la bannière étoilée. Les caméras de télévision s'approchèrent pour montrer au pays tout entier l'Oracle soufflant ses cent bougies. À ses côtés, soufflant avec lui, se trouvaient la présidente Du Pray, Oddblood Gray, Eugene Dazzy, Arthur Wix et les membres du club Socrate.

L'Oracle accepta ensuite un morceau de gâteau et se laissa interviewer par Cassandra Chutt, qui avait organisé ce scoop avec l'aide de Lawrence Salentine. Cassandra Chutt, qui avait déjà fait quelques remarques d'introduction tandis qu'on soufflait les bougies, demanda alors à l'Oracle :

– Quel effet cela vous fait d'avoir cent ans ?

L'Oracle la regarda d'un œil mauvais, et il eut l'air si effroyable en cet instant que Cassandra Chutt fut soulagée à l'idée qu'elle ne passait pas en direct à l'antenne. L'homme était réellement hideux, son crâne était recouvert de taches brunes, sa peau luisante ressemblait à un tissu cicatriciel, la bouche était presque inexistante. Craignant qu'il ne fût sourd, elle répéta sa question.

– Quel effet cela vous fait d'avoir cent ans ?

L'Oracle sourit, et la peau de son visage se craquela en une infinité de rides.

– Espèce de conasse !

Il aperçut alors son visage dans l'un des écrans de contrôle, et il en eut le cœur brisé. Cette fête d'anniversaire lui devenait subitement odieuse. Regardant droit l'objectif de la caméra, il dit :

– Où est Christian ?

S'asseyant à côté de l'Oracle, la présidente Helen Du Pray lui prit la main. Dans son fauteuil roulant, l'Oracle dormait du sommeil léger des vieillards qui attendent la mort. La réception se poursuivit sans lui.

Helen Du Pray se revoyait dans sa jeunesse, à l'époque où elle était l'une des protégées de l'Oracle. Elle l'avait tellement admiré. Elle enviait son intelligence, sa vivacité d'esprit et sa joie de vivre.

Et après tout, qu'importait qu'il la poursuivît sans cesse de ses assiduités ? Car elle avait été blessée lorsque son amitié s'était transformée en lubricité. Elle promena les doigts sur la peau parcheminée de sa main. Elle avait suivi les voies du pouvoir alors que tant de femmes suivent les voies de l'amour. Les victoires de l'amour étaient-elles plus douces ?

Helen Du Pray songea à son destin et à celui des États-Unis. Elle était encore stupéfaite par la façon dont le pays avait retrouvé son calme après les terribles événements de l'année précédente. Il est vrai que c'était en partie grâce à elle, à son habileté, à son intelligence. Mais tout de même !

Elle avait pleuré à la mort de Kennedy ; d'une certaine façon elle l'avait aimé. Elle avait aimé la tragédie inscrite dans les traits de ce visage magnifique. Elle avait aimé son idéalisme, la vision qu'il avait d'une autre Amérique. Elle avait aimé son intégrité personnelle, sa pureté et son altruisme, son peu d'intérêt pour les biens matériels. Et pourtant, en dépit de tout cela, elle avait fini par comprendre que c'était un homme dangereux.

Helen Du Pray prit conscience qu'à présent il lui faudrait se garder contre la conviction d'avoir raison. Face aux périls qui la guettaient, l'humanité ne pourrait résoudre ses problèmes par la lutte mais par une infinie patience. Elle ferait de son mieux, et s'efforcerait de ne pas éprouver de haine pour ses ennemis.

À cet instant, l'Oracle ouvrit les yeux et lui sourit. Il lui serra la main et se mit à lui parler, mais à voix si basse qu'elle dut approcher la tête de sa bouche fripée.

– Ne t'inquiète pas, dit l'Oracle, tu seras une grande présidente.

Pendant un court instant, Helen Du Pray éprouva l'envie de pleurer, comme un enfant qu'on a félicité et qui redoute d'échouer. Elle laissa errer son regard dans le jardin des roses, où se trouvaient rassemblés les hommes les plus puissants du pays. La plupart accepteraient de l'aider ; des autres il faudrait qu'elle se défie. Mais avant tout, il lui faudrait se défier d'elle-même.

Elle songea de nouveau à Francis Kennedy. Il reposait à présent aux côtés de ses deux célèbres oncles, aussi aimé qu'ils l'avaient été. Et aux côtés de sa fille. Eh bien, se dit Helen Du Pray, je serai ce que Francis avait de meilleur en lui, et je ferai le meilleur de ce qu'il espérait faire. Alors, serrant fortement la main de l'Oracle, elle songea à la simplicité du mal et aux dangereux détours du bien.

DU MÊME AUTEUR

chez Robert Laffont

LE PARRAIN (1970)
MAMMA LUCIA (1971)
LE DOSSIER DU PARRAIN (1972)
AU CŒUR DE LAS VEGAS (1978)
C'EST IDIOT DE MOURIR (1979)
LE SICILIEN (1985)

Le Livre de Poche/Thrillers

Extrait du catalogue

Composition réalisée par INFOPRINT

IMPRIMÉ EN FRANCE PAR BRODARD ET TAUPIN
Usine de La Flèche (Sarthe).
LIBRAIRIE GÉNÉRALE FRANÇAISE - 6, rue Pierre-Sarrazin - 75006 Paris.

ISBN : 2 - 253 - 06418 - 1　　　　　　◈ 30/7606/4